BERLINISCH

Geschichtliche Einführung
in die Sprache
einer Stadt

Mit Beiträgen von
Horst Mauter
Joachim Schildt
Gerhard Schlimpert †
Jürgen Schmädeke
Hartmut Schmidt
Helmut Schönfeld
Heinz Seyer
Joachim Wiese

BERLINISCH

Geschichtliche Einführung
in die Sprache
einer Stadt

Herausgegeben von
Joachim Schildt
und Hartmut Schmidt

Akademie Verlag

1. Auflage 1986
2., bearbeitete Auflage 1992

Die Deutsche Bibliothek - CIP-Einheitsaufnahme

Berlinisch : geschichtliche Einführung in die Sprache einer Stadt ; [mit einem Wörterverzeichnis] / mit Beitr. von Horst Mauter ... Hrsg. von Joachim Schildt und Hartmut Schmidt. - 2., bearb. Aufl. - Berlin : Akad. Verl., 1992
ISBN 3-05-000157-7
NE : Schildt, Joachim [Hrsg.] ; Mauter, Horst

ISBN 3-05-000157-7

Der Akademie Verlag ist ein Unternehmen der VCH-Verlagsgruppe.

Gedruckt auf säurefreiem Papier.

Einbandgestaltung: Petra Florath, Berlin
Satz und Reproduktion: Dörlemann-Satz GmbH & Co. KG, W - 2844 Lemförde
Druck: Druckerei „G. W. Leibniz“ GmbH, O - 4450 Gräfenhainichen
Bindung: Leipziger Großbuchbinderei GmbH, O - 7010 Leipzig

Printed in the Federal Republic of Germany

Inhalt

Vorbemerkung

Die erste Auflage dieses Bandes erschien 1986 aus Anlaß des damals bevorstehenden Stadtjubiläums. Die erste urkundliche Erwähnung der Schwesterstadt Cölln im Jahre 1237 bot schon 1937 den Anlaß für die 700-Jahr-Feier, so auch 1987 für die Feiern zum 750. Jahrestag in beiden Teilen der Stadt.

Die Autoren der ersten Auflage kamen aus dem Ostteil der Stadt, aus dem Märkischen Museum, dem damaligen Zentralinstitut für Sprachwissenschaft der Akademie der Wissenschaften der DDR sowie von der Arbeitsstelle des Brandenburg-Berlinischen Wörterbuchs der Sächsischen Akademie der Wissenschaften. Sie hatten sich zusammengefunden, um eine Darstellung der historischen und der sprachlichen Entwicklung Berlins von den Anfängen bis zur Gegenwart zu geben. Ähnliche Untersuchungen erfolgten gleichzeitig im Umkreis der Freien Universität (Norbert Dittmar, Klaus-Peter Rosenberg, Peter Schlobinski u. a.). Damals gab es keine Möglichkeit, die Bemühungen der West- und Ostberliner Fachkollegen zusammenzuführen und ein gemeinsames Bild der Geschichte unserer Stadt zu zeichnen.

Wir freuen uns, daß es mit der Wiedervereinigung Ost- und Westberlins möglich wurde, in Herrn Dr. Schmädeke einen Autor aus dem ›anderen‹ Teil der Stadt zu gewinnen, der bereit war, die Behandlung der neueren Stadtgeschichte zu übernehmen.

Wir hoffen, daß die Beiträge des Bandes in der vorliegenden Überarbeitung neue Leser erreichen und, wie es schon im ersten Vorwort hieß, bei Freunden und Kritikern der besonderen Sprachformen der Hauptstadt Verständnis für die Geschichte und die Funktionen des Berlinischen, für sein Verhältnis zu den Normen der Schriftsprache und für die Notwendigkeit wecken werden, auch mit dem sprachlichen Erbe Berlins sorgsam umzugehen.

Wir wissen, was wir den älteren Arbeiten zur Geschichte der Stadtsprache und vor allem Agathe Lasch, der bedeutenden Erforscherin der Grundlagen des Berlinischen, verdanken, auch wenn wir ihr nicht mehr in allem folgen. Sie schrieb 1928 im Vorwort ihres Hauptwerks zum Berlinischen über ihren Band: »Die erste Geschichte des Berlinischen soll die wissenschaftliche Arbeit ja überhaupt erst einmal wachrufen, die sich bisher um das Berlinische nicht gekümmert hat, sie soll vor allem die Probleme zeigen und die Mitarbeit an einer einzigartigen Sprachgeschichte wachrufen, die aber doch in ihren einzelnen Zügen auch für die Sprachgeschichte anderer Städte lehrreich ist.« Inzwischen konnte das Brandenburg-Berlinische Wörterbuch, dessen erste Anfänge unter Hermann Teuchert Agathe Lasch noch miterlebt hatte und das im Akademie Verlag erscheint, seine Ernte zu fast Dreiviertel einbringen und bietet nun jeder Darstellung der Entwicklung des Berlinischen eine verläßliche wortgeschichtliche Grundlage. Heute wird die Stellung Berlins überdacht und neu bestimmt. Wir meinen, daß die Geschichte der Stadt und ihrer Bewohner - und dazu gehört die Geschichte des Berlinischen - zu den wichtigen Inhalten des Selbstverständnisses der Berliner gehört, die in eine solche Besinnung über die Aufgaben der Stadt eingehen sollten. Wir hoffen, daß der erneuerte Band das Interesse an dieser Geschichte stärkt.

Berlin, im März 1992 Die Herausgeber

Germanen, Slawen und Deutsche im Berliner Raum

Heinz Seyer

»Berlin - vom Fischerdorf zur Weltstadt« - so glaubte man die Geschichte Berlins von ihren Anfängen bis zur Millionenstadt im vorigen Jahrhundert kurz und treffend beschreiben zu können. Ein slawisches Fischerdorf oder einen Kietz slawischen Alters suchte man hauptsächlich in Alt-Kölln am südlichen Spreeufer, obwohl nie eindeutig slawische Funde am Köllnischen Fischmarkt angeführt werden konnten. Aber nicht dem Fischfang verdankten die Schwesterstädte Berlin und Cölln ihre Gründung um 1200 und schnellen Aufstieg, sondern Handel und Gewerbe. Schon bald vermochte sich die Doppelstadt am Kreuzungspunkt westöstlich bzw. südnördlich verlaufender Handelslinien in der damaligen Mark Brandenburg gegenüber den anderen märkischen Städten durchzusetzen. Der »Paß« bei Berlin bot weithin die günstigste Möglichkeit zur Überquerung des Berliner Urstromtales, weil sich das Tal hier stark verengte und zudem mehrere flache Talsanderhebungen den Übergang wesentlich erleichterten. Der Spreeübergang rückte allerdings erst in frühdeutscher Zeit mit der Gründung Berlins in den Vordergrund, spielte in slawischer und auch in germanischer Zeit keine nennenswerte Rolle.

Die Entstehung und frühe Entwicklung von Berlin und Cölln

Die Entstehung von Berlin und Cölln stand in engem Zusammenhang mit der sogenannten deutschen Ostkolonisation in den von Slawen besiedelten Landschaften des Teltow und Barnim sowie am Berliner Urstromtal an der Wende vom 12. zum 13. Jahrhundert. Durch die Errichtung von Territorialherrschaften, woran mehrere deutsche Feu-

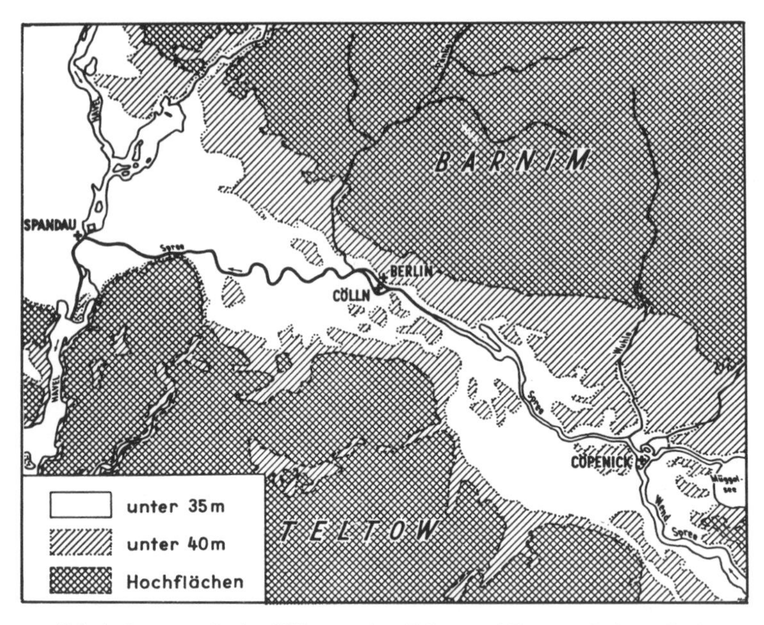

Abb. 1: Lage von Berlin-Cölln zwischen Teltow und Barnim. Paß von Berlin

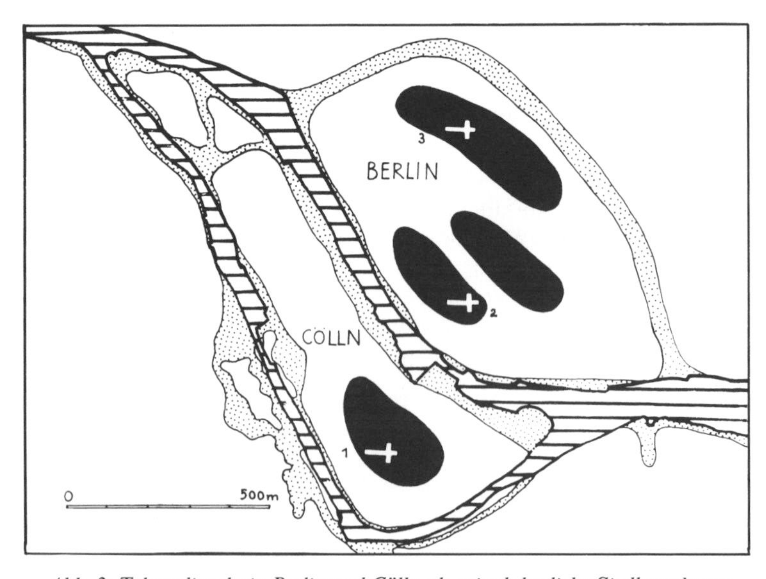

Abb. 2: Talsandinseln in Berlin und Cölln als mittelalterliche Siedlungskerne

dalmächte beteiligt waren, wurde die politische, soziale und wirtschaftliche Eigenentwicklung der slawischen Spree-Havel-Stämme weitgehend unterbrochen und die Produktionsweise der hochfeudalen Gesellschaft eingeführt. Im Verlauf dieses Prozesses vollzog sich die Gründung deutscher Dörfer, die Einführung der Hufenverfassung, die Wiedererrichtung der Mitte des 10. Jahrhunderts gegründeten, durch den Slawenaufstand von 983 außer Kraft gesetzten katholisch-kirchlichen Organisation, die Gründung von Klöstern usw. Hand in Hand damit ging die Gründung von Städten vonstatten. An diesem Prozeß hatte auch die slawische Bevölkerung Anteil, indem sie aktiv am Vorgang des Landesausbaus, der Rodung und Siedlung teilnahm. Slawische Siedler wurden bei den deutschen Burgen dienstpflichtig gemacht und in den Kietzen angesiedelt.[1*] Dagegen fällt es bisher schwer, den Anteil der Slawen bei der Stadtentstehung Berlins archäologisch zu fassen. Möglicherweise verbirgt sich slawische Bevölkerung sogar unter den auf dem Nikolaifriedhof Bestatteten, da die Slawen im späten 12. Jahrhundert vielfach zum Christentum übergetreten waren und daher in den Gräbern die früher für sie charakteristischen Gegenstände der materiellen Kultur fehlen. Bemerkenswert ist immerhin, daß im Jahre 1280 unter den Berliner Ratmannen ein Ludeke bzw. Ludolfus Slawe genannt wurde.[2] Deutlicher spiegeln sich slawische Bevölkerungsanteile in den Dörfern Berlins und der unmittelbaren Umgebung wider, so beispielsweise in den als »wendisch« bezeichneten Dörfern oder in urkundlichem Material.[3]

Die Kolonisationspolitik der deutschen Feldherren war eng verbunden mit einer umfangreichen Siedlung, die erfolgreich verlief, weil es dem Adel gelang, Siedler in den Dienst ihrer Interessen zu stellen und zur Auswanderung aus den Altsiedelgebieten zu bewegen. Der größte Teil der deutschen Dörfer (überwiegend Straßen- und Angerdörfer) in und um Berlin entstand sicherlich erst nach der endgültigen Erwerbung, doch dürfte der Vorgang im wesentlichen vor 1250 abgeschlossen gewesen sein. Beispielsweise wurde Berlin-Buchholz 1242 erstmals urkundlich erwähnt. Aus der Tatsache, daß bereits Abgaben zu zahlen waren, kann geschlossen werden, daß die Zeit der steuerfreien Jahre bereits verflossen war.

Aussagen über die Herkunft der deutschen Siedler zu treffen stößt auf erhebliche Schwierigkeiten. Die archäologischen Quellen versagen in dieser Frage gänzlich. Ebenso sind direkte urkundliche Nachrichten

* Anmerkungen sind den jeweiligen Beiträgen angeschlossen.

selten.[4] Helmold von Bosau berichtet in seiner Slawenchronik (Kap. 89), Albrecht der Bär, Markgraf der Nordmark, hätte Gesandte nach Utrecht geschickt, um »Holländer, Seeländer und Flamen« in sein Land zu ziehen. Durch die Zuwanderer seien die Bistümer Brandenburg und Havelberg sehr gekräftigt worden. Albrecht der Bär hatte bei den Zeitgenossen den Ruf eines »großen Kolonisators«. Ob aber der für die Mitte des 12. Jahrhunderts erwähnte Aufruf Albrechts des Bären bei seinen Nachkommen weiterwirkte, kann nicht nachgewiesen werden. Eine Hilfe zur Klärung der Herkunft der Siedler bieten die Orts-, Flur- und Familiennamen. Danach stammt ein Teil der Berliner Bürger aus dem Harzvorland, dem Stammland der Askanier.[5] Der Name des ersten urkundlich bekannten Berliner Stadtschreibers Johannes Barbeye weist in diese Richtung. Auf die Rheinlande als Herkunftsgebiet deuten die Namen der Berliner Bürger Hermann und Thilo von Hameln sowie des Schulzen Marsilius; die Familie des Bürgermeisters war in der Kölner Gegend beheimatet. Der Name Cölln rührt wahrscheinlich von der gleichnamigen Stadt am Rhein her.[6]

Die Anfänge der Städte Berlin und Cölln selbst sind von den Schriftquellen her leider nicht faßbar. Zum Zeitpunkt der Ersterwähnung waren beide Orte zu beiden Seiten der Spree voll ausgebildete städtische Gemeinwesen.

Im Jahre 1237 erschien erstmalig Cölln in einer Urkunde, als ein Pfarrer Symeon de Colonia als Zeuge bei der Schlichtung des Zehnstreites zwischen Landesherrn und Bischof auftrat. Das alte Cölln befand sich auf dem Gelände der heutigen Fischerinsel. 1244 tauchte Berlin zum erstenmal urkundlich auf. Derselbe Symeon war nunmehr nach der Urkunde bereits Propst von Berlin. Weitere urkundliche Daten aus Berlins Frühzeit beziehen sich auf die Jahreszahlen 1245 und 1247. Im Jahre 1247 wurde Marsilius als erster Schulze von Berlin genannt. Aus der Tatsache, daß 1244 Berlin bereits Sitz einer Propstei war, schloß man frühzeitig, daß es bereits 1244 Stadt gewesen ist. Die ausdrückliche Nennung Berlins als Stadt erfolgte aber erst 1251, von Cölln gar 1261.

Von Bedeutung für die Stadtgeschichte ist die sogenannte Sächsische Fürstenchronik (um 1280 verfaßt), wonach die askanischen Markgrafen Johann I. und Otto III. Berlin und zahlreiche andere brandenburgische Städte gegründet hätten. Unter Zugrundelegung des Regierungsantritts der markgräflichen Landesherren im Jahre 1225 und unter Heranziehung weiterer urkundlicher Nachrichten setzte die

Berlin-Forschung die »Gründung« Berlins um 1230 an. Die Frage stellte sich aber bald, ob es sich um völlige Neugründung (Entstehung aus »wilder Wurzel«) oder Erhebung bereits vorhandener Ansiedlungen zu Städten handelte.

Durch archäologische Ausgrabungen im Bereich der Nikolaikirche auf Berliner Seite sowie an der Petrikirche in Cölln konnten wesentliche neue Ergebnisse zur Frühgeschichte von Berlin-Cölln erzielt werden. Diese Bereiche markierten sich als Siedlungskerne bereits aufgrund des ältesten Stadtplanes von Memhardt (um 1650) und der geologischen Karte mit den bedeutungsvollen Talsandinseln des an dieser Stelle auf vier Kilometer verengten Urstromtals zwischen Teltow und Barnim.

Durch die Ausgrabungen konnte zunächst die Baugeschichte der Berliner Nikolaikirche sowie die der Petrikirche in Cölln geklärt werden, die für die Frühgeschichte von erheblicher Bedeutung ist. In der Nikolaikirche entdeckte man als ältesten Bau eine spätromanische Basilika aus Granitquadern. Die kreuzförmige, dreischiffige Pfeilerbasilika mit einer Hauptapsis als Abschluß eines langgestreckten Chores, den zwei Seitenapsiden sowie einem querrechteckigen Westturm gehört in die Zeit der Stadtrechtsverleihung um 1230.[7] Eine spätromanische Kirche ermittelten auch die Untersuchungen am Köllnischen Fischmarkt in Alt-Kölln.[8] Die Berlin-Forschung mußte nunmehr davon ausgehen, daß in beiden Orten am Spreepaß zum Zeitpunkt der Ersterwähnungen große Kirchengebäude aus Stein standen.

Diese Erkenntnis wurde jedoch durch die Aufdeckung von Friedhöfen sowohl in Berlin als auch in Cölln noch übertroffen. Gelangte man mit den ältesten Kirchenbauten in den Zeitraum der Stadtrechtsverleihung, so stießen die Ausgräber mit der Freilegung der Gräber in eine davorliegende Periode, über die die Schriftquellen gänzlich schweigen. Denn es gab eindeutige stratigraphische Belege dafür, daß die Toten vor Baubeginn der ältesten Kirchen beerdigt worden sind. Die Kirchenfundamente hatte man direkt auf die Grabanlagen gelegt und diese dabei beeinträchtigt. Strenge Ost-West-Ausrichtung, Beigabenlosigkeit, Blick nach Osten sowie sorgfältig gezimmerte Holzsärge deuteten darauf hin, daß es sich um christliche Bestattungen handelte. Insgesamt gelang es, in Berlin 92 und in Cölln 15 solcher frühen Gräber freizulegen. Durch die Entdeckung der Friedhöfe war es gelungen, für Berlin und Cölln das Vorhandensein von vorstädtischen Ansiedlungen nachzuweisen, die der Friedhof jeweils voraussetzte. Berlin und Cölln waren also nicht – wie lange angenommen – in einem einmaligen

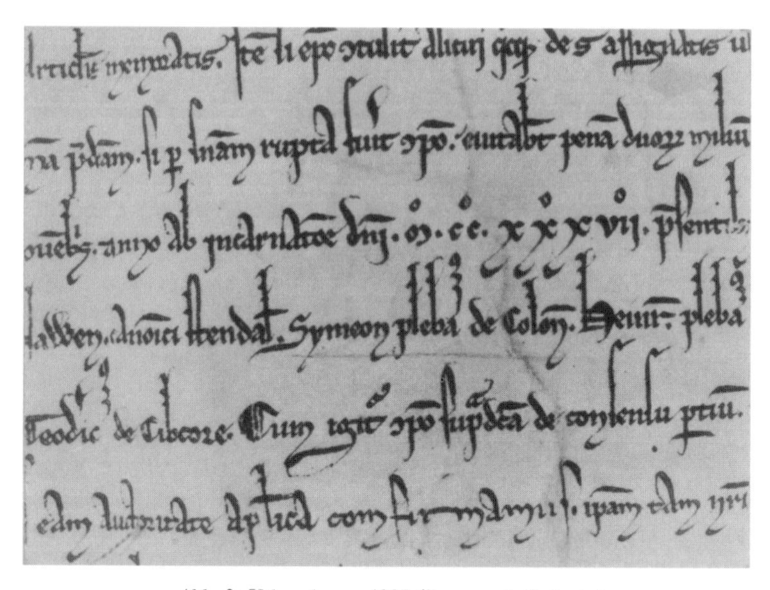

Abb. 3: Urkunde von 1237 (Symeon de Colonia)

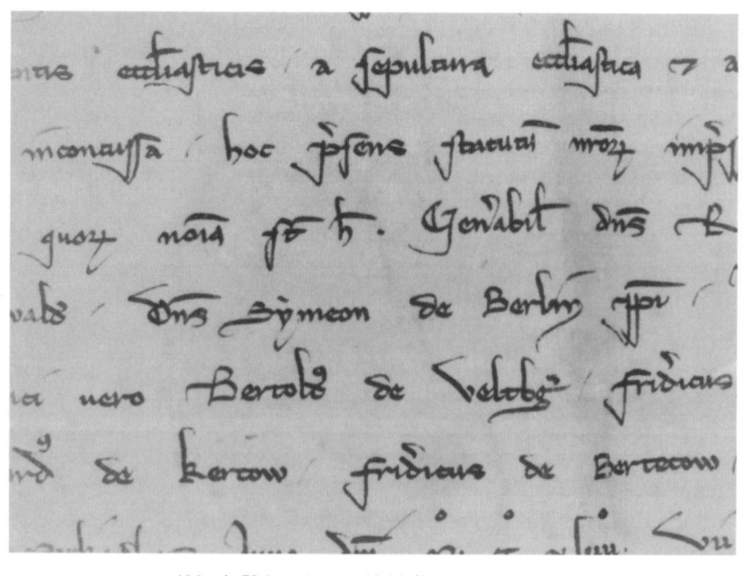

Abb. 4: Urkunde von 1244 (Symeon de Berlin)

Gründungsakt entstanden, sondern durchliefen eine mehrstufige Entwicklung vom wahrscheinlich anfänglichen Rastplatz durchreisender Kaufleute über einen Marktflecken zur mittelalterlichen Stadt. Es ist aufgrund der späteren Entwicklung wahrscheinlich, daß Berlin und Cölln von Beginn an kaufmännisch-gewerbliche Niederlassungen waren.[9] Den folgenden schnellen Aufstieg verdankten die Gemeinwesen den über den Spreepaß verlaufenden Fernstraßenlinien von Magdeburg nach Posen. Zu dieser schon seit slawischer Zeit existierenden West-Ost-Verbindung trat durch die Ausdehnung deutscher Siedlung die Süd-Nord-Verbindung zwischen den mitteldeutschen Zentren und dem Odermündungsgebiet. Berlin-Cölln im Kreuzungspunkt der Fernverkehrs- und Handelsstraßen vermochte von dieser Lage erheblich zu profitieren, wurde in der 2. Hälfte des 13. Jahrhunderts zu einem der beherrschenden Plätze für den Handel nach Osten und Norden. Die allerersten Anfänge von Berlin und Cölln dürften an der Wende vom 12. zum 13. Jahrhundert liegen, was hauptsächlich aus der Größe des vorstädtischen Friedhofs zu schließen ist.

Berlin und Cölln sind zwar im Ergebnis einer Einwanderung deutscher Siedler entstanden, doch im unmittelbaren Umland haben slawische Siedler überall ihre Spuren hinterlassen. Gerade in den slawischen Siedlungsgebieten ging es dem deutschen Adel darum, ihre Territorialherrschaften zu errichten, nachdem Händler und Handwerker, aber auch Bauern teilweise vorher bereits deutsche Ansiedlungen gegründet hatten. Im Gegensatz zu Berlin nahmen Köpenick und Spandau von slawischen Burgen ihren Ausgang. Hier darf man von einer Herausbildung der mittelalterlichen Stadt nach deutschem Recht aus spätslawischen Burgstädten sprechen.

Slawische Bevölkerung wanderte bereits seit dem 6./7. Jahrhundert in den Berliner Raum ein, nachdem die vorher seit über 1000 Jahren hier ansässigen Germanen zum großen Teil in den Strudel der Völkerwanderungszeit gerieten und sich am Sturm auf das verfallende weströmische Reich beteiligten. Besonders im Raum zwischen Elbe und Oder bildeten Germanen und Slawen gleich wichtige Komponenten bei der Herausbildung des deutschen Volkes. Nur vor dem Hintergrund der germanischen und nachfolgenden slawischen Besiedlung an Spree und Havel können zahlreiche Gewässer-, Flur- und Familiennamen, die heute gebräuchlich sind, erklärt werden. Frühere Ortsbezeichnungen wie Wendisch-Buch und Wendisch-Woltersdorf (bei Erkner) oder Flurnamen wie Wendstücken, die so in der Ersterwähnung bzw. in alten Karten auftauchen, werden nur verständlich, wenn man von der slawischen Siedlung im frühen Mittelalter weiß. Der Name Wenden als Synonym für Slawen war bekanntlich sehr lange in Benutzung. Übrigens hieß 1375 das heutige Berlin-Buch auch einmal »Buch slavica«. Dieselben Voraussetzungen gelten für die Erklärung germanischer Namen, darunter die der Havel und Spree. Wenn dennoch Spree und Havel namengebend für die Hauptstämme der Slawen im Berliner Raum, die Sprewanen und Heveller, wurden, ergibt sich sofort die Frage, ob zu einem bestimmten Zeitpunkt germanisch-slawische Kontakte bestanden, so daß die Übertragung erfolgen konnte.

Germanen im Berliner Raum

Nach dem gegenwärtigen Forschungsstand begann die germanische Besiedlung etwa in der Mitte des 1. Jahrtausends vor Beginn u. Z. Das ist der Zeitraum, als die bis dahin für uns namenlose Bevölkerung, die wir nur aus den auf Gräberfeldern und Siedlungen hinterlassenen zahlreichen materiellen Gegenständen kennen, aus der Anonymität heraustrat. Vorher ging bereits eine mehrtausendjährige Besiedlung durch Jäger und Sammler sowie Bauern und Bronzemetallwerker voraus. Es sei nur kurz angemerkt, daß die Bronzezeit mit 220 Fundplätzen einen Höhepunkt in der urgeschichtlichen Besiedlung Berlins darstellt. Archäologisch-kulturell reiht sich die materielle Kultur der Bronzezeit in die sogenannte Lausitzer Kultur ein, die großräumig von Polen, Böhmen und Mähren über die Lausitz und Sachsen bis in den Berliner Raum reichte. In den norddeutschen Landschaften stand diesem südlichen Kulturbereich die Nordische Bronzezeit gegenüber. Auch deren Einflüsse spürt man bis an Havel und Spree.

Die Territorien in und um Berlin müssen mit zu jenen Räumen gerechnet werden, in denen sich die Ethnogenese der Germanen vollzog. Grundlage der Kultur blieb das, was sich bereits in der Bronzezeit entwickelt hatte. Kontinuität in den Siedlungsräumen und in der materiellen Kultur deutet auf eine autochthone Entwicklung. Außerdem ging noch eine wichtige Stimulation von der Hallstättischen bzw. Keltischen La-Tène-Kultur des südlichen Mitteleuropa aus, die neben vielen anderen Anregungen vor allem auch die Kenntnis der Eisenverhüttung nach Norden vermittelte. Dies trug seit dem 6. Jahrhundert v.u.Z. selbst wieder zur Integration der Stämme bei. Mit dem Raseneisenstein besaßen die Stämme nördlich der Mittelgebirge nämlich seit Jahrhunderten erstmalig wieder eigene Rohstoffe zur Produktion von

Gebrauchsgütern, wodurch sie unabhängig wurden. Die Herausbildung der Germanen war insgesamt ein komplizierter Prozeß der sprachlichen, wirtschaftlichen, kulturellen, religiösen und räumlichen Abgrenzung auf der Grundlage historisch gewachsener Beziehungen.

Diese Beziehungen und Traditionen können die Archäologen in der materiellen Kultur fassen. Die archäologisch-kulturelle und ethnische Verwandtschaft der Stammesgruppen nördlich der Mittelgebirge läßt sich vom 6. Jahrhundert v. u. Z. an kontinuierlich bis um die Wende unserer Zeitrechnung verfolgen, als nach den Berichten römischer Schriftsteller hier Germanen wohnten. Die Gemeinsamkeit in der materiellen Kultur betrafen Siedlung, Lebensweise, handwerkliche Tätigkeit, kultische Gewohnheiten usw. Wahrscheinlich wurde die übergreifende ethnische Bezeichnung »Germanen« ursprünglich von Römern benutzt, bald aber von den zwischen Rhein und Oder wohnenden Stämmen akzeptiert, weil das Bewußtsein der Gemeinsamkeit in Kultur und Lebensweise sich schon über mehrere Jahrhunderte ausgeprägt hatte. Dem archäologisch-kulturellen Tatbestand dieser Gemeinsamkeiten hat die Forschung schon um die Jahrhundertwende mit dem Begriff »Jastorfkultur« Rechnung getragen. Die Jastorfkultur war in den Jahrhunderten vor Beginn u. Z. vom Küstengebiet bis zum Mittelgebirgsrand einerseits, von Nordwestdeutschland bis nach Westpommern (Polen) andererseits verbreitet. Das Kerngebiet bildete der Raum um Unter- und Mittelelbe. Es ist sicher kein Zufall, daß das Verbreitungsgebiet der Jastorfkultur in weiten Teilen mit dem Raum identisch ist, in dem sich vermutlich die erste oder germanische Lautverschiebung vollzogen hat. Die sprachliche Distanz mag besonders im Mittelgebirgsvorland deutlich empfunden worden sein, wo die Nordgrenze des keltischen Sprachgebietes verlief.

Die Landschaften um Berlin waren in den 5 Jahrhunderten vor Beginn u. Z. Teil dieses archäologisch-kulturell verwandten Raumes.[10] Die 55 Fundplätze vom Berliner Stadtgebiet schließen sich in ihrer Verbreitung direkt an das große Siedlungsgebiet des Havellandes an, das seinerseits wieder räumlichen Kontakt zum Kerngebiet der Jastorfkultur hat. Noch innerhalb der Stadtgrenzen dünnte die Besiedlung etwa in Höhe des Müggelsees sehr schnell aus, so daß in den anschließenden Kreisen Strausberg und Fürstenwalde nur noch vereinzelte Ausläufer der Jastorfkultur nachweisbar sind.[11] Das östliche Brandenburg war allerdings in den Jahrhunderten vor Beginn u. Z. nicht siedlungsleer, beherbergte vielmehr zur älteren Jastorfzeit (6.–4. Jahrhundert v. u. Z.) die sogenannte Göritzer Gruppe, eine Nachfolgegruppe

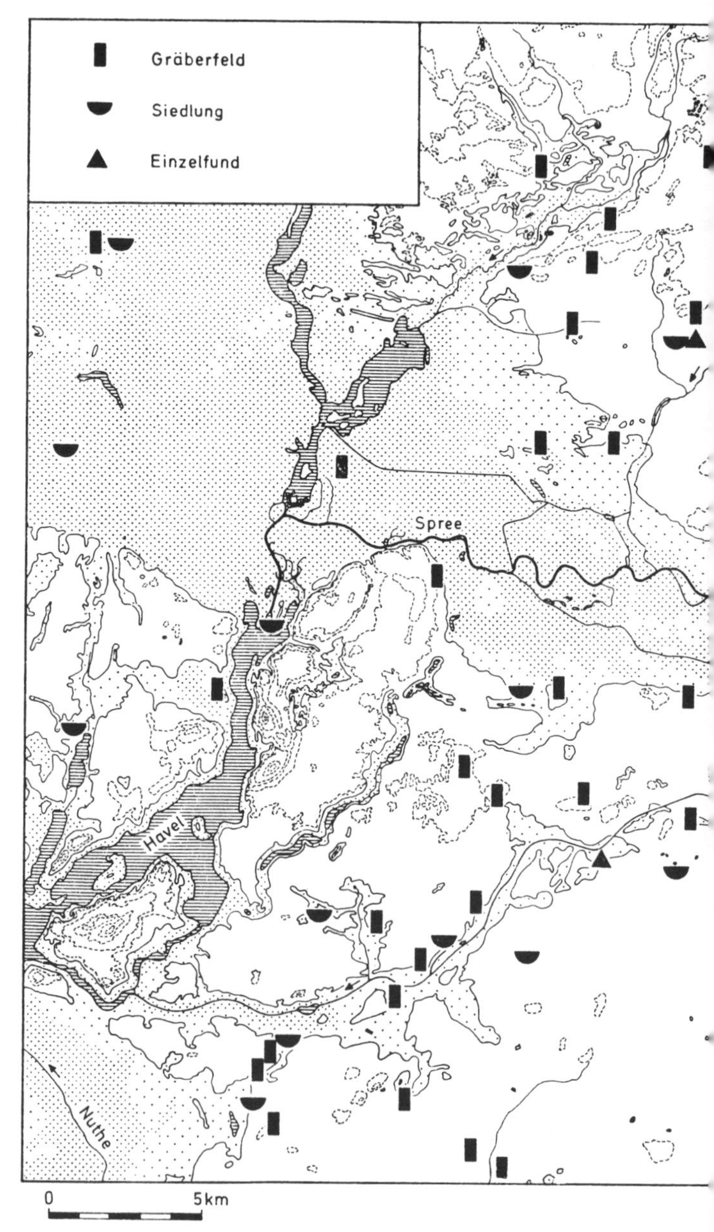

Abb. 5: Germanische Besiedlung Berli

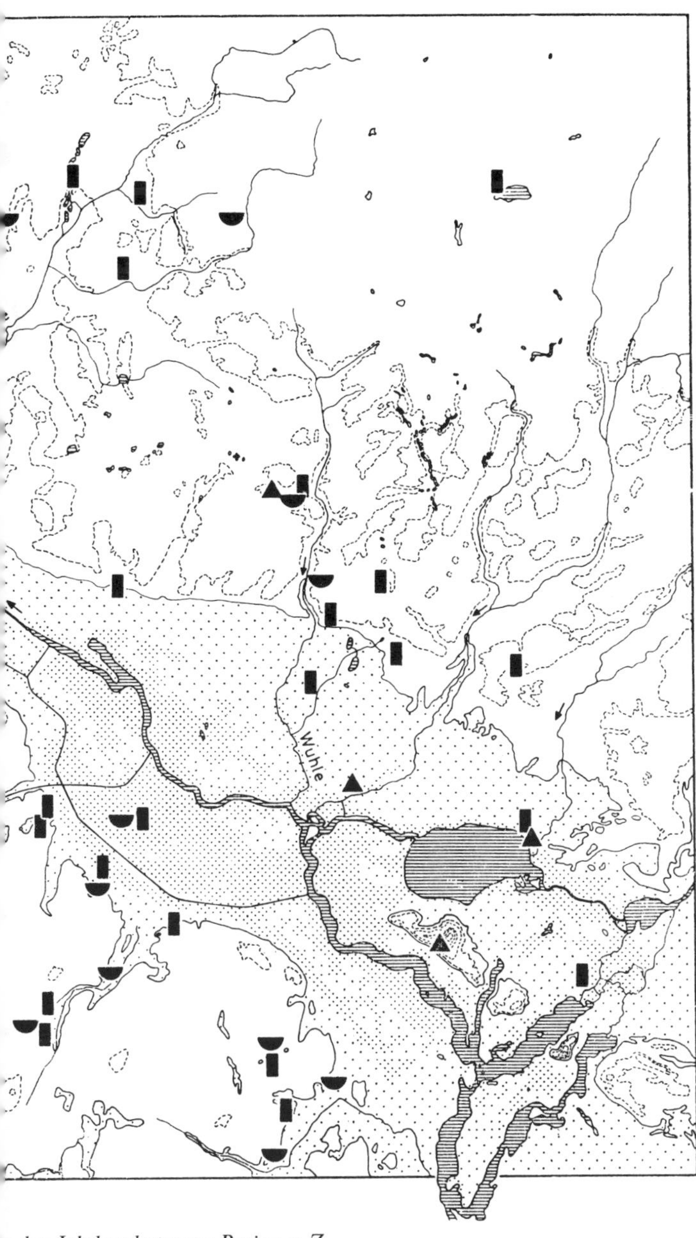

ı den Jahrhunderten vor Beginn u. Z.

der Lausitzer Kultur. Einige Fundplätze der Göritzer Gruppe überschritten um Karow und Weißensee auch die Berliner Stadtgrenze. Müssen die Funde der Göritzer Gruppe als wahrscheinlich nichtgermanisch bezeichnet werden, so lassen sich die Funde des 3.–1. Jahrhunderts v. u. Z. um Frankfurt/Oder schon germanischer Bevölkerung zuweisen. Allerdings geben diese Fundkomplexe deutlich Einflüsse aus Gebieten östlich der Oder zu erkennen, wo die sogenannte Przeworskkultur beheimatet war. Einwirkungen dieser östlichen Kulturerscheinung verspürt man bis nach Berlin.[12] Die Jastorfkultur ist gekennzeichnet durch ganz charakteristische Gegenstände der materiellen Kultur wie die Töpferware, bestimmte Gegenstände des Schmuckes und der Tracht (Kropfnadeln, Segelohrringe, Fibeln, Gürtelbestandteile usw.). Vielfach lassen sich beispielsweise Gefäße des Ostseeküstengebiets von solchen im sächsischen Elbraum kaum unterscheiden. Dennoch fielen innerhalb der Jastorfkultur bald lokale Tracht- und Schmuckgewohnheiten sowie Eigenheiten in Formgebung und Verzierung der Keramik auf, die es gestatteten, verschiedene Regionalgruppen zu unterscheiden. Diese Formgruppen entstanden im Zuge der territorialen Entwicklung von länger beieinander wohnenden Bevölkerungsgruppen. Die Funde vom Berliner Raum schließen sich der Mittelelb-Havel-Gruppe der Jastorfkultur an. Diese Gruppe zeichnet sich durch eine Reihe von Einzelelementen der materiellen Kultur aus und hebt sich als geschlossenes Siedlungsgebiet auf der Gesamtverbreitungskarte der Jastorfkultur heraus.[13] Schwierigkeiten bereitete es der archäologischen Forschung, den historischen Hintergrund archäologischer Gruppierungen zu erschließen. Vor allem hat eine voreilige ethnische Interpretation in die Irre geführt. Dennoch kann man sagen, daß die Mittelelb-Havel-Gruppe für die Geschichte der germanischen Stämme größere Bedeutung besessen hat, insbesondere für die Vorgänge, die mit der Konsolidierung der Sueben in Zusammenhang stehen.[14] Bereits im Jahre 5 u. Z. wurden die Semnonen, die sich selbst für den ältesten und edelsten der Suebenstämme hielten, erstmalig in antiken Quellen genannt. Die Angaben in der »Germania« des P. C. Tacitus (Kap. 39) erwecken den Eindruck, als lebten die Semnonen schon seit Generationen in ihrer Heimat. Der Vorgang der Herausbildung der Semnonen als Einzelstamm, der im Havel-Spree-Gebiet einschließlich Berlins siedelte, könnte noch im 2./1. Jahrhundert v. u. Z., also im Schlußabschnitt der Jastorfkultur, eingesetzt haben. Für die Version vom Semnonenheiligtum auf den Berliner Müggelbergen, wie es das Gemälde des Malers Carl Blechen,

»Das Semnonenlager«, oder das bekannte Gedicht Theodor Fontanes, »Semnonen-Vision«, suggerieren, gibt es keine archäologischen Beweise. Vielmehr verliefen diesbezüglich Grabungen des Märkischen Museums unter Leitung von Albert Kiekebusch negativ.

Die germanische Besiedlung des Berliner Raumes setzte sich in den Jahrhunderten nach Beginn u. Z. (1.–6. Jahrhundert u. Z.) fort,[15] wenngleich die Besiedlungsdichte in den einzelnen Jahrhunderten nicht unerheblich schwankte (siehe Abb. 6). So deutet sich im Besiedlungsbild in der 2. Hälfte des 2. Jahrhunderts u. Z. schon der Abzug semnonischer Stammesteile an.

Im 1./2. Jahrhundert u. Z. fügten sich die materiellen Hinterlassenschaften aus Berlin voll dem Elbe-Havel-Gebiet (Elbgermanen) ein und bildeten deren östliche Ausläufer. Dagegen bringt die Forschung den archäologischen Niederschlag im ostbrandenburgischen Seen- und Heidegebiet, wozu noch der Osten Berlins zu zählen wäre, mit burgundischer Siedeltätigkeit in Verbindung.[16] Im 3./4. Jahrhundert u. Z. nahm die langsame Ausdünnung der germanischen Besiedlung

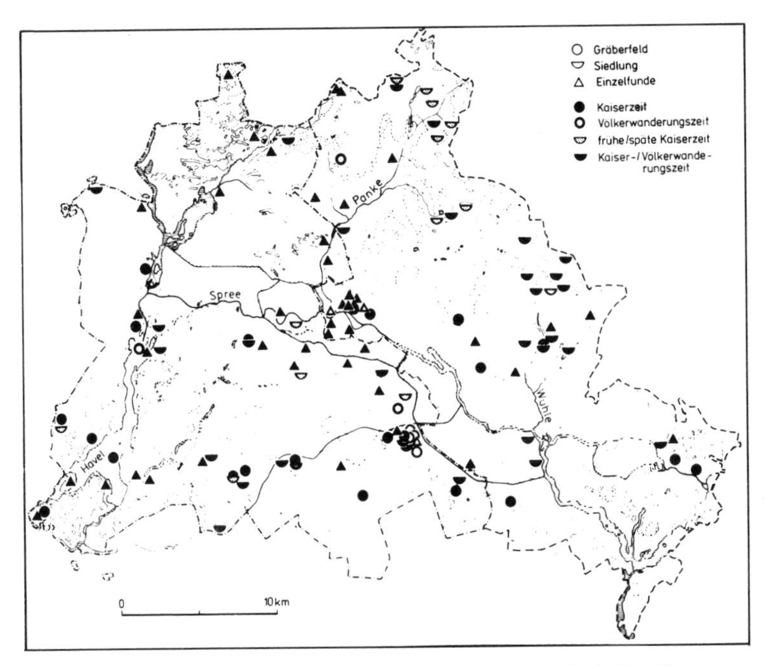

Abb. 6: Germanische Funde im Berliner Raum vom 1.–6. Jh.u.Z.

an der Spree ihren Fortgang, wenngleich germanischer Fundstoff hier bis in die Mitte des 6. Jahrhunderts nachweisbar ist. Gegenüber der römischen Kaiserzeit ist in der Völkerwanderungszeit ein eklatanter Rückgang der Besiedlung zu verzeichnen.[17] In diesen schwach bewohnten Siedlungsräumen begannen sich allmählich slawische Einwanderer anzusiedeln, erschlossen und rodeten Land, um es für die Landwirtschaft und Besiedlung wieder nutzbar zu machen, legten im weiteren Verlauf Burgen an und schufen politische und ökonomische Mittelpunkte.

Die slawischen Heveller und Sprewanen an Havel und Spree

Noch vor 20 Jahren gab es nur wenige archäologische Hinterlassenschaften, die der frühslawischen Zeit zugeordnet werden konnten. Inzwischen sind frühslawische Funde vom Berliner Gebiet keine Seltenheit mehr, da sowohl in Burgen (Spandau, Köpenick, Blankenburg) als auch auf offenen Siedlungen Ausgrabungen stattfanden. Die slawische Siedlung insgesamt war mit einem Landesausbau verbunden. Am Beginn der slawischen Einwanderung spielte eine wichtige Rolle, daß einige der spätgermanischen Siedlungskammern noch erhalten waren. Es dürfte kein Zufall sein, daß die einwandernden Slawen sich dort niederließen, wo schon vorher germanische Siedlung bestand. Als Beispiel für diese Tatsache können die Fundstellen im Berlin-Marzahner Wuhleeinzugsgebiet gelten. An drei verschiedenen Stellen konnten durch Ausgrabungen frühslawische Siedlungsobjekte neben spätgermanischen nachgewiesen werden. An einer Fundstelle war ein frühslawischer Kastenbrunnen direkt auf eine germanische Brunnenanlage gebaut worden, eine bisher einmalige Entdeckung.[18] Die naturwissenschaftlichen Untersuchungsergebnisse unterstützen die Wahrscheinlichkeit der unmittelbaren germanisch-slawischen Kontakte in der Marzahner Siedlung.

Im weiteren Verlauf tauchte germanisches Kulturgut (Kumpfgefäße) nur noch sporadisch auf, so daß wir annehmen dürfen, daß die spätgermanische Restbevölkerung durch die Slawen assimiliert wurde.

Die Einwanderung slawischer Bevölkerung (Abb. 8), die zunächst in kleinen Gruppen erfolgte, begann möglicherweise bereits im 6. Jahrhundert u. Z. zunächst zögernd, sich bald aber immer mehr verstärkend. Zwei Herkunftsrichtungen wurden erschlossen.[19] Die eine Richtung dürfte aus Böhmen über die mittlere Elbe in die brandenburgischen Landschaften verlaufen sein, eine andere über die Oder westwärts aus dem Weichselraum.

Der älteste slawische Fundniederschlag ist archäologisch hauptsächlich durch eine unverzierte Keramik faßbar, wobei s-förmig geschwungene Töpfe unterschiedlicher Größe dominieren. Da die materiellen Hinterlassenschaften sowie die Siedlungsweise im Berliner Raum stärker nach Osten tendieren, kommt dieser Einwanderungsrichtung wohl die größere Bedeutung zu. Für die östliche Herkunft der meisten Siedler spricht beispielsweise die Siedlung in Gehöften mit ebenerdigen Blockhäusern im Gegensatz zu dem Gebiet mit eingetieften Bauten an der mittleren Elbe.[20]

In den urkundlichen Quellen erfahren wir erst zum Jahre 789 von der vollzogenen slawischen Landnahme in Brandenburg, als eine friesische Flotte havelaufwärts gefahren war, um sich mit dem Landheer Karls des Großen zu vereinigen. Die Unternehmung war gegen die slawischen Wilzen gerichtet.

Die slawischen Siedler im Berliner Raum gehörten hauptsächlich zwei Stämmen an. Die archäologische Fundkarte (Abb. 7) läßt die

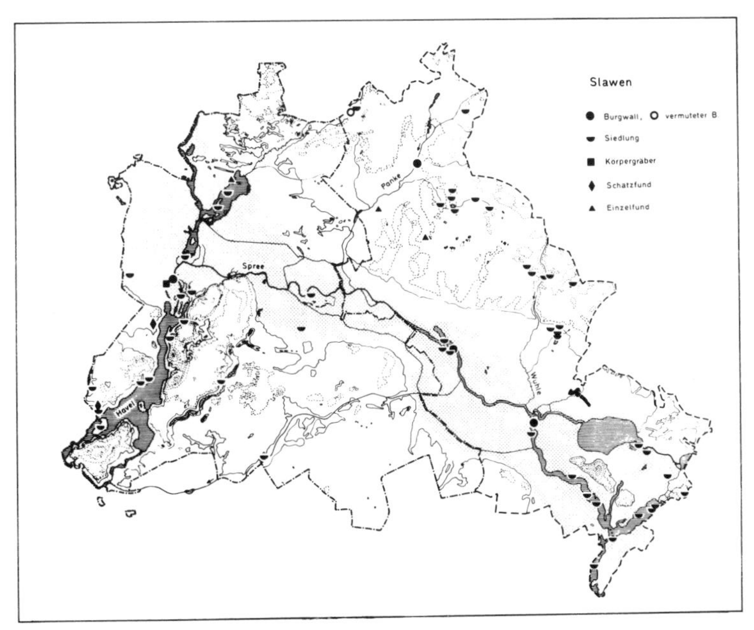

Abb. 7: Slawische Fundstellen vom Gebiet Berlins, 6.–12. Jh.u.Z.

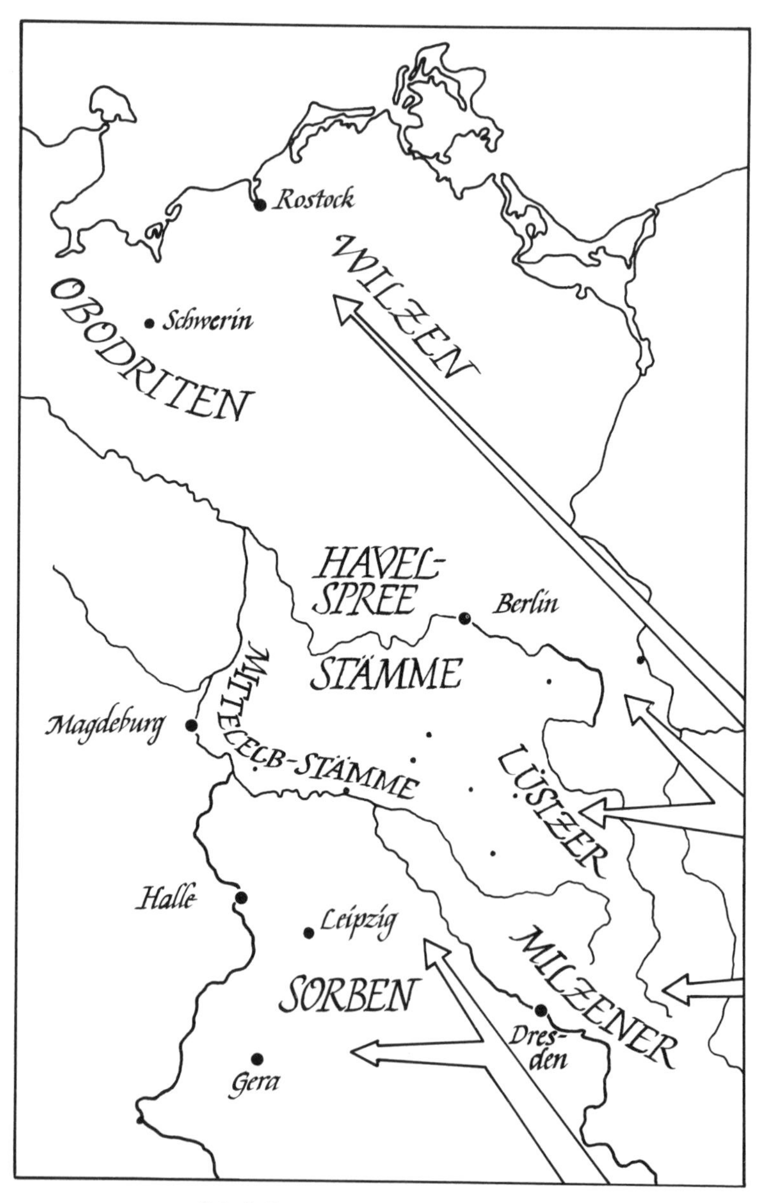

Abb. 8: Einwanderung slawischer Stämme zwischen mittlerer Elbe und Oder

Siedlungsgebiete zum Teil deutlich erkennen. Diese sind meist mit schriftlich überlieferten Stämmen in Verbindung zu bringen.[21]

Die Siedlungsgebiete lehnten sich an die größeren Talränder an. Sümpfe, große Wälder u. ä. bildeten natürliche Grenzen. Durch dichte Besiedlung hebt sich das Gebiet der Sprewanen heraus (im Jahre 948 als Zpriauuani genannt), das sich vom Barnim, dem Ostteltow bis in das Zossen-Teupitzer Land erstreckte.[22] In einer Urkunde des Jahres 965 erfährt man, daß der Gau Sprewa auf beiden Seiten der Spree lag. Den Mittelpunkt des Sprewanenstammes bildete die Burg auf der Schloßinsel Berlin-Köpenick.[23]

Ein zweites bedeutendes Siedlungsgebiet der Slawen stellt das Havelland dar. Hier wohnte ein mächtiger Lutizenstamm, die Heveller (der »Bayrische Geograph«, um 850 entstanden, nennt sie Hehfeldi) oder Stodorane (so aufgrund der Selbstbezeichnung, wie der Chronist Thietmar von Merseburg angibt). Hauptort der Heveller war Brandenburg/Havel; Potsdam und Spandau markierten die östlichen wichtigen Burgorte. Die wenigen slawischen Siedlungen in der Zone zwischen den Hauptstämmen auf Berliner Territorium können ethnisch nicht eindeutig zugewiesen werden. Das betrifft z. B. auch die Siedlungskammer am Panketal mit der Burg Berlin-Blankenburg.[24] Daß die Grenzzone nicht absolut siedlungsleer blieb, bestätigte sich neuerdings durch die Entdeckung einer frühslawischen Siedlungsschicht im Stadtkern von Berlin (Poststraße/Ecke Rathausstraße).

Die Namen der slawischen Stämme beziehen sich auffälligerweise auf heimische Flüsse, was dafür spricht, daß die Einwanderung der Slawen sich nicht in festgefügten Stammesgruppen, sondern in kleineren Einheiten vollzog. Im 8. Jahrhundert mag der Prozeß des Zusammenschlusses zu Stämmen aber bereits abgeschlossen worden sein. Im 9./10. Jahrhundert haben im slawischen Gebiet Burgbezirke (civitates) bestanden, die wahrscheinlich die kleinsten gesellschaftlichen Mittelpunkte für ca. 5 bis 20 Siedlungen darstellten. In Berlin-Mahlsdorf und Berlin-Kaulsdorf konnten derartige Slawensiedlungen vollständig ausgegraben werden.[25] Mehrere Burgbezirke bildeten das Gebiet eines Stammes. Solche Stammesburgen, Mittelpunkte wie Spandau und Köpenick, legte man meist an den verkehrsmäßig günstigen und wirtschaftlich bedeutenden Punkten an. So lag die Burg Köpenick am Zusammenfluß von Spree und Dahme.

Seit dem 10. Jahrhundert begannen die Versuche zur Unterwerfung der Slawen an Spree und Havel, die einerseits vom deutschen, etwas später aber auch vom polnischen Staat ausgingen. Als im Jahre 948 das

Bistum Brandenburg gegründet wurde, gehörten zu den 10 slawischen Gauen der Diözese auch Heveller und Sprewanen. Doch archäologisch schlug sich diese kurze Spanne frühdeutscher Herrschaft kaum nieder, da der große Slawenaufstand von 983 die vierzigjährige deutsche Oberhoheit beendete.[26] Von den Unternehmungen polnischer Heere westlich der Oder - da wurde das Land Lebus in Besitz genommen, das von der mittleren Oder bis an die Spree nahe Köpenick reichte - erfahren wir im Zusammenhang mit den Kämpfen um die Brandenburg in den Jahren 991 und 992. In diesem Zeitraum kam es auch zu einem großzügigen Ausbau der Burg Köpenick. Die spätslawische Burg Köpenick, in der ein wohl von der polnischen Zentralgewalt abhängiger Fürst residierte, trug als wirtschaftliches und politisches Zentrum nunmehr stadtartigen Charakter. Als einziger slawischer Fürst ist allerdings nur Jaxa de Copnic in Urkunden namentlich überliefert, der auch Münzen prägen ließ. Aus den schriftlichen Quellen erhellt, daß dieser Jaxa Erbansprüche auf das Hevellerfürstentum erhob und wahrscheinlich 1153[27] die Brandenburg eroberte, diese aber bereits 1157 wieder an Albrecht den Bären verlor, den Markgrafen aus askanischem Hause. Das Köpenicker Fürstentum vermochte sich wohl noch einige Jahrzehnte zu halten, um an der Wende vom 12. zum 13. Jh. zunächst in die Hand der Markgrafen von Meißen zu gelangen. 1209 stellte der Markgraf Konrad von Wettin in Köpenick eine Urkunde aus. Mit dieser Urkunde war Köpenick zum erstenmal erwähnt worden. Zwischen Wettinern und Askaniern entbrannte alsbald der Kampf um den Spreegau, den die Askanier endgültig zu ihren Gunsten entscheiden konnten. 1245 war Köpenick dann Sitz eines askanischen Vogtes geworden, zu einem Zeitpunkt, als die Doppelstadt Berlin-Cölln bereits die Aufgaben im Fernhandelsverkehr, die bis dahin Köpenick innehatte, zu übernehmen begann und Köpenick damit ausgeschaltet wurde. Aus dem gleichen Grunde stagnierte bald auch die wirtschaftliche Entwicklung von Spandau.

Anmerkungen

1 Bruno Krüger, Zur Altersbestimmung der Kietzsiedlungen. In: Zeitschrift für Archäologie 17, Berlin 1983, S. 256.

2 Paul Clauswitz, Berlinisches Stadtbuch. Berlin 1883, S. 73, 75.

3 W. Vogel, Der Verbleib der wendischen Bevölkerung in der Mark Brandenburg. Berlin 1960.

4 Vgl. H. K. Schulze, Die Besiedlung der Mark Brandenburg im hohen und späten Mittelalter. In: Jahrbuch für die Geschichte Mittel- und Ostdeutschlands 28, 1979, S. 122 ff.; E. Schmidt, Die Mark Brandenburg unter den Askaniern (1134–1320). Köln/Wien 1973, S. 56 ff.

5 B. Schulze, Berlin und Cölln bis zum dreißigjährigen Kriege. In: Heimatchronik Berlin. Köln 1962, S. 77.

6 H. K. Schulze, Die Besiedlung der Mark Brandenburg, S. 161.

7 E. Reinbacher, Die älteste Baugeschichte der Nikolaikirche in Alt-Berlin. Berlin 1963.

8 Heinz Seyer, Ausgrabungen in der Cöllner Petrikirche. Ein Beitrag zur Frühgeschichte von Berlin. In: Zeitschrift für Archäologie 3, Berlin 1969, S. 112 ff.

9 Eckhard Müller-Mertens, Die Entstehung der Stadt Berlin. In: Berliner Heimat 1960, S. 9 f.

10 Heinz Seyer, Siedlung und archäologische Kultur der Germanen im Havel-Spree- Gebiet in den Jahrhunderten vor Beginn u. Z. (= Schriften zur Ur- und Frühgeschichte 34), Berlin 1982.

11 Horst Keiling, Siedlungsgebiete der Jastorfkultur. In: Die Germanen. Geschichte und Kultur der germanischen Stämme in Mitteleuropa. Hg. von Bruno Krüger. Berlin 1976, Karte 2 nach S. 92.

12 Heinz Seyer, Zur Besiedlung Berlins in den Jahrhunderten vor Beginn u. Z. In: Zeitschrift für Archäologie 17, Berlin 1983, S. 41 f.

13 Heinz Seyer, Die regionale Gliederung der Kulturen der vorrömischen Eisenzeit. In: Die Germanen. Geschichte und Kultur der germanischen Stämme in Mitteleuropa. Hg. von B. Krüger. Berlin 1976, S. 193 f.

14 Rosemarie Seyer, Zur Besiedlungsgeschichte im nördlichen Mittelelb-Havel-Gebiet um den Beginn u. Z. (= Schriften zur Ur- und Frühgeschichte 29), Berlin 1976, S. 89.

15 Rosemarie Seyer, Zur Besiedlung Berlins in der Kaiser- und Völkerwanderungszeit. In: Zeitschrift für Archäologie 17, Berlin 1983, S. 195 ff.

16 Achim Leube, Die römische Kaiserzeit im Oder-Spree-Gebiet. In: Veröffentlichungen des Museums für Ur- und Frühgeschichte Potsdam 9, 1975, S. 60 f.

17 R. Seyer, Zur Besiedlung Berlins in der Kaiser- und Völkerwanderungszeit. In: Zeitschrift für Achäologie 17, 1983, S. 196.

18 Heinz Seyer, Siedlung und archäologische Kultur der Germanen im Havel-Spree-Gebiet in den Jahrhunderten vor Beginn u. Z. (= Schriften zur Ur- und Frühgeschichte 34), Berlin 1982, S. 228, Abb. 4.

19 Joachim Herrmann, Einwanderung und Wohnsitz der slawischen Stämme in Deutschland. In: Die Slawen in Deutschland. Hg. von Joachim Herrmann. Berlin 1970, S. 15; Joachim Herrmann, Germanen und Slawen in Mitteleuropa. Berlin 1984, S. 18.

20 Herrmann, Germanen und Slawen in Mitteleuropa, S. 18 ff.

21 Joachim Herrmann. Die slawischen Stämme auf dem heutigen Gebiet

Brandenburgs und ihre Geschichte. In: Märkische Heimat 4, Berlin 1960, S. 87, Abb. 1; Joachim Herrmann, Siedlung, Wirtschaft und gesellschaftliche Verhältnisse der slawischen Stämme zwischen Oder/Neiße und Elbe. (= Schriften der Sektion für Vor- und Frühgeschichte 23), Berlin 1968.

22 Herrmann, Siedlung, Wirtschaft und gesellschaftliche Verhältnisse, Abb. 1.

23 Joachim Herrmann, Köpenick. Ein Beitrag zur Frühgeschichte Groß-Berlins. (= Schriften der Sektion für Vor- und Frühgeschichte 12), Berlin 1962.

24 Heinz Seyer, Die Burg in Berlin-Blankenburg und die altslawische Besiedlung des niederen Barnim. In: Archäologie als Geschichtswissenschaft, Berlin 1977, S. 381 ff.

25 Vladimir Nekuda, Das altslawische Dorf in Berlin-Mahlsdorf. In: Ausgrabungen in Berlin 6, Berlin 1982, S. 53 ff.; V. Nekuda, Die slawische Dorfsiedlung in Berlin-Kaulsdorf. In: Ebenda, S. 131 ff.

26 Herrmann, Köpenick, S. 56 ff.

27 H. D. Kahl, Slawen und Deutsche in der brandenburgischen Geschichte des 12. Jahrhunderts. Die letzten Jahrzehnte des Landes Stodor. (= Mitteldeutsche Forschungen 30), Köln/Graz 1964, S. 358 ff.

Berliner Geschichte und Bevölkerungsentwicklung bis zum 18. Jahrhundert

Horst Mauter

Aufstieg und Krise der mittelalterlichen Handelsstädte Berlin und Cölln (12. Jahrhundert bis 1448)

Seit dem Ende des 12. Jahrhunderts zeigte sich eine augenfällige Labilität der von den staufischen Kaisern ausgeübten Zentralgewalt. Die schier endlos scheinenden Kämpfe der weltlichen und geistlichen Fürsten in Deutschland um den Ausbau eigener Herrschaftsgebiete und um die Königsmacht fanden während des 1257 einsetzenden Interregnums ihre Höhepunkte und endeten mit dem Triumph des fürstlichen Partikularismus. Er verhinderte das Entstehen eines einheitlichen zentralisierten Staates.

Eine besondere Stärkung erfuhren die askanischen Markgrafen von Brandenburg, obwohl sie durch mehrere Konkurrenten bedrängt wurden. Die in der Mark Meißen herrschenden Wettiner waren nach der Eroberung der Lausitz die Dahme und Spree abwärts vorgestoßen und hatten Zossen, Mittenwalde, um 1209 auch Köpenick besetzt. Aus dieser Richtung unternahmen sie Vorstöße auf das Land Lebus. Der Erzbischof von Magdeburg war von Jüterbog und Kloster Zinna nach Osten vorgedrungen. Vermutlich er hat durch den Templerorden Tempelhof, Marienfelde und Mariendorf anlegen und eine Anzahl Dörfer auf dem Barnim gründen lassen. Im zweiten Viertel des 13. Jahrhunderts gelangte er in den Besitz des Bistums Lebus. Auch die Pommernherzöge sollen Teile des Barnim und Teltow besetzt haben. Die schlesischen Piasten waren bis in das Land Lebus vorgedrungen.

Den Askaniern gelang es, die verworrenen, unsteten Besitzverhältnisse in dieser Region zu ihren Gunsten zu verändern. Das gleichzeitig herrschende Brüderpaar Johann I. und Otto III. (1220–1267) erwarb um 1230 von »Dominus Bornem« alle Rechte auf den Barnim und Teltow. Die magdeburgischen und wettinischen Teile dieser Landschaften konnten zwischen 1238 und 1245 und das Land Lebus nach 1250 erobert werden. Im Zuge der folgenden umfangreichen Kolonisation entstanden auch im Umfeld Berlins und Cöllns zahlreiche neue Dörfer und Städte. Zusammenfassend läßt sich feststellen, »daß Berlin und Cölln ihre Entwicklung als städtische Siedlungen erst den Strukturveränderungen in diesem Raum in der Zeit des hochmittelalterlichen Landesausbaues verdankten, der einerseits zu einer Verdichtung der ländlichen Besiedlung führte und andererseits eine Neuordnung der Fernhandelswege zur Folge hatte«[1].

Im Jahre 1257 zählte der Markgraf von Brandenburg zu jenen sieben Fürsten, die den deutschen König zu wählen hatten. Die Askanier erreichten damit den Höhepunkt ihrer Macht. Es gelang ihnen, die nördliche Uckermark, verschiedene Burgen der Prignitz, Teile der Ober- und Niederlausitz und Gebiete östlich der Oder einzunehmen, und sie hegten Pläne, ihren Machtbereich bis an die Ostsee auszudehnen.

Berlin und Cölln waren fernab der großen Zentren des »regnum Teutonicum«, des Südwestens Deutschlands und des Rheintales entstanden. Im Zuge der letzten Etappe des Vordringens der Deutschen in den ostelbischen Raum wuchsen sie nun in das Zentrum einer der bedeutendsten Landesherrschaften, der sich konstituierenden Mark Brandenburg. Ihren schnellen wirtschaftlichen Aufschwung verdankten sie dem Handel, vor allem dem Fernhandel. Von den drei Übergängen an der Unterspree war der Paß bei Berlin/Cölln um 1280 bereits dominierend. Die Stadt Spandau wurde, wie archäologische Befunde aussagen, bald nach der Erlangung der Zollfreiheit 1232 Opfer einer Brandkatastrophe. Daraufhin erließen Johann I. und Otto III. den Spandauer Bürgern 1240 alle Auflagen und Dienste sowie den Wasser- und Landzoll im ganzen Lande. Die junge Stadt war in ihrer Entwicklung weit zurückgeworfen und schied als Konkurrentin für Berlin und Cölln aus. Köpenick - wie Spandau schon in slawischer Zeit wichtiger Spreeübergang und Marktort - war um 1200 unter die Herrschaft der Wettiner geraten. Erst 1245 wurde zum erstenmal ein askanischer Vogt auf der Burg erwähnt. Wenn auch noch 1247 von der alten Straße - »via vetus« - auf der Linie Mittenwalde - Köpenick - Strausberg - Wriezen berichtet wurde, jetzt, nach der Beseitigung der wettinischen Herrschaft in diesem Raum, werden die meisten Reisenden wohl den über den Spreepaß Berlin/Cölln führenden neuen Handelsweg benutzt haben.

Im Zusammenhang mit der Verlagerung des Handelsstraßennetzes im Havel- und Spreegebiet sowie der damit verbundenen Stagnation Spandaus und Köpenicks entwickelten sich Berlin und Cölln bis zur Mitte des 13. Jahrhunderts zu einem wichtigen Knotenpunkt des Handelsverkehrs. Die Wasserstraße Spree-Havel-Elbe war zu den Landstraßen von Anfang an eine wichtige Ergänzung. In dieser Zeit der sich durchsetzenden Geldwirtschaft statteten auch die askanischen Markgrafen ihre zukunftsträchtigsten Städte mit besonderen Rechten aus, um zu höheren Einnahmen zu gelangen. Für Berlin hatte das schon früh erteilte Niederlagsrecht besondere Bedeutung. Eine Prenzlauer Urkunde von 1251 weist nach, daß die Stadt vorher bereits in der Mark Zollfreiheit besaß.

Über die Ausdehnung des Fernhandels der Berliner und Cöllner Kaufleute sagt das »Hamburger Schuldbuch« (1288–1349) aus: Sie werden mit 86 Eintragungen mit am meisten genannt. Thilo von Hameln wird 1288 bis 1311 zwölfmal, Conrad von Belitz 1290 bis 1302 sechsmal erwähnt. Von Hamburg aus hatten die Kaufleute von der Spree nach Flandern, den Niederlanden, Holstein und Lübeck Verbindungen angeknüpft, zu Märkten, die sie mitunter auch selbst besuchten. Sie verkauften über Hamburg märkischen Roggen und Eichenholz. Andere Quellen belegen regen Handel über Frankfurt an der Oder nach Osten: Felle, Häute, Honig und Wachs kamen an die Spree; von Stettin aus Seefische und Hering, die als Fastenspeisen und Hauptnahrungsmittel unentbehrlich waren. Viele dieser Handelsgüter wurden weiter versandt. Aus dem Süden und Westen kamen Weine, Ge-

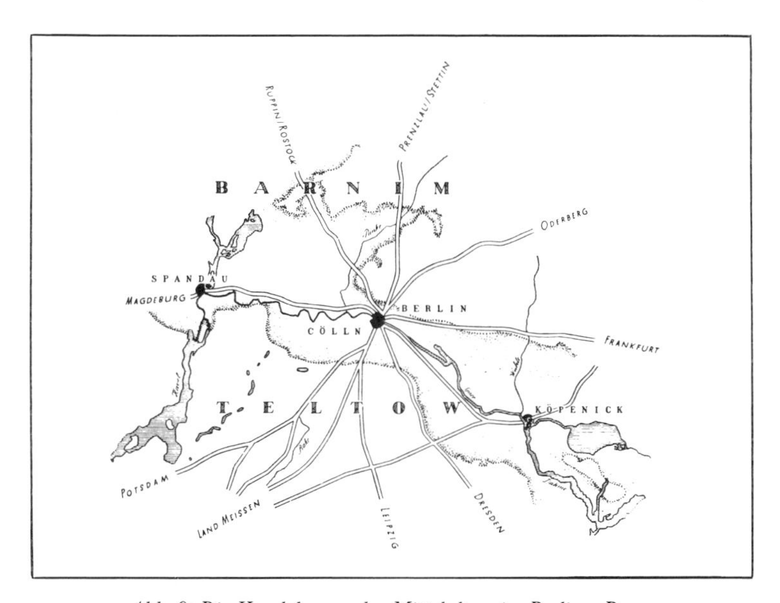

Abb. 9: Die Handelswege des Mittelalters im Berliner Raum

würze, Feigen, Eisenwaren, Kupfer, Messing und Zinn. Weitere wichtige Handelsgüter waren Bier, Wollgewebe und Leinen, Schuhe und andere Produkte der Handwerker. Krämer und Höker, städtische Akkerbürger und Bauern der umliegenden Dörfer versorgten die Einwohner der Spreestädte mit Landesprodukten.

Fernhändler, manche von weit her, beschickten immer öfter die Jahrmärkte, die alljährlich in Cölln zweimal und in Berlin dreimal gehalten wurden. Landesprodukte bot man außerdem auf den Wochenmärkten feil. Einheimische Handwerker konnten ihre Waren auch ständig vor den Fenstern (»Läden«) ihrer Werkstätten, die Tuchmacher im Kramhaus am Neuen Markt und die Schuhmacher im Schuhhaus in Cölln verkaufen.

Das Handwerk spielte von Beginn an eine bedeutende Rolle. Bäcker, Schuster und Fleischer wurden schon in der Urkunde von 1253 erwähnt, durch die Berliner Ratsmitglieder den Kollegen der neugegründeten Stadt Frankfurt an der Oder städtische Rechtsnormen mitteilten. Der Innungsbrief der Bäcker von 1272 beweist das Vorhandensein der Zünfte, von denen es um 1350 in Berlin sieben gab; die ältere Stadt Brandenburg zählte nicht mehr, Leipzig stand an Zahl der Gewerbe und Zünfte noch dahinter zurück.

Die erste Stadtverwaltung von Berlin und Cölln war von einem durch den Landesherrn bestimmten Schulzen eingesetzt worden. Um 1300 wurde sie durch eine von Fernhändlern gebildete Oberschicht getragen. Die große Zahl der übrigen Bürger, die bald nicht mehr ratsfähig waren, bestand aus kleineren Krämern und Hökern, aus den Meistern, Gesellen und Lehrlingen des Handwerkerstandes und aus den Ackerbürgern der Städte. Tagelöhner und Knechte, wohl die Mehrzahl der Einwohner, waren ganz ohne Bürgerrecht. Von früh an hat es in Berlin eine jüdische Minderheit gegeben. In Spandau wurde der Grabstein eines jüdischen Bürgers von 1244 gefunden, und 1317 sind ohne Standortangabe »11 Judenbuden« nachweisbar. Ihre Bewohner, vom Bürgerrecht ausgeschlossen, mußten eine besondere Steuer zahlen und unterstanden direkt dem Markgrafen. Von Gilden und Zünften ferngehalten, lebten sie vom Geldverleihen und anderen Dienstleistungen. Vertreter der Kirche, der Propst, Beauftragte verschiedener Bischöfe, die Mönche der Dominikaner- und Franziskanerklöster in Cölln und Berlin gehörten ebenfalls zu den städtischen Einwohnern.

Im Jahre 1261 wird erstmals ein markgräflicher fester Hof erwähnt, die »aula Berlin«; sie diente dem Landesherrn und seinem Gefolge als

Unterkunft, wenn er bei seinen Zügen durch das Land in der Stadt einkehrte. Sicher gab es seitdem Ritter und Dienstmannen, die sich ständig hier in der Stadt aufhielten.

Die zwei Marktplätze dies- und jenseits der Spree waren ökonomische und gesellschaftliche Mittelpunkte. Sie wurden durch die älteste Verbindung zwischen beiden Städten, den Mühlendamm, verbunden, über den alle Handelsstraßen die Spree querten. Eine Mühle zur Versorgung der Bevölkerung muß hier von Beginn an vorhanden gewesen sein. Im Mittelalter gab es die Cöllnische, Mittel-, Clipp- und Berlinische Mühle. Am »Olden Markt« in Berlin und am »Cöllnischen Markt« standen die Nikolai- bzw. die Petrikirche, aber auch die Rathäuser. Mitte des 13. Jahrhunderts erhielt Berlin ein neues Rathaus mit der Gerichtslaube, als die Stadt in nördliche Richtung erweitert wurde. Der »Neue Markt« entstand als zusätzliches Handelszentrum, und spätestens um 1270 wurde mit dem Bau der Marienkirche begonnen, die diesem Viertel den Namen gab. Bedeutende Bauten waren auch das Franziskanerkloster an der Berliner Stadtmauer, das in der zweiten Hälfte des 13. Jahrhunderts entstand, und das Dominikanerkloster am Ende der Brüderstraße in Cölln, das wohl 1297 gegründet wurde. Waren die »aula Berlin«, die Kirchen, Klosteranlagen und Rathäuser repräsentative Bauwerke aus Feld- oder Ziegelsteinen, so baute man die Wohnhäuser, zuerst auch die der Fernhändler, noch aus Holz und Lehm, meist in Fachwerkbauweise, und deckte sie mit Stroh und Holzschindeln.

Ein Bauwerk prägte aufgrund seiner gewaltigen Ausmaße und wichtigen Tor- und Turmanlagen das Antlitz der beiden Städte auf besondere Weise: die aus Feld- und Ziegelsteinen errichtete Stadtmauer. Urkundlich wird sie erstmals 1319 erwähnt, entstand aber wohl, ähnlich wie die der anderen märkischen Städte, in der zweiten Hälfte des 13. Jahrhunderts.

Nach dem Erlöschen des askanischen Fürstengeschlechts in der Mark Brandenburg im Jahre 1320 wurde das Land zum Streitobjekt verschiedener Landesfürsten. Ludwig der Bayer, der sich als deutscher König durchgesetzt hatte und an den die Mark gefallen war, übertrug diese 1323 seinem ältesten Sohn Ludwig (1323–1350). Bis 1373 blieb sie im Besitz der Wittelsbacher. In dieser Zeit wurde sie mehrmals von außen arg bedrängt, bald nach 1324 durch den polnischen König. Im Jahre 1325 führte die Stellungnahme Berliner und Cöllner Einwohner für den vom Papst geächteten Wittelsbacher Herrscher zu einem makabren Schauspiel – der öffentlichen Verbrennung des Propstes Nicolaus von Bernau auf einem Scheiterhaufen unweit der Marienkirche. Die Antwort darauf war ein 20jähriger Bann, der Handel und Wandel in Berlin und Cölln schwer belastete. Die Wirren um den »falschen Woldemar«, einen Schwindler, der sich als letzter askanischer Markgraf ausgab und vom Erzbischof von Magdeburg und dem König von Böhmen unterstützt wurde, führten zu heftigen Kämpfen. Heere aus Dänemark, Pommern und Mecklenburg bedrohten mehrmals Berlin und Cölln. In jahrzehntelangen Auseinandersetzungen um die Vormachtstellung in Deutschland setzte sich das Haus Luxemburg mit den böhmischen Königen durch. Kaiser Karl IV. versuchte im Zuge seiner Hausmachtpolitik nach der Erwerbung der Niederlausitz und der Mark Brandenburg (1373), einen neuen Handelsweg von Venedig über Prag elbabwärts bis zur Nordsee auszubauen. Mittelpunkt des Markgrafentums sollte dann die Kaiserfeste Tangermünde werden.

Um in den Wirrnissen dieser Zeit Existenz und wirtschaftliche Grundlagen zu sichern, schlossen sich die beiden Städte an der Spree schon 1307 zu einer »Unio«, einer Bundesstadt, zusammen. Neben den Räten der beiden Einzelstädte entstand ein gemeinsamer Rat, der in einem besonderen Rathaus auf oder neben der Langen Brücke, der heutigen Rathausbrücke, vor allem die einheitliche Außenwirtschafts- und Wehrpolitik regelte. Bereits 1308/09 schloß die Union mit Brandenburg, Frankfurt an der Oder, Salzwedel und mittelmärkischen Städten das erste Städtebündnis der Mark. In diesen im Verlaufe des Jahrhunderts mehrmals neuentstandenen bzw. erneuerten Städtebünden nahmen Berlin und Cölln jeweils eine führende Position ein. Sie sahen sich als Teil der mächtigen Hanse und setzten in oft langwierigen Verhandlungen oder gar blutigen Auseinandersetzungen Interessen der sonst mitunter heftig konkurrierenden Städte gegen Übergriffe und Machtansprüche gemeiner Wegelagerer, Raubritter, in- und ausländischer geistlicher und weltlicher Fürsten durch. So konnte die wirtschaftliche und politische Blüte Berlins und Cöllns auch im 14. Jahrhundert anhalten.

Im Zuge dieser Entwicklung erhandelten Berlin und Cölln vom Landesherrn weitere Rechte: 1317 das Hoheitsrecht über die Juden, 1369 das Münzrecht, 1391 die vollständige Gerichtsbarkeit, das Recht der eigenen Bekämpfung des Raubwesens auf den Handelsstraßen und das Recht, Bündnisse zu schließen. So zeigten sie sich am Anfang des 15. Jahrhunderts als trutzige, kampfstarke Gemeinwesen, die sich in den Konflikten der Zeit behaupteten. Ihre Stellung erinnerte in dieser Zeit fast an die reichsfreier Städte.

Ihre wirtschaftliche Bedeutung und gesellschaftliche Stellung beweist u. a. das für Kaiser Karl IV. 1375 angefertigte Landbuch, das alle Einnahmequellen in den Ortschaften der Mark belegen sollte. Die beiden Spreestädte zahlten die höchste Urbede. Der Reichtum der Berlin-Cöllner Patriziergeschlechter drückt sich hier überzeugend aus: 42 Familien aus Berlin und Cölln hatten in 94 Dörfern der Umgebung Landbesitz oder feudale Rechte. Damit standen sie in den märkischen Städten an der Spitze. Die Berliner Kämmerei kaufte 1380 noch das ganze Dorf Lichtenberg, 1387 die Burg Köpenick.

Die Bevölkerung wies um 1400 eine differenzierte soziale Gliederung auf. Die im Rat herrschende Oberschicht bestand aus 60 Familien grundbesitzender Kaufleute. Die mittlere Schicht von kleineren Kaufleuten und Handwerkern machte 204 Familien aus. Am größten war die Zahl jener Familien, die von der Lohnarbeit lebten, sie belief sich auf 700. 140 Personen gehörten dem geistlichen Stand an, und es gab 15 jüdische Familien. Die Zahl der Dienstleute ist unbekannt. Berlin hatte inzwischen 6110 Einwohner, Cölln 2400.

Zu dieser Zeit spitzte sich die Situation in der Mark erheblich zu. Vor dem Hintergrund schwerer dynastischer Auseinandersetzungen zwischen den Landesherren drohte das Land in der Anarchie erbitterter Fehden des märkischen Adels unterzugehen. Schwere Konflikte zwischen den sich verselbständigenden ansässigen Adligen, die, wie die von Bredow, zu Putlitz oder die Gebrüder von Quitzow, durch zahlreiche Scharmützel und blutige Raubzüge auch Berlin und Cölln mehrmals in Schwierigkeiten brachten, störten den für das Florieren der Städte notwendigen Landfrieden.

In dieser komplizierten Lage setzte Kaiser Sigismund 1411 den Burggrafen Friedrich VI. von Nürnberg aus dem Hause der Hohenzollern in der Mark als Verweser und Landeshauptmann ein. Der Kaiser übertrug ihm 1415 die Würde eines »wirklichen Markgrafen, Kurfürsten und Erzkämmerers« und stattete ihn als Friedrich I. zwei Jahre später mit allen Rechtstiteln und Lehen der Mark Brandenburg aus. Dies war die Anerkennung dafür, daß er, unterstützt von Streitkräften Berlins, Cöllns und anderer Städte, äußere Eindringlinge zurückgeschlagen hatte, wie z. B. 1412 nördlich der Spree am Kremmener Damm die Pommern, und daß er mit Erfolg gegen den unbotmäßigen märkischen Adel vorgegangen war. Durch die Eroberung oder Zerstörung der Burgen Friesack, Golzow, Plaue, Beuthen und Gardelegen 1414/15 waren wichtige Schlupfwinkel der Raubritter beseitigt und der Landfrieden erheblich gefestigt worden.

Berlin und Cölln auf dem Weg zur kurmärkischen Residenz (1448 bis 1648)

Im Zuge der allgemeinen Zuspitzung der Auseinandersetzungen zwischen den Fürsten und den erstarkten Städten erlitten letztere im 15. Jahrhundert bedeutende Niederlagen. Diese führten zur Auflösung von Städtebünden, u. a. zur Einschnürung und allmählichen Zerbröckelung des Hansebundes. Der Sohn des ersten Hohenzollernkurfürsten in der Mark Brandenburg, Friedrich II. (1440–1470), wollte die Städte in die angestrebte festorganisierte Landesherrschaft einfügen und ihnen viele Rechte, die sie im Laufe der Jahrhunderte erworben hatten, abnehmen. Gegen diese Politik wehrten sich auch Berlin und Cölln. Die Räte der beiden Städte hatten schon 1432 versucht, ihre Union zu erneuern und noch enger zu gestalten. Auch das Mittel der Bildung von Städtebünden war 1431 bis 1437 reaktiviert worden, was zur Bildung eines mittelmärkischen, eines altmärkischen und eines Prignitzer Bündnisses führte. Zugleich versuchten Berlin und Cölln, sich wieder enger an die großen Hansestädte anzulehnen, um im Falle von offenen Auseinandersetzungen auf ihre aktive Hilfe rechnen zu können.

Zur Durchsetzung seiner Ziele machte sich Friedrich II. innere soziale Widersprüche der beiden Spreestädte zunutze. Während des Aufschwunges der märkischen Städte im 14. und 15. Jahrhundert hatten die Zünfte eine größere Bedeutung erhalten. Die führenden Zunftmeister versuchten, auch im Rat eine der Bedeutung ihrer Zünfte angemessene Rolle zu spielen. Bereits 1346 bis 1351 hatten sie das Recht erhalten, in Berlin vier und in Cölln zwei Ratsmänner aus ihren Reihen zu bestimmen. Doch inzwischen hatte sich die Patrizierherrschaft wieder voll etabliert. Dem Kurfürsten gelang es 1442, sich als Interessenvertreter der unzufriedenen Zunftmeister aufzuspielen. Er benutzte seine Vermittlerrolle, den unentschlossenen gemeinsamen Rat von Berlin und Cölln zu beseitigen und eine neue Verfassung für jede Stadt einzuführen. Als der gemeinsame Rat seine Macht wieder herstellen wollte, erzwang der Kurfürst mit 600 Reitern die Öffnung der Stadttore und entzog beiden Städten alle in vergangener Zeit erworbenen Rechte. Die Union wurde endgültig aufgelöst. Cölln mußte einen Teil der Stadtmauer für die Errichtung eines kurfürstlichen Schlosses abtreten. Der Grundstein zu diesem Gebäude wurde am 31. Juli 1443 gelegt.

Erneut kam es in Berlin 1447/48 zu Unruhen. Die Baugruben des

Schlosses wurden durch Öffnen der Wehre überflutet, die Urkunden des landesherrschaftlichen Archives im Hohen Haus verbrannt, kurfürstliche Beamte und Richter festgenommen und aus der Stadt gejagt. Die erhoffte bewaffnete Unterstützung durch die Hansestädte blieb jedoch aus. Der »Berliner Unwillen« endete mit der Niederlage der beiden Städte. Der Kurfürst zog einen Schlußstrich unter eine zweieinhalb Jahrhunderte lange Entwicklung, in der Berlin und Cölln die führenden Städte der Mark waren. Nun entwickelten sie sich nach und nach zum Regierungs- und Verwaltungszentrum der Kurmark Brandenburg.

Der Berliner Unwillen wirkte weit über die Stadtgrenzen hinaus. Denn mit ihm war dem Territorialfürstentum »erstmals ein durchschlagender Erfolg gegenüber der städtischen Autonomie« gelungen. »Das machte den Berliner Unwillen zu einem gravierenden Ereignis von nationalgeschichtlicher Bedeutung in den Kämpfen zwischen Fürstengewalt und Städtebürgertum im 15. Jahrhundert. Die Berliner Vorgänge gaben das Signal zu einem allgemeinen Vorgehen deutscher Fürsten gegen ihre Städte.«[2]

In diesen ereignisreichen Jahrzehnten der Berliner Geschichte ergaben sich auch bemerkenswerte bevölkerungspolitische Veränderungen. Schon Friedrich I. hatte einige Ritter und Adlige aus seiner süddeutschen Heimat in das Land gezogen. Unter seinem Nachfolger entstand eine Art Verwaltungsgremium, das durch fränkische Ministeriale besetzt wurde. Noch um 1480 wird von »400 fränkische(n) Drabanten hieinnen«[3] gesprochen, Angehörigen einer dünnen »Regierungs«schicht, die Einflüsse einer hochentwickelten süddeutschen Kultur an die Bewohner der Spreestädte vermittelten. Diese Zuwanderung verstärkte »andere Faktoren eines kulturellen Süd-Nord-Gefälles«[4] ganz erheblich. Erst nach Jahrzehnten wurden die aus dem hochdeutschen Sprachraum stammenden Angehörigen der fränkischen Kolonie voll in die einheimische Bevölkerung integriert.

In Frankreich, England und Spanien konnte das Königtum, das sich auf die Städte stützte, im 15. und 16. Jahrhundert die Macht der territorialen Herrschaften zurückdrängen und zentralisierte Monarchien bilden. In Deutschland hemmte dagegen die kaiserliche Zentralgewalt objektiv die Keime einer nationalen Entwicklung, die sich in Wirtschaft, Religion und Kultur zu entfalten begannen. Die Städte wurden überwiegend als Einnahmequellen betrachtet, kaum als politische Verbündete. Ganz im Unterschied zu den meisten europäischen

Ländern konnten sich in Deutschland die mit dem Reich konkurrierenden Territorialherrschaften stärken.

Den Hohenzollern gelang es, die Machtstellung des Kurfürstentums Brandenburg weiter zu festigen. Verwandte oder Vertraute der Hohenzollernkurfürsten wurden im ersten Viertel des 16. Jahrhunderts Hochmeister des Deutschen Ritterordens, Bischöfe von Halberstadt, Reval und Dorpat und Erzbischöfe von Magdeburg, Mainz und Riga. Während die Bauernkriege keine direkten Auswirkungen auf die Umgebung Berlins und Cöllns hatten, fand die Reformation bei ihren Bürgern ein starkes Echo, das die Kurfürsten zuerst zu unterdrücken suchten. Trotzdem berief der Cöllnische Rat 1537 einen evangelischen Pfarrer an die Petrikirche. Der Verfechter der Reformation, Philipp Melanchthon, weilte 1535, 1538 und 1539 in Berlin. Am 13. Februar 1539 reagierten die Räte von Berlin und Cölln auf das Drängen der Bürgerschaft und forderten vom Landesherrn, Kurfürst Joachim II. (1535–1571), die Einführung des Abendmahls auf evangelische Art. Dieser Stimmung, die sich an vielen Stellen des Landes verbreitete, beugte sich der Kurfürst und ließ noch am 1. November in Spandau, einen Tag später auch in Berlin, erstmals offiziell evangelische Predigten und Abendmahlsfeiern in neuer Form durchführen. Eine neue Kirchenordnung wurde 1540 eingeführt, eine Superintendentur (1540) und ein Konsistorium (1543) eingesetzt. Der Kurfürst eignete sich einen guten Teil des Kirchen- und Klosterbesitzes an, die Liegenschaften der landesherrschaftlichen Domänen vervielfachten sich auf diese Weise.

Joachim II. führte ein Leben in größtem Luxus. Glänzende Feste, große Ritterturniere und aufsehenerregende Jagden lösten einander ab. Diese Lebensart des Herrschers äußerte sich auch in einer den Ressourcen des Landes nicht angemessenen Bautätigkeit, die aber in Berlin/Cölln zu einer Kunstblüte führte. Der Bildhauer Hans Schenk aus Schneeberg in Sachsen bestach die Zeitgenossen durch sein Können. Zum erstenmal trat um 1550 mit Michael Ribestein ein Maler von Format aus der Anonymität des Berlin-brandenburgischen Kunstschaffens hervor. Der Berliner Hofmaler stellte sein Können durch eine Anzahl qualitätsvoller Epitaphien für bürgerliche Familien unter Beweis und zählt zu den Mitbegründern einer neuen ikonographischen Tradition, die durch protestantische Vorstellungen geprägt war.

Am deutlichsten spiegelte sich das rege Kunstleben im Aufbau des Cöllner Renaissanceschlosses wider, in das nur wenige Bauteile der mittelalterlichen Wohnburg direkt an der Spree mit einbezogen wurden. Die Entwürfe stammten von dem Erbauer des Schlosses Hartenfels bei Torgau, Konrad Krebs. Nach dessen Tod im Jahre 1540 führte sein Schüler Kaspar Theyss die Pläne aus. Mehrere Schlösser in der Umgebung der Residenz folgten, z. B. in Potsdam, im Grunewald, bei Köpenick, Grimnitz und Wusterhausen. In Berlin und Cölln wurde die Marktbebauung verbessert, die Breite, Spandauer und Oderberger (heute Rathaus-) Straße entwickelten sich allmählich zu Prachtstraßen mit schönen Renaissancehäusern. Viele feste und z. T. repräsentative Burglehnhäuser, die an Adlige vergeben wurden, entstanden.

Die Renaissancestädte Berlin und Cölln mit dem Schloß entwickelten sich in dieser Zeit zum Zentrum der Staatsverwaltung. In solchen Institutionen wie dem Kammergericht, dem Hofrat, dem Geheimen Rat und dem Konsistorium hatten die Anfänge des Beamtentums ihre Grundlagen. Ihre Vertreter erfuhren an den Universitäten, vor allem in Frankfurt an der Oder, Wittenberg und Leipzig, vereinzelt auch in Erfurt, Rostock und Prag, eine relativ vielseitige Ausbildung. Advokaten beherrschten bald sogar die Räte der beiden Städte, die nach und nach nur noch zu ausführenden Organen der kurfürstlichen Verwaltung wurden. Durch die »gelehrten« Beamten und »studierten« Geistlichen, durch das sich entwickelnde Berufsärztetum und die Lehrer des 1574 gegründeten Gymnasiums zum Grauen Kloster wurde schon ein wenig vom weltoffenen humanistischen Geist der Universitäten in die Residenzstädte getragen.

Viele andere Zuwanderer wirkten in dieselbe Richtung: Die Baumeister Kaspar Theyss und Kunz Bundschuh, Hans Schenk der Bildhauer, drei Kanzler und mehrere Räte und Theologen kamen aus Leipzig oder anderen Teilen Sachsens, der erste Drucker in Berlin, Hans Weiss, aus Wittenberg. Später siedelten die Baumeister Rocchus Graf Lynar, Pietro Nivone, Johann Baptista de Sala und Francesco Chiaramella de Gandino aus Italien und der Bau- und Mühlenmeister Jacob Holtwin van Delfft aus Holland nach Berlin über.

Eine typische Renaissanceerscheinung Berlins war der - oft auf abenteuerliche Weise - weitgereiste Baseler Goldschmid, Arzt, Apotheker, Alchimist und Bergwerksdirektor Leonhardt Thurneysser. Nach der Veröffentlichung erster naturwissenschaftlicher Bücher wurde er 1571 Leibarzt des Kurfürsten Johann Georg und seiner Gattin in Berlin. Hier baute er in Räumen des ehemaligen Grauen Klosters ein Laboratorium auf, in dem er Arzneien, Schönheitsmittel und Horoskope anfertigen ließ und alchimistische Versuche anstellte. An gleicher Stelle richtete er eine Druckerei ein, die bald durch ihre

Vielseitigkeit weit über die Grenzen bekannt wurde, sowie eine Schriftgießerei und eine Formschneiderei. Außerdem betätigte er sich als Begründer von Webereien, einer Glashütte in Grimnitz, als Edelme-

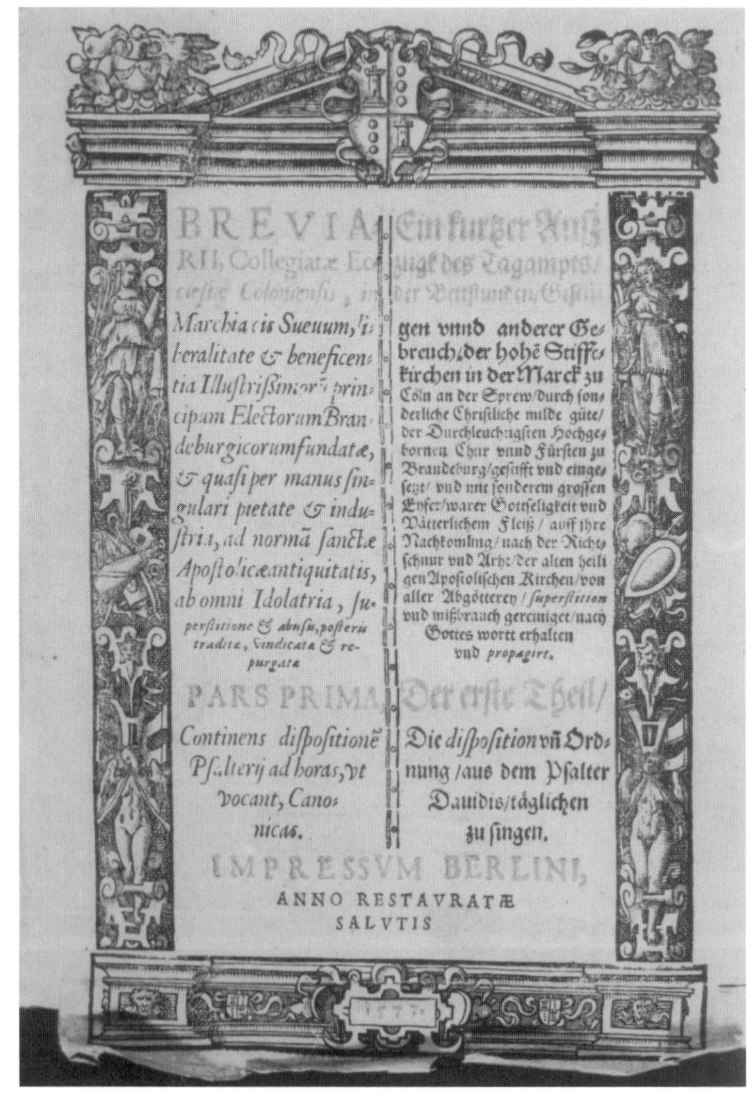

BREVIARII, Collegiatæ Ecclesiæ Coloniensis, in Marchia cis Sueuum, liberalitate & beneficentia Illustrissimorũ principum Electorum Brandeburgicorum fundatæ, & quasi per manus singulari pietate & industria, ad normã sanctæ Apostolicæ antiquitatis, ab omni Idolatria, superstitione & abusu, posteris tradita, vindicata & repurgatæ

PARS PRIMA

Continens dispositionẽ Psalterij ad horas, vt vocant, Canonicas.

Ein kurtzer Auszugk des Tagampts/ der Betstunden/ Gesängen vnnd anderer Gebreuch/ der hohẽ Stifftkirchen in der Marck zu Cöln an der Sprew/ durch sonderliche Christliche milde güte/ der Durchleuchtigsten Hochgebornen Chur vnnd Fürsten zu Brandeburg/ gestifft vnd eingesetzt/ vnd mit sonderem grossen Eyfer/ warer Gottseligkeit vnd Vätterlichem Fleiß/ auff jhre Nachkomling/ nach der Richtschnur vnd Arht/ der alten heiligen Apostolischen Kirchen/ von aller Abgötterey/ superstition vnd mißbrauch gereiniget/ nach Gottes wortt erhalten vnd propagirt.

Der erste Theil/

Die disposition vñ Ordnung/ aus dem Psalter Dauidis/ täglichen zu singen.

IMPRESSVM BERLINI, ANNO RESTAVRATÆ SALVTIS

1577

Abb. 10: Eine der von Thurneysser gedruckten Schriften (Breviarium coloniense)

tall- und Edelsteinhändler sowie als Geldverleiher. Insgesamt soll er zeitweilig 200 Arbeiter, Künstler, Schreiber und Aufseher beschäftigt haben.

Wenn diese umstrittene Persönlichkeit auch scheiterte – 1584 verließ Thurneysser heimlich Berlin für immer –, so ließ diese Episode doch sichtbar werden, daß sich auch in der Mark Brandenburg erste Anfänge des Manufakturkapitalismus ankündigten. Aufgrund krasser subjektiver Fehlentscheidungen der Kurfürsten in der Sozial-, Wirtschafts- und Städtepolitik blieb diese Entwicklung in allerersten Anfängen stecken.

Der Fernhandel hatte nach der Beseitigung der städtischen Unabhängigkeit Berlins und Cöllns 1442 und 1448 starke Einbußen erlitten. Die aufstrebenden Konkurrenten in England und Holland hatten die Vorherrschaft der Hanse beseitigt. Die Hansestädte sicherten sich ihrerseits als Ersatz für verlorengegangene Märkte u. a. das Recht des freien Handels in der Mark. Die einstige Mittlerfunktion Berlins und Cöllns im Ost-Westhandel ging weitgehend verloren. Die in den Vordergrund tretenden Messestädte Frankfurt an der Oder und Leipzig hatten ihre große Zeit. Selbst der binnenländische Handel erlitt schwere Einbußen, da der Landadel Getreide, Wolle, Holz und andere landwirtschaftliche Erzeugnisse selbst auszuführen begann. Die Versorgung der Mark wurde immer stärker von auswärtigen Kaufleuten gesichert. Zwischen 1500 und 1519 kamen sie u. a. aus Posen, Breslau, Nürnberg, Augsburg, St. Gallen und Frankfurt am Main.

Trotzdem kann man nicht von einem Zusammenbruch des einheimischen Handels sprechen. In Berlin/Cölln boten der Hofstaat und der Beamtenapparat, die allgemein auflebende Bautätigkeit und die anwachsende Bevölkerung noch Betätigungsfelder genug für Kaufleute, auch wenn mehrere von ihnen durch die unseriösen, gewaltsamen Geschäftspraktiken Joachims II., die in einzelnen Fällen bis zur Beraubung »untertäniger« Geschäftspartner reichten, in den Ruin getrieben wurden. Andere Kaufmannsfamilien wanderten in die Spreestädte ein, z. B. Jobst Krappe aus Mühlheim, Leonhard Weiler aus Jülich, Ambrosius Sturm aus Verden, Georg Scholle aus Brandenburg, Peter Engel aus Leipzig. Das Handwerk konnte sich sogar kräftig entwickeln. Im 16. und beginnenden 17. Jahrhundert sind in Berlin und Cölln 27 neue Zünfte entstanden. Bedeutende Abnehmer der Handwerksprodukte waren die Bevölkerung der Residenzstädte und ihrer weiteren Umgebung, der luxusgewöhnte Kurfürst und seine Familie, der zahlenmäßig schnell wachsende Hofadel und das Beamtentum. Reichten vorhan-

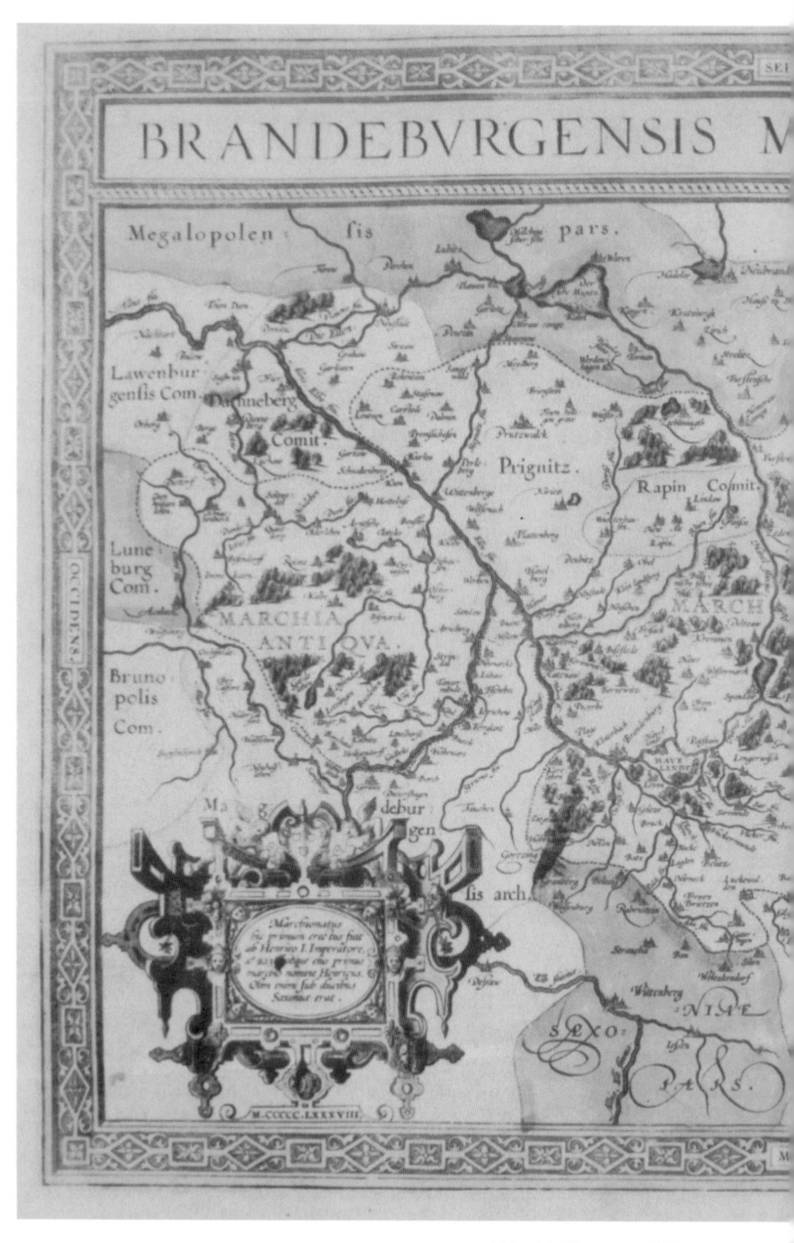

Abb. 11: Karte der Mark Brandenb

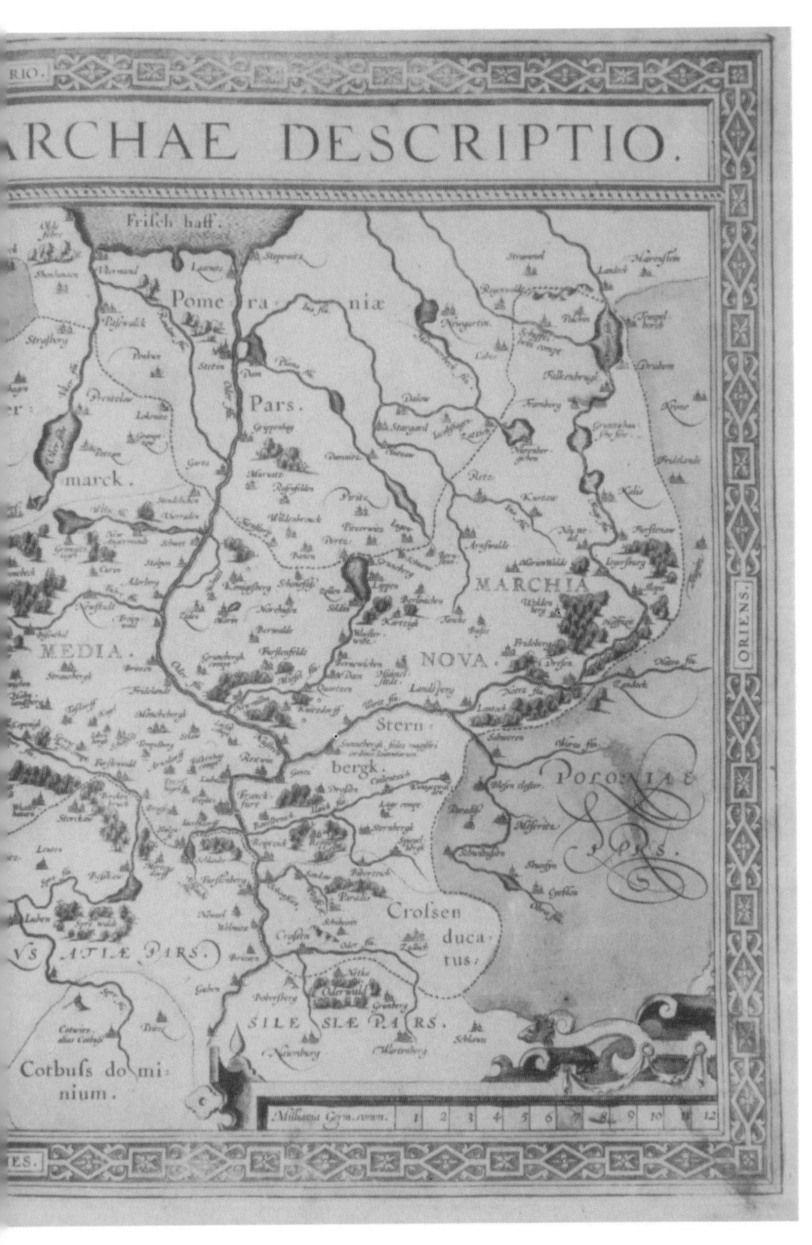

n Ortelius 1588

dene Kapazitäten nicht aus, wurden auch jetzt auswärtige Arbeitskräfte für die Spreestädte geworben. Bauhandwerker, Tuchmacher und Feinhandwerker, z. B. Goldschmiede, kamen aus dem Sächsischen, andere Handwerker aus Hamburg und den Niederlanden. Insgesamt gesehen läßt die Zuwanderung von Kaufleuten, Handwerkern und Studenten erkennen, daß in dieser Zeit neben kurmärkischen Herkunftsgebieten Sachsen und Thüringen, aber auch Franken im Vordergrund standen.

Die kurze kulturelle Blüte und die frühkapitalistischen Keime in der zweiten Hälfte des 16. Jahrhunderts führten in Berlin und Cölln nicht zu einem allgemeinen wirtschaftlichen Aufschwung - man kann am Ende des Jahrhunderts eher von Stagnation sprechen. Diese wird auch durch die topographische Entwicklung ausgewiesen. Die rege Bautätigkeit fand innerhalb des mittelalterlichen Mauerringes statt - es war im wesentlichen ein Umbau, eine Vervollständigung, keine Erweiterung des Stadtkörpers. Nur das Renaissanceschloß fand durch ein neues Ballhaus, ein Reithaus, einen Jägerhof und andere Funktionsgebäude auf dem Werder vor Cölln eine Ergänzung. In der Umgebung der Spreestädte gab es zwar 15 Meiereien und Vorwerke, dazu fünf Schäfereien; vor den Stadttoren soll es auch schon über 150 Wohnhäuser gegeben haben. Aber sie hatten überwiegend ärmlichen Charakter und bildeten bestenfalls keimhafte Anfänge von Vorstädten. In der Entwicklung der Bevölkerungszahlen zeigt sich die Tendenz zur Stagnation ebenfalls. Beide Städte hatten um 1400 bereits 8000 Einwohner. Diese Zahl stieg bis zur Mitte des 16. Jahrhunderts noch auf 12 000 an. Doch dann veränderte sie sich, von leichten Schwankungen abgesehen, bis 1620 nicht mehr erheblich.

Der Dreißigjährige Krieg, 1618 durch den Prager Fenstersturz ausgelöst, verwickelte nach und nach fast alle europäischen Staaten in die militärischen Auseinandersetzungen, die vorwiegend auf deutschem Boden stattfanden. Mit am stärksten war die Mark Brandenburg betroffen. Kurfürst Georg Wilhelm (1619-1640) hatte sich in das vom Krieg unberührte Königsberg zurückgezogen. Die Bürger von Berlin und Cölln aber mußten die Neige des Krieges voll auskosten. Zuerst unter der Wirtschaftskrise leidend, dann durch die abwechselnd mehrmals durch die Mark ziehenden Heere der Schweden und Kaiserlichen, durch Brandschatzungen, Kontributionen und Einquartierungen ausgepowert, 1640 durch das Abbrennen von Häusern und Gehöften vor den Stadtmauern der Vorstädte beraubt, wurde die Bevölkerung zudem durch sechs Pestepidemien und andere Seuchen sowie durch Hunger dezimiert, Handel und Gewerbe ruiniert. Zwar blieb Berlin/

Cölln das Schicksal von Frankfurt an der Oder und von Magdeburg erspart, die 1631 belagert, zerschossen und geplündert wurden, aber 1642 hatten sie nur noch 7500 Einwohner, ein Drittel aller Häuser war unbewohnbar, und selbst das Schloß drohte zu zerfallen. Am Ende des Krieges wies nur noch wenig auf die einstige Bedeutung der beiden Städte an der Spree hin.

Die brandenburgischen Hohenzollern hatten durch Erbschaften, verwandtschaftliche Beziehungen und kriegerische Auseinandersetzungen in der Zeit zwischen 1614 und dem Ende des Krieges die Herrschaft über die westdeutschen Gebiete Kleve, Mark, Ravensberg und Ravenstein sowie über das polnische Herzogtum Preußen gewonnen. Durch den Westfälischen Frieden von 1648 kamen Hinterpommern, das ehemalige Erzbistum Magdeburg und die Bistümer Halberstadt, Minden und Kammin hinzu. Somit besaß Kurfürst Friedrich Wilhelm (1640–1688) eine Anzahl weit über Deutschland verstreuter Territorien, die, ohne einheitlich zusammengefaßte Verwaltung, von den jeweiligen Ständen beherrscht wurden. Durch die Kriegsereignisse z. T. ähnlich mitgenommen wie die Mark Brandenburg, drohten sich die Landesteile zu verselbständigen oder Beute eroberungssüchtiger Territorialfürsten zu werden. Der Brandenburg-preußische Staat war dem Verfall nahe, noch ehe seine Entstehung vollendet war.

Berlin als Brandenburg-preußische Residenz (1648 bis 1740)

Nach dem Dreißigjährigen Krieg sicherte sich in Brandenburg-Preußen, einem der etwa 350 »bedeutenderen« deutschen Fürstentümer, Kurfürst Friedrich Wilhelm im zähen Ringen mit den Ständen die Grundlagen seiner Herrschaft. Durch die Gesindeordnung und den Landtagsrezeß von 1653 wurde im Interesse des Landadels die zweite Leibeigenschaft zementiert. Der Kurfürst durfte dafür ein stehendes Heer halten, mit dem er das drohende Auseinanderfallen seines Staates verhinderte, eigene Machtansprüche im Innern und nach außen gegen angreifende Mächte durchsetzte und eigene Expansionsziele zu realisieren hoffte.

Der Aufbau der Armee belastete die immer noch unter den Folgen des großen Krieges leidenden Berliner und Cöllner schwer. Bereits 1657 wurden beide Städte zur Festung erklärt, und die Bürger mußten in ihren Häusern eine 1661 bereits 1350 Mann starke Garnison ko-

Abb. 12: Medaille von Raimund Faltz
mit dem Grundriß der 5 Spreestädte, 1700

stenlos unterbringen, eine Zahl, die bis 1713 auf 3600 - mit Offizieren, Kadetten, Frauen und Kindern der Soldaten insgesamt sogar auf 7000 Personen - anwuchs. Zugleich wurden die Städte mit einer Festungsanlage nach niederländischem Vorbild umgeben, die durch zusätzliche Geldleistungen, durch an Zwangsarbeit grenzende Bauleistungen und z. T. auf städtischem Grund und Boden errichtet wurde. Die mächtige Anlage bestand aus 50 Meter breiten, durch steinerne Basismauern geschützten Sandwällen, die auf Berliner Seite durch fünf, auf Cöllner Seite durch acht Bastionen und durch einen neuen, bis zu 50 Meter breiten Festungsgraben gesichert wurden. Im Jahre 1683 erfolgte - sozusagen als Richtfest für eine noch unvollendete Anlage - die Einweihung des Leipziger Tores zwischen dem heutigen Spittelmarkt und dem Hausvogteiplatz.

In die Festungsanlage wurde das Gebiet zwischen Spree, Ober- und

Niederwallstraße einbezogen. Dieser »Friedrichswerder« erhielt 1662 einen Schutzbrief und 1688 den Rang einer selbständigen Residenzstadt. Er hatte dementsprechend ein Rathaus, eine Stadtkirche, eigene Innungen und wurde mit zwei Jahrmärkten ausgestattet. Nach dem Vorbild dieser neuen Stadt Friedrichswerder wurde laut Privileg von 1674 beiderseits der nun entstehenden Straße Unter den Linden eine weitere, nach der Eigentümerin des Grund und Bodens, der Kurfürstin Dorothea, benannte Stadt gegründet. Südlich der Behrenstraße, beiderseits der neuangelegten Friedrichstraße, entstand seit 1688 eine fünfte Stadt, die »Friedrichstadt«, die ihre westliche Begrenzung zuerst an der Mauerstraße hatte.

Die Residenzstädte wurden zum Wohn- und Wirkungsbereich des sich schnell entwickelnden Hofstaates. Die auf dem Leibeigenensystem beruhende Landwirtschaft bot die finanzielle Grundlage für Aufträge und Käufe des Adels bei den Handwerkern und Kaufleuten der Städte. Durch die Einrichtung von Postlinien seit 1649 bis in die entlegensten Teile des Staates, durch den Aus- und Neubau der Wasserstraßen, vor allem des Oder-Spree-Kanals, und der Berliner Packhof- und Schleusenanlagen rückten die Residenzstädte gleichsam in den Mittelpunkt verschiedener sich herausbildender Wirtschaftsgebiete. Im Handel konnten sie ihre Stellung gegenüber Leipzig und Frankfurt an der Oder stärken. Kaufleute aus dem Rheinland, aus Westfalen und Holland zogen an die Spree: Daniel Enckefort, Johann Weyler, Chambert, Daniel Stephani, Elard Esich u. a. Auch die über 40 vermögenden Juden, die - wegen ihres Glaubens aus Wien ausgewiesen - sich zwischen 1671 und 1688 in Berlin niederließen, trieben in der Mehrzahl Handel.

Der an wirtschaftspolitischen Vorstellungen holländischer Merkantilisten geschulte Brandenburg-preußische Herrscher sah nicht nur Warenzirkulation, sondern auch Warenproduktion als notwendiges Element der Gesamtwirtschaft. So versuchte er vor allem die Zahl der Warenproduzenten und Gewerbetreibenden zu vermehren, was durch Zuwanderung erreicht werden sollte. Für den Aufbau der im Krieg ruinierten Städte, für den Ausbau mehrerer von ihnen zu Festungen, für zu rekonstruierende und neuzuerrichtende Schlösser, für die Anlage von Schloßparks und Lustgärten und für den Ausbau der Verkehrswege zog der Kurfürst schon seit 1647 zahlreiche Spezialisten aus den Niederlanden heran: Ingenieure, Architekten, Maler, Kupferstecher und andere Künstler, Techniker und Handwerker. Viele von ihnen siedelten sich in der neuen Stadt Friedrichswerder an, wie ihr erster

Bürgermeister Johann Gregor Memhard, der Baumeister der Festungsanlage und vielbeschäftigte Architekt.

Als der französische König Ludwig XIV. das Edikt von Nantes aufhob, das die Protestanten seines Landes vor Verfolgungen geschützt hatte, gewann Friedrich Wilhelm zahlreiche Flüchtlinge aus Frankreich für die Einwanderung nach Brandenburg-Preußen. Durch das Edikt von Potsdam wurden ihnen Schutz, besondere Rechte und Privilegien gewährt. Zu den vorher schon etwa 100 in Berlin angesiedelten Hugenotten kamen bis 1700 noch 4900 hinzu - insgesamt fast ein Fünftel der Gesamtbevölkerung in den fünf Städten. Außerdem wanderten unter Kurfürst Friedrich III. (1688–1713) bis 1709 noch 1600 Reformierte aus dem südfranzösischen Fürstentum Orange sowie fast

Abb. 13: Berlinpanorama von Samuel Blesend

1000 aus der Pfalz und der Schweiz ein. Die Einwohnerzahl von Berlin/Cölln und den neuen Städten stieg von 6197 im Jahre 1654 auf 29 000 im Jahre 1700 an. Wenn man von den genannten Einwanderern absieht, kam der überwiegende Zuzug aus dem Inland: etwa 75 % aus der Mark Brandenburg, aus Sachsen, Thüringen und Anhalt, 15 % aus Schlesien und Nordostdeutschland; die übrigen 10 % verteilten sich auf andere ausländische und deutsche Länder.

Die Politik, die Städte an der Spree durch Zuwanderungen verstärkt zu bevölkern, erwies sich in wirtschaftlicher Hinsicht als erfolgreich. War in Berlin und Cölln von 1612 bis 1682 nur ein einziges Gewerbeprivileg zu den schon 38 vorhandenen hinzugekommen, so wurden in den folgenden 60 Jahren in der Residenz Berlin 40 neue verliehen. Die

ıpferstich um 1690

Abb. 14: Hugenotten legen Stoffproben vor

Hugenotten, Pfälzer und Schweizer Einwanderer, überwiegend Handwerker, Manufakturarbeiter und Kaufleute, brachten moderne Produktionstechniken und neue Gewerbe mit an die Spree, z. B. die feine Tuch- und Strumpfweberei, die Herstellung von Mützen, Hüten, Handschuhen und Uhren. Erste Manufakturen entstanden in dieser Zeit: die große Wollmanufaktur und eine Fayencemanufaktur 1678, die erste Zuckersiederei 1679 und eine Tabakspinnerei 1681. Manche der von den Hugenotten errichteten Werkstätten waren kleine Manufakturen, die außer verschiedenen Textilprodukten auch Rüböl, Lichte, Seife, Papier und Gaze produzierten.

Diese Ansätze zeigten, daß sich Berlin mit seinem Umland 1710 zu einem der wichtigsten Wirtschaftszentren mit »einer vertieften regionalen und gesellschaftlichen Arbeitsteilung«[5] entwickelte. Der wirtschaftliche Aufschwung in den fünf Städten erlitt allerdings durch die verschwenderische, im Stile Ludwigs XIV. aufgemachte Hofhaltung Friedrichs III. starke Einbußen.

Eine rege Bautätigkeit führte zum Aufbau der Schlösser in Berlin, Charlottenburg und mehreren anderen Orten, des Zeughauses und zur Errichtung mehrerer Palais. Die Beschäftigung zahlreicher Architekten und Künstler wie Johann Arnold Nering, Andreas Schlüter, Jean de Bodt, Eosander von Göthe, Samuel von Blesendorf, Antoine Pesne und vieler anderer, die Einrichtung der Akademien der Künste 1696 und der Wissenschaften 1700 erhoben die Residenzstädte an der Spree zweifelsohne zu einem glanzvollen Mittelpunkt des Brandenburg-preußischen Staates, aber sie erschöpften auch die Staatskassen.

In diese Richtung wirkte des Kurfürsten Plan, sich die Königswürde zu verschaffen. Im Jahre 1701 krönte er sich unter großem Pomp zum König Friedrich I. in Preußen, was der Staatskasse Kosten in Höhe von 500 000 Talern verursacht haben soll. So wurden die »Residenzien an der Spree« Zentrum eines neuen Königreiches, das schon nach wenigen Jahren in eine Finanzkrise geriet.

Den massenhaften Zuzug von Bewohnern konnten auch die neuen Städte bald nicht mehr aufnehmen. Schon seit 1685 entstanden vor den Stadttoren – ungeplant, aus »wilder Wurzel« – dichtbevölkerte Vorstädte: Die Spandauer, Georgen-, Stralauer und Köpenicker Vorstadt. Sie hatten 1709 bereits 1276 Häuser, fast halb so viele, wie alle fünf Städte zusammen. Verwaltungstechnisch, juristisch und wirtschaftlich gab das Mit- und Gegeneinander dieser völlig selbständigen Gemeinwesen immer öfter Anlaß zu Ärgernissen, und die Einnahme der Akzise – eine der wichtigsten staatlichen Einnahmequellen – wurde

Abb. 15: Fayence-Firmenschild des in Berlin produzierend

ayencemanufakturbesitzers Gerhard Wolbeer um 1700

fast unmöglich. Vor allem aus diesen Gründen befahl am 17. November 1709 König Friedrich I. kurzerhand den Zusammenschluß der fünf Städte und der Vorstädte zur Residenzstadt Berlin unter einer einzigen Verwaltung.

Nach der Erweiterung der Dorotheen- und Friedrichstadt in Richtung Westen und Süden wurde ab 1734 das neue Berlin mit einer Palisaden- und Maueranlage umgeben, die an ihren 15 Toren je eine Militär- und Akzisewache erhielt. Dann wurde mit dem Abbruch der überlebten Festungsanlage begonnen.

Durch zwei Methoden versuchte Friedrich Wilhelm I. (1713–1740) nach seinem Machtantritt, die finanzielle Mißwirtschaft seines Vaters zu beseitigen und den Staat zu sanieren. Einmal setzte er auf eine starke Militärpolitik, um bei günstiger Gelegenheit den Staat durch militärische Eroberungen zu »bereichern«; auch die gesamte Entwicklung Berlins wurde in der Folge militärischen Gesichtspunkten untergeordnet. Als zweites versuchte der König, die wirtschaftlichen Grundlagen des Landes zu entwickeln und an die Manufakturpolitik seines Vorgängers anzuknüpfen. Berlin wurde nicht nur eine Stadt des Militärs, sondern zeigte auch verstärkt Ansätze für ein Manufakturzentrum. In diesem Zusammenhang ist die Einwanderung der ersten 500 Böhmen im Jahre 1732 zu erwähnen. Der habsburgischen Herrschaft und der Leibeigenschaft entronnen, arbeiteten die Handwerker – überwiegend Leineweber, Schmiede, Schuster und Bäcker – in Berlin als Tagelöhner in einer größeren Leinenmanufaktur und legten eine eigene Baumwollspinnerei an. In der 1737 in der Mauerstraße eingeweihten Bethlehemskirche wurde noch lange Zeit in tschechischer Sprache gepredigt. Der Zustrom böhmischer Flüchtlinge hielt noch Jahrzehnte an.

Berlin – Hauptstadt des friderizianischen Preußen (1740 bis 1806)

Friedrich II. (1740–1786), der widersprüchlichste und zugleich bedeutendste preußische König, übernahm 1740 einen voll ausgebildeten Militärapparat, den er im krassen Widerspruch zu seinen aufklärerischen Äußerungen sofort für die Eroberung Schlesiens einsetzte. Die aggressive Machtpolitik nach außen blieb ein Grundzug während seiner ganzen Regierungszeit. Auch Berlin bekam das zu spüren. Das Militär machte 1730 mit allen Angehörigen 16 000 Personen aus – ein

Fünftel der gesamten Stadtbevölkerung. Diese Zahl stieg bis 1786 auf 33 625 Personen an. Keine andere deutsche Stadt hatte die Last einer so starken Garnison zu tragen.

Andererseits stellten die Berliner Regimenter einen bedeutenden Faktor im Wirtschaftsleben der Stadt dar. Denn während ihrer meist Jahrzehnte dauernden Dienstzeit waren die Soldaten in Friedenszeiten mehrere Monate im Jahr beurlaubt und arbeiteten dann als Tagelöhner, Handwerker oder Manufakturarbeiter. Man schätzt ganz allgemein, daß etwa die Hälfte bis zwei Drittel von ihnen aus Berlin und der näheren Umgebung stammten. Auch unter den Soldaten der Berliner Garnison befanden sich also viele »Auswärtige«. Statistische Untersuchungen weisen für das Jahr 1763 in bezug auf die Berliner Garnison aus, daß 78 % der Soldaten aus dem preußischen Staat kamen, 6 % aus Sachsen und 16 % aus anderen deutschen Staaten sowie aus dem Ausland.

Besondere Folgen für Berlin ergaben sich aus der merkantilen Wirtschaftspolitik des Königs. Von fiskalisch- militärischen Interessen ausgehend, zielte sie auf die Verbesserung der in Berlin vorhandenen Manufakturen ab, auf die Neueinrichtung noch fehlender Werkstätten, auf Heranziehung von so vielen Fremden wie nur irgend möglich. Berlin wurde dabei bis zum Siebenjährigen Krieg als Standort bevorzugt. Ein 1748 angelegtes Verzeichnis zählte hier 136 Berufe mit 5249 Meistern und Manufakturbesitzern, 5547 Gesellen und 1880 Lehrlingen, die sich auf Handwerk, Heimarbeitsstuben und Manufakturen verteilten. Im Jahre 1769 waren in der Residenzstadt schon über 30 % der Unternehmen Preußens mit mehr als 10 Beschäftigten konzentriert. Hier gab es jetzt zahlreiche kleine und mittlere Tuch-, Baumwoll- und Seidenwarenmanufakturen. Unter den großen Betrieben hatten die Gold- und Silberwarenmanufaktur, das Königliche Lagerhaus in der Klosterstraße, die Tuchmanufakturen von Wegely an der Inselbrücke und von Hesse am späteren Alexanderplatz überragende Bedeutung. Für sie arbeiteten einige hundert Handwerker und Tagelöhner in zentralisierten Werkstätten, außerdem bis zu je 4000 Posamentierer, Weber und Spinner in Dörfern und Städten bis nach Pommern, Schlesien und Sachsen in Hausarbeit. Die Berliner Porzellanmanufaktur beschäftigte, nachdem sie 1763 in königlichen Besitz übergegangen war, bis zu 500 Arbeiter. Von 1756 bis 1766 gab es in der Residenz als einziger Stadt in Deutschland gleichzeitig drei Fayencemanufakturen.

Im Berliner Handel waren ebenfalls Tendenzen des Aufschwunges zu verzeichnen. Ein zweiter Packhof wurde 1743 hinter dem Lustgarten eingerichtet. Die »Grotte« hinter dem Schloß war den Kaufleuten schon 1738 als Börse zugewiesen worden. Die großen Kaufleute David Splitgerber, Gottfried A. Daum, Johann Ernst Gotzkowsky, Daniel Wegely, Friedrich Wilhelm Schütze, Veitel Ephraim und Daniel Itzig knüpften Verbindungen an, die bis nach Rußland, in die Levante, nach Westindien und Amerika reichten. Bis 1800 stieg die Zahl solcher Kaufleute in Berlin auf 40 an.

Dieser wirtschaftliche Aufschwung mußte zwangsmäßig zu einem spürbaren Arbeitskräftemangel führen. Außerdem forderte die schnell wachsende Stadt den Ausbau der landwirtschaftlichen Grundlagen in der Umgebung heraus. Zur Lösung dieser Fragen zog Friedrich II. wieder verstärkt Arbeitskräfte aus anderen Staaten heran und betrieb eine aktive Siedlungspolitik, die den Raum Berlin besonders stark erfaßte.

Spezialisten, wie etwa Goldschmiede, Juweliere und Steinschneider, kamen ebenso wie um 1765 etwa 100 Facharbeiter für die Seidenproduktion aus Frankreich. Weitere Zuwanderer siedelte man in der Umgebung Berlins an. Die böhmischen und pfälzischen Einwanderer, die nach 1740 in das Land kamen, wurden am Rande der historischen Dörfer vor der Stadt ansässig: 1750/51 entstanden Böhmisch-Rixdorf, Neu-Schöneberg, Neu-Zehlendorf und Neu-Zittau. Andere Einwanderer gründeten neue Siedlungen: Müggelheim 1747, Grünau 1749, Nowawes, ein Teil des späteren Babelsberg, 1750, Friedrichshagen 1753, außerdem Gosen, Schönholz, Schönerlinde, Schönwalde, Stahnsdorf und Sachsenhausen. Sie erhielten aber meist nur Garten- und Ackerland für die eigene Versorgung, sollten hauptsächlich für die Berliner Manufakturen arbeiten. Einer besonderen Gruppe von Neusiedlern wies man Wohnstätten vor den Palisaden an, einer größeren Zahl von Maurern und Zimmerleuten aus dem Vogtland vor dem Hamburger Tor. Dieses »Neuvogtland« wurde 1770 durch ausländische Gärtner und Ackerbürger ergänzt (Acker- und Gartenstraße), die ebenso wie Kolonisten in Boxhagen mit für die Ernährung der Stadtbevölkerung sorgen sollten. Die Ansiedlung von Bauarbeitern war notwendig geworden, weil der wirtschaftliche Aufschwung seit 1740 gute Voraussetzungen für den beschleunigten Ausbau der Stadt schuf.

Sozialökonomische Zwänge und der Drang des künstlerisch begabten Königs nach internationaler Repräsentation, besonders durch beeindruckende Bauwerke, regten ihn zur Förderung der Bautätigkeit in der Residenz an. Eine Erweiterung des Stadtterritoriums erfolgte allerdings nicht. Selbst vorhandene Freiräume innerhalb der Akzisemauer wurden nicht voll genutzt. Die von Friedrich II. verfolgte Grund- und Bodenpolitik führte vielmehr zu einer engeren Hinterhofbebauung in manchen Wohnquartieren. Die großen Straßen Unter den Linden, Leipziger und Königstraße, die Schloßfreiheit und mehrere Plätze erhielten dagegen eine drei- und vierstöckige Randbebauung mit interessanten und z. T. repräsentativen Fassaden. Auf dem Lustgarten entstand der barocke Berliner Dom, zwischen der Charlottenstraße und dem Zeughaus das »Forum Fridericianum«; allerdings kleiner, nicht so geschlossen und mit anderen Funktionen, als es sich Knobelsdorff ursprünglich vorgestellt hatte. Aber die Königliche Oper, die St. Hedwigskirche, das Palais des Prinzen Heinrich und die Königliche Bibliothek am heutigen Bebelplatz markieren einen städtebaulich-architektonischen Höhepunkt der Residenz.

Nach den ersten beiden Schlesischen Kriegen (1740–1742 und 1744/45), die Berlin noch relativ unberührt ließen, war der Siebenjährige Krieg (1756–1763) ein wichtiger Einschnitt in der Berliner Geschichte. In dem von England und Preußen gegen Frankreich, Österreich, Rußland und Sachsen geführten Krieg blieben insgesamt 500 000 tote Soldaten auf den Schlachtfeldern, und etwa ebensoviele Zivilisten fielen ihm zum Opfer. Auch sonst litt die Zivilbevölkerung in den zum Kriegsschauplatz gewordenen Staaten diesmal besonders stark. Berlin wurde 1757 und 1760 für kurze Zeit von russischen und österreichischen Truppen besetzt. Die Bürger der Stadt mußten erhebliche Summen an Kontributionen aufbringen und sahen manche Ortschaft der Umgebung in Flammen aufgehen. Handel und Gewerbe erlitten zeitweilig starke Einbrüche. Durch den Ausgang des Krieges hat aber Preußen letztendlich seine Stellung als »kleinste europäische Großmacht« gesichert, und Berlin wurde nun als europäische Großstadt anerkannt.

Nach dem Krieg hemmten krisenhafte Erscheinungen den wirtschaftlichen Aufschwung Berlins. Während sich das ganze Land noch im Zustand tiefster Erschöpfung befand, griff eine internationale Finanzkrise auf Berlin über und zog 1763/64 in mehreren Bereichen hohe Verluste und zahlreiche Bankrotte nach sich. Die Wogen glätteten sich erst am Ende der 60er Jahre.

Allmählich nahmen das Manufakturwesen, das Gewerbeleben und der Handel wieder einen gedeihlichen Fortgang. Das wirtschaftliche Wachstum hatte auch wieder ein Ansteigen der Einwohnerzahl zur Folge. Von 125 385 Einwohnern einschließlich der Garnison im Jahre

1754 stieg sie auf 147 388 im Jahre 1786 an. Im Jahre 1773 wurden unter den 102 892 Berlinern 5340 Franzosen, 3951 Juden und 1179 Böhmen verzeichnet.

Fortschritte zeigten sich jetzt auch wieder in der baulichen Entwicklung der Stadt. Bedeutende Baumeister wie Wenzeslaus von Knobelsdorff, Johann Boumann d. Ä., Georg Christian Unger und Karl Gotthard Langhans gestalteten Teile der Stadt in einer Weise, daß sie noch heute Touristen in Scharen anlocken. Ein Hauptanziehungspunkt war schon bei den Zeitgenossen der Gendarmenmarkt, der mit dem französischen Komödienhaus, den Kuppeltürmen vor der französischen und der deutschen Kirche und einer gefälligen Platzrandbebauung um 1780 im wesentlichen sein endgültiges Gesicht erhielt. Außerdem müssen das Palais am Kupfergraben, das Ephraimsche Palais, die Kolonnaden vor dem Alexanderplatz, am Spittelmarkt und in der Mohrenstraße und sicher noch andere Bauwerke genannt werden.

Auch von ihrer architektonisch-städtebaulichen Ausstrahlung gewann die preußische Königsresidenz in diesen Jahrzehnten immer mehr den Habitus einer europäischen Großstadt. Johann Wolfgang von Goethe rühmte am 17. Mai 1778 in einem Brief an Frau von Stein »die Pracht der Königstadt«. Ein Besucher aus der Weltstadt Amsterdam, der an anderen Stellen seiner Schilderung auch die Schattenseiten Berlins zitierte, schwärmte von den neugestalteten Ensembles: »Welch eine Perspektive, wenn man zum Potsdamer, zum Brandenburger oder zum Hallischen Tor hereinkommt! Breite Gassen, deren Länge das Auge kaum absehen kann; Häuser, die nach den besten Rissen der größten Baumeister Italiens erbaut sind, hohe Lindenalleen, Paläste, öffentliche Plätze, Denkmäler und Gebäude versetzen den neuen Ankömmling in ein angenehmes Erstaunen . . .«[6].

Das sich lebhaft entwickelnde geistige und den Künsten aufgeschlossene Klima sprengte in dieser Zeit auch die Enge des Hofes, für den noch immer die Potsdamer Tafelrunde des aufgeklärten Königs zwischen 1740 und 1750 mit ihren beeindruckenden Namen wie Algarotti, Maupertuis und Voltaire der Maßstab aller Dinge war. Es fand über die Akademien der Künste und Wissenschaften, vor allem aber in Kreisen des Bürgertums breitere Entfaltungsmöglichkeiten in Berlin. Durch Männer wie Gotthold Ephraim Lessing, Moses Mendelssohn und Friedrich Nicolai wurde das Gedankengut der Aufklärung entgegen den Vorstellungen des Königs, der es einer elitären Minderheit vorbehalten wissen wollte, in alle Schichten des Bürgertums getragen.

In Berlin, der größten deutschen Manufaktur- und Gewerbestadt, hatten sich in dieser Zeit aber auch bedeutende Probleme angestaut, die von der staatlichen Bürokratie nicht mehr gelöst werden konnten. Die Wirtschaftspolitik des Königs wurde konservativer denn je. Bei der Anhäufung so bedeutender wirtschaftlicher Potenzen in einer einzigen Stadt zeigte sich z. B. die allgemeine Brennstoffkrise besonders gravierend: Die Berlin umgebenden Forsten waren weitgehend in den Öfen und Kaminen der Manufakturen, Werkstätten und Wohnungen verheizt worden. Soziale Konflikte, Streiks, Unbotmäßigkeiten wurden aus einzelnen Gewerken und Manufakturen gemeldet. Beamte begannen, wenn auch meist hinter vorgehaltener Hand, die Maßnahmen des Königs zu kritisieren.

Friedrich II., der sich resignierend und mit den Berlinern hadernd nach Sanssouci zurückgezogen hatte, und seine Beamten forderten nun eine allmähliche Verlagerung von Manufakturen in kleine Städte und auf das Land. Berlin wuchs aber weiter. Das merkantilistische Instrumentarium feudalabsolutistischer Zeit - Monopole und Privilegien, Schutzzölle und Ausfuhrprämien, finanzielle Unterstützungen, ein ausgeklügeltes Zoll-, Akzise- und Abgabesystem, strenge Überwachung der Produktion, Ausschaltung jeglicher Konkurrenz usw. -, das einst den Aufschwung der Wirtschaft fördern half, jetzt setzte es zu enge Schranken für die weitere schnelle Entfaltung Preußens und seiner Hauptstadt Berlin.

Die Ordnung im Sinne des aufgeklärten Absolutismus hatte sich überlebt, und das Staatswesen geriet in eine tiefgreifende Krise. Dem waren die Nachfolger des großen Königs, Friedrich Wilhelm II. (1786-1796) und Friedrich Wilhelm III. (1796-1840), nicht gewachsen. Zwar setzten sich neue geistige Strömungen durch, die Romantik brach sich Bahn. In der Architektur löste die klassizistische Formenwelt die des Barock endgültig ab. Immer nachhaltiger wurden die Forderungen nach einer Erneuerung der Gesellschaft. Unverkennbar versuchten die neuen Herrscher auch, negative Folgen der konservativen Wirtschaftspolitik, wie sie Friedrich während der letzten anderthalb Jahrzehnte seiner Regierungszeit verfolgte, zu korrigieren. Aber zu grundsätzlichen Reformen, die allein die sich überall verbreitende Erstarrung hätten lösen können, zeigten sie sich nicht bereit. Die bürgerliche Revolution hat in Frankreich ähnliche Rückständigkeiten und Hemmnisse beseitigt. In Preußen wirkten sie - wie der Militarismus und Bürokratismus preußischer Prägung und wie die zweite Leibeigenschaft - unbehindert fort, bis der Staat unter den Schlägen der napoleonischen Armee zerbrach.

Trotzdem wäre es falsch, die Rolle Berlins zur Jahrhundertwende zu unterschätzen. Die Stadt war nach wie vor Regierungs- und Verwaltungszentrum Preußens und zugleich sein geistig-kultureller Mittelpunkt. Sie präsentierte sich deutlicher als je zuvor als Deutschlands größte Manufaktur- und Gewerbestadt mit einem bedeutenden kaufmännisch-kommerziellen Potential.

Als internationale Großstadt war ihre Bedeutung noch gestiegen. Gegenüber der Zeit vor 1770 ging die Zuwanderung zwar erkennbar zurück. Aber sie blieb doch so umfangreich, daß die Bevölkerungszahl fast in jedem Jahr weiter anstieg. Diese erreichte um 1800, Zivil- und Militärpersonen addiert, die stattliche Summe von 172 122. Nur London, Paris, Wien, Amsterdam und Petersburg waren größer.

»Das Schwergewicht der Zuwanderung nach Berlin hat sich ... im Verlaufe des 18. Jahrhunderts immer mehr von den gewerblich hoch entwickelten Territorien und Provinzen mit grundherrschaftlicher Agrarstruktur in die agrarisch-gutsherrschaftlichen Regionen Ostelbiens verlagert. Die Herkunftsregionen konzentrierten sich immer mehr auf das eigene Staatsgebiet der Hohenzollern. Damit büßte die Zuwanderung zweifellos an belebender, fortschrittsfördernder Wirkung auf Berlins Wirtschaft und Gesellschaft ein.«[7] Etwa 32 % der Hinzuziehenden kamen jetzt aus der Mark Brandenburg, 23 % aus Sachsen, Thüringen und Anhalt, 22 % aus den westlichen preußischen Provinzen und dem übrigen Nord-, West- und Süddeutschland, 15 % aus den östlichen preußischen Provinzen sowie Mecklenburg und nur noch 8 % aus dem Ausland.

Das unaufhaltsame Bevölkerungswachstum in der Residenzstadt war übrigens ein Umstand, der den König stark beunruhigte und besorgte Rescripte an seine leitenden Beamten richten ließ, auf die diese auch nur mit hilfloser Ratlosigkeit zu antworten wußten. Daß man diese Entwicklung nicht mehr in wirtschaftlich und politisch wirksame Bahnen lenken konnte, war ein weiteres Signal, daß Gesellschaft, Verwaltung und Staatsführung einer grundlegenden Reformierung bedurften.

Anmerkungen

1 Winfried Schich, Das mittelalterliche Berlin (1237–1411). In: Wolfgang Ribbe, Geschichte Berlins. Erster Band. München 1987, S. 157.

2 Eckehardt Müller-Mertens, Berlin am Ausgang des Mittelalters: Kampf mit

der Fürstenmacht, neue Zunftkämpfe und Anfänge als Residenzstadt (1415-1500). In: Geschichte Berlins von den Anfängen bis 1945. Berlin 1987, S. 140.

3 Eberhard Faden, Die kurfürstlichen Residenzstädte Berlin und Cölln an der Spree 1448-1648. In: Max Arendt, Eberhard Faden, Otto-Friedrich Gandert, Geschichte der Stadt Berlin. Berlin 1937, S. 107.

4 Knut Schulz, Vom Herrschaftsantritt der Hohenzollern bis zum Ausbruch des Dreißigjährigen Krieges (1411/12-1618). In: Wolfgang Ribbe, Geschichte Berlins. Erster Band. München 1987, S. 302.

5 Helga Schultz, Handwerk, Verlag, Manufaktur in den deutschen Territorien während des 17. und 18. Jahrhunderts. In: Hansische Studien V/22. Weimar 1983, S. 200.

6 Anonym, Schattenriß von Berlin. Amsterdam 1788. Zitiert nach: Ruth Glatzer, Berliner Leben 1648-1806. Erinnerungen und Berichte. Berlin 1956, S. 295 f.

7 Helga Schultz, Berlin 1650-1800. Sozialgeschichte einer Residenz. Berlin 1987, S. 343.

Berlin und die Berliner im 19. und 20. Jahrhundert

JÜRGEN SCHMÄDEKE

Berlins Geschichte im 19. und 20. Jahrhundert hat viele Facetten: Aus der preußischen Residenzstadt, die um 1800 rund 170 000 Einwohner hatte, wurde eine Industriemetropole und Reichshauptstadt, deren Bevölkerung bis 1930 auf mehr als 4,3 Millionen anschwoll. Nach den Verheerungen des Zweiten Weltkrieges und vier Jahrzehnten der Teilung lebten hier, als am 9. November 1989 die Mauer fiel, über 3,4 Millionen Menschen, und die Stadtplaner haben einen »Ballungsraum« von sechs Millionen im Visier, der die in zwei Jahrhunderten immer wieder erweiterten Stadtgrenzen erneut überschreitet. In dieser Zeit hat Berlin Revolutionen und reaktionäre Rückfälle, Kriege mit manchen Siegen und Feiern unter Triumphbögen, aber noch mehr Niederlagen und Zeiten der Besatzungsherrschaft erlebt. Nicht zuletzt war dies eine Zeit des Wechsels von der Monarchie zur Republik, zwischen der Erringung demokratischer Freiheitsrechte und dem Leben unter diktatorischen Regimen. Mehrmals folgten nicht nur den Niederlagen, sondern gerade auch militärischen und politischen Siegen zunächst wirtschaftliche Krisen, die erst allmählich überwunden wurden. Berlin war vielfach der Ort, an dem diese Erschütterungen und Umbrüche ausgelöst wurden oder an dem die letzte Entscheidung über Sieg oder Niederlage fiel. Die Menschen strömten in diese Stadt, weil sie ein politisches, wirtschaftliches und kulturelles Zentrum war, das Aufstieg, Erfolg und Toleranz versprach, doch hatte diese Attraktivität auch ihre Kehrseiten: Mietskasernen, Massenarbeitslosigkeit in Krisenzeiten und politischen Radikalismus, Kriminalität und Fremdenfeindlichkeit, Verkehrsprobleme und Umweltverschmutzung.[1]

Berlin zwischen Napoleons Besatzungsherrschaft und Bismarcks Reichsgründung (1806 bis 1871)

Am 17. Oktober 1806 ließ der Gouverneur von Berlin, Graf Friedrich Wilhelm von der Schulenburg, jenes oft zitierte Plakat anschlagen, dessen Text lautete: »Der König hat eine Bataille verloren. Jetzt ist Ruhe die erste Bürgerpflicht. Ich fordere die Einwohner Berlins dazu auf. Der König und seine Brüder leben.«

In Wahrheit war mit der Niederlage des preußischen Heeres und seines Königs, Friedrich Wilhelms III. (1797–1840), bei Jena und Auerstedt weit mehr als eine Schlacht verloren. Die Französische Revolution hatte in ihrer zum Eroberungskrieg Napoleons pervertierten Form endgültig Preußen erreicht und den absolutistischen friderizianischen Staat zum endgültigen Zusammenbruch gebracht. Am 27. Oktober zog Napoleon im Triumph durch das Brandenburger Tor ein, erlegte der Stadt Lieferungen für die Armee, die Unterbringung von täglich 12 000 bis 30 000 Mann durchziehender Truppen sowie Kontributionen von insgesamt 2,7 Millionen Talern auf, plünderte die Kunstschätze des Adels und der Hohenzollern und ließ sie, ebenso wie Schadows Quadriga vom Brandenburger Tor, nach Paris bringen.

Doch Napoleon ließ auch von einer Bürgerversammlung in der Petrikirche eine 60 Personen umfassende Generalverwaltungsbehörde wählen, die dann aus ihrer Mitte ein Siebenerkollegium als »Comité administratif« bildete. Das war der erste Schritt zu einer Modernisierung von Verfassung und Verwaltung der Stadt und des Staates. In die gleiche Richtung zielten die Ideen der »Reformer« um Karl Reichsfreiherrn vom und zum Stein, der von Oktober 1807 an nur etwas mehr als ein Jahr an der Spitze des Staatsministeriums stand. Sein für Berlins Entwicklung wichtigstes Gesetzeswerk war die Städteordnung vom 19. November 1808, die den Weg zur Selbstverwaltung der Bürgerschaft öffnete. Nachdem Napoleons Truppen am Jahresende die Stadt verlassen hatten, wurde die Städteordnung am 1. April 1809 auch in Berlin eingeführt. Vom 18. bis 22. April wählten die wahlberechtigten Bürger, die allerdings Hauseigentümer sein oder ein Jahreseinkommen von 200 Talern haben mußten und nur knapp sieben Prozent der Bevölkerung ausmachten, die 102 Mitglieder der ersten Stadtverordnetenversammlung. Sie nominierte drei Kandidaten für das Amt des Oberbürgermeisters, und der König bestätigte den Erstplazierten, Leopold von Gerlach, der bis zu seinem Tode 1813 an der Spitze des Magistrats blieb.

Die Städteordnung war nur ein Baustein des Reformwerks, mit dem Stein an Ideen der Französischen Revolution und die Politik Napoleons anknüpfte, das nach Steins Sturz Ende 1808 vor allem von Karl August Fürst von Hardenberg, Staatskanzler seit 1810, fortgeführt wurde und dem die Reformen des Heeres durch Gneisenau, Scharnhorst und Boyen seit 1807 parallel liefen. Anfänge der Landreform und Bauernbefreiung, Reformen der Staatsverwaltung, der Steuern und Finanzen, die Einführung der Gewerbefreiheit, Schritte zur bürgerlichen Gleichstellung der Juden und der Beginn einer Bildungsreform, zu der die Gründung der Berliner Friedrich-Wilhelms-Universität durch die Initiative Wilhelm von Humboldts gehörte, waren weitere wichtige Erfolge der Reformer.

Ungeachtet dieser Reformen war die wirtschaftliche Lage Berlins nach dem Abzug der französischen Truppen katastrophal. 4,5 Millionen Taler Schulden blieben zurück, an denen die Stadt bis 1850 zahlte. »Produktion und Handel gingen zurück, die öffentliche Armut nahm rapide zu, und die allgemeine Lage erschien immer trost- und hoffnungsloser.«[2] Doch die Reformen stärkten auch den Widerstandsgeist gegen Napoleon, der auf dem Weg nach Rußland 1812 erneut französische Truppen in Berlin einrücken ließ. König Friedrich Wilhelm III., der 1806 nach Königsberg geflohen und erst Ende 1809 zurückgekehrt war, schloß im Frühjahr 1813 nach Napoleons erster schwerer Niederlage in Rußland endlich eine Allianz mit Zar Alexander I. Berlin wurde das Zentrum der nationalen Erhebung: 6300 von 10 000 preußischen Freiwilligen kamen aus der Hauptstadt. In der Schlacht bei Großbeeren scheiterte der Versuch Napoleons, Berlin zurückzuerobern, und nach der Völkerschlacht bei Leipzig brach seine Herrschaft nicht nur in Deutschland zusammen. General Blücher, auch »Marschall Vorwärts« genannt, ließ nach seinem Einzug in Paris die Quadriga nach Berlin zurückbringen. Im August 1814 wurde sie, einem Entwurf Schinkels entsprechend um das Eiserne Kreuz und den preußischen Adler auf dem Stab der Siegesgöttin ergänzt, auf dem Brandenburger Tor erneut enthüllt.

Der Wiener Kongreß – überraschend unterbrochen durch die Rückkehr Napoleons von seiner Verbannungs-Insel Elba, bis die Schlacht bei Waterloo und die erneute Internierung auf St. Helena das Intermezzo der »Hundert Tage« beendete – ordnete Europas politische Landkarte neu. Er brachte Preußen Gebietszuwachs und setzte an die Stelle des untergegangenen Heiligen Römischen Reiches Deutscher Nation den »Deutschen Bund« als losen Staatenbund der 35 fürstlichen Souveräne und vier letzten freien Reichsstädte. Preußen und Österreich rivalisierten fortan um die Rolle der deutschen Führungsmacht. Zugleich bildeten sie aber mit Rußland jene »Heilige Allianz«, die zum Kern konservativer Restauration in Europa wurde.

Eine Konsequenz war, daß Preußens König das dreimal, zuletzt 1815, gegebene Verfassungsversprechen nicht einlöste. So begann die tiefgreifende wirtschaftliche Modernisierung Preußens in einer Atmosphäre politischer Repression. Nicht nur die mit der Erhebung gegen Napoleon verbundenen Freiheitshoffnungen wurden enttäuscht. Auch eine Lösung der sozialen Probleme des beginnenden Industriezeitalters, die sich gerade in Berlin zeigten, wurde dadurch wesentlich behindert. Bürgerliches »Biedermeier« einer unpolitischen, schöngeistigen Geselligkeit löste liberalen Reformgeist ab. Die »Demagogenverfolgung« nach der Ermordung August von Kotzebues führte in Berlin im Juli 1819 zu vielen Verhaftungen, unter anderem des »Turnvaters« Friedrich Ludwig Jahn, und die Karlsbader Beschlüsse von 1819 vertrieben die letzten Reste liberalen Geistes aus der Öffentlichkeit. Selbst Johann Gottlieb Fichtes »Reden an die deutsche Nation« von 1807/08 durften in Berlin nicht mehr gedruckt werden. Bis 1848 war nun in der Tat »Ruhe die erste Bürgerpflicht«, und auch die Pariser Julirevolution von 1830 schlug in Berlin nur schwache Wellen, die neue Reglementierungen auslösten. Die Revidierte Städteordnung von 1831 schränkte die Rechte der Stadtverordneten zugunsten des Magistrats ein. Erst als Oberbürgermeister Bärensprung, der 1831 dem seit 1813 amtierenden Johann Büsching gefolgt war, auch noch die kollegialische Geschäftsführung im Magistrat abschaffen wollte, löste heftiger Widerspruch seinen Rücktritt aus. Wilhelm Krausnick wurde 1834 sein Nachfolger bis 1862, aber ein königliches »Regulativ« machte ihn zum unmittelbaren Vorgesetzten der Magistratsmitglieder und Beamten.

Freier und im liberalen Geist des Marktes und der Konkurrenz, wenn auch mit staatlicher Förderung zur Anpassung an die weiter entwickelten europäischen Industriestaaten und insbesondere England, konnte sich das Berliner Wirtschaftsleben dieser Zeit entfalten. 1818 wurde Preußen durch ein neues Zollgesetz ein einheitliches Wirtschaftsgebiet. Der Eisenbahnbau, der 1838 mit der Strecke von Berlin nach Potsdam begann, war hierfür eine wesentliche Voraussetzung, und Berlin wurde der Knotenpunkt des preußischen Bahnnetzes. Aktiengesellschaften und Bankgründungen schufen dafür die finanziellen Voraussetzungen. 1828 eröffnete Franz Anton Egell an der Chausseestraße die erste private Eisengießerei Berlins, 1837 gründete August Borsig, ebenfalls vor dem Oranienburger Tor, seine Maschinenfabrik. Beide Unternehmen, denen andere folgten, bildeten das Zentrum des Dampfmaschinen- und Lokomotivenbaues. 1868 beschäftigten 19 Eisengießereien und 65 Maschinenfabriken rund 5000 Arbeiter, produzierten aber auch nicht unbeträchtliche Mengen an Rauch und anderen Abgasen. Immerhin konnten Berlins Produzenten bei der Gewerbeausstellung von 1844 im Berliner Zeughaus zahlreiche Auszeichnungen einheimsen.

Zugleich stieg Berlins Bevölkerungszahl steil an, verdoppelte sich von 1820 bis 1850 auf rund 400 000 Menschen. Nach London, Paris und St. Petersburg war Berlin damit die viertgrößte europäische Metropole und hatte die alte Kaiserstadt Wien schon überflügelt.

Noch überwogen Handwerk und Manufaktur, aber 1847 galten von fast 70 000 Handwerkern, Arbeitern, Tagelöhnern und Lehrlingen rund 20 000 als Fabrikarbeiter. Nach einem Magistratsbericht stieg von 1829 bis 1849 die Zahl der Almosenempfänger von rund 4000 auf 7000, die der Armenkranken von 14 000 auf 50 000. Die Stadt wuchs über ihre engen Grenzen hinaus in die Dörfer des Umlandes, bis 1841 in einer ersten großen Stadterweiterung die seit 1738 bestehende Zollmauer vor allem im Norden und Osten weiträumig überschritten wurde und 1861 die Schöneberger und Tempelhofer Vorstadt, Wedding, Gesundbrunnen und Moabit eingemeindet wurden. 1867/68 wurde diese Mauer abgerissen; politisch und ökonomisch hatte sie schon ein halbes Jahrhundert zuvor ihren Sinn verloren. Die meisten Zuwanderer kamen aus anderen, ländlichen Gebieten Preußens, besonders viele aus dem Regierungsbezirk Potsdam und der Provinz Sachsen. Das sind Traditionen, die bis in die Gegenwart fortwirken. Später kamen die anderen Ostprovinzen verstärkt hinzu, aus ihnen stammten viele polnische Untertanen, deren Nachkommen sich noch heute auf fast jeder Seite des Berliner Telefonbuches finden. Noch später setzte der Zustrom aus Schlesien ein, was die früher oft gehörte Behauptung relativiert, jeder zweite Berliner oder seine Vorfahren kämen von dort.

Diese Zeit des wirtschaftlichen Aufschwungs mit all seinen Problemen war zugleich auch eine Epoche der Blüte für Wissenschaft und Bildung, Kunst und Kultur in Berlin. Fichte, Hegel, Niebuhr, Schelling und Schleiermacher lehrten an der Berliner Universität, die wie die Akademien der Wissenschaften und der Künste weit über Preußen hinaus berühmt war. Friedrich Schinkel entwarf das Nationaldenkmal auf dem Kreuzberg und die Neue Wache, das Alte Museum und die Schloßbrücke, die Bauakademie und das Schauspielhaus, aber auch

Privathäuser und Kunstgewerbliches, war Bühnenbildner und Innenarchitekt. Auch in der Musik, Malerei und Literatur war Berlin Anziehungspunkt, in den Salons der Rahel Varnhagen, Henriette Herz und Bettina von Arnim traf sich die feinsinnige Berliner Gesellschaft mit den Gästen, die von weither kamen. Die Probleme der neuen Zeit blieben meist vor diesen Türen.

Schneller als die expandierende Industrie wuchs das Überangebot an Arbeitskräften. Das führte für die untersten Schichten, zu denen man mindestens 100 000 zählen muß, zu katastrophalen Verhältnissen:

»Extrem niedrige Löhne, überlange Arbeitszeiten (12–17 Stunden täglich), das Fehlen jeglicher sozialer Absicherung bei Krankheit, Invalidität, Arbeitslosigkeit, keine Altersversorgung, Mitarbeit der Ehefrauen bei noch niedrigeren Löhnen, zunehmende Kinderarbeit und – dadurch bedingt – mangelnde Schulausbildung sowie menschenunwürdige Wohnverhältnisse kennzeichneten die materielle Lage dieser Menschen. Das Armenwesen nahm immer größere Dimensionen an, die Verelendung breiter Bevölkerungskreise konnte nicht verhindert werden.«[3]

1844 kam es nicht nur zum schlesischen Weberaufstand; in Berlin wurde der König bei einem Attentat leicht verletzt, die Kattundrucker streikten, auf dem Gendarmenmarkt kam es zur sogenannten »Kartoffelrevolution«, als die Menge nach einer schweren Mißernte und steigenden Preisen für Kartoffeln, Getreide und andere Grundnahrungsmittel die Marktstände stürmte. Erst nach drei Tagen konnte das Militär die Unruhen beenden, über 300 Menschen wurden verhaftet.

Zu den sozialen kamen politische Spannungen, die auch bei denen, die keine materielle Not litten, die Unzufriedenheit zunehmen ließen. König Friedrich Wilhelm IV. schien nach seiner Thronbesteigung 1840 zunächst die Zeit der politischen Reaktion, die auf den Sieg über Napoleon und den Wiener Kongreß von 1815 gefolgt war, beenden zu wollen. Er hatte eine Amnestie erlassen, den Justizminister entlassen, die Zensur gemildert. Die aus Göttingen vertriebenen Gebrüder Grimm wurden an die Akademie der Wissenschaften berufen. Doch die 1815 versprochene Verfassung für Preußen wollte auch Friedrich Wilhelm IV. nicht gewähren. Wer sie verlangte, galt bald wieder als Hochverräter. Gerade deshalb schwoll die Zahl der akademischen Diskussionszirkel (an denen auch Karl Marx und Friedrich Engels teilnahmen), der Lesecafés, Konditoreien und Weinstuben, in denen über Pressefreiheit und Verfassung diskutiert wurde, immer mehr an.

All das erklärt die Heftigkeit und Breite der Revolution von 1848, die im Februar in Frankreich zur Ausrufung der Republik geführt hatte und nach den west- und südlichen Staaten des Deutschen Bundes und Wien im März 1848 auch Berlin erreichte. Nach politischen Versammlungen und Demonstrationen stellte die Regierung schließlich Reformen in Aussicht, sagte die Pressefreiheit und die Einberufung des Landtages zu. Doch dann rückte am 18. März plötzlich Militär an, schoß auf die Menge vor dem Schloß. Es kam zu blutigen Barrikadenkämpfen, zum Abzug des Militärs aus der Stadt, und am 21. März ritt der König mit einer schwarz-rot-goldenen Armbinde durch die Stadt und erwies den 183 »Märzgefallenen«, die am Tage danach in Friedrichshain beigesetzt wurden, seine Reverenz: Es waren Berliner Arbeiter, Handwerksgesellen, kaufmännische Angestellte, aber auch Angehörige der »gebildeten Stände«.

Die Revolution brachte den Berlinern große und kleine Freiheiten: Sie durften jetzt auf der Straße rauchen, hatten Presse- und Versammlungsfreiheit. Flugblätter und Plakate überschwemmten die Stadt. Politische Klubs, als Vorläufer von Parteien, bildeten sich. Der »Demokratische Klub« forderte volle Volkssouveränität, Konservative bildeten den »Konstitutionellen Klub«. Aus dem »Arbeiterklub« mit dem Drucker Stefan Born an der Spitze entstand das »Zentralkomitee der Arbeiter«, und vom 23. August bis 3. September fand der erste »Allgemeine Arbeiterkongreß« in Berlin statt. Schon im Mai hatten Wahlen zur deutschen und zur preußischen Nationalversammlung stattgefunden. Es galt das allgemeine und gleiche, allerdings indirekte Stimmrecht nur für Männer. 60 000 Berliner »Urwähler« in 140 Bezirken wählten die Wahlmänner, die dann die Abgeordneten für die preußische Nationalversammlung bestimmten.

Die Deutsche Nationalversammlung tagte in Frankfurt am Main, der alten Reichsstadt. Das war weit weg von Berlin und Wien, den Hauptstädten der beiden deutschen Mächte, die um die Vorherrschaft in Deutschland rivalisierten. In Berlin trat die preußische Nationalversammlung am 20. Mai 1848 zusammen. Aber hier hatten schon nach einem halben Jahr die alten Mächte das Heft wieder fest in der Hand: Preußische Truppen unter General von Wrangel besetzten die Stadt. Immerhin erließ der König jetzt selbst die sogenannte »oktroyierte Verfassung«, die wenigstens einige Zugeständnisse an den liberalen Zeitgeist enthielt. Doch seit dem Frühjahr 1849 siegte nach und nach überall in Deutschland erneut die Reaktion. So konnte Friedrich Wilhelm die Kaiserkrone, die ihm die Frankfurter Nationalversammlung anbot, voller Hohn als ein Gebilde aus Dreck und Lehm zurückweisen und die neue Verfassung revidieren. Vor allem wurde das allgemeine und gleiche Wahlrecht abgeschafft.

An seine Stelle trat das Drei-Klassen-Wahlrecht, das in Preußen bis Ende 1918 gültig blieb. Die Steuerleistung aller Wähler wurde zusammengezählt und dann gedrittelt: In die erste Klasse kamen die relativ wenigen Großverdiener, die zweite Klasse umfaßte eine schon wesentlich größere Zahl vor allem des gehobenen Bürgertums, zur dritten Klasse gehörte die große Masse der Bevölkerung. Jede dieser so ungleich großen »Klassen« durfte dann in einer öffentlichen Wahl, in der man seine Stimme dem Wahlvorstand mündlich »zu Protokoll« gab, die gleiche Anzahl von »Wahlmännern« wählen, und die Wahlmänner jeder Klasse wählten dann, wiederum öffentlich, je ein Drittel der Abgeordneten. So war schon am 30. Mai 1849 gewählt worden. Immerhin konnte man durch Nichtwählen protestieren: Von den 76 900 Berliner »Urwählern« gaben nur 46 % ihre Stimme ab, in ganz Preußen waren es sogar nur 31,3 %. Insgesamt aber gaben die Konservativen im Staate und in seinem Parlament jetzt wieder den Ton an.

Werfen wir einen Blick auf die innerstädtischen Verhältnisse nach 1848:

Rechtlich gesehen war Berlin damals eine Stadt wie alle anderen in Preußen, mit Bürgermeister, Magistrat und Gemeindeparlament, mit gewissen kommunalen Rechten, wie sie die nach 1848 revidierte Städteordnung festgelegt hatte. Die staatliche Kontrolle gewährleisteten der Regierungspräsident in Potsdam und der Oberpräsident der Provinz Brandenburg. In der Realität allerdings war Berlin durch seine Funktion als Haupt- und Residenzstadt in seiner Eigenständigkeit noch mehr beschränkt als andere preußische Städte.

Für die Stadtverordnetenversammlung galt seit 1850 ebenfalls das Drei-Klassen-Wahlrecht, noch verschärft dadurch, daß ein Jahreseinkommen von nunmehr 300 Talern Voraussetzung für das Wahlrecht wurde und die Hälfte der Stadtverordneten Hausbesitzer sein mußten. Nur 21 000 Berliner, 5 % der Einwohner, waren jetzt noch wahlberechtigt. Aber das Stadtparlament hatte ohnehin damals nicht viel zu sagen. Mächtigster Mann in der Stadt war nicht der Oberbürgermeister, sondern der Polizeipräsident; er war zugleich preußischer »Generalpolizeidirektor«, damit Chef der preußischen Sicherheitspolizei und auch für die Verfolgung der demokratischen Vereine zuständig.

Seit 1848 hatte Carl Ludwig Friedrich von Hinckeldey dieses einflußreiche Amt inne – ein Mann, dessen Machtfülle schließlich selbst den preußischen Ministern unheimlich war. Als der König Berlin zu einem eigenen Regierungsbezirk und Hinckeldey zum Regierungspräsidenten machen wollte, brachte das Ministerium diesen Plan zu Fall. Hinkkeldey regierte mit harter Hand, bis er am 10. März 1856 wegen einer von seinen konservativen Gegnern manipulierten Beleidigungsaffäre in einem Pistolenduell getötet wurde. Sein Kontrahent war der waffengeübte Rittergutsbesitzer von Rochow-Plessow, der später Präsident des Herrenhauses wurde. Hinckeldey verfolgte nämlich auch die oppositionellen Ultrakonservativen mit seinen »bewährten« Methoden: Unterdrückung der Presse – mehrfach wurde sogar die »Kreuzzeitung« konfisziert –, Arretierung Verdächtiger bis in die Offiziersränge, Bespitzelung durch Agenten, Hausdurchsuchungen und Konfiszierungen privater Briefe.

Hinckeldey modernisierte aber auch die großstädtische Infrastruktur, schuf eine Berufsfeuerwehr, die auch für die Straßenreinigung zuständig war, ließ ein Wasserwerk und eine Wasserleitung, Bade- und Waschanlagen bauen und reformierte das Anschlagwesen durch die »Litfaßsäulen«.

Daneben hatte der konservative Oberbürgermeister Krausnick, der 1853 wiedergewählt worden war, nachdem er 1848 sein Amt verloren hatte, politisch nicht mehr viel zu melden. Außerdem regierten der Regierungspräsident und der Oberpräsident in die Stadt hinein. Schließlich bildete das Schloß im Herzen der Hauptstadt einen eigenen königlichen »Gutsbezirk«, und jeder städtische Bebauungsplan, später jede Straßenbahnanlage, jedes öffentliche Denkmal und jeder neue Straßenname mußten vom Monarchen genehmigt werden. Erst seit 1876 durfte die Stadt wenigstens selbständig über die Erneuerung und den Ausbau von Straßen, Plätzen und Brücken entscheiden, und 1881 erhielt sie endlich eine gewisse Sonderstellung als eigener Verwaltungsbezirk.

Trotzdem waren andererseits auch dem Magistrat und den Stadtverordneten Fortschritte in den Lebensverhältnissen zu verdanken; daß zum Beispiel 1873 mit dem Bau des bis heute existierenden unterirdischen Kanalisationssystems mit seinen ausgedehnten Rieselfeldern außerhalb der Stadt begonnen wurde, ist das Verdienst des Stadtbaurats James Hobrecht und des Arztes und Stadtverordneten Rudolf Virchow.

Wirtschaftlicher Aufschwung, soziale Not, politische Unterdrükkung und Freiheitsstreben bildeten schon vor anderthalb Jahrhunderten in Berlin ein explosives Gemisch, das von den Regierenden nur schwer unter Kontrolle gehalten werden konnte. Insofern sind die Verhältnisse um 1848 symptomatisch für die ganze moderne Geschichte Berlins, die damals einen ersten Kulminationspunkt erreichte.

Friedrich Wilhelm IV. endete in Geisteskrankheit und wurde 1857 regierungsunfähig. Sein Bruder Wilhelm I. wurde erst Regent und 1861 nach dem Tod Friedrich Wilhelms neuer König. Man hoffte wieder einmal auf eine »Neue Ära«, denn der ehemalige »Kartätschenprinz«, der sich 1848 vorübergehend nach England abgesetzt hatte, galt inzwischen als gemäßigt liberaler Geist. Ende der fünfziger Jahre hatte sich eine neue, von liberalen und demokratischen Kräften getragene deutsche Nationalbewegung formiert. Sie wollte zugleich den monarchischen Absolutismus und die deutsche staatliche Zersplitterung überwinden und den Deutschen Bund von 1815 reformieren. Dabei gab es allerdings Differenzen zwischen einer »großdeutschen« Richtung, die Deutsch-Österreich einbeziehen wollte, und den »Kleindeutschen«, die den habsburgischen Vielvölkerstaat draußen vor lassen wollten und ein Reich unter preußischer Führung anstrebten.

In Berlin kehrte der Liberalismus wieder ins Preußische und ins Stadtparlament zurück, und Zeichen des neuen städtischen Selbstbewußtseins war auch das moderne »Rote Rathaus«, das 1861 bis 1869 gebaut wurde.

Doch dann gab eine innerpreußische Krise der Geschichte eine neue Wende: Im preußischen Abgeordnetenhaus stimmte die liberale Mehrheit gegen eine von Wilhelm I. angestrebte Heeresreform mit verlängerter Dienstzeit und Reduzierung der als Hort des Bürgertums geltenden »Landwehr« aus der Ära der Freiheitskriege. Es kam zu einem jahrelangen Heeres- und Verfassungskonflikt. Königliche Kommandogewalt stand gegen das Geldbewilligungsrecht des preußischen Parlaments. 1861 wurde in Berlin die liberale Deutsche Fortschrittspartei gegründet. Sie wurde stärkste Partei im Abgeordnetenhaus und stellte acht von neun Berliner Abgeordneten.

Der König dachte an Abdankung, berief dann aber 1862 den Pariser Gesandten Otto von Bismarck zum Ministerpräsidenten, den man als Revolutionsgegner von 1848/49 in Erinnerung hatte. Bismarck regierte, da die Steuern weiter flossen, einfach ohne bewilligten Etat. Wieder kam es zu politischen Verfolgungen und Zensur, viele sahen schon das Gespenst einer neuen Revolution auf Berlins Straßen. Bismarck löste das Problem auf seine Weise, indem er sich an die Spitze der deutschen Einheitsbewegung setzte. Mit den drei siegreichen Kriegen gegen Dänemark 1864, Österreich 1866 und Frankreich 1870/71 entfachte er nationale Begeisterung und schaltete so die Fortschrittspartei aus. Sie verlor bei der Wahl im Juli 1866 die Hälfte ihrer Mandate, die neue »Nationalliberale Partei« und die Konservativen hatten die Oberhand, und das Parlament verzieh dem Premier seinen gesetzwidrigen Umgang mit den Steuergeldern. Zum dritten Mal nach 1819 und 1848 waren die freiheitlichen Kräfte den konservativen Gegenspielern unterlegen. In Berlin allerdings verlor die Fortschrittspartei keinen einzigen ihrer Abgeordneten.

Hauptstadt im Kaiserreich (1871 bis 1918)

Preußens politisches Schwergewicht entschied auch die Hauptstadtfrage: Berlin wurde 1867 Hauptstadt des Norddeutschen Bundes und 1871 Reichshauptstadt.

Doch Bismarck hatte noch eine Überraschung parat:[4] Er wollte seinen Sieg über die Liberalen nun ausgerechnet durch das der revolutionären Reichsverfassung von 1849 entlehnte allgemeine Wahlrecht festigen, das 1866 für den Reichstag des Norddeutschen Bundes (noch ohne Bayern, Sachsen, Württemberg, Baden und Hessen) und 1871 für den Reichstag des Kaiserreichs festgesetzt wurde. Nationales Bürgertum und königstreue Landbevölkerung sollten die Liberalen durch das Gewicht ihrer Zahl in Schranken halten. Aber die Rechnung ging nur zum Teil auf. Nutznießer waren auch zwei neue oppositionelle Kräfte: einerseits der politische Katholizismus in der Zentrumspartei, andererseits die Sozialdemokratie als Partei der Arbeiterbewegung, deren größte Hochburg Berlin wurde. Am Ende des Kaiserreichs erhielt die SPD hier 75 % aller Stimmen und fünf der sechs Reichstagsmandate. Anders als Bismarck es sich dachte, war für neue Schlagzeilen aus der Reichshauptstadt Berlin gesorgt.

»Provisorischer« Parlamentssitz wurde das schnell geräumte Gebäude der Königlichen Porzellan-Manufaktur in der Leipziger Straße, in dessen Hof eilig ein Plenarsaal eingebaut wurde. Erst Ende 1894 konnten die Reichstags-Abgeordneten in den monumentalen Wallot-Bau am Platz der Republik, dem damaligen Königsplatz, umziehen.[5] Neubauten, die im Jahrzehnt nach der Einweihung des Reichstags entstanden, erhielten auch Preußens Abgeordneten- und Herrenhaus zwischen Leipziger und Prinz-Albrecht-Straße. Neben dem Stadtparlament im »Roten Rathaus« residierten außerdem in der Hauptstadt in eigenen Häusern der Brandenburgische Provinzialverband mit dem

Provinziallandtag und die Verwaltungen und Kreiskörperschaften der angrenzenden Kreise Niederbarnim und Teltow.

Berlin war nun zugleich Hauptstadt Preußens und des Reichs. Dieses Reich war ein kompliziertes Gebilde aus vier Königreichen und 18 Großherzog-, Herzog- und Fürstentümern mit 22 eigenen Hauptstädten (Berlin inbegriffen), dazu drei Hansestädten und dem »Reichsland« Elsaß-Lothringen, den Frankreich abgenommenen Provinzen. Berlin hatte also schon innerhalb Deutschlands reichlich Konkurrenz. Es hatte den Vergleich mit der alten Kaiserstadt Wien zu bestehen und mußte sich an alten europäischen Metropolen wie Paris, London, Rom und Madrid messen lassen. Es wurde in seiner Modernität aber auch immer wieder mit New York und Chicago verglichen.

Die Stadt wuchs und wucherte dabei über ihre engen Grenzen immer weiter in die Umgebung hinaus. Die 1860er Jahre hatten einen neuen wirtschaftlichen Aufschwung gebracht. Berlin wurde Zentrum eines immer größeren Netzes von deutschen und europäischen Fernbahnen, aber auch eines regionalen Systems von Vorortbahnen, die in den siebziger und achtziger Jahren durch die Ring- und die Stadtbahn ergänzt wurden – das heutige S-Bahn-Netz entstand. Pferde-Omnibusse und -Straßenbahnen auf Schienen kamen hinzu, und 1881 fuhr die erste elektrische Straßenbahn von Lichterfelde Ost zur Hauptkadettenanstalt. Bis etwa 1900 waren die meisten Pferdebahnen durch die »Elektrische« ersetzt. Dann kam – greifen wir dem Zeitverlauf etwas weiter voraus – seit 1892 das Automobil auf Berlins Straßen, 1898 gab es das erste Autorennen, 1899 die ersten Kraftdroschken und 1905 den ersten Motor-Omnibus. 1913 begann der Bau der ersten Autobahn, der AVUS, quer durch den Grunewald.

Doch zurück zur Zeit der Reichsgründung. Berlin wurde zur »größten Mietskasernenstadt der Welt«, wie der Architekturhistoriker und -kritiker Werner Hegemann 1930 in einem berühmten Buch schrieb. Mit dazu beigetragen hatte der »Bebauungsplan von den Umgebungen Berlins« von 1862. Von seinen Initiatoren und dem Baurat James Hobrecht, der ihn ausarbeitete, als ein Jahrhundertwerk angesehen, schuf er in der Tat die Grundlage für eine großräumige Ausdehnung Berlins in einem Gebiet etwa von der Größe des späteren S-Bahn-Rings. Sein Fehler war, daß er nur ein Rahmenplan für ein weitmaschiges Straßennetz war, das der Detaillierung bedurft hätte, und daß ein Programm für staatliche und städtische Einrichtungen zur sozialen Betreuung der hereinströmenden Menschenmassen fehlte. Ohne dies wurde der Bauspekulation Tür und Tor geöffnet: Möglichst viele Menschen auf möglichst wenig Raum zu möglichst hohen Mieten unterzubringen, war - verkürzt formuliert - ihr Ziel. So lebten 1910 auf einem Quadratkilometer bebauter Fläche im heutigen Bezirk Kreuzberg über 60 000 Menschen.

Begünstigt wurde das durch die unveränderte Bauordnung von 1853. Innenhöfe mußten danach so groß sein, daß eine Feuerspritze darin wenden konnte. Dafür reichten 5,34 Meter in die Länge und Breite, was Hofschluchten von 28 1/2 Quadratmetern ergeben konnte, oft umgeben von fünf- bis sechsgeschossigen Vorder-, Hinterhäusern und Seitenflügeln, die ihr »Tageslicht« von diesen Höfen erhielten. Drei und mehr solcher »Höfe« hintereinander auf einem 20 Meter breiten und über 50 Meter tiefen Grundstück waren keine Seltenheit. Und selbst das war für viele, die aus den Landarbeiter-Katen »Ostelbiens« kamen, noch ein sozialer »Fortschritt«.

Nicht überall ist in so extremer Enge gebaut worden. Kaiser Wilhelm I. konnte von einer »sozialen Tat« sprechen, als er 1874 in der Weddinger Ackerstraße 132/33 eine Anlage von rund 300 Kleinwohnungen einweihte. Sie lagen auf einem knapp 40 mal 130 Meter großen Doppelgrundstück in sechs Quergebäuden mit sechs Zwischenhöfen von 10 × 40 Metern und ohne Seitenflügel. Darin wohnten zeitweise zwischen 1000 und 2000 Menschen. Folge der Kritik an solchen Zuständen war die Bildung von Wohnungsbaugenossenschaften. An der Yorck- und Großbeerenstraße in Kreuzberg entstand 1881–92 zum Beispiel »Riehmers Hofgarten«, 1892 begann der »Berliner Spar- und Bauverein«, eine hauptsächlich von Arbeitern getragene Genossenschaft, mit dem »sozialen« Mietshausbau, 1902 errichtete der christliche »Vaterländische Bauverein« den zum Teil noch bestehenden Komplex zwischen der Weddinger Hussiten- und Strelitzer Straße.

Im Jahre 1871 war Berlin mit 824 000 Einwohnern die größte von acht deutschen Großstädten. Und vor den Toren Berlins lagen Orte, die ebenfalls zu Großstädten wurden: Rixdorf, Schöneberg, Wilmersdorf, Charlottenburg, Lichtenberg. 1910 hatte auch Steglitz, das »größte Dorf Preußens«, das niemals Stadtrechte bekam, 100 000 Einwohner. Im Bereich des heutigen Groß-Berlin nahm die Bevölkerung im Jahresdurchschnitt um 72 000 Personen zu, das waren zwischen 1871 und 1910 rund 930 000 Menschen mehr und insgesamt rund 3,7 Millionen, also mehr als 1990. Das alte Berlin allein mußte jährlich davon 32 000 Neubürger verkraften und wuchs um 800 000 auf über zwei Millionen Einwohner.

Das Durcheinander von Behörden und Ämtern, Verkehrsbetrieben, kommunalen Gas- und Wasserwerken wurde immer unentwirrbarer, weil alle Gemeinden auf ihre Eigenständigkeit pochten und auch die beiden Landkreise nichts abgeben mochten. Schließlich wurde am 1. Januar 1912 ein »Zweckverband Groß-Berlin« ins Leben gerufen, der sich aber nur um Bebauungspläne, Erholungsflächen und das Nahverkehrsnetz kümmern durfte. Seine größte Leistung war die Erhaltung der Forsten rund um Berlin als Erholungsgebiete. 100 Quadratkilometer Wald und Seen kaufte er dem preußischen Staatsfiskus ab, vor allem den Grunewald, den Tegeler, Düppeler und Köpenicker Forst. Im Ersten Weltkrieg gab es dann noch eine einheitliche Groß-Berliner Brotkarte, und 1918 wurde für die vielen Verkehrsgesellschaften ein Einheitstarif von 12 1/2 Pfennig eingeführt.

In Berlin hatte die Stadtverwaltung inzwischen einige Verbesserungen der katastrophalen sozialen Verhältnisse erreicht. Um die Jahrhundertwende galt die »größte Mietskasernenstadt der Welt« auch als eine der gesündesten und saubersten Großstädte in Europa. Die schon erwähnte Kanalisation, die städtische Wasserversorgung anstelle durch Fäkalien verseuchter Brunnen, ein zentraler Schlachthof und viele Markthallen, Krankenhäuser, Gaswerke und Straßenbeleuchtung, die Einführung der Elektrizität gehörten dazu. 1909 gab es in Alt-Berlin 300 schulgeldfreie Gemeindeschulen, die Zahl der Gymnasien, Realgymnasien und Oberrealschulen betrug 1905 immerhin schon 20.

Antriebskraft dieser Entwicklung war die ungeheure wirtschaftliche Dynamik der Stadt, die mit den »Gründerjahren« nach der Reichsgründung einen neuen Impuls erhielt. Die fünf Milliarden Francs der französischen Kriegsreparationen trugen mit dazu bei. Die Gründung von Aktiengesellschaften, vor allem für den Eisenbahnbau und die Bauwirtschaft, kam immer mehr in Schwung. Ganze Villenvororte wie Westend und Lichterfelde, aber auch immer neue Mietskasernen-Komplexe wurden errichtet, die Aktienkurse stiegen durch Spekulationen in schwindelnde Höhen. 1873 sorgte zwar der »Gründerkrach« für Ernüchterung, aber der Aufschwung war damit nicht beendet. Die Fabrikanlagen der Berliner Großindustrie reichten am Ende des Kaiserreichs bis nach Hennigsdorf, Spandau und Tegel, nach Adlershof und Königs Wusterhausen. Sie sind bis heute im wesentlichen in diesem Gürtel geblieben - ein Zeichen dafür, wie vorausschauend diese Planungen doch gewesen sind.

Auch die Haupt-Industriezweige sind noch weitgehend die gleichen wie damals. Eisen- und Maschinenbau bis hin zu Borsigs Lokomotivenfabrik, Chemische Industrie wie die Schering AG, seit den 1880er

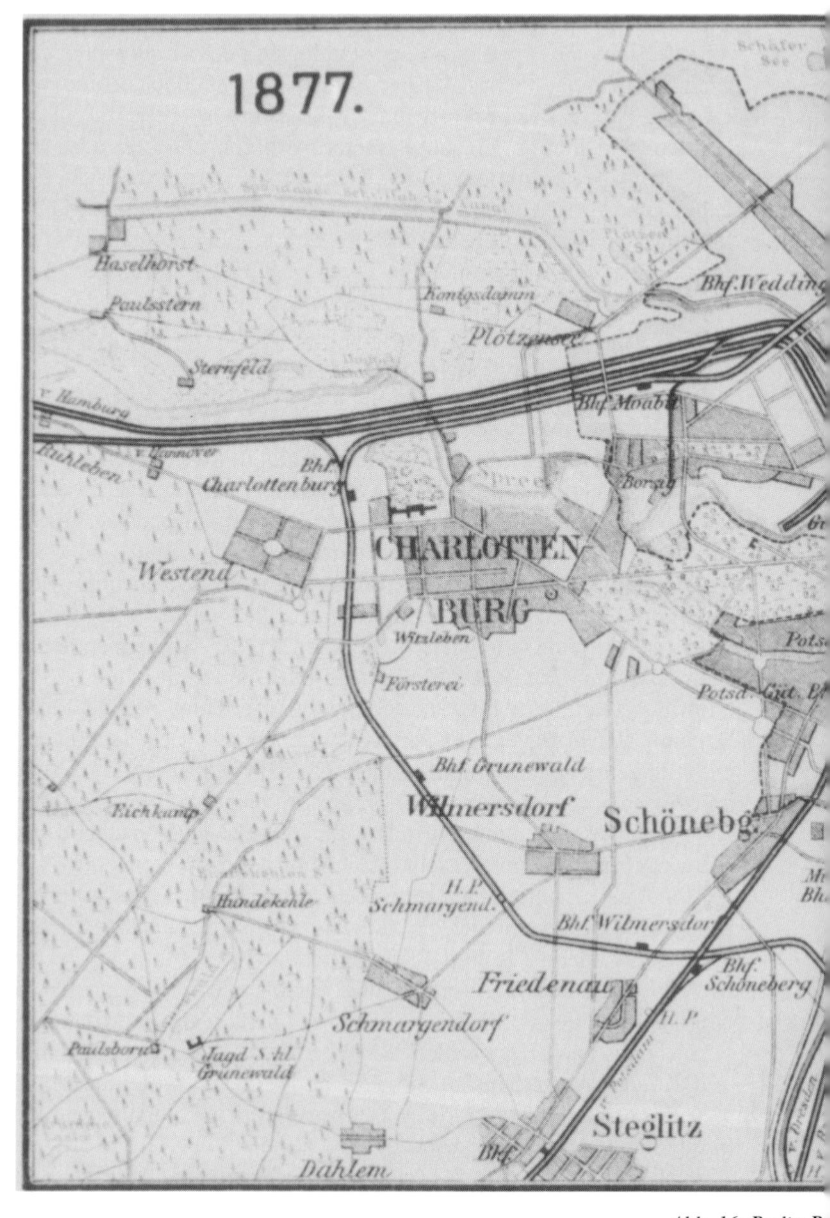

Abb. 16: Berlin-P

Heinersdorf
Pankow
Weissensee
Gesundbrunnen
Bhf.
Hoh. Schönhausen
Viehhof
Bhf. Weissensee
Wilhelmsberg
Stett. Bhf.
Lichtenbg.
Bhf.
Ost Bhf.
Friedrbg.
Frankfurt Bhf.
Col.
Boxhagen
Anh. Bhf.
Kietz
Bhf. Stralau
Dresd. Bhf.
Görl. Bhf.
Rummelsbg.
Bhf. Treptow
Stralau
Görlitzer Anschl.
Treptow
Kreuz B.
RIXDORF
Bhf. Tempelhof
Bhf. Rixdorf
Tempelhof
Staatsbahnen
Privatbahnen
Militär-Eisenbahn

1877

Jahren die Elektro-Industrie mit Siemens und der AEG, nicht zuletzt eine ausgedehnte Bekleidungsindustrie, die einen neuen Aufschwung nahm, als die amerikanischen Einkäufer wegen der Belagerung von Paris im Deutsch-Französischen Krieg nach Berlin kamen. Schließlich erforderte die Millionenstadt eine ausgedehnte Nahrungsmittelproduktion.

Die Millionen Menschen machten Berlin auch zu einem Handelszentrum, für den eigenen Bedarf wie für die Ausfuhr der hier produzierten Waren und die dafür nötigen Rohstoffe. Während die Stadt nach außen weiterwucherte, wurde die Innenstadt zum Handels-, Büro- und Bankenviertel mit schrumpfender Wohnbevölkerung. Filialgeschäfte für Lebensmittel und Kleidung breiteten sich aus, Namen wie Kaiser's Kaffeegeschäft und Bolle, Leineweber, Peeck & Cloppenburg, Leiser und Salamander stammen aus der damaligen Zeit. Die großen Kaufhäuser von Wertheim und Tietz entstanden damals, 1907 das KaDeWe in Charlottenburg; die Gegend um die 1891 bis 1895 erbaute Kaiser-Wilhelm-Gedächtniskirche wurde zu einer zweiten City. 1907 war Berlin das größte städtische Wirtschaftszentrum des Reiches. In der Stadt und in der Provinz Brandenburg war über ein

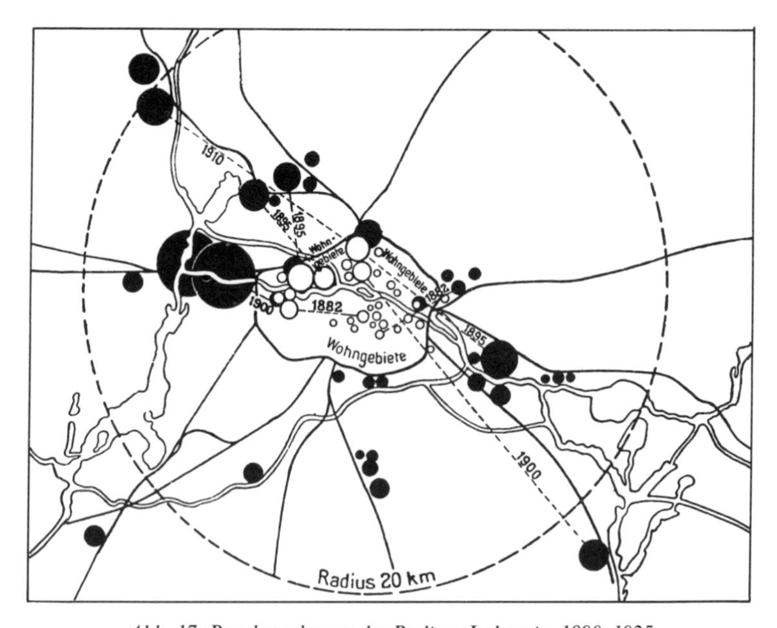

Abb. 17: Randwanderung der Berliner Industrie, 1890–1925

Achtel des deutschen Erwerbslebens konzentriert, 1,7 Millionen Menschen waren hier berufstätig.

Die Chancen und Krisen der Weltwirtschaft wirkten sich seit den 1820er Jahren bis nach Berlin aus, die USA wurden bald ein bedeutender Absatzmarkt. Um 1880 waren Maschinenbau und Elektrotechnik, Pharmazie und Bekleidungsindustrie die Hauptzweige des Exportes ins übrige Europa und nach Übersee, und sie blieben es bis zum Zweiten Weltkrieg und genaugenommen bis heute. Die erste elektrische Straßenbahn, die in China fuhr, kam 1899 von Berlin nach Peking, Siemens war führend im China-Geschäft und knüpfte Verbindungen zu Japan.

Das kulturelle Zentrum Berlin als eine der Hochburgen des Expressionismus machte München immer mehr Konkurrenz, Geistes- und Naturwissenschaften hatten an der Universität, der 1897 gegründeten Technischen Hochschule Charlottenburg und seit 1910 in den Instituten der Kaiser-Wilhelm-Gesellschaft internationalen Rang, der sich in einer Reihe von Nobelpreisen niederschlug. Unbestritten war Berlin größte deutsche Zeitungsstadt. Neben die traditionellen Zeitungen von der Norddeutschen Allgemeinen, der Kreuz-, National-, Vossischen Zeitung bis zum Berliner Tageblatt und dem sozialdemokratischen Vorwärts traten seit den 1880er Jahren Massenblätter wie der Berliner Lokalanzeiger, die Morgenpost und die BZ am Mittag, deren erste Nummer 1904 erschien. Mosse, Scherl und Ullstein waren die führenden Verlagshäuser.

Berlin war eben auch Hauptstadt und damit das Zentrum der deutschen Politik. Im Reichstag fanden seit 1873 zunehmend die großen Redeschlachten statt, die internationale Aufmerksamkeit erregten. Hier waren die Männer, die es wagen konnten, dem Reichskanzler Bismarck, der bis 1890 regierte, das Leben schwer zu machen, indem sie mit ihm um Geld und Gesetze stritten. Der Liberale Eugen Richter, der Zentrumspolitiker Windthorst, die Sozialdemokraten Bebel und Liebknecht, erst der alte Wilhelm, dann sein Sohn Karl, gehörten zu den 397 Abgeordneten. »Reichsfeinde« waren für Bismarck die katholischen Zentrums-Abgeordneten, gegen die sich sein Zorn im »Kulturkampf« gegen den politischen Katholizismus richtete. »Reichsfeinde« waren für ihn auch die Sozialdemokraten, gegen die sich seit 1878, nach zwei Attentaten auf den Kaiser, das »Sozialistengesetz« richtete, obwohl die Attentäter keineswegs Sozialdemokraten waren.

Der Kulturkampf berührte die überwiegend evangelischen Berliner nicht so sehr, aber das Verbot der SPD trieb eine gerade in Berlin stark wachsende Partei in die Illegalität. Der »Kleine Belagerungszustand« wurde über Berlin und Umgebung verhängt, alle sozialdemokratischen Vereine, bis hin zu Gesangvereinen, wurden verboten, 300mal wurden Sozialdemokraten aus Berlin ausgewiesen. Nur für den Reichstag konnten Sozialdemokraten weiter kandidieren, denn gewählt wurden formal nicht Parteien, sondern Persönlichkeiten. So stieg die Zahl der SPD-Stimmen trotzdem weiter, wenn auch weniger schnell. Mit Ausnahmegesetzen, Polizei und Militär ließen sich schon damals Volksbewegungen nicht mehr unterdrücken. 1890 fand das immer nur befristet geltende Sozialistengesetz im Reichstag keine Mehrheit mehr, es verschwand, wie bereits zuvor nach und nach die Ausnahmebestimmungen gegen die katholische Kirche abgeschafft worden waren.

Immer wieder ging es im Reichstag um Freihandel und Schutzzölle; aber auch die Anfänge einer für die damalige Zeit vorbildlichen Sozialgesetzgebung – von Bismarck freilich primär als Teil seiner Strategie zur Bekämpfung der Sozialdemokratie angesehen – wurden im Reichstag beschlossen. Kranken- und Unfall-, Invaliditäts- und Altersrenten-Versicherung entstanden in den achtziger Jahren.

Das Militär und der Militäretat waren ein anderes Feld ewigen Streits. Außen- und Weltpolitik beherrschten zunehmend die Szene, seit 1888 Wilhelm II., Enkel des Reichsgründungs-Kaisers, dessen Nachfolger geworden war. (Dazwischen regierte Friedrich III., von dem man wieder einmal eine neue, liberale Ära erhofft hatte, nur 99 Tage.) Nach Bismarcks Entlassung war der Reichstag auch die Stätte der großen Debatten über den Sinn und Unsinn von Kolonien und Schlachtschiffen. Am 6. Dezember 1897 prägte der spätere Reichskanzler von Bülow hier das Wort vom »Platz an der Sonne«, den auch das Reich in der Welt beanspruchen könne.

Berlin wurde damit die Hauptstadt des »Wilhelminismus«, der auch das liberale Bürgertum immer mehr ansteckte, obgleich der Liberalismus der Freisinnigen den Magistrat und die Stadtverordnetenversammlung weiterhin beherrschte. Aber Berlin blieb andererseits nicht frei von einem nationalen, antiliberalen und antisozialistischen Antisemitismus. Im 6. Berliner Reichstagswahlkreis erhielt der Antisemit und Hofprediger Stöcker 1887 30 % der Stimmen. Insgesamt allerdings wählten die Berliner bis zum Ende des Kaiserreichs, nimmt man SPD und Liberale zusammen, zu 80 bis 90 % mehr oder minder »links«.

Am Beginn des 20. Jahrhunderts waren die industrielle Revolution und die Bevölkerungsexplosion in Berlin weitgehend gemeistert. Doch in der europäischen wie in der internationalen Politik waren Spannungen herangewachsen, die einen ihrer Ausgangspunkte ganz sicher in Berlin und der hier vorangetriebenen deutschen Großmachtpolitik hatten. Das »wilhelminische« Kaiserreich war zum Rivalen der alten »imperialistischen« Mächte England, Frankreich und Rußland geworden. Es war in Krisen auf dem Balkan, im Vorderen Orient, in Nordafrika, ja sogar in China verwickelt. Die Ermordung des österreichischen Thronfolgerpaares in Sarajevo durch serbische Nationalisten am 28. Juni 1914 löste schließlich eine Kettenreaktion aus, die am 1. August in den Weltkrieg mündete. »Ich kenne keine Parteien mehr, ich kenne nur Deutsche«, verkündete der Kaiser vom Balkon des Berliner Schlosses, und alle Parteien stimmten für die Kriegskredite, obwohl August Bebel schon 1911 vor dem »großen Kladderadatsch« gewarnt hatte, der die »Götterdämmerung der bürgerlichen Welt« bringen werde.

Ende 1918 schien es fast so, als sollte er recht bekommen. Nach Nöten, Entbehrungen und dem schlimmen »Kohlrübenwinter« 1916/17, der die Berliner besonders schwer traf, kam im Reichstag eine »Friedensresolution« zustande, und der Übergang zur parlamentarischen Demokratie wurde vorbereitet. Doch wieder einmal kamen Reformen zu zögernd und halbherzig. Bevor sie politisch wirksam wurden und ins Bewußtsein drangen, löste die Revolte der Kieler Matrosen die Revolution aus, die am 9. November 1918 Berlin erreichte. Der Kaiser, die Könige und Fürsten verschwanden.

Hauptstadt einer bedrohten Demokratie (1919 bis 1932)

Zweimal wurde am 9. November 1918 in Berlin die Republik proklamiert, aber das erste Mal vom Reichstag herab durch den Sozialdemokraten und Kaiserlichen Staatssekretär Philipp Scheidemann eigentlich nur in vorauseilender Notwehr, um dem Spartakisten Karl Liebknecht zuvorzukommen. Der tat das gleiche wenig später von jenem übriggebliebenen Balkon des Schlosses herab, den man heute noch am (mittlerweile ehemaligen) Staatsratsgebäude betrachten kann. SPD und USPD, der im Kriege abgespaltene »unabhängige« Flügel der Partei, der weitere Kriegskredite verweigert hatte, bildeten schließlich einen »Rat der Volksbeauftragten« unter Leitung des Sozialdemokraten und späteren Reichspräsidenten Friedrich Ebert. Für den 19. Januar 1919 wurden Wahlen zu einer Verfassunggebenden Nationalversammlung angesetzt. Wieder einmal schien das Volk zu siegen, aber wieder war der Sieg nicht gründlich genug.

Mit der Gründung der Kommunistischen Partei Deutschlands, die sich das Rußland der Oktoberrevolution zum Vorbild nahm, war die unheilbare Spaltung der politischen Linken endgültig vollzogen. Auf der anderen Seite blieb der alte Verwaltungs-, Justiz- und Militärapparat trotz der Umwandlung des Reiches in eine parlamentarische Demokratie weitgehend erhalten. Die SPD, die seit langem auf den »Sieg mit dem Stimmzettel« gesetzt hatte, war allein zu schwach für eine grundlegende Änderung, und die bürgerlich-demokratischen Kräfte (DDP und Zentrum), mit denen sie im Januar 1919 im ganzen Reich immerhin zusammen drei Viertel aller Wähler gewonnen hatte, schrumpften schon 1920 wieder so zusammen, daß eine demokratische Mehrheit nicht mehr existierte.

Die Weimarer Republik, so genannt nach dem Tagungsort der Nationalversammlung, war in der Tat eine »Republik ohne Republikaner«. Das Weihnachtsfest 1918, an dem die »Volksmarine-Division« im Marstall putschte, und der Wahlkampf im Januar 1919 vergingen in Berlin in einer Atmosphäre des Bürgerkriegs. Karl Liebknecht und Rosa Luxemburg, letztere eher wider die eigene bessere Einsicht und aus Solidarität, riefen zum Kampf, als die Regierung den Polizeipräsidenten Eichhorn absetzte, weil er linksradikale Arbeiter bewaffnete. Diese Linke hatte eigentlich kein Konzept und auch nicht die Waffen, mit denen man siegen konnte. Aber indem sie Gewalt predigte und praktizierte und zugleich die Wahlen boykottierte, bot sie den Anlaß dafür, daß der SPD-Wehrexperte Gustav Noske - der jetzt im Rat der Volksbeauftragten saß, aus dem die USPD ausgetreten war - eine Truppe aus Soldaten der alten Armee bildete, die brutal und blutig zuschlug. Unter den Toten waren am 15. Januar 1919 Karl Liebknecht und Rosa Luxemburg.

Noch bis ins nächste Jahr hinein hielt in Berlin die Unruhe an. Am 13. Januar 1920 kam es vor dem Reichstagsgebäude zu schweren Kämpfen mit 42 Toten, während die Abgeordneten drinnen das Betriebsräte-Gesetz berieten. Zwei Monate später putschte die radikale Rechte: Die »Brigade Ehrhardt« marschierte aus Döberitz mit dem ehemaligen Generallandschaftsdirektor Kapp nach Berlin. Noch einmal gingen Regierung und Parlament für kurze Zeit ins »Exil«, diesmal nach Stuttgart. Doch die meisten Beamten verweigerten die Mitarbeit, ein Generalstreik wurde ausgerufen. So scheiterte der »Kapp-Putsch«.

Trotzdem stand die »Weimarer« Demokratie auf tönernen Füßen, gefährdet von links und von rechts, und besonders gefährdet in Berlin. Die »Dolchstoßlegende« von der Schuld der Revolution am verlorenen

Krieg tat ein übriges. Die demokratische Republik wurde als »Judenrepublik« verleumdet, ihre Vertreter, die das Versailler »Friedensdiktat« unterschreiben mußten, wurden als »Novemberverbrecher« abgestempelt. Politische Morde waren in den nächsten Jahren keine Seltenheit, meist von rechten Geheimorganisationen verübt. Am 24. Juni 1922 wurde in Berlin vor seinem Haus in Grunewald Außenminister Walther Rathenau ermordet, Chef der AEG, Jude, aber auch Organisator der deutschen Kriegswirtschaft, trotzdem nach dem Kriege als »Erfüllungspolitiker« diffamiert.

Zur politischen Erregung kam die wirtschaftliche Krise. Die im Krieg schleichend begonnene Inflation kam immer mehr in Fahrt und erreichte im November 1923 ihren Höhepunkt. In dieser Zeit, in der Nacht zum 9. November 1923, setzte Hitler zu seinem mißglückten »Marsch auf Berlin« an. Noch wurde er an der Münchener Feldherrnhalle gestoppt. In Berlin kostete ein Pfund Brot am 15. November 80 Milliarden Mark. 210 000 Arbeitslose waren registriert. In den Straßen der Stadt gab es Hungerkrawalle, Bäckereien und Lebensmittelläden wurden gestürmt. Als der Dollar schließlich am 20. November 4,2 Billionen Mark kostete, schaffte eine Währungsreform Besserung: der Umrechnungskurs betrug 1 : 1 Billion.

Allmählich ging es nun, politisch und wirtschaftlich, wieder aufwärts. Fürs erste hatte sich die junge Demokratie behauptet.

Berlin hat in all dieser Unruhe doch eine grundlegende Reform erlebt: Die Bildung der neuen Stadtgemeinde Groß-Berlin war 1920 im preußischen Parlament von SPD und USPD durchgesetzt worden – gegen den Widerstand der meisten Abgeordneten der bürgerlichen Parteien, die von jeher ein »rotes« Berlin mit einem von der SPD und anderen linken Parteien beherrschten Rathaus fürchteten. Das »Gesetz über die Bildung einer neuen Stadtgemeinde Berlin« trat am 1. Oktober 1920 in Kraft und machte Berlin endlich zur modernen Großstadt, faßte die inzwischen 3,8 Millionen Bewohner, die sich bisher auf acht Städte, 59 Landgemeinden und 27 Gutsbezirke verteilten, unter einer einheitlichen Verwaltung zusammen. 1930 lebten sogar 4,3 Millionen Menschen in Berlin.

Für Groß-Berlin waren alle vier Jahre 225 Stadtverordnete zu wählen, nun in allgemeinen, gleichen und geheimen Wahlen, an denen seit 1919 in ganz Deutschland auch die bisher vom Wahlrecht ausgeschlossenen Frauen teilnehmen konnten. Die Verwaltung leitete wie bisher der Magistrat aus höchstens 30 Mitgliedern mit dem Oberbürgermeister an der Spitze. 18 besoldete Magistratsmitglieder waren von den

Abb. 18: Karte der Einheitsgemei

ß-Berlin, 1920

Stadtverordneten auf 12 Jahre, die unbesoldeten auf vier Jahre zu wählen.

Diesen zentralen Instanzen standen als Spiegelbild der Vielfalt des 880 Quadratkilometer (genau 1920: 878,1 km^2, seit 1938: 883,66 km^2) großen Gebietes des neuen Berlin die Verwaltungen der 20 Bezirke zur Seite, in die es eingeteilt wurde. Mit geringen Abweichungen und Erhöhung der Zahl um drei im Ost-Berlin der DDR-Zeit existieren sie bis heute. Jeder Bezirk erhielt ein Bezirksamt mit sieben bis 14 Mitgliedern: dem Bürgermeister und den Bezirksstadträten. Eine Bezirksversammlung, damals aus gewählten Bezirksverordneten und den Stadtverordneten des Bezirks bestehend, wählte und kontrollierte das Bezirksamt. Zentralisierung und Bürgernähe sollten so miteinander verbunden werden. Was nicht vom Magistrat verwaltet und entschieden werden mußte, sollten die meist aus mehreren bisherigen Gemeinden gebildeten Bezirke erledigen. Das funktioniert bis heute nicht immer ohne Reibungen. Alt-Berlin wurde in sechs Bezirke aufgeteilt. Von ihnen liegen drei im bisherigen Ost-Berlin (Mitte, Prenzlauer Berg, Friedrichshain), drei in West-Berlin (Kreuzberg, Tiergarten und Wedding).

Gab es nun ein »rotes« Groß-Berlin? In Wirklichkeit hat die Erweiterung eben dies eher verhindert. Im engen Alt-Berlin mit seinen Mietskasernen-Vierteln hatte die SPD schließlich 75 % aller Wählerstimmen erhalten und fünf der sechs Reichstags-Abgeordneten gestellt. Doch seitdem 1920 auch der weite Kreis der Villenvororte Teil der Stadt geworden war, kamen selbst SPD und USPD/KPD zusammen nur auf eine knappe Mehrheit der Wähler, und damit ließ sich wegen der Zerstrittenheit beider sozialistischer Flügel kein aktionsfähiger Magistrat bilden. So wählte die SPD 1920 den bürgerlich-demokratischen Oberbürgermeister Gustav Böß mit, der ein Jahrzehnt lang die Stadt »regierte«.

Auf das Ende der Inflation folgten trotz aller Schwierigkeiten für Berlin Jahre, in denen es aufwärts ging. Doch von den »goldenen zwanziger Jahren« kann, außer auf dem Gebiet der Kultur, eigentlich nur mit großen Einschränkungen gesprochen werden.

Schon am Ende des Kaiserreichs hatten Theodor Fontane mit seinen realistisch-kritischen Romanen über die Berliner und preußische Gesellschaft, Adolph von Menzel mit Darstellungen der Alltags- und Arbeitswelt, Käthe Kollwitz und Heinrich Zille mit ihren sozialkritischen Werken und Peter Behrens mit seinen modernen Industriebauten für die AEG neue Akzente gesetzt. Im Naturalismus der Dramen

Gerhart Hauptmanns, im Impressionismus der Maler Max Liebermann und Walter Leistikow, im Expressionismus von Malern wie Karl Schmidt-Rottluff, Ernst Heckel, Ernst Ludwig Kirchner und Emil Nolde und von Schriftstellern wie Arno Holz, Johannes Schlaf und Johannes R. Becher, dem späteren DDR-Kulturminister, bereitete sich die kulturelle Szene des Berlins der Weimarer Republik vor. Deren Anfänge hatte Kaiser Wilhelm II. einst als »Rinnsteinkunst« verurteilt, und seit 1933 verfiel sie zum größten Teil dem Verdikt der »entarteten Kunst«. Nun, nach der Revolution, gab diese Kunst den Ton an, fand im Dadaismus, Kubismus, Futurismus weitere neue Ausdrucksformen. Berlin wurde geistiger und kultureller Mittelpunkt der Republik und ein internationales Kulturzentrum, das Künstler, Schriftsteller und Wissenschaftler aus aller Welt anzog. Dazu trugen auch seine Theater, Opernhäuser und Orchester bei, und mit dem Film entstand in den zwanziger Jahren ein neues, auch künstlerisch wichtiges Ausdrucksmittel. Das Lebensgefühl und die Probleme der Großstadt und »Metropolis« fanden hier ebenso wie etwa in Alfred Döblins Roman »Berlin Alexanderplatz« ihren Ausdruck. Käthe Kollwitz und Max Liebermann, den man 1927 zum Ehrenbürger machte, konnten nun in die städtische Kunstdeputation gewählt werden, Heinrich Mann, der den Roman »Der Untertan« schrieb, wurde Präsident der Sektion Dichtkunst der Preußischen Akademie der Künste. Erich Maria Remarques Anti-Kriegs-Roman »Im Westen nichts Neues« wurde ein sensationeller Erfolg, der aber auch wüste nationalistische Hetze auslöste. Der demokratische Staat und seine Hauptstadt blieben immer von Gegenbewegungen und Krisen bedroht.

Zunächst immerhin blieb Berlins geballte Wirtschaftskraft: 1925 lebten hier auf knapp einem Fünfhundertstel des Reichsgebietes vier Millionen Menschen, das war ein Fünfzehntel der deutschen Bevölkerung. Ein Zwölftel (450 000) aller Betriebe und ein Zehntel (2 1/2 Millionen) aller Beschäftigten des Reiches waren hier konzentriert. Elektro-Industrie, Feinmechanik und Optik, Apparate-, Fahrzeug- und Maschinenbau, chemische Industrie und Bekleidungsgewerbe gaben den Ton an. Fast 30 Brauereien, davon acht Großbetriebe, produzierten für jeden Berliner jährlich 113 Liter Bier. Größte Wachstumsbranche blieb die Elektro-Industrie mit Siemens und AEG an der Spitze.

Die alte »City« wandelte ihr Gesicht, war Zentrum von Verwaltung und Handel, erster Bank- und Börsenplatz Deutschlands und neben London, Paris und New York einer der Mittelpunkte internationaler Wirtschaftsbeziehungen. Moderne Hochbauten entstanden: das Columbushaus am Potsdamer Platz, hohe Bürohäuser am »Alex«, der Drehscheibe des Verkehrs. Die Zeitungskonzerne Scherl und Mosse erweiterten ihre Häuser, Ullstein baute neu in Tempelhof, im Stil einer neuen Sachlichkeit, der auch sonst zahlreiche Fabrikbauten kennzeichnete.

Im Wohnungsbau wurden die Mietskasernen durch menschenwürdige Bauformen abgelöst. Randbebauung um große Innenhöfe, wie die Britzer Hufeisensiedlung, und Häuserzeilen, die sich nach den Licht- und Sonnenverhältnissen richteten, auch preiswerte Reihenhäuser bestimmten das neue Gesicht der Vorstädte. Trotzdem blieb eine große Wohnungsnot, da die Bevölkerung immer noch wuchs.

Vor allem Ernst Reuter, dem Verkehrs-Stadtrat seit 1926, ist es zu verdanken, daß das U-Bahn-Netz zügig ausgebaut wurde. 1928 konnte er alle Berliner Straßenbahn-, Bus- und U-Bahn-Strecken zur Berliner Verkehrs-Aktiengesellschaft (BVG) zusammenfassen: Sie war das größte kommunale Unternehmen der Welt. 1929 war daneben die Elektrifizierung der zur Reichsbahn gehörenden S-Bahn-Strecken abgeschlossen.

Auf dem Tempelhofer Feld war inzwischen ein neuer Flughafen entstanden, von dem aus 1926 über 30 000 Fluggäste befördert wurden. In jenem Jahr war aus dem Aero-Lloyd und den Junkerswerken die Deutsche Lufthansa geworden.

In den Straßen der Stadt nahm die Zahl der Autos rapide zu. Taxis verdrängten die Pferdedroschken. 1928 brach der »Eiserne Gustav« mit seiner Droschke zur Abschiedsfahrt nach Paris auf.

Der Rundfunk entwickelte sich seit dem Sendebeginn im Oktober 1923 schnell weiter. 1924 fand die erste Funkausstellung statt, 1926 wurde der Funkturm eingeweiht, 1928 erlebte das Fernsehen seine noch recht unvollkommene Premiere, wurde in Berlin der erste Tonfilm vorgeführt. Er kam aus den USA, aber das Patent stammte von drei Berlinern. Bis 1932 gab es in Berlin 210 Tonfilm-Kinos. Seit 1917 schon war die Universum Film-AG., nun im Besitz des politisch rechts stehenden Hugenberg-Konzerns, mit ihren Ateliers in Neubabelsberg und Tempelhof das größte deutsche Filmunternehmen.

Doch halbwegs »golden« war in Berlin allenfalls die Hälfte der zwanziger Jahre, zwischen dem Ende der Inflation und dem Beginn der Weltwirtschaftskrise. Die Arbeitslosenzahl, Anfang 1924 schlagartig auf »nur« 70 000 gesunken, lag Ende 1926 wieder bei 230 000, schwankte bis Ende 1929 dann zwischen 150 000 und 200 000. Im Mai 1929 ging die Polizei mit Panzerwagen gegen Erwerbslosenkrawalle vor: Am Ende zählte man 23 Tote und 73 Schwerverletzte. Zunehmend hatte die Stadt auch Finanzsorgen, mußte sich mit kurzfristigen Auslandskrediten verschulden.

Im Sommer 1929 reiste Oberbürgermeister Böß, der die Modernisierung der erweiterten Stadt energisch vorangetrieben hatte, in die USA, auch um günstigere Kreditmöglichkeiten zu erkunden. Die Reise verlief hoffnungsvoll, aber die Rückkehr endete in einem Fiasko: Inzwischen gab es in Berlin, das 1925 schon den »Barmat-Skandal« um Millionen-Geschäfte mit Lebensmitteln während des Krieges erlebt hatte, den »Sklarek-Skandal«. Neben einem fragwürdigen Monopolvertrag mit den Gebrüdern Sklarek für die Lieferung städtischer Dienstkleidung und Rechnungsmanipulationen, mit denen die Stadt um zwei Millionen Mark betrogen wurde, geriet der Oberbürgermeister wegen einer Pelzjacke, die seine Frau bei den Sklareks erworben hatte, selbst ins Schußfeld. Im heißen Wahlkampf um eine neue Stadtverordnetenversammlung blieb Böß nur der Rücktritt.

Bei einer Rekord-Wahlbeteiligung von 70,3 % nahm Hitlers »Nationalsozialistische Deutsche Arbeiterpartei« (NSDAP) um 100 000 auf über 132 000 Stimmen zu. Ihr neuer Fraktionschef wurde Joseph Goebbels, Vorsitzender der KPD-Fraktion wurde Wilhelm Pieck, der spätere DDR-Präsident. Erst nachdem die Berliner Selbstverwaltung durch Gesetz beschnitten worden war, wurde 1931 der parteilose, als konservativ geltende frühere Danziger Senatspräsident Heinrich Sahm zum Nachfolger von Böß gewählt.

Bald danach traf die Weltwirtschaftskrise, die 1929 in New York begonnen hatte, Berlin mit voller Wucht. Im Juli 1931 stellte die Danat-Bank die Zahlungen ein, die Reichsregierung schloß vorübergehend alle Banken und Börsen. Die Stadt mußte BEWAG-Aktien verkaufen, um Gehälter und Unterstützungen zahlen zu können. Berlins Arbeitslosenzahl schnellte bis zum Jahresende auf 564 000, bis Ende 1932 sogar auf 636 000 hoch.

Die Wirtschaftskrise wurde zur Staatskrise, mit Berlin als Zentrum. Seit den Septemberwahlen 1930, die den Nationalsozialisten 107 statt der bisherigen 12 Reichstagssitze und allein in Berlin fast 400 000 Wähler gebracht hatten, regierte Reichskanzler Brüning vor allem mit Notverordnungen, da er für wichtige Gesetze keine Mehrheit fand. Sein »Präsidialkabinett« hatte 1930 die letzte von einer Parlamentsmehrheit getragene Koalition abgelöst, deren Chef 1928 noch einmal ein Sozialdemokrat, Hermann Müller, als Kanzler gewesen war. Doch Reichspräsident Hindenburg entließ Brüning 1932. Der nächste Kanzler, Franz von Papen, konservativ-autoritär, trieb die Krise voran, indem er die nach zahllosen Straßenschlachten verbotene SA wieder zuließ. Den erneuerten Bürgerkrieg aber nahm er dann zum Vorwand für die Absetzung der preußischen Regierung des sozialdemokratischen Ministerpräsidenten Otto Braun. Unter ihm und mit einer Regierung der »Weimarer Koalition« war Preußen, das zwei Drittel des Reiches umfaßte, bis dahin durch alle Krisen eine wichtige Stütze der Demokratie gewesen. Schon vor diesem, einem Staatsstreich nahekommenden »Preußenschlag« hatte Papen den Reichstag aufgelöst. Die Wahl am 31. Juli brachte erstmals NSDAP und KPD zusammen jene »negative« Mehrheit, die nicht regieren, aber die Regierung durch Aufhebung der Notverordnungen lahmlegen konnte.

Der Reichstag wurde erneut aufgelöst, und bevor er im November 1932 - mit leichten Verlusten für die NSDAP, die an den Mehrheiten nichts änderten - wiedergewählt wurde, erlebte Berlin noch ein Zwischenspiel besonderer Art: Die KPD Walter Ulbrichts, der inzwischen Parteichef von Berlin-Brandenburg war, und die NSDAP unter Goebbels, dem Gauleiter von Berlin, organisierten zusammen einen Streik gegen Lohnkürzungen bei der BVG und legten vorübergehend das Verkehrsnetz Berlins lahm.

Zwei Monate später, nachdem Papen ebenso wie sein Nachfolger, der General von Schleicher, gescheitert waren, ernannte Hindenburg, Reichspräsident seit Eberts Tod, 1925 und 1932 wiedergewählt, seinen unterlegenen Gegenkandidaten Adolf Hitler am 30. Januar 1933 zum Reichskanzler.

»Die Berliner« haben ihn gewiß nicht gewählt. Gerade in der Hauptstadt kam die NSDAP kaum über ein Viertel der Stimmen, bevor sie an der Macht war; fast drei Viertel der Berliner stimmten gegen sie - aber damit nicht für die Weimarer Demokratie. Denn nimmt man KPD, NSDAP und die mit ihr in der »Harzburger Front« verbündeten Deutschnationalen zusammen, so stimmten auch zwei Drittel der Berliner Wähler gegen »Weimar«. Das gehört zu den Widersprüchen, an denen zwischen 1933 und 1945 nicht nur Berlin zugrunde gegangen ist. In Berlin war damit auch das bis dahin am längsten währende Experiment mit der Demokratie gescheitert. Berlin blieb weiter Hauptstadt, aber es sollte fast 57 Jahre dauern, bis die Zeit der Diktatur in der ganzen Stadt überwunden war.

Von Hitlers »Machtergreifung« bis zum Kriegsende in Trümmern (1933 bis 1945)

Für die Berliner begann die »Machtergreifung« Hitlers und der Nationalsozialisten mit einem Fackelzug durch das Brandenburger Tor, den Goebbels, der spätere Reichspropagandaminister, eilig improvisiert hatte und der dann für die Filmaufnahmen, die man in der Wochenschau zeigte, noch einmal wiederholt wurde. Viele Berliner jubelten; aber längst nicht alle. Zu den vielen Zweideutigkeiten und Widersprüchen der historischen Realität zählt auch, daß zu den ersten Opfern der Nazis gerade die Kommunisten, die keine Demokraten waren, zusammen mit den Sozialdemokraten gehörten. Zusammen mit ihnen waren sie auch die ersten, die Widerstand leisteten. In den Kellern der Gestapo- und SS-Zentrale an der Prinz-Albrecht-Straße und im Konzentrationslager Oranienburg/Sachsenhausen nahe bei Berlin wurden alle zusammen verhört, geschlagen und gefoltert: Sozialdemokraten, Kommunisten und Bürgerliche, oppositionelle Christen und Juden.

Der Straßenterror der SA, die zur »Hilfspolizei« gemacht wurde, hatte gleich nach dem 30. Januar eine weitere Steigerung erfahren. Hermann Göring war als »kommissarischer« preußischer Innenminister Chef auch der Berliner Polizei geworden. Mit dem Reichstagsbrand vom 27. Februar 1933 schufen sich die Nationalsozialisten den Vorwand, um eine Woche vor der Reichstagswahl am 5. März, in der ihr Sieg keineswegs gewiß war, durch eine Verordnung des Reichspräsidenten die Grundrechte und damit praktisch die Verfassung außer Kraft zu setzen. Dennoch erhielten sie »nur« 43,9 %, in Berlin sogar nur 34,6 % der Stimmen, zusammen mit den Deutschnationalen als Koalitionspartner waren es 51,9 % (in Berlin 45,6 %). Für eine knappe Mehrheits-Reichsregierung im Rahmen der Verfassung hätte das gereicht - aber nicht für Hitler, der die ganze Macht wollte, auch wenn er sich am »Tag von Potsdam« in der traditionsreichen Garnisonkirche noch als Juniorpartner Hindenburgs und der konservativen Kräfte darstellte. Doch zwei Tage danach stimmte der Reichstag am 23. März in der Kroll-Oper dem »Ermächtigungsgesetz« zu - gegen die Stimmen der Sozialdemokraten und ohne die schon verhafteten oder geflüchteten Kommunisten.

Das war der Anfang der »Gleichschaltung«. Am 1. April wurde der erste »Judenboykott« gegen jüdische Geschäfte ausgerufen. Am 1. Mai wurde auf dem Tempelhofer Feld, dem heutigen Flugplatz Tempelhof, eine große Maifeier inszeniert, und am Tag danach wurden die Gewerkschaften verboten. Am 10. Mai fand auf dem Opernplatz vor der Berliner Universität Unter den Linden die »Bücherverbrennung« statt. Alles wurde »gleichgeschaltet«: die Presse, die Wissenschaft, die Kultur, nach und nach die Wirtschaft.

Am stärksten in ihrer Existenz bedroht waren von Beginn an die Juden: Sie durften nicht mehr Beamte, Rechtsanwälte, Ärzte sein, wurden gezwungen, ihre Geschäfte und Fabriken weit unter dem eigentlichen Wert zu verkaufen. Eine erste Welle der Emigration begann. Berühmte Gelehrte wie Albert Einstein verließen Berlin. Rund 160 000 Juden lebten 1933 in Berlin, ein Drittel aller Juden in Deutschland, aber doch nur vier Prozent der Einwohner von Berlin. Viele von ihnen waren Prominente, wie der Maler Max Liebermann, der Schriftsteller Kurt Tucholsky, der Journalist Theodor Wolff, die Verleger Ullstein und Mosse, aber die meisten waren kleine Geschäftsleute oder Arbeiter, und 50 000 gehörten zu den »Ostjuden«, die in Armut im »Scheunenviertel« nahe dem Alexanderplatz lebten. Von Jahr zu Jahr verschlimmerte sich ihre Lage. Im Mai 1938 gab es nur noch 80 000 Juden in der Stadt. In der »Reichskristallnacht« am 9./10. November 1938 erreichten die Verfolgungen einen neuen Höhepunkt, wurden über 3700 jüdische Geschäfte demoliert, die meisten Synagogen verbrannt und rund 12 000 Berliner Juden in Konzentrationslager, meist nach Sachsenhausen, gebracht. Ende 1941 begann die Deportation der Berliner Juden, am 20. Januar 1942 wurde in einer Villa am Wannsee die »Endlösung« beschlossen. Im März 1945, am Ende des Zweiten Weltkrieges, gab es im zerbombten Berlin nur noch rund 6000 Juden, meist mit »arischen« Ehepartnern. Nach Kriegsende tauchten noch etwa 1400 Juden wieder auf, die von Berlinern vor den Nazis versteckt worden waren.

Widerstand gegen die Diktatur erschien den meisten, die kritisch blieben, aussichtslos. Hilfe für Verfolgte und aktiven Widerstand hat eine zahlenmäßig nur kleine Minderheit geleistet. Aber sie ergibt doch ein breites Spektrum, wenn man die Unterschiede der Herkunft, Berufe, weltanschaulichen Positionen und Generationen betrachtet. Kommunisten und Sozialdemokraten verbreiteten illegale Zeitungen und Flugblätter; ihre Gruppen wurden immer wieder zerschlagen und bildeten sich neu. Zentrum der »Bekennenden Kirche« war die Gemeinde in Dahlem. Auch katholische Priester predigten gegen das Regime. Dompropst Lichtenberg wurde 1941 verhaftet und starb auf dem Weg ins KZ. Der »Kreisauer Kreis« um Graf Moltke hatte sein Zentrum ebenso in Berlin wie der in seinen Anfängen 1938 mit dem

Rücktritt des Generalstabschefs Beck offenbar werdende Widerstand hoher Militärs. Auch der gescheiterte militärische Umsturzversuch des Kreises um Beck und Graf Stauffenberg am 20. Juli 1944 wurde in Berlin geplant. Seine Zentrale in der heutigen Stauffenbergstraße ist jetzt eine Gedenkstätte für den gesamten Widerstand. In Berlin-Plötzensee wurden die Menschen hingerichtet, die der »Volksgerichtshof« unter Roland Freisler zum Tode verurteilte.

Berlin sollte nach Hitlers Plänen zur neuen Hauptstadt der Welt werden und künftig »Germania« heißen. Albert Speer, der nach 1945 viele Jahre im Kriegsverbrecher-Gefängnis in Spandau saß, war sein Chefarchitekt. Neues Zentrum sollte ein sieben Kilometer langer und 120 Meter breiter Boulevard von Norden nach Süden sein. An seinem Nord-Ende, neben dem Reichstag, sollte eine »Große Halle des Volkes« mit einer fast 300 Meter hohen Kuppel stehen, unter der über 150 000 Menschen Platz haben sollten, in der Mitte war ein Triumphbogen von 117 Metern Höhe und 170 Metern Breite geplant. Die Siegessäule wurde vom Platz der Republik auf den »Großen Stern« versetzt als Zentrum einer »Ost-West-Achse«, die vom Brandenburger Tor bis nach Spandau auch tatsächlich realisiert wurde. 1945 war sie Berlins letzter Flugplatz, um Hitler in seinem Bunker unter der Reichskanzlei zu erreichen. Einige Relikte der NS-Architektur sind erhalten geblieben: so das »Haus der Ministerien« in Ost-Berlin, gebaut als Görings Reichsluftfahrtministerium, nach der Wiedervereinigung Sitz der »Treuhandanstalt«, die über das ehemalige DDR-»Volkseigentum« verfügt; die Verwaltungsbauten am Fehrbelliner Platz; der Flughafen Tempelhof. Das meiste von diesen Plänen ist Papier geblieben, denn seit 1939 wurde das Geld für den Krieg gebraucht.

Der Zweite Weltkrieg, der am 1. September 1939 begann, war sicher für Berlins Geschichte die größte Katastrophe. Aber er ist auch in Berlin geplant worden. Erst 1937/38 hatten einige der Generale wirklich zu begreifen begonnen, daß Hitler mit der Wehrmacht nicht nur zurückholen wollte, was das Reich durch den Versailler Vertrag 1919 verloren hatte, sondern eine Weltherrschaft anstrebte, die zur Katastrophe für Deutschland führen mußte. Anfang November 1937 hatte Hitler in der Reichskanzlei den militärischen Oberbefehlshabern und dem Außenminister endgültig seine Pläne enthüllt und kurz danach den Kriegsminister und den Heeres-Oberbefehlshaber abgesetzt, um selbst Oberkommandierender zu werden.

Anfang August 1940 begann der Bombenkrieg mit der »Schlacht um England«, und die britische Luftwaffe schickte ihre Bombenflugzeuge nach Deutschland. Ende September 1940 gab es in Berlin schon über 500 Tote durch Bomben. Aber erst im Herbst 1943 begannen die wirklich schweren Bombenangriffe auf Berlin, die bis Ende März 1945 dauerten. Insgesamt wurden 50 000 Berliner durch Bomben getötet, 1,5 Millionen verloren ihre Wohnungen, 612 000 Wohnungen wurden total zerstört, die Einwohnerzahl war von 4,3 auf 2,8 Millionen gesunken, unter ihnen auch viele Zwangs- und Fremdarbeiter und Dienstverpflichtete. Im Februar 1945 überschritten die sowjetischen Truppen die Oder, am 16. April begann die letzte Offensive gegen Berlin, am 30. April beging Hitler im Bunker unter der Reichskanzlei Selbstmord, Goebbels folgte ihm. Am 2. Mai kapitulierte Berlin, und in der Nacht vom 8. zum 9. Mai 1945 wurde im sowjetischen Hauptquartier in Berlin-Karlshorst die endgültige Kapitulation unterzeichnet. Berlin war Ursprung und Ende des Krieges.

Berlin im »Kalten Krieg« zwischen Ost und West (1945 bis zum Mauerbau 1961)

Schon im September 1944 hatten die Regierungen Großbritanniens, der Sowjetunion und der Vereinigten Staaten von Amerika über das Schicksal Berlins nach dem Kriegsende beschlossen: Die Stadt sollte, wie ganz Deutschland in Besatzungszonen, in Sektoren aufgeteilt werden, aber gleichzeitig Zentrale des gemeinsamen Besatzungsregimes sein. Nachträglich erhielten auch die Franzosen eine Besatzungszone und einen Sektor von Berlin. Die Grenzen von ganz Berlin blieben mit geringen Abweichungen so, wie sie 1920 bei der Bildung von Groß-Berlin festgelegt worden waren. Die Sowjetunion erhielt den Osten Berlins mit der alten Mitte und richtete dort das Zentrum für die Verwaltung ihrer ganzen Zone ein. Im Juli und August 1945 kamen die britischen, französischen und amerikanischen Truppen nach Berlin. Der Alliierte Kontrollrat und - speziell für Berlin - eine Alliierte Kommandantur wurden gebildet.[6] Die Berliner begannen mit der Aufräumung von 75 Millionen Kubikmetern Trümmern. Berühmt wurden die Berliner »Trümmerfrauen«. Sie holten die Steine aus dem Schutt, mit denen der Wiederaufbau begonnen wurde. Wasser, Elektrizität, Gas, Verkehr, Radio, Telefon waren unterbrochen. Leitungen und Verkehrswege wurden erst allmählich wieder hergestellt.

Inzwischen begann die neue politische Krise, der »Kalte Krieg«. 1946 wurden in der Sowjetzone KPD und SPD zur »Sozialistischen

Einheitspartei Deutschlands« (SED) vereinigt. Nur in West-Berlin konnte über die Vereinigung abgestimmt werden: Über 80 % der Sozialdemokraten, die abstimmten, waren gegen diese »Zwangsvereinigung«. So kam sie in Berlin nur unvollständig – im sowjetisch besetzten Ostsektor – zustande. Die Alliierte Kommandantur entschied, daß in ganz Berlin SED und SPD zugelassen waren. Bei den Wahlen am 20. Oktober 1946 erhielt die SPD fast die Hälfte aller Stimmen, die SED nur 20 %.

1948 spitzte sich die politische Krise zu: Nachdem eine gemeinsame Stabilisierung der inflationären Währungsentwicklung in allen vier Besatzungszonen an sowjetischen Forderungen gescheitert war, wurden – erst in den Westzonen und sofort darauf in der Sowjetzone – zwei getrennte Währungsreformen durchgeführt. Als die westdeutsche Währungsreform auf West-Berlin ausgedehnt wurde, versuchte Stalin, durch die Blockade aller Land- und Wasserwege die Westmächte aus Berlin zu vertreiben. Dies scheiterte dank der Luftbrücke, die vom Juni 1948 bis zum Mai 1949 die West-Berliner mit dem Minimum dessen versorgte, was sie zum Leben brauchten.[7] Über 1,7 Millionen Tonnen wurden transportiert, davon über eine Million Tonnen Kohle für den Winter und die Industrie. Auch ein ganzes, später nach Ernst Reuter benanntes Kraftwerk wurde Stück für Stück eingeflogen und der Flughafen Tegel neu gebaut.

Reuter, der Verkehrsstadtrat der zwanziger Jahre, war aus der türkischen Emigration zurückgekehrt, nach der Gesamt-Berliner Wahl am 20. Oktober 1946 von den Stadtverordneten zum Oberbürgermeister gewählt, aber wegen eines sowjetischen Vetos nicht im Amt bestätigt worden. Nun war er der Wortführer des Widerstandes im Westteil der Stadt. Als sich am 9. September 1948 über 300 000 Berliner vor der Reichstags-Ruine versammelten, appellierte er an die »Völker der Welt ... Schaut auf diese Stadt und erkennt, daß ihr diese Stadt und dieses Volk nicht preisgeben dürft und nicht preisgeben könnt!«[8]

Nach einem Jahr gab Stalin auf. Aber eine Folge der Blockade war, daß die gemeinsame Verwaltung Berlins zerbrach. Im September 1948 hatten kommunistische Demonstranten das Stadthaus, das in Ost-Berlin lag, besetzt. Die Mitglieder des Magistrats und der Stadtverordnetenversammlung, die nicht der SED angehörten, zogen nach West-Berlin um, das Rathaus in Schöneberg wurde bald darauf Zentrum der Verwaltung des Westteiles von Berlin. Ernst Reuter wurde nach der am 5. Dezember 1948 fälligen Neuwahl des Stadtparlaments, die nur in den Westsektoren stattfinden konnte und von der SED boykottiert wurde, erneut zum Oberbürgermeister gewählt; seit Anfang 1951 bis zu seinem Tod am 29. September 1953 amtierte er gemäß der neuen (West-)Berliner Verfassung von 1950 als »Regierender Bürgermeister«. In Ost-Berlin hatte eine von den Kommunisten gebildete »Außerordentliche Stadtverordnetenversammlung« schon am 30. November 1948 einen neuen Magistrat mit Friedrich Ebert, einem Sohn des früheren Reichspräsidenten, als Oberbürgermeister »gewählt«.

Der Spaltung von Berlin folgte die Spaltung Deutschlands: Im Mai 1949 wurde die »Bundesrepublik Deutschland« gegründet, im Oktober 1949 die »Deutsche Demokratische Republik«. Konrad Adenauer als erster Bundeskanzler und Walter Ulbricht als Chef der SED, später in zunehmender Ämterhäufung auch Vorsitzender des Staatsrates und des Nationalen Verteidigungsrates, waren die Kontrahenten auf der nationalen Ebene, auf der auch die DDR noch lange den Anspruch erhob, für ganz Deutschland zu sprechen.

Die Unterschiede zwischen Demokratie und Diktatur wurden verschärft durch den ökonomischen Abstand zwischen West und Ost. Obwohl West-Berlin noch lange ökonomisch hinter Westdeutschland zurückblieb, wurde es zum »Schaufenster« für die DDR. Am 16. Juni 1953 begann ein Streik der Bauarbeiter in Ost-Berlin, der am 17. Juni zum Volksaufstand in der ganzen DDR wurde. Sowjetische Panzer beendeten ihn.

Der Strom der Flüchtlinge, die die DDR verließen, nahm stark zu. 1949 bis 1952 waren rund 675 000 Menschen in den Westen gekommen, 1953 waren es über 300 000. Sehr viele von ihnen kamen nach West-Berlin. 1958 versuchte Nikita Chruschtschow, sowjetischer Parteichef nach Stalins Tod, erneut, die Berlin-Frage zu »lösen«, indem er die Umwandlung West-Berlins in eine »Freie Stadt« forderte. Die Westmächte wiesen das Ultimatum zurück, aber die Fluchtwelle ging weiter. Bis zum 13. August 1961 hatten rund drei Millionen Menschen die DDR verlassen. An diesem Tage, an einem Sonntagmorgen, begann die DDR, mit Rückendeckung Moskaus und des Warschauer Paktes, den Bau der Mauer. 166 Kilometer lang wurden die Sperranlagen rund um West-Berlin, 46 Kilometer von ihnen zogen sich von Norden nach Süden quer durch die Stadt.

28 Jahre Leben mit der Mauer (1961 bis 1989)

28 Jahre lang hielt die Mauer. In den ersten zwei Jahren blieben die Berliner in beiden Teilen der Stadt nahezu vollkommen voneinander getrennt. Auch West-Berliner durften schon bald nach der Schließung der Grenze nicht mehr nach Ost-Berlin. Erst Weihnachten 1963 kam ein erstes Passierschein-Abkommen für 18 Tage Dauer zustande. Bis Mitte 1966 gab es Vereinbarungen für sieben weitere kurze »Besuchszeiträume«, dann gab es bis 1971 nur noch Besuche in Ost-Berlin bei »dringenden Familienangelegenheiten«. Seit 1968 brauchte jeder, der von der Bundesrepublik nach West-Berlin oder von West-Berlin nach Westdeutschland wollte, ein Visum der DDR. Immer wieder gab es stundenlange Wartezeiten und Kontrollen an den Grenzen.

Erst allmählich begriffen die Politiker in Ost und West die Sinnlosigkeit der Konfrontation. Die Entspannungspolitik begann. Mit vorbereitet worden war sie von einer neuen Bundesregierung in Bonn, an deren Spitze Willy Brandt als inzwischen vierter Kanzler stand; zuvor war er der vierte Regierende Bürgermeister von Berlin gewesen. In der DDR löste 1971 Erich Honecker, der maßgeblich den Bau der Mauer gelenkt hatte, Walter Ulbricht ab. 1970 begannen im ehemaligen Gebäude des Alliierten Kontrollrats in Berlin Verhandlungen der Vier Mächte, parallel dazu wurden von der Bundesregierung der Moskauer und der Warschauer Vertrag ausgehandelt. 1971 wurde der 1952 unterbrochene Telefonverkehr zwischen beiden Teilen Berlins wieder aufgenommen, wurde das Transit-Abkommen unterzeichnet, von dem vor allem West-Berlin durch Reduzierung der oft schikanösen DDR-Grenzkontrollen profitierte, und wurde zwischen dem (West-)Berliner Senat und der DDR eine Vereinbarung über den Reise- und Besuchsverkehr und einen Gebietsaustausch (der vor allem die Exklave Steinstücken durch eine Straßen-»Nabelschnur« mit West-Berlin verband) abgeschlossen. Am 3. Juni 1972 wurde schließlich das Schlußprotokoll eines Vier-Mächte-Abkommens über Berlin unterzeichnet, am 21. Dezember 1972 folgte der Grundlagenvertrag zwischen der Bundesrepublik und der DDR. Insgesamt wurden die Bindungen West-Berlins an den Bund bestätigt, aber bekräftigt wurde auch, daß es nicht von Bonn regiert werden dürfe und die Rechte der Westmächte weitergelten. Das blieb die juristische Basis, die erst mit der Wiedervereinigung Deutschlands am 3. Oktober 1990 außer Kraft gesetzt worden ist.

Von 1961 bis 1989 haben sich in den Grenzen von Berlin zwei Städte entwickelt, die erst allmählich wieder zu einer einzigen werden können, auch wenn die Mauer die Menschen nicht mehr trennt.

West-Berlin nahm teil am ökonomischen Boom der Bundesrepublik, aber auch an den wirtschaftlichen und politischen Krisen der westlichen Welt. Die neue Protestbewegung der Studenten hatte hier ihr deutsches Zentrum in der Freien Universität, die 1948 aus Protest gegen politische Reglementierung der Wissenschaft an der Humboldt-Universität in Ost-Berlin Unter den Linden gegründet worden war. »Linke« Theorien verdrängten den Antikommunismus. Als der Student Benno Ohnesorg bei einer Demonstration gegen den Besuch des Schahs von Persien am 2. Juni 1967 von einem Polizisten erschossen wurde, mußte der Regierende Bürgermeister Heinrich Albertz unter dem Druck der öffentlichen Kritik zurücktreten. Zugleich begann eine Eskalation der Gewalt bis hin zu Mord und Entführungen. Aber auch eine »linke« Alternativ- und Reformbewegung setzte sich mehr und mehr durch, die schließlich »Alternative« und »Grüne« ins Abgeordnetenhaus und zeitweise sogar in den Senat brachte. In der West-Berliner Innenpolitik gab es eine Reihe von Skandalen, die oft eng mit dem umfangreichen Wiederaufbau zusammenhingen und an denen 1977 der Albertz-Nachfolger Klaus Schütz ebenso wie Anfang 1981 dessen Nachfolger Dietrich Stobbe scheiterte.

Die Abgeordnetenhaus-Wahl im Mai 1981 brachte die Quittung: Der SPD, die 1963 auf 62 % gekommen war, aber seit 1975 zum Regieren auf die FDP angewiesen war, blieb mit 38 % der Stimmen nur der Weg in die Opposition. Im Duell der aus Bonn geholten Wahl-»Zugpferde« hatte Richard von Weizsäcker für die CDU mit 48 % über den Interims-»Regierenden« Jochen Vogel gesiegt und bildete nun die neue West-Stadtregierung. Sie blieb als CDU-FDP-Koalition auch bestehen, als 1984 Weizsäcker Bundespräsident und Eberhard Diepgen sein Berliner Nachfolger wurde. Der Diepgen-Senat wurde 1985 von den Wählern bestätigt, während die SPD-Opposition, geführt von Walter Momper, mit 32,4 % einen Tiefpunkt der Wählergunst erreichte.

In Ost-Berlin verlief die offizielle Stadtpolitik ruhiger: Für die Wahl der 225 Stadtverordneten wurde alle fünf Jahre eine Einheitsliste der »Nationalen Front« präsentiert, auf die stets rund 99 % aller Stimmen zu entfallen hatten. Friedrich Ebert wurde 1967 durch Herbert Fechner als Oberbürgermeister abgelöst, ihm folgte 1974 Erhard Krack. Sie alle saßen als Oberbürgermeister im DDR-Ministerrat und gehörten der SED an, die die Stadt- wie die Staatspolitik lenkte; der Bezirks-Parteichef stimmte im Politbüro der SED mit.

Ungeachtet solch politischer Unterschiede sind in diesen Jahren ganze Satellitenstädte neu entstanden, in West-Berlin vom »Märkischen Viertel« im Norden über das »Falkenhagener Feld« im Westen bis zur »Gropiusstadt« im Süden, in Ost-Berlin am östlichen Stadtrand in Marzahn, Hellersdorf und Hohenschönhausen. In beiden Stadthälften stieg der Lebensstandard, freilich im Westen weit schneller als im Osten. West-Berlins Bevölkerungszahl sank seit dem Mauerbau bis 1985 um rund 200 000 knapp unter die Zwei-Millionen-Grenze, seitdem ging es wieder aufwärts. 1987 waren 13 % dieser Einwohner, über 262 000 Menschen, Ausländer, darunter 118 000 Türken und 31 000 Jugoslawen. Die meisten von ihnen waren seit Ende der sechziger Jahre, in Zeiten des Arbeitskräftemangels, als »Gastarbeiter« angeworben worden. Doch als Mitte der achtziger Jahre die Zahl der Arbeitslosen in einer Phase wirtschaftlicher Rezession auf über 90 000 stieg, weckten diese Ausländer ebenso wie der verstärkte Zustrom von Flüchtlingen und Asylanten Ressentiments, die so gar nicht zum offiziellen Bild der weltoffenen Stadt paßten. - Ost-Berlins Bevölkerung stieg im »Schutze« der Mauer bis 1985 um rund 100 000 auf 1,2 Millionen an und erreichte wieder ungefähr den Stand von 1950. Auch hier gab es Ausländer, vor allem Vietnamesen, als zusätzliche Arbeitskräfte, aber sie lebten abgeschirmt und kaserniert.

Beide Stadthälften wurden für ihre Teilstaaten zu Zentren der Wirtschaft, der Wissenschaft und Forschung und nicht zuletzt der Kultur, und in Ost-Berlin ging gerade von Künstlern und Intellektuellen der Protest aus, der es unter den Bedingungen der SED-Diktatur schwerer hatte als die alternativen Bewegungen in West-Berlin. Viel mehr als im Westen wurden hier auch die Kirchen zu Kristallisationspunkten des Protestes, den der Staat, vertreten durch seinen mit Agenten und Spitzeln allgegenwärtigen »Staatssicherheitsdienst«, kurz »Stasi« genannt, zu unterdrücken versuchte: durch Auftritts-, Berufs- und Publikationsverbote, durch Ausbürgerung oder Ausweisung, wie bei Wolf Biermann, oder durch Gefängnisstrafen.

Bei all dem erwies sich die »Entspannungspolitik« zwischen den Systemen als stabil und machte kleine Fortschritte. Am 2. Mai 1974 eröffneten in Ost-Berlin die »Ständige Vertretung der Bundesrepublik Deutschland bei der DDR« und in Bonn ihr DDR-Gegenstück. 1975 unterzeichnete die DDR das KSZE-Abkommen von Helsinki, dessen »Korb 3« fundamentale Menschenrechte einschließlich der Reisefreiheit enthielt und der DDR-Protestbewegung neue Argumente gegen deren Vorenthaltung gab. 1983 traf der Regierende Bürgermeister von

Weizsäcker in Ost-Berlin mit SED-Chef Honecker zusammen, der 1987 endlich der Bundesrepublik einen offiziellen Besuch abstattete. Am 17. Januar 1988 wurde die alljährliche Berliner »Kampfdemonstration« zum Todestag von Karl Liebknecht und Rosa Luxemburg von einer Gegendemonstration »gestört«, der eine Welle vorübergehender Festnahmen und mehrere Verurteilungen zu Haftstrafen folgten. In mehreren DDR-Städten kam es zu Solidaritäts-Andachten, in der Ost-Berliner Gethsemanekirche am 30. Januar mit 2000 Menschen. In der Leipziger Nikolaikirche versammelten sich 1000 Menschen am 14. März zu einem Friedensgebet, dem eine Demonstration Ausreisewilliger folgte.[9]

Doch noch am 18. Januar 1989, in vielleicht unfreiwilliger Ironie am Jahrestag der Reichsgründung von 1871, erklärte Honecker, die Mauer werde »in 50 und auch in 100 Jahren noch bestehen bleiben, wenn die dazu vorhandenen Gründe noch nicht beseitigt sind«[10]. Am 6. Februar wurde in Berlin wieder einmal ein flüchtender DDR-Bürger, Chris Gueffroy, erschossen, das letzte von rund 100 Opfern der Berliner Mauer (um dessen Tod 1991 in Berlin der erste »Mauerschützen-Prozeß« geführt wurde). Nach den Kommunalwahlen am 7. Mai 1989 kam es in Ost-Berlin zu zahlreichen Einsprüchen und Strafanzeigen wegen Wahlfälschung.

Berlin und der Fall der Mauer (1989 bis 1991)

Stärker als andere Ostblock-Staaten hatte sich die DDR gegen die Politik des sowjetischen Staats- und Parteichefs Michail Gorbatschow gesperrt, der seit seinem Amtsantritt 1985 das Gebäude der kommunistischen Ideologie und Alleinherrschaft von innen heraus in Frage stellte, es durch »Glasnost« und »Perestrojka« reformieren wollte und damit schließlich, ohne dies in solcher Radikalität selbst zu wollen, das Staatensystem des »real existierenden Sozialismus« zum völligen Zusammenbruch brachte. Ost-Berlins offizielle Politik verfügte lediglich einige Reise-Erleichterungen. Der 40. Jahrestag der DDR am 7. Oktober 1989 sollte zur großen Feier des Sieges des Sozialismus werden.

Doch schon während der Herbstmesse haben in Leipzig am 4. September jene Montagsdemonstrationen begonnen, deren Teilnehmerzahl von anfangs 1200 bis Ende Oktober auf 300 000 anschwillt. Am 10. September löst die Öffnung der Grenze zwischen Ungarn und

Österreich eine Massen-Fluchtbewegung von Zehntausenden aus, die sich mit der Prager Botschafts-»Besetzung« durch DDR-Flüchtlinge und deren Reise in die Bundesrepublik in Sonderzügen fortsetzt. So endet auch der 40. DDR-Jahrestag in Demonstrationen und Verhaftungen, und Gorbatschows Warnung an Honecker, »Wer zu spät kommt, den bestraft das Leben«, wird von der Opposition als Ermutigung aufgegriffen. Am 18. Oktober 1989 ersetzt das SED-Zentralkomitee den Generalsekretär Erich Honecker durch Egon Krenz, den die Volkskammer dann am 24. Oktober auch zum Staatsrats-Vorsitzenden macht. Doch die Demonstrationen und die Fluchtwelle gehen weiter. Am Abend des 9. November schließlich verkündet der Berliner SED-Bezirkschef Günter Schabowski auf einer Pressekonferenz, fast beiläufig, den Beschluß des Politbüros, die Mauer für alle DDR-Bürger zur Ausreise ohne Angabe von Gründen zu öffnen. Kurz danach beginnt ein Sturm der Ost-Berliner nach West-Berlin, der alle Grenzkontrollen unmöglich macht. Bundeskanzler Helmut Kohl unterbricht eine Reise durch Polen und nimmt, wie der SPD-Ehrenvorsitzende Willy Brandt und Außenminister Genscher, an einer Kundgebung vor dem Rathaus Schöneberg teil. In Ost-Berlin verkündet Egon Krenz vor einer Kundgebung auf dem Marx-Engels-Platz ein vom ZK der SED beschlossenes Reformprogramm der »Wende«.

Damit hat für die DDR, an deren schnelles Ende jetzt und in den nächsten Wochen noch niemand glauben mag, die letzte Phase ihrer Existenz begonnen. Die Volkskammer wählt am 17. November den Dresdener SED-Bezirkschef Hans Modrow zum neuen Ministerpräsidenten und streicht am 1. Dezember den Führungsanspruch der SED aus der Verfassung. Am 3. Dezember treten Politbüro und ZK der SED geschlossen zurück, am 6. Dezember geht Krenz auch als Staatsrats-Vorsitzender, tags darauf tagt zum erstenmal der »Runde Tisch«, an dem Vertreter der »Blockparteien« und der Opposition gemeinsam beraten. Zwischen Ost- und West-Berlin und rund um den Westteil der Stadt werden mittlerweile zahlreiche neue Übergänge eröffnet, am 22. Dezember schließlich, in Anwesenheit von Kohl und Modrow, auch am Brandenburger Tor. Visumpflicht und Zwangsumtausch für West-Besucher werden endgültig abgeschafft, für den Umtausch von D-Mark in DDR-Mark wird ein offizieller Kurs von 1:3 (später auf 1:2 reduziert) festgesetzt. Honecker, gegen den ein Ermittlungsverfahren wegen Amtsmißbrauchs und Korruption läuft, wird im Januar 1990 verhaftet, erhält aber aus Gesundheitsgründen Haftverschonung und flieht im März mit Hilfe der sowjetischen Armee nach Moskau (von wo er – nach längerem Intermezzo als Asylsuchender in Chiles Botschaft – erst im Juli 1992 nach Berlin zurückkehrt). Aus dem Ruf der Demonstranten in der DDR »Wir sind *das* Volk« ist inzwischen »Wir sind *ein* Volk« und »Deutschland - einig Vaterland« geworden. Das kann zur Realität werden, als nach den Westmächten auch Gorbatschow bei einem Besuch Kohls in Moskau am 10. Februar den Weg zur deutschen Einheit freigibt. Doch noch immer denkt man dabei an längere Fristen und konföderative Zwischenstufen.

Der »Runde Tisch« hat am 7. Dezember 1989 freie Volkskammer-Wahlen in der DDR für den 6. Mai 1990 empfohlen, die schließlich schon am 18. März stattfinden. 24 Parteien und politische Gruppen bewerben sich, die von der CDU geführte »Allianz für Deutschland« erringt in der ganzen DDR 48 % (in Ost-Berlin allerdings nur 21,8 %), die in »Partei des Demokratischen Sozialismus« (PDS) umbenannte SED mit Gregor Gysi als neuem Parteichef kommt auf 16,4 % (Ost-Berlin: 30,2 %), die neugegründete SPD erhält 21,9 % (34,8 %), das »Bündnis 90«, Sammelbecken der meisten oppositionellen Bürgergruppen und -initiativen der Umbruchsphase, erreicht nur 2,9 % (6,3 %), die »Grünen« kommen auf 2,0 % (2,7 %), die Freien Demokraten auf 5,3 % (3,0 %).[11] Neuer Ministerpräsident der DDR wird Lothar de Maizière (CDU). Mit den Kommunalwahlen am 6. Mai erhält Ost-Berlin wieder ein demokratisch gewähltes Stadtparlament, Tino Schwierzina (SPD) wird an der Spitze des Magistrats im »Roten Rathaus« neuer Oberbürgermeister.

Neuwahlen hatten, bevor diese ganzen Turbulenzen begannen, am 29. Januar 1989 auch in West-Berlin stattgefunden. Als deren Ergebnis bildete Walter Momper, dessen SPD auf 37,3 % kam, mit der Alternativen Liste (11,8 %) den ersten »rot-grünen« Senat. Nun, nach der »Wende« in der DDR, wird er mit Schwierzina zur doppelten Spitze des mehr und mehr zu einer gemeinsamen Stadtregierung verschmelzenden »Magi-Senats« beider Teile Berlins.

Inzwischen ist im Januar 1990 an der Bernauer Straße mit dem Abbau und dem Verkauf von Teilen der Mauer begonnen worden, die seit dem 9. November bereits zunehmend von »Mauerspechten« brokkenweise zerklopft und durchlöchert wird. Am 22. Juni entfernt, im Beisein hoher Vertreter aller Vier Mächte, der Bundesregierung und beider Bürgermeister, ein Kran das Wachhäuschen des alliierten »Checkpoint Charlie« von der Mitte der Friedrichstraße. Am 1. Juli 1990 wird mit der Währungs-, Wirtschafts- und Sozialunion die D-Mark in der ganzen DDR offizielle Währung. Am 23. August beschließt die Volkskammer den Beitritt der DDR zur Bundesrepublik Deutschland zum 3. Oktober.

Ende 1991 ist vom »antifaschistischen Schutzwall« nur noch die breite Schneise öden Geländes geblieben, die er vor drei Jahrzehnten quer durch die Stadt und an ihrer westlichen Peripherie geschlagen hatte. Touristenbusse müssen mühsam nach Mauerresten suchen, die unter der Obhut des Deutschen Historischen Museums eingezäunt wurden und unter Denkmalschutz gestellt sind. Schwieriger als die Beseitigung der Mauer ist die Zusammenfügung der beiden Stadthälften, die am Tage der ersten gesamtdeutschen Bundestagswahl, dem 2. Oktober 1990, mit der Wahl des ersten Gesamt-Berliner Abgeordnetenhauses beginnt. Sie bringt der SPD mit 30,4 % (West: 29,7 % / Ost: 32,1 %) ein neues Tief, das ein neues »rot-grünes« Bündnis ebenso unmöglich macht wie eine »Ampel-Koalition« unter Einschluß der FDP mit 7,1 % (7,9 / 5,6 %). So bleibt schließlich nur die Möglichkeit einer Großen Koalition zwischen der CDU, die 40,4 % (49,0 / 25,0 %) erhalten hat, und der SPD. Eberhard Diepgen wird wieder Regierender Bürgermeister. Die PDS bleibt immerhin drittstärkste Partei mit 9,2 % (1,1 / 23,6 %), doch ein Bündnis mit dieser Partei gilt von vornherein als indiskutabel.

Am Abend des Wahltages strömen Hunderttausende aus Ost und West in Berlins ungeteilte Mitte. Um Mitternacht wird vor dem Reichstagsgebäude unter dem Klang der Freiheitsglocke die schwarzrotgoldene Fahne gehißt, aus zwei deutschen Staaten ist mit dem 3. Oktober 1990 wieder einer geworden, am 4. Oktober wird im Reichstag der erste gesamtdeutsche Bundestag eröffnet, der dann freilich, nach Bonn zurückgekehrt, noch bis zum 20. Juni 1991 braucht, um nach langen Debatten mit 338 gegen 320 Stimmen zu beschließen, daß die Hauptstadt Berlin auch Sitz von Bundestag und Bundesregierung werden solle, arbeitsfähig in vier, voll funktionsfähig in 12 Jahren, unter Erhaltung von Bonn als Verwaltungssitz des Bundes.

Der 3. Oktober hat den Menschen in der ehemaligen DDR und Ost-Berlin nach 57 Jahren die demokratischen Freiheiten zurückgebracht, aber der abrupte völlige Zusammenbruch des Staates und seiner maroden »sozialistischen« Plan- und Mangelwirtschaft, der mit der Währungs- und Wirtschaftsunion am 1. Juli 1990 begonnen hatte, stürzte sie zugleich in ungewohnte Freiräume, Handlungszwänge, Konsum-Angebote und neue Ungewißheiten. Die noch von der letzten DDR-Volkskammer beschlossene »Treuhandanstalt« hat die bisherigen »volkseigenen« Betriebe mit dem Auftrag übernommen, sie entweder durch Sanierung und Verkauf in die scharfe Konkurrenz der Marktwirtschaft zu überführen oder zu »liquidieren«. Beides bedeutet den Verlust von Arbeitsplätzen, teilweise kaschiert durch Kurzarbeit, Umschulungs- und Arbeitsbeschaffungs-Maßnahmen (ABM) und vorzeitigen Ruhestand ab 55 Jahren. Im November 1991 standen 95 000 West-Berliner Arbeitslosen 98 000 im Ostteil der Stadt gegenüber, dazu kamen hier 44 200 Kurzarbeiter (West-Berlin 4000), 16 100 (6700) ABM-Beschäftigte, 40 400 Bezieher von Altersübergangs- und Vorruhestandsgeld. Die Gesamtzahl der Beschäftigten lag in Ost-Berlin Ende November 1991 mit 639 300 trotzdem immer noch bei rund 50 % der 1,3 Millionen Einwohner (Oktober 1990), in West-Berlin betrug sie dagegen 1990 mit rund 929 000 etwa 43 % der Bevölkerung von knapp 2,2 Millionen.[12] Dabei brachte der schnelle Abbau bisher West-Berlin gewährter Bundes-Subventionen für den nun Gesamtberliner Landeshaushalt zusätzliche finanzielle Probleme, und auch für die »privilegierten« West-Berliner gibt es neben dem Gewinn an Freizügigkeit Probleme bei der Überwindung des bisherigen »Insel«-Bewußtseins, dazu reale Einkommens-Einbußen bei steigenden Preisen und Mieten.

Neben dem Abbau der (nach westlichen Maßstäben) »Überbeschäftigung«, die aus der bisherigen staatlichen Arbeitsplatzgarantie resultierte, ist die Beseitigung der politischen »Altlasten« im Osten eines der heikelsten Probleme im vereinigten Berlin wie in ganz Deutschland. Verfahren gegen Honecker und andere, die Entfernung politisch kompromittierter Funktionsträger aus dem öffentlichen Dienst, die Enttarnung von Stasi-Mitarbeitern und -Spitzeln, mit denen alle Lebensbereiche durchsetzt waren, die Rehabilitierung von Justiz-Opfern, die »Evaluierung« der in vielen Bereichen ideologisch überfrachteten Wissenschaft, die Zusammenführung oder Reduzierung zahlreicher in Ost- und West-Berlin doppelt vorhandener Institutionen, die Rückgängigmachung von Enteignungen oder Entschädigung der Enteigneten, der Schutz der Interessen auch der gegenwärtigen Nutzer solchen Eigentums: All dies bedeutet schwierige Abwägungen zwischen Recht und Unrecht. Der Abbau des Lohngefälles zwischen Ost und West ist ebenso unvermeidlich wie die Erhöhung der bisher nur einen Bruchteil der Kosten deckenden Mieten im Osten Berlins. Die Umbenennungen von Straßen, Plätzen, Bahnstationen, der Abbau bisheriger sozialer Einrichtungen und »Errungenschaften«, der Abriß von Denkmälern sozialistischer Gründerväter und Heroen erregen die Gemüter. Über vier Jahrzehnte des Lebens in grundverschiedenen politischen Systemen haben die Menschen stärker geformt und einander mehr entfremdet, als sich in der Zeit der reglementierten Besuchsmöglichkeiten ahnen ließ.

Zugleich setzt die Beseitigung bisheriger geistiger, politischer und ökonomischer Grenzen auch in Berlin Kräfte frei, deren Dynamik nicht an den Stadtgrenzen Halt machen kann. Ob ein gemeinsames Land Brandenburg-Berlin dem eher gerecht werden kann und vielleicht auch die künftige Hauptstadt-Funktion erleichtert, war Ende 1991 nicht unumstritten. So wird das letzte Jahrzehnt des 20. Jahrhunderts für Berlin zu einer der größten Bewährungsproben seiner Geschichte werden. Und da Berlin zugleich eine Großstadt im Herzen der Mark Brandenburg, die Hauptstadt Deutschlands und eine der großen Metropolen Europas zwischen Ost und West ist, wird auch die Art, wie diese Herausforderung hier gemeistert wird, weit über die Grenzen der Stadt ausstrahlen.

Anmerkungen

1 Der folgenden Darstellung liegen für die Zeit von 1806 bis 1987 vor allem zwei anläßlich der 750-Jahr-Feier Berlins neu erarbeitete Werke zugrunde: Wolfgang Ribbe/Jürgen Schmädeke, Kleine Berlin-Geschichte. Hg. von der Landeszentrale für politische Bildungsarbeit Berlin in Verbindung mit der Historischen Kommission zu Berlin. 2., durchges. Aufl., Berlin 1989; Wolfgang Ribbe (Hg.), Geschichte Berlins (= Veröffentlichung der Historischen Kommission zu Berlin). 2 Bände. 2., durchges. Aufl., München 1988. Beide Werke enthalten umfangreiche Quellen- und Literaturverzeichnisse. Vgl. auch: Die Chronik Berlins. Hg. von Bodo Harenberg. Dortmund 1986. – Für einige Details berücksichtigt wurden die zeitlich entsprechenden Abschnitte des Beitrages von Horst Mauter, Berliner Geschichte und Bevölkerungsentwicklung, in der ersten Auflage des hier vorliegenden Buches, Berlin 1986, S. 68–99, der als Widerspiegelung des offiziellen Berlin-Geschichtsbildes der DDR inzwischen selbst ebenso ein Zeitdokument ist wie die beiden in Ost-Berlin zum Jubiläumsjahr erschienenen Bände: Laurenz Demps u. a., Geschichte Berlins von den Anfängen bis 1945. Berlin 1987; Gerhard Keiderling, Berlin 1945–1986. Geschichte der Hauptstadt der DDR. Berlin 1987. Vgl. dazu: 750 Jahre Berlin. Thesen. In: Zeitschrift für Geschichtswissenschaft, 34. Jg. (1986), S. 315–352, und Wolfgang Ribbe, Kritische Anmerkungen zur historischen Berlin-Forschung der DDR, in: Konrad H. Jarausch (Hg.), Zwischen Parteilichkeit und Professionalität. Bilanz der Geschichtswissenschaft der DDR (= Publikationen der Historischen Kommission zu Berlin), Berlin 1991, S. 91–106.

2 So W. Ribbe in der Kleinen Berlin-Geschichte (Anm. 1), S. 83. – Zur Wirtschaftsgeschichte siehe auch: Berlin und seine Wirtschaft. Ein Weg aus der Geschichte in die Zukunft – Lehren und Erkenntnisse. Hg. von der

Industrie- und Handelskammer zu Berlin, Berlin 1987; Wolfram Fischer, Berlin und die Weltwirtschaft im 19. und 20. Jahrhundert (= Informationen der Historischen Kommission zu Berlin, Beiheft Nr. 13), Berlin 1989.

3 W. Ribbe, Kleine Berlin-Geschichte (Anm. 1), S. 97.

4 Zum folgenden vgl. Jürgen Schmädeke, Der Deutsche Reichstag. Das Gebäude in Geschichte und Gegenwart (= Berlinische Reminiszenzen, Bd. 30), 3. Aufl., Berlin 1981.

5 Als zeitgenössische Dokumentation des Baues mit vielen Lichtbildern und Zeichnungen siehe: Paul Wallot, Das Reichstagsgebäude in Berlin, Nachdruck der Ausgabe des Cosmos Verlag für Kunst und Wissenschaft, Leipzig 1897/1913. Hg.: Deutscher Bundestag, Referat Öffentlichkeitsarbeit. Bonn 1987.

6 Als letzte detaillierte Darstellung des Vier-Mächte-Status von Berlin siehe: Udo Wetzlaugk, Die Alliierten in Berlin (= Politologische Studien, Bd. 33), Berlin 1988.

7 Uwe Prell/Lothar Winkler (Hg.), Berlin-Blockade und Luftbrücke. Analyse und Dokumentation (= Politische Dokumente, Bd. 11), Berlin 1987.

8 A.a.O., S. 140.

9 Zur Entwicklung seit 1988 in chronologischen Überblicken siehe: Der Fischer Weltalmanach, Bände 1989 bis 1992 und Sonderband DDR. Frankfurt a. M. 1988–1991. – Eingebettet in die deutsche und internationale Entwicklung behandeln den Einigungsprozeß: Gebhard Diemer/Eberhard Kuhrt, Kurze Chronik der Deutschen Frage. Mit den drei Verträgen zur Einigung Deutschlands (= Geschichte und Staat, Bd. 288). 2., erw. Aufl., München 1991, und das nach Stichworten gegliederte Handwörterbuch zur deutschen Einheit, hg. v. Werner Weidenfeld/Karl-Rudolf Korte, Bundeszentrale für politische Bildung. Bonn 1991; Der Einigungsvertrag. Der vollständige Text mit allen Ausführungsbestimmungen. München 1990; Verträge und Rechtsakte zur deutschen Einheit. 3 Bde., München 1991; vgl. auch die aktualisierte Neuauflage von Hermann Weber, DDR. Grundriß der Geschichte 1945–1990. Hannover 1991. – Als erster von zahlreichen Bildbänden nach Öffnung der Mauer am 9. November 1989 erschien noch Ende desselben Monats die Dokumentation der Nicolaischen Verlagsbuchhandlung: Berlin im November. Berlin 1989; vgl. zum Jahr 1990: Bilder aus Berlin. Der Weg zur deutschen Einheit. Berlin 1990. Umfangreiche fotografische Luftbild-Dokumentationen Berlins mit und ohne Mauer bieten zwei Ullstein-Bildbände: Berlin. Porträt einer Stadt – Stadtlandschaften aus der Vogelperspektive. Berlin 1989; Berlin. Porträt einer Metropole. Berlin 1991.

10 Zitiert nach Berlin im November, a.a.O., S. 123.

11 Die Ergebnisse der Wahlen in der DDR und Berlin 1989/90 siehe in: Gerhard A. Ritter/Merith Niehuss, Wahlen in Deutschland 1946–1991. Ein Handbuch. München 1991, S. 104–108, 124–125, 178–199.

12 Zahlen nach Angaben des Statistischen Landesamtes im Landespressedienst, 2. und 5. Dezember 1991, und in Die kleine Berlin-Statistik 1991.

Die sprachliche Entwicklung Berlins vom 13. bis zum frühen 19. Jahrhundert

Hartmut Schmidt

Vorbemerkung

Wer heute »berlinisch« spricht, andere »berlinern« hört oder über die Besonderheiten der berlinischen Sprache nachdenkt, wird wohl dazu neigen, das Berlinische für eine alte, stabile Sprachform zu halten, der wir so oder ähnlich schon in Texten aus lang zurückliegenden Epochen begegnen müßten.

Der Gedanke liegt nahe, in Berlin hätte man berlinert, längst bevor die Normen der hochdeutschen Aussprache und Schreibung durch Schule, Zeitung, Verlagswesen, Behörden, Militär und Kirche in der Stadt durchgesetzt wurden. Auf der Suche nach dem Beweis für diese Ansicht stoßen wir aber rasch auf Probleme. Der Berliner Sprachgebrauch in Texten des 13. bis 18. Jahrhunderts unterscheidet sich so wesentlich von dem heute üblichen, daß sich die Vermutung aufdrängt, daß das Berlinische in seiner neueren Form seine Existenz gerade der Auseinandersetzung der Berliner mit der neueren hochdeutschen Standard- oder Literatursprache überhaupt erst verdankt. Uns beschäftigt hier das Problem, wie die Ausgangslage für diese Auseinandersetzung entstanden ist, was die Stadt sprachlich in diese Entwicklung an eigenen Voraussetzungen eingebracht hat. Dabei wird deutlich, daß es wenig Sinn hat, für die ältere Geschichte Berlins nur nach den sprachlichen Besonderheiten seiner Einwohner zu suchen. Vielmehr wollen wir uns bemühen, die Vielschichtigkeit des historischen Sprachgebrauchs in Berlin wenigstens anzudeuten. Nicht die heutige Stadtmundart oder Umgangssprache soll also dargestellt werden, sondern Grundzüge der Sprachverwendung in Berlin vom 13. bis zum frühen 19. Jahrhundert.

Der Versuch, die Sprachgeschichte Berlins zu beschreiben, sieht sich vielen Schwierigkeiten gegenüber, die vor allem darin begründet sind, daß es in Berlin zu keiner Zeit einen einheitlichen, normierten und stabilen Sprachgebrauch gegeben hat. In manchen anderen Städten mögen sprachliche Differenzierungsvorgänge eine geringe Rolle gespielt haben, für Berlin gilt ganz sicher das Gegenteil:

Berlin gehörte im 13. Jahrhundert zum Geltungsbereich des Mittelniederdeutschen, seit dem 16. Jahrhundert setzten sich die Normen des Hochdeutschen im mündlichen und schriftlichen Sprachgebrauch der Stadt durch. Dieser Wechsel erfolgte nicht glatt und gleichmäßig.

Der Sprachgebrauch Berlins war immer sozial differenziert. Dies gilt verstärkt für die Zeit nach dem Übergang zum Hochdeutschen, aber schon seit dem 14. Jahrhundert hatten sich die Berliner stets mit hochdeutsch sprechenden Markgrafen und Kurfürsten und mit deren hochdeutschem Verwaltungsapparat abzufinden oder auseinanderzusetzen. Dieser Zwang entwickelte sehr früh die Fähigkeit zur sprachlichen Anpassung oder zur Zweisprachigkeit, um die eigenen Interessen wahrnehmen zu können.

Die Sprache Berlins ist seit der Frühzeit der Stadt auch funktional differenziert: Sprechen und Schreiben nehmen Rücksicht auf traditionelle Regeln für bestimmte Texte, auf den Partner und auf die eigenen Absichten.

Die Stadtsprache steht in ständiger Wechselbeziehung zur Sprache der Umgebung. Das gilt nicht nur für den engeren Umkreis der brandenburgischen Mittelmark, der wohl am intensivsten über die Marktbeziehungen zur Versorgung Berlins wirksam wurde, sondern auch für Fernkontakte, die schon früh durch politische oder durch Handelsbeziehungen und durch eine immer wachsende Zahl von Zuwanderern aus weit entlegenen Gebieten auf die Sprache der Stadt einwirkten.

Das Hochdeutsche wirkt seit dem 16. Jahrhundert auch über das Bildungswesen auf die Stadt. Das städtische Schulwesen richtet sich auf den Gebrauch des Hochdeutschen ein, Berliner Studenten besuchen hochdeutsche Universitätsorte. Zeitung, Theater, Literatur, aber auch Kirche und Militärdienst stützen diesen Prozeß.

Hier soll und kann nun keine Laut- und Formengeschichte des Berlinischen gegeben werden, aber auch eine vollständige Demonstration der angedeuteten Differenzen des Sprachgebrauchs in Berlin und seines Übergangs vom Niederdeutschen zum Hochdeutschen ist nicht möglich. Trotzdem sollte sich der Leser dessen bewußt sein, daß hinter relativ glatten Aussagen über die Entwicklung und die Ausprägung eines bestimmten Sprachtypus zu allen Zeiten die reich differenzierten Regeln und Formen der Sprachwirklichkeit stehen. Bestimmende

Merkmale unterschiedlichen Sprachgebrauchs durch Glieder der gleichen Sprachgemeinschaft, in unserem Fall also durch die Einwohner Berlins, sind z. B.:
- Unterschiede in der sozialen Stellung, im Lebensalter, in der Bildungsstufe, im Beruf
- Rücksichtnahme auf den Partner (Familie, Arbeitsprozeß, Öffentlichkeit, Umgang mit Einheimischen oder Auswärtigen, z. B. im innerstädtischen Geschäftsverkehr oder im Fernhandel)
- Besonderheiten der Äußerungsformen (mündlich oder schriftlich, offiziell oder privat); wenn die Schriftform gewählt wird, macht sich zusätzlich die Notwendigkeit geltend, die Unterschiede bestimmter Textgattungen zu beachten (z. B. Geschäftsnotiz, Rechnung, Chronik, Brief, verschiedene dichterische Ausdrucksformen)

Wenn wir außerdem berücksichtigen, daß der Ausbildungsgrad allgemeinverbindlicher Normen sprachlicher Gestaltung noch weit entfernt von dem heutigen Stand war, können wir uns vielleicht eine Vorstellung davon machen, wie unterschiedlich die Sprachform etwa eines Berliner Jugendlichen und eines zugereisten städtischen oder kurfürstlichen Notars im 15. oder 16. Jahrhundert mitten im Übergangsprozeß vom Niederdeutschen zum Hochdeutschen gewesen ist. Leider sind wir für die ältere Zeit kaum einmal in der Lage, uns mit Sicherheit auf eine unmittelbar aufnotierte wörtliche Rede in eindeutig interpretierbarer Lautform stützen zu können; typischer dagegen ist der Fall, daß wir aus einer amtlichen Urkunde, notiert in einer ortsfremden Sprachform durch einen zugereisten Schreiber, die Sprechweise der Einheimischen rekonstruieren müssen. Die Schwierigkeiten, diese differenzierten Verhältnisse und die Etappen des tatsächlich vollzogenen Sprachwandels deutlich zu machen, sind vor allem in der Quellenlage begründet. Zwar besitzen wir Texte, die die Stadt betreffen, bereits aus dem 13. Jahrhundert, aber die überlieferten Schriftzeugnisse lassen immer nur vorsichtige Schlüsse auf den mündlichen Sprachgebrauch zu. Die Masse der mittelalterlichen Texte sind Urkunden - zunächst in lateinischer Sprache abgefaßt - und andere Rechtstexte. Der Aussagewert der frühesten deutschsprachigen Urkunden für andere Formen geschriebener Sprache und für den mündlichen Sprachgebrauch ist aber ähnlich zu beurteilen wie die Beweiskraft heutiger juristischer Schriftsätze für die lebendige Gegenwartssprache in der Vielfalt ihrer Anwendungsformen. Solcher Schwierigkeiten müssen wir uns bewußt bleiben, wenn im folgenden aus wenigen Mosaiksteinen ein Bild des älteren Sprachgebrauchs in Berlin erschlossen werden soll.

Um die Darstellung nicht zusätzlich zu den angedeuteten Schwierigkeiten durch linguistische Abstraktionen zu belasten, wollen wir uns bemühen, die Entwicklung des Berlinischen vor allem durch Textbeispiele zu illustrieren. Auch wenn uns nicht genügend Texte zur Verfügung stehen, um die soziale und funktionale Vielfalt des berlinischen Sprachgebrauchs in den Epochen der Stadtgeschichte zu belegen, hoffen wir, daß der Weg über den Text zu größerem Verständnis für die Probleme der Sprachentwicklung führt.

Abschließend noch ein Wort zum Einzugsbereich der Beispiele: Es ist unbestritten, daß die sprachliche Entwicklung der mittelalterlichen Schwesterstädte Berlin und Cölln eine Einheit bildet, die auch in dieser Darstellung nicht aufgelöst werden darf. Die sprachlichen Verhältnisse der frühen Stadtgeschichte legen es aber nahe, auch Urkunden aus anderen späteren Teilstädten Berlins, wie z. B. aus Spandau, das schon vor Berlin/Cölln ein wichtiges Verwaltungszentrum war und deshalb früh als Ausstellungsort von Urkunden in Erscheinung tritt, ohne weiteres einzubeziehen. Gerade im Beginn der Stadtentwicklung ist Berlin so fest in die mittelmärkische Sprachlandschaft eingebunden, daß ein puristischer Standpunkt, der sich nur am historischen Stadtzentrum orientierte, nicht zu vertreten wäre.

Die sprachliche Situtation Berlins im 13. Jahrhundert

Berlin gehört bei seiner Gründung zum Geltungsbereich des Niederdeutschen, da die Mehrheit der frühen städtischen Bevölkerung wie auch sonst in der Mark Brandenburg zweifellos durch Zuwanderer aus anderen niederdeutsch sprechenden Gebieten gebildet wird. Es sind Handwerker, Kaufleute, Ackerbürger, Gesellen und andere Lohnabhängige unterschiedlicher Berufszweige, die die Masse der neuen Stadtbevölkerung bilden. Sie sind direkt oder in Etappen aus dem Gebiet zwischen Elbe, Saale und Harz, aber auch aus Westfalen, dem Rheinland, den Niederlanden oder auch aus angrenzenden Gebieten zugezogen.

Die frühe Sprachgeschichte Berlins entwickelt sich in den wesentlichen Punkten aus den historischen Sprachverhältnissen der Mark Brandenburg. Seit langem hat der Einfluß des Niederländischen besondere Aufmerksamkeit erweckt[1]. In der Mitte des 12. Jahrhunderts, etwa eine Generation vor der Begründung der Kaufmannssiedlungen Berlin und Cölln, fand ein bemerkenswerter Zuzug niederländischer Siedler in die Mark statt. Diese Einwanderung läßt sich an frühen Orts- und Flurnamen ablesen, so gehen z. B. die märkischen Lichterfelde-Namen einschließlich des berlinischen Lichterfelde letztlich auf Lichtervelde in Westflandern zurück. Auffällig sind lexikalische Folgen des niederländischen Einflusses aber noch in der heutigen Standard- und regionalen Umgangssprache, so *Kachel, Häcksel, Kanten, Stulle, belemmert, duster, kiesätig, Erpel, Fenn, Flieder, Miere, Padde* und *Pieratze.* Offen bleibt aber die Frage, ob wir nicht nur für Spandau (s. u.), sondern schon für die Periode der Stadtgründungen in Cölln und Berlin, einen Anteil niederländisch sprechender Siedler auch im engeren Stadtgebiet vermuten dürfen[2].

Daß der Sprachgebrauch schon in der Epoche der Stadtentstehung sozial differenziert war, hat Karl Bischoff betont[3]. Er unterscheidet eine brandenburgisch-niederländische Bauernmundart und eine stärker ostfälisch bestimmte Herrensprache und rechnet damit, daß Merkmale der Bauernmundart früh auch in die Umgangssprache der städtischen Oberschicht eingegangen seien und so auch in die Schreibpraxis märkischer Städte. Trotzdem erscheinen Stadt und Land durch die Annahme einer sozial abgegrenzten Bauernmundart in ihren Entwicklungsbedingungen von Beginn an auf charakteristische Weise von einander abgehoben, wenn auch die Marktbeziehungen den sprachlichen Austausch von Stadt und Land täglich gewährleisteten.

Die Berliner der Stadtgründungszeit lebten in wirtschaftlichem Kontakt mit slawischen Bevölkerungsgruppen der mittelmärkischen Umgebung. Derartige nachbarliche Kontakte haben mit Sicherheit auch auf den Sprachgebrauch der beiden Seiten eingewirkt, sind aber in den erhaltenen zeitgenössischen Dokumenten nur schwer zu fassen. Alle Texte, die wir aus den ersten Jahrzehnten der Stadtgeschichte besitzen, sind in lateinischer Sprache geschrieben. Durch den Gebrauch des Lateinischen werden die erheblichen sprachlichen Differenzierungen zwischen der einheimischen Bevölkerung und den städtischen Neusiedlern, aber auch die vermutlich geringeren sprachlichen Gegensätze zwischen den Einwanderergruppen in der Schriftform überspielt. Der Gebrauch des Lateins als Urkundensprache ist im 13. Jahrhundert noch weithin selbstverständlich. Schreiben und Lesen sind Fertigkeiten, die eng an die theologische oder auch juristische Ausbildung gebunden sind. Wer Urkunden ausstellen läßt, ist seinerseits daran interessiert, daß der Urkundentext vom Fachmann in einer allgemein gültigen Sprachform abgefaßt und niedergeschrieben wird. Die Schreiber sind Notare, juristisch geschulte Fachleute, ihre Berufssprache ist das Latein. Dieser Gegensatz zwischen der Alltagssprache der Bevölkerung und der Schriftsprache der Beamten ist die Ursache für unsere geringe Kenntnis der in der Frühzeit Berlins gesprochenen Sprachform. In dieser Lage sind uns die Fälle besonders interessant, in denen die Urkundenverfasser vom Lateinischen abweichen mußten, weil sie »ihr Latein verließ«: Personennamen und Ortsnamen, aber auch Ausdrücke für einheimische Rechtsgebräuche brachten Schwierigkeiten mit sich. Sie wurden in vielen Fällen entweder nur oberflächlich latinisiert oder unverändert in der einheimischen Form übernommen.

Der königlich-preußische Geheime Archivrat Adolph Friedrich Riedel, Professor an der Berliner Universität und »General-Secretair des Vereins für Geschichte der Mark Brandenburg«, hat um die Mitte des vorigen Jahrhunderts eine vielbändige, umfassende Ausgabe brandenburgischer Urkunden, darunter auch der berlinischen, veranstaltet. Die früheste in einem Ort des Berliner Stadtgebiets ausgestellte lateinische Urkunde bei Riedel stammt vom 7. 3.1232 aus Spandau: Die brandenburgischen Markgrafen Johann und Otto gestatten der Stadt Spandau das Anlegen eines Wassergrabens »canale fluuium, quod vulgari nomine *Fluttrenne* appellatur« (›ein Flußkanal, der mit der gewöhnlichen Bezeichnung Flutrinne heißt‹).[4] Aus dieser leider nicht in allen Teilen zweifelsfrei überlieferten, aber im ganzen doch dem 13. Jahrhundert angehörenden Urkunde, die auch die Spandauer Gemarkungsgrenzen festlegt, wollen wir einige Ortsnamen zitieren, die hier dem lateinischen Text nur oberflächlich oder gar nicht angepaßt sind; die beigefügten niederdeutschen Übersetzungen stammen aus einer Fassung der gleichen Urkunde aus dem 15. Jahrhundert:

- *omnes in Spandowe inhabitantes* (alle dy Inwonre thu Spandow) = ›alle in Spandau Ansässigen‹
- *nostri Stendalgenses et Brandenburgenses* (vnsere borghere van Stendal vnde Brandenborgh) = ›unsere Stendaler und Brandenburger‹
- *omnes de Terra Teltowe* (alle vt deme lande Teltow) = ›alle aus dem Land Teltow‹
- *omnes de Ghelin* (alle van dem Glyn) = ›alle aus dem Glien‹
- *omnes de nova terra nostra Barnem* (alle dy van deme Nyen Barnem) = ›alle aus unserem neuen Land Barnim‹
- *usque ad fluuium quod Croewel vocatur* (wente thu deme vlithe, dat dar ghenumet ys Crouwel) = ›bis zu dem Fluß, der Kröwel heißt‹

- *vsque ad stagnum, quod Scarplanke vocatur* (wente thu der See, dy dar dy Scharpelanke ys ghenumet) = ›bis zu dem Gewässer, das Scharfe Lanke heißt‹
- *ad pontem, qui Bolbrucke vocatur* (thu der brucghen, dy dar ys geheiten dy blokbrucghe) = ›zu der Brücke, die Bohlenbrücke (15. Jh.: Blockbrücke) heißt‹
- *vsque siluam Stariz et vsque ad montem Babe* (thu der heiden Stariccze vnde thu den Babenberghe) = ›bis zum Wald Stariz und zu dem Babenberg (Papenberg)‹.[5]

Auch die Namen der in dieser Urkunde genannten Zeugen sind dem lateinischen Text nur teilweise angeglichen, die Vornamen sind latinisiert, die Herkunftsbezeichnugnen in der Regel nicht: *Conradus comes de Regenstein, Alexander et Rudolphus de Tuchen, Arnoldus de Grobene, Theodoricus de Gleuemint, Heinricus de Stendal, Heinricus scultetus noster de Spandowe* (›unser Schultheiß von Spandau‹), *Heinricus de Stegelitz*. Bereits diese erste lateinische Urkunde erlaubt folgende Schlüsse:
- Die Schriftsprache für die Beurkundung wichtiger Rechtsgeschäfte war das Lateinische.
- Die mündliche Umgangssprache der deutschen Siedler im späteren Berliner Stadtgebiet war schon vor der Stadtgründung das Niederdeutsche.
- Dieses Niederdeutsche oder besser - bei Berücksichtigung der zeitlichen Gliederung - »Mittelniederdeutsche« dringt bei Bedarf bis in die lateinische Urkundensprache vor (»*Fluttrenne*«).
- Zumindest für Spandau zeigt sich hier der Einfluß niederländischer Siedler: Der Name ›*Croewek*‹ für das alte Flußbett des Rhin in der Nähe von Spandau entspricht dem deutschen Gerätenamen *Kräuel* (eine mehrzinkige Gabel), er ist in dieser Form nur aus dem Niederländischen zu erklären.

In der Schicht der Orts-, Flur- und Herkunftsnamen mischen sich im übrigen hochdeutsche, niederdeutsche und slawische Anteile. Dieses Nebeneinander muß als Zeichen allmählicher Übergänge, also eines längeren Zusammenlebens der verschiedenen Bevölkerungsgruppen gedeutet werden. Sicher slawischen Ursprungs sind in dieser Urkunde z. B. der Bergname *Babe*, der Gewässername *Lanke*, der Waldname *Stariz*, die Gebietsnamen *Barnem* (Barnim) und *Ghelin* (Glien), die Orts- bzw. Herkunftsnamen *Groben, Spandowe, Stegelitz* und *Tuchen*. Sicher niederdeutsch sind *Bolbrücke*, der erste Teil des Namens *Scarplanke* (›Scharf-‹) und *Stendal* (›Steintal‹). Hochdeutsch ist der Herkunftsname *Regenstein*; auch die Latinisierung ›*Brandenburgenses*‹ hat den hochdeutschen Stadtnamen statt des niederdeutschen *Brandenborgh* der späteren Fassung zur Grundlage. Von besonderem Interesse ist der Name *Teltow*, dessen erster Bestandteil wahrscheinlich aus der vorgermanischen Zeit stammt, durch die älteren germanischen Siedler an die nachfolgenden Slawen weitergegeben wurde und uns hier in niederdeutscher Umgebung entgegentritt. Im ganzen vermittelt uns diese frühe Spandauer Urkunde durch die lateinische Sprachform hindurch den Blick auf eine niederdeutsch sprechende Stadtbevölkerung in einer durch die Mehrzahl der Ortsnamen noch slawisch geprägten Sprachlandschaft. (Genaueres zu den Namen im Beitrag von Gerhard Schlimpert in diesem Band.)

Im Jahr 1253 wird die Stadt Frankfurt/Oder gegründet. Auf Anordnung des Markgrafen Johann soll sie sich nach sieben steuerfreien Jahren »des gleichen Rechts erfreuen und sich damit auch begnügen wie die Bürgerschaft von Berlin« (»eodem jure, quo ciuitatem Berlin gauisam esse volumus et contentam«).[6] In dieser Stiftungsurkunde vom 14. 7. 1253 wird den Frankfurtern die »depositio mercium, que in vulgari *Nederlage* dicitur«, also die Verpflichtung des durchreisenden Fernhandels, seine Waren auf dem städtischen Markt anzubieten, garantiert. Auch in der Folge sind es zunächst immer solche Grundbegriffe des städtischen Rechts, die in die lateinischen Urkunden in ihrer volkssprachlichen Form eingefügt werden. Die im Jahr der Gründung Frankfurts oder wenig später durch den Rat von Berlin ausgefertigte Mitteilung der in Frankfurt anzuwendenden Vorschriften ist naturgemäß auch für die Berliner Verhältnisse ein wichtiges Zeugnis. In dieser lateinischen Urkunde begegnen wiederum zwei für das städtische Leben wesentliche Rechtsbegriffe in niederdeutscher Sprache. Nachdem die Ämter der Räte (*consules*), der Schultheißen (sculteti) und des Richters (judex) eingeführt sind, wird verlangt, daß Streitigkeiten »in sede, que dicitur scupstol« ausgetragen werden, also »am Gerichtsplatz, den man ›Schöffenstuhl‹ nennt«[7]. Den Handwerkern – genannt werden die Bäcker (pistores), Schuhmacher (sutores) und Fleischer (carnifeces) – »ist es nicht gestattet, zu besitzen, was man im städtischen Recht ›Innung‹ nennt, außer mit Willen und Erlaubnis der Räte« (»non liceat eis habere quod dicitur *Innincghe* in ciuitate, nisi de uoluntate et permissione consulum«)[8].

Als weitere Beispiele für die Aufnahme wichtiger volkssprachlicher, also niederdeutscher Begriffe des Rechts und des städtischen Wirtschaftslebens in lateinische Urkunden des Berliner Gebietes seien noch angeführt: Am 15. 4. 1275 erneuern die Markgrafen Otto und Albert von Spandau aus die Stiftungsurkunde der kleinen Stadt Müllrose und bestätigen deren Bürgern den Besitz des Berliner Rechts (»ius berlinense«).[9] In dieser Urkunde werden die Bezeichnungen der drei Müllroser Mühlen in der einheimischen Form als »*Slubenmoln, Nyenmoln* et *Frienmoln*«, also »Schlaubemühle, Neue Mühle, Freimühle«, angegeben, vor allem wird der Stadt aber »der Zoll, der gewöhnlich Marktzoll genannt wird« (»thelonium, quod vulgariter *markettoln* nuncupatur«), bestätigt.[10] Am 28. 9. 1298 garantiert Markgraf Otto der Stadt Berlin bestimmte Rechte am Schiffsverkehr durch Köpenick und Fürstenwalde, wiederum insbesondere das Recht der »Niederlage« (»singula municipalia iura, que *Nedderlage* nominantur«).[11] Im gleichen Zusammenhang werden eine städtische Steuer, der Stadtpfennig (»*Stedepenninghe*«), und die Zollpflicht der Köpenick berührenden Holzflößerei (»*Vlöte*«) gegen Berlin erwähnt. Das Berliner Stadtbuch enthält die Wiedergabe einer Reihe von Handwerksprivilegien des 13. und frühen 14. Jahrhunderts. Auch in diesen lateinisch gefaßten Handwerkerrechten begegnen – eine Generation vor der ersten erhaltenen Berliner mittelniederdeutschen Urkunde von 1321 – deutsche Einschiebsel: *beth* ›Beizfaß‹ (Innungsbrief der Kürschner vom 22. 3. 1280); *morgenspracke* (Innungsbrief der Schuhmacher vom 2. 6. 1284); *vorvute* ›Vorfüße‹ (Innungsbrief der Schuhflicker vom 19. 8. 1284); concivium id quod dicitur *burscap* (›Gemeindeversammlung‹, Innungsbrief der Gewandschneider vom 12. 4. 1288); lana ... que vocatur *blekwlle* (›Bleichwolle‹) / de aliqua falsitate lane vel *flocken* (›verfilzte Wolle‹) / panni cum *flocken* igni ardentissimo concremetur (Innungsbrief der Tuchmacher vom 28. 10. 1295); magister sive operarius, *eyn knape* (›Lehrjunge‹) / sive sit magister vel *knape* / quartale portorium cerevisie quod dicitur *ein dragefernde*l (Biermaß) / unus lapis lane, quod *ein stein wulle* dicitur in vulgari, ad percuciendum tantum, id est *tu gherwende* (›zu bearbeiten‹) / qui dabit eorum *meysterknapen* (etwa ›Gesellen‹) 3 denarios / predicti *meysterknapen* (Privileg der Tuchmachergesellen vom 19. 11. 1331)[12].

Eine Stelle aus dem zuletzt genannten Privileg der Tuchmachergesellen sei ausführlicher zitiert[13]: Den Tuchmachergesellen wird verboten, barfuß durch die Straßen zu laufen und sich mit fahrenden Gauklern oder Schaustellern einzulassen. Dann heißt es: »Item quod nullus eorum vadat ad locum in Berlin qui dicitur *ples*, locando se alteri nisi opus quod habuerit pre manibus usque ad talem partem totaliter que vocatur *eyn havelreke* . . ., lanifices vero non vadant ad predictum locum locando se aliis nisi superfuit eis unus lapis lane, quod *ein stein wulle* dicitur in vulgari.«[14]

= ›So soll auch keiner von ihnen an die Stelle in Berlin, die man ›*ples*‹ nennt, gehen, um sich einem anderen Meister zu verdingen, bevor sein Webstück so groß wie ›*ein Havelreke*‹ ist . . ., die Wollmacher aber sollen dort nicht eher hingehen, um sich neu zu verdingen, als sie ›einen Stein Wolle‹ fertig haben.‹

Der Ort in Berlin, an dem sich Handwerksgesellen zumindest dieser Zünfte trafen, um sich zum Wechsel des Arbeitsverhältnisses anzubieten, hieß also *ples*, ein slawischer Flurname mit der Bedeutung »kahle, unbewachsene Stelle«.[15] Das ist ein Hinweis auf eine gewisse slawische Namentradition im alten Kernbereich Berlins, ein sichereres Zeugnis als die fehlgeschlagenen älteren Nachweisversuche, die schon von A. Lasch kritisch beurteilt wurden.[16] Die Anwesenheit slawischer Kleinhändler auf dem Berliner Markt bezeugt schon der erste Teil des Berliner Stadtbuchs; das »*plasgeld . . . up deme holtmarkte*« solle für sie nicht zu hoch sein, »*up dat den Wenden und andern luden di holtmark nicht vorhoget und vorledet werde*«.[17]

Am 4. 5. 1309 einigen sich die Städte Berlin, Cölln und Salzwedel durch eine in Berlin ausgefertigte Urkunde über die gemeinsame Vertretung ihrer Interessen vor den Landgerichten: »die Gerichte, die in gewöhnlicher Sprache ›Landding‹ genannt werden (»placita terre, que in vulgo dicuntur *Landing*«).[18] Die Erwähnung wichtiger volkssprachlicher Bezeichnungen in lateinischen Urkunden kündigt die historische Notwendigkeit an, die Volkssprache zur gleichberechtigten Schriftsprache zu entwickeln.

Das 14. und 15. Jahrhundert: Niederdeutsch, Hochdeutsch, Latein

Im 13. Jahrhundert blieb die Verwendung des Niederdeutschen in Urkunden des Berliner Gebiets auf wenige, wenn auch wichtige Einschübe in lateinische Texte beschränkt, die uns seinen mündlichen Gebrauch aber ausreichend bezeugen. Mit der Wende zum 14. Jahrhundert treffen wir auf sich ändernde Verhältnisse. Den Anfang einer fortlaufenden niederdeutschen Urkundentradition in der Mark bildet eine Pfandbestätigung des Markgrafen Otto für den Pfalzgrafen Friedrich von Sachsen vom 11. 2. 1290[19], deren Ausstellungsort nicht genannt ist. Mag dieses Datum auch überlieferungsbedingt und damit zufällig sein, so tritt doch in der ersten Hälfte des 14. Jahrhunderts eine stetig wachsende Zahl niederdeutscher und hochdeutscher (bzw. mittelniederdeutscher und mitteldeutscher) Urkunden neben die noch vorherrschenden lateinischen. Das Motiv für diesen langsamen Wandel ist die beginnende Rücksichtnahme auf die Sprachform des Empfängers oder auch die Abhängigkeit der in der Regel juristisch gebildeten, das Latein beherrschenden Urkundenschreiber von der Sprache ihres Auftraggebers. In der zweiten Hälfte des 14. Jahrhunderts verstärkt sich diese Tendenz. Urkunden des Berliner Gebietes bevorzugen nun nur dann noch die Lateinform, wenn geistliche Angelegenheiten, Fragen des Kirchenbesitzes, Interessen der Bischöfe, insbesondere der von Brandenburg und Lebus, die in Berlin Stadthäuser besaßen, berührt werden. Die Räte von Berlin und Cölln und die Markgrafen sind zwar noch jederzeit in der Lage, lateinisch zu beurkunden, aber sie tun es nun zurückhaltend. Statt dessen beginnt sich das Niederdeutsche, die Sprache des täglichen Lebens, auch in allen Angelegenheiten, die die Schriftform verlangen, durchzusetzen. Hochdeutsche Urkunden aus dem Berliner Gebiet bleiben im ganzen allerdings noch selten. Es sind die in hochdeutsch sprechenden Gebieten ansässigen wittelsbachischen bzw. luxemburgischen Markgrafen, die das Hochdeutsche in den Schriftverkehr mit den märkischen Städten, Bürgern und Adligen einführen. Die Tatsache, daß es die Mark seit 1323 ständig mit hochdeutsch sprechenden markgräflichen bzw. kurfürstlichen Verwaltungsbeamten zu tun hatte, ist für die Wertung des Hochdeutschen bedeutsam geworden. Die Urkundenempfänger, vor allem die Stadtverwaltungen, müssen im 14. Jahrhundert nicht nur mit rechts- und lateinkundigen Notaren versehen sein, sondern sich auch auf den amtlichen Verkehr in unterschiedlichen »Existenzformen« des Deutschen einstellen. Interessant ist, daß die einheimische Rechtsprechung noch weit in das 15. Jahrhundert hinein das Niederdeutsche bevorzugt, also mehr Rücksicht auf die Sprache der einheimischen Bevölkerung nimmt als die höhere Verwaltung.[20]

Aus frühen niederdeutschen Urkunden des Berliner Gebiets

Früher als in Berlin werden niederdeutsche Urkunden in Spandau ausgestellt. Als erstes Beispiel eines solchen Textes aus dem späteren

Berliner Stadtgebiet, sprachlich sicher nicht zu unterscheiden vom gleichzeitigen Gebrauch in Berlin, stellen wir eine Spandauer Urkunde vor, in der Markgraf Hermann im Jahre 1303 den Verkauf der Dörfer Buchholz und Spiegelhagen an den Drost Droyseke von Kröchern bestätigt:

We herman, van der gnade Godts Marcgreue tu Brandenborch . . ., don witlike alle den, de dessen brif sin vnd horen . . ., dat wi vnsen liuen drozten hern droyseken van Crochern vnd sinen sonen . . . hebben ghelaten vnd gheuen . . . eyghen ouer de gantze dorp Bocholte vnd spighelhaghen, de bi der stat tu parleberghe ligghen . . . mit dem pachte, de in den dorpen leghet, mit deme Tinse vnd . . . mit alle der nvt, de vth dessen dorpen velt, swo me de benomen mach, an acker, an holte, an grase, an wischen, an watere, an weyden . . . Ok hebbe wi hern droyseken . . . geuen den eyghen ouer de . . . molne, de bouen perleberghe leghet, mit deme dyke vnd mit der vischerie vppe deme dyke vnd mit der stowinghe des dykes vnd mit der Grunt des dykes.[21]

= ›Wir Hermann, von Gottes Gnaden Markgraf zu Brandenburg . . ., tun kund allen denen, die diesen Brief sehen und hören . . ., daß wir unserem lieben Drost (etwa ›Landrat‹), Herrn Droyseke von Kröchern, und seinen Söhnen . . . überlassen und gegeben haben . . . das Eigentum über die ganzen Dörfer Buchholz und Spiegelhagen, die bei der Stadt zu Perleberg liegen . . . mit der Pacht, die in den Dörfern liegt (›aufkommt‹), mit dem Zins und . . . mit allem Nutzen, der aus diesen Dörfern anfällt, wo man den auch hernehmen kann, am Acker, am Holz (›Wald‹), am Gras, an Wiesen, an Wasser, an Weiden . . . Auch haben wir Herrn Droyseke . . . gegeben das Eigentum über die Mühle, die oberhalb Perlebergs liegt, mit dem Teich und mit der Fischerei auf dem Teich und mit (dem Recht) der Stauung des Teiches und mit dem Grund (›Boden‹) des Teiches.‹

Die Unterschiede zwischen dem niederdeutschen Text von 1303 und einer wörtlichen Übertragung ins Hochdeutsche dürfen nicht übersehen werden. Trotzdem wird der Leser feststellen, daß er sich nahezu 700 Jahre alte Urkundentexte durchaus noch sprachlich erschließen kann. Das wird denen am leichtesten fallen, die Gelegenheit hatten, sich etwas in das heutige Niederdeutsch einzuhören. Es gibt Unterschiede in der Wortwahl, in den Bedeutungen der Wörter, in den Regeln für die Satzfügung, in der grammatischen Abwandlung der Wörter und natürlich in der Orthographie. Aber alle diese Besonderheiten müssen das Verständnis alter Texte nicht grundsätzlich behindern. Als typisch für den Unterschied der niederdeutschen und der hochdeutschen Sprachformen gelten bestimmte systematische Vokal-

und Konsonantenabweichungen. Obwohl am Beispiel dieser frühen Spandauer Urkunde noch nicht von Berliner Spracheigentümlichkeiten die Rede sein soll, sei auf einige solcher regelmäßigen niederdeutsch/hochdeutschen Entsprechungen im Material der Urkunde von 1303 hingewiesen. Sie betreffen unter den Konsonanten vor allem die Verschlußlaute, unter den Vokalen z. B. die ursprünglich langen. Dadurch ergeben sich im Verhältnis von Urkundentext und Übersetzung solche Formenpaare wie: *dorp/Dorf; vppe/auf; tu/zu; tins/Zins; holt/Holz; dat/daß; water/Wasser; ghelaten/gelassen; vth/auß; dyk/Teich; don/tun.* Auf solche Lautverhältnisse wird unten noch genauer eingegangen werden.

In ähnlicher Weise, wie es die Urkunde von 1303 bezeugt, regeln die brandenburgischen Markgrafen auch in den folgenden Jahren ihre Rechtsverhältnisse gelegentlich von Spandau aus durch niederdeutsche Urkunden. Nach dem Tod des letzten Askaniers in der Mark, des Markgrafen Waldemar, sind die Städte daran interesssiert, ihre Rechte gegenüber der neuen Herrschaft gemeinsam wahrzunehmen. In dieser Situation entsteht am 24. 8. 1321 die erste wichtige Berliner niederdeutsche Urkunde, eine Willensäußerung von 23 märkischen Städten gegenüber dem Herzog Rudolf von Sachsen als Inhaber der vormundschaftlichen Regierung und zugleich ein Vertrag dieser Städte zur gemeinsamen Verteidigung ihrer Rechte. Diese Urkunde endet:

Dat desse vorbenumede dync stede vnd vnuorwandelet blyuen, des hebbe wye dessen gheghenwordenghen bryf . . . met usem yngheseghelen beseghelet. Desse dync dye synt gheschyn na godes bort dusent iar vnd dryhundert yar in deme enentuyntygsten yare, tu Berlyn, an sunte Bartholomeus daghe des hylghen apostoles.[22]

= ›Damit diese vorgenannten Dinge (›Beschlüsse‹) stetig und unverändert bleiben, deswegen haben wir diesen gegenwärtigen Brief . . . mit unserem Insiegel besiegelt. Diese Dinge, die sind geschehen nach Gottes Geburt tausend und dreihundert Jahre in dem einundzwanzigsten Jahr, zu Berlin, am Tage St. Bartholomäus', des heiligen Apostels.‹

Daß gerade ein solcher Vertrag nicht in lateinischer Sprache, sondern in der Volkssprache abgefaßt ist, erklärt sich sehr wahrscheinlich aus der Absicht der Vertragspartner, in den beteiligten Städten von allen verstanden zu werden.

Die Folge niederdeutscher Urkunden aus Berlin setzt sich bis zum Ende des 15. Jahrhunderts fort und soll hier im einzelnen nicht weiter beschrieben werden. Obwohl es nicht unproblematisch ist, aus der

Urkundensprache auf die gesprochene Sprache zurückzuschließen, weil die Urkunden in ihrer Schreibweise, in ihrer Wortwahl und in ihrem oft komplizierten Satzbau in einer eigenen Tradition stehen, wollen wir doch an dieser Stelle den Versuch machen, aus den drei ersten niederdeutschen Berliner Urkunden (Städtebündnis 1321, Münzvertrag 1322, Polizei- und Kleiderordnung 1334)[23] einige Worte und Wortverbindungen zu nennen, die auch der gesprochenen Sprache der Zeit angehört haben werden.

Die Schreibweise der Beispiele folgt den Urkunden, ist aber vorsichtig vereinheitlicht. In manchen Fällen werden auch häufige Varianten erwähnt.

Personalpronomen: *hie* ›er‹; *it* ›es‹; *wy, wi* ›wir‹; *ye* ›ihr‹; *sy* ›sie‹.

Präpositionen: *an; beneden* ›unterhalb‹; *bi* ›bei‹; *boven* ›oberhalb‹; *buten* ›außerhalb‹; *in; met, mit; na, nach; over* ›über‹; *tu* ›zu‹; *under* ›unter‹; *up* ›auf‹; *ut* ›aus‹; *van, von; vor.*

Zahlen: *eyn; twe, twei; dry; vir; vif; sess(e) . . .; negen* ›9‹; *teyn* ›10‹; *sesteyn* ›16‹; *enentwintig* ›21‹; *twe unde twinteg* ›22‹; *vif unde twintich* ›25‹; *negen unde twintich* ›29‹; *virtich* ›40‹; *dryhundert; dusent* ›1000‹.

Verbformen: *ben* ›bin‹; *iz* ›ist‹; *wi sint, sy sint; wesen* ›sein‹; *hie sal, scal* ›er soll‹; *sy sollen, scollen, scholen* ›sie sollen‹; *hie mach* ›mag, kann‹; *wy willen; so wil wy* ›so wollen wir‹.

Wortbeispiele: *begrepen* ›ergreifen‹; *bernen* ›brennen‹; *byr* ›Bier‹; *bort* ›Geburt‹; *bref, bryf, breif* ›Brief, Urkunde‹; *duke* ›Tücher‹; *dun* ›tun‹; *gesmyde* ›Geschmeide, Schmuck‹; *kercke* ›Kirche‹; *kleyder; kopman; kort* ›kurz‹; *laten* ›lassen‹; *mensche* ›Mensch‹; *mentel* ›Mäntel‹; *morden; panden* ›pfänden, mit Geld strafen‹; *rekenscap* ›Rechenschaft‹; *roven* ›rauben‹; *sake* ›Sache, Rechtsangelegenheit‹; *scaden* ›Schaden‹; *scilling* ›Schilling‹; *schotelen* ›Schüsseln‹; *spelelude* ›Spielleute‹; *stelen* ›stehlen‹; *tavernen* ›im Wirtshaus sitzen‹; *twydracht* ›Zwietracht‹; *tyt* ›Zeit‹; *wucker* ›Wucher‹.

Wortfügungen: *dat scolden sye under sych berychten* ›das sollten sie unter sich ins reine bringen‹; *also ben ich hyr* ›deshalb bin ich hier‹; *uter hant laten* ›aus der Hand geben‹; *van stede tu stede* ›von Stadt zu Stadt‹; *hye wer wye hye wer* ›er mag sein, wer er will‹; *dar em got vor bewar* ›wovor ihn Gott bewahre‹; *so wil wy dat* ›so wollen wir das haben‹; *von jare tu jare* ›von Jahr zu Jahr‹; *eyn halve marc* ›eine halbe Mark‹; *up der straten dantzen* ›auf der Straße tanzen‹.

Das Berliner Stadtbuch

In den letzten Jahren des 14. Jahrhunderts läßt der Berliner Rat ein Stadtbuch anlegen, in dessen erstem Teil eine Übersicht über die regelmäßigen Einnahmen der Stadt gegeben wird. Im zweiten Teil sind die Privilegien der Stadt und der Handwerkerinnungen aus dem 13.

und 14. Jahrhundert nebst einigen Nachträgen dazu verzeichnet. Den dritten Teil bildet eine Darstellung des Berliner Schöffenrechts, das in seinem Kern auf den Sachsenspiegel Eikes von Repgow und die sich daran anschließenden mittelniederdeutschen Rechtsbücher zurückgeht. Vermutlich sind diese drei Teile bis auf wenige Nachträge kurz vor 1398 niedergeschrieben worden. Angeschlossen ist ein vierter Teil, der im wesentlichen eine Sammlung von Berliner Rechtsfällen und anderen wichtigen Mitteilungen aus dem Stadtleben enthält. Dieser vierte Teil schließt zeitlich unmittelbar an die Niederschrift der ersten

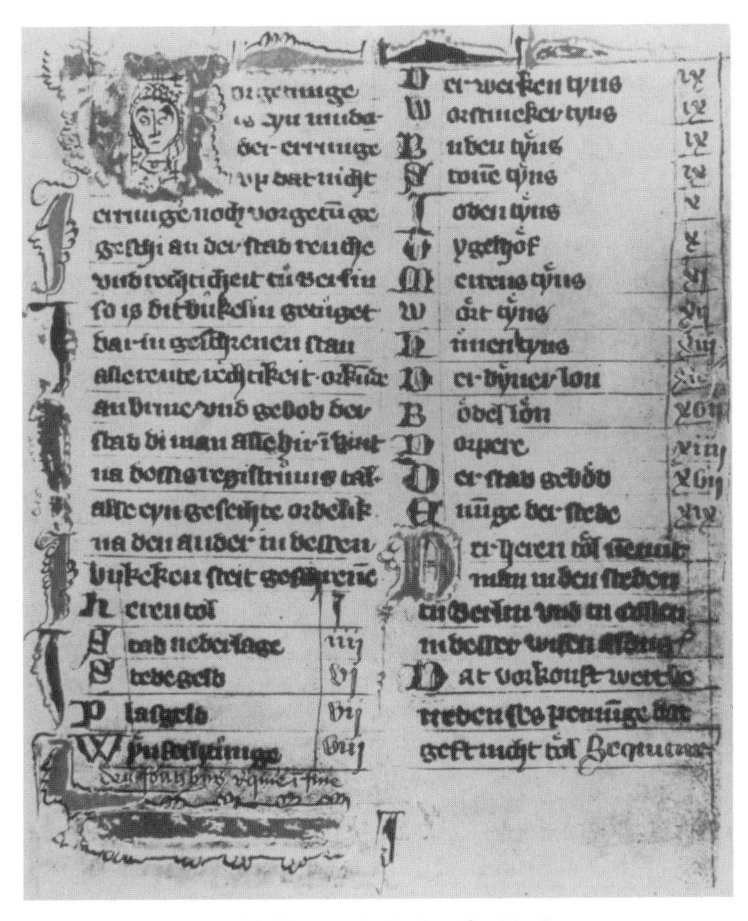

Abb. 19: Textseite des Berliner Stadtbuches

drei Abschnitte an, er führt die Aufzeichnungen aktueller Ereignisse bis zum Jahre 1497 fort und gibt uns Einblick in die Entwicklung der Sprache Berlins im 15. Jahrhundert.[24]

Wie schon in den niederdeutschen Urkunden des 14. Jahrhunderts zeigen sich auch in den niederdeutschen Texten des Stadtbuches einzelne hochdeutsche Formen. Die Ursachen für ihr Auftreten mögen unterschiedlich sein. Tatsache bleibt, daß sich in solchen eingesprengten Formen wie umgekehrt in niederdeutschen Beeinflussungen hochdeutscher Texte des gleichen Gebiets ein gewisser Sprachausgleich zwischen den verschiedenen regionalen Sprachformen anzubahnen beginnt.

Das Stadtbuch enthält aber auch ganze hochdeutsche (bzw. ostmitteldeutsche) Texteinschübe, vor allem bestimmte Erlasse der Landesherren aus hochdeutschem Gebiet. So finden wir ein Münzprivileg des Markgrafen Otto von 1369, die Bestätigung der Stadtprivilegien Kaiser Karls IV. von 1373 (mit dem mischsprachigen Nachsatz eines der Stadtbuchschreiber »*Sotane brive haben die heren von Behemen, von Merheren, von Miszen und mer heren der Marke dessen steten Berlin und Coln bestedunge ore handvestunge gegeben*«)[25], eine Verkaufsurkunde des Markgrafen Jobst von 1391 über das Dorf Lichtenberg an Berlin, die Huldigungsformel der Stadt für Markgraf Friedrich von 1415, schließlich eine Prozessionsordnung des Markgrafen Albrecht von 1476. Während nun die zahlreichen lateinischen Textteile, wie die alten Privilegien der Handwerksinnungen, regelmäßig mit einer niederdeutschen Übersetzung versehen werden, weil sie zwar von den gelehrten Stadtschreibern, aber nicht von den potentiellen Lesern verstanden wurden, fehlen solche Übersetzungen für die hochdeutschen Texte. Ihr Verständnis in Berlin wurde also vorausgesetzt: Das Hochdeutsche, insbesondere in seiner ostmitteldeutschen Form, wurde im 14. und 15. Jahrhundert in Berlin zwar noch nicht aktiv beherrscht, aber doch von einem größeren Teil der Bevölkerung passiv verstanden. Dies ist die erste Stufe des sich nun anbahnenden Sprachwandels in der Stadt.

Als ein Beispiel für den Gebrauch des Niederdeutschen im 15. Jahrhundert sei aus dem Stadtbuch die Beschreibung der Vereidigung des Rates und der Bürger auf die Söhne Friedrichs I. von 1440 zitiert. Im Unterschied zur Huldigungsformel für Friedrich I. ist dieser Text, wenn wir der Aufzeichnung im Stadtbuch vertrauen dürfen, im wesentlichen in der Sprachform der Stadt und nicht in der des Fürsten verlesen worden. Das sich darin sprachlich dokumentierende Selbstbewußtsein Berlins wenige Jahre vor seiner Unterdrückung durch den

Markgrafen Friedrich II. findet auch in der den Fürsten gegenüber zur Vorsicht mahnenden Nachbemerkung über die künftig einzuhaltende Abfolge der Privilegienbestätigung durch den Markgrafen und der Huldigung der Stadt deutlichen Ausdruck:

Anno domini 1440 an sunte Elizabet dage het dy rad, werk unde gemeyne borger, na dode unsers gnedigen hern marggreven Frederichs des olden seligen, unsern gnedigen hern marggrafen Frederichen, beyde, den olden und jungen, gehuldiget unde gesworen disse nageschreven huldunge:

Wir huldungen unde sweren hern Frederichen dem oldisten unde hern Frederichen dem jungesten, gebruderen, beyden marggraven tu Brandenburg etc. und irer zwier rechten erben eyne rechte erbhuldinge alze unsern rechten naturlichen erbhern, nach uswisunge der gulden bullen, getruwe, gewer unde gehorsam zu seyne, iren fromen zu werben unde iren schaden zu wenden, ane alles geverde. Alze uns god helffe und dy heiligen.

Item tu merken: dun dy huldunge was geschin, dun sede unse gnedige her dy oldiste in slechten worden, dat he uns by eren, rechten unde gnaden beholden, uns getruwelich schutten, vordedungen und beschermen wolde na synen vermogen. Ever he sede des nicht in eydes stad tu den hilgen, dat lichte vorsumet wart.

Item tu merken in kumftigen tyden: er men unsen gnedigen hern dy obingeschreven huldinge dat, muste he uns irst confirmiren unse privilegia etc. na lude der confirmacien, und dy confirmacie vorlesen laten in gegenwordicheit des radis und aller borger, unde antworde uns dunne dy confirmacie na der huldunge, dy men vindet by anderen confirmacien.[26]

(Lesehilfe: *werk* ›die Gewerke, die Zünfte‹; *disse nageschreven huldunge* ›diese hiernach verzeichnete Huldigung‹; *nach uswisunge der gulden bullen* ›wie es die goldene Bulle vorschreibt‹; *getruwe, gewer unde gehorsam* ›treu und gehorsam‹; *iren fromen zu werben* ›ihren Nutzen zu mehren‹; *ane alles geverde* ›ohne jede Hinterlist‹; *sede* ›sagte‹; *in slechten worden* ›in einfachen Worten‹; *schutten* ›schützen‹; *vordedungen* ›verteidigen‹; *in eydes stad tu den hilgen* ›mit einem Eid auf die Heiligen‹; *lichte* ›vielleicht‹; *er men* ›bevor man‹; *na lude der confirmacien* ›nach dem Wortlaut der Bestätigung (unserer Rechte)‹).

Charakteristische Merkmale der niederdeutschen Sprachperiode in Berlin aus Urkunden und Stadtbuch

An dieser Stelle seien einige besonders hervorstechende sprachliche Eigenheiten der älteren niederdeutschen Sprachperiode in Berlin angeführt. Wir wollen hier keine Lautgrammatik des älteren Berlinischen geben, möchten aber auf einige wichtige Merkmale zusammenfassend hinweisen.

Die im Hochdeutschen von der sogenannten Lautverschiebung betroffenen Konsonanten *p, t, k* bleiben in der älteren Sprachperiode in Berlin auf ihrem niederdeutschen Stand, also als *p, t, k,* erhalten: *begrepen* (›*begreifen*‹), *laten* (›*lassen*‹), *sake* (›*Sache*‹). Ebenso bleibt das niederdeutsche *d* unverändert: *dun* (›*tun*‹).

Die Lage Berlins an der Lautverschiebungsgrenze führt schon vor der Einbeziehung der Stadt in das hochdeutsche (ostmitteldeutsche) Gebiet zu Unsicherheiten. Dort, wo sich niederdeutsche *t, tt* und hochdeutsches *s, tz* regelmäßig berühren, entstehen Ausgleichsformen wie *Strutzberg* (›*Strausberg*‹) und ähnliche Varianten von Ortsnamen auf *s/tz*, aber auch mittelmärkische Wortformen wie *ruotz* (›*Ruß*‹), *Grutz* (›*Grus*‹) u. a.[27]

g am Wort- oder Silbenbeginn wird in der Regel spirantisch ausgesprochen, also ähnlich wie unser *j.* Am Wortende nach einem Vokal lautet es wie *ch.* In der Schreibung sind diese Änderungen selten berücksichtigt: *ghedragen, twintich* (›20‹), *Brandenborch.*

g im Inlaut eines Wortes zwischen Vokalen wird entweder ebenfalls spirantisch gesprochen, oder es fällt (wie auch das *v* in dieser Stellung) ganz weg. Das gilt zugleich als ein typisches Kennzeichen des Mittelmärkischen, der Sprache der Berliner Umgebung: Dem hochdeutschen ›*sagte*‹ entspricht zunächst ›*segede*‹, daraus wird hier ›*sede*‹.

b wird nach Vokal und neben bestimmten Konsonanten ebenfalls häufig spirantisch gesprochen: *eyn halue marc; aver* (›*aber*‹).

Die Lautverbindung *nd* wandelt sich wie in benachbarten niederdeutschen und mitteldeutschen Dialekten in der Aussprache in *ng.* Geschrieben wird dieses *ng* aber – wohl auch mit Rücksicht auf die hochdeutsche Schriftsprache – nur in seltenen Fällen, z. B. *bosterbingerinne* (›*Bürstenbinderin*‹), *selwinger* (›*Seilwinder*‹), *hinger* (›*hinter*‹) usw.[28]

Ein wichtiges Merkmal der niederdeutschen Vokalbildung im alten Berlinischen ist im Vergleich zum Hochdeutschen die fehlende Diphthongierung der langen *i* und *u.* Deshalb heißt es nicht ›*bei*‹, ›*aus*‹, sondern ›*bi*‹ und ›*ut*‹. Das umgelautete ǖ aus ū wird im alten Berlinischen zwar gesprochen, aber nicht geschrieben: *spelelude* (›*Spielleute*‹).

Die germanischen Diphthonge *ai* und *au* erscheinen schon im alten Berlinischen wie im ganzen Niederdeutschen (und auch im hier südlich anschließenden Obersächsischen) als *ē* und *ō*: *bēn* (›*Bein*‹), *bōm* (›*Baum*‹).

Das alte Berlinische kennt gemeinsam mit dem Südmärkischen die Diphthonge $\bar{\imath}^{e}$, $\bar{u}^{e}$, $\ddot{u}^{e}$ in Wörtern, die im Hochdeutschen einfache lange Vokale haben (*lieb, Kuchen, Füße*). Nördlich von Berlin stehen hier die niederdeutschen Langvokale (*lēf, kōken, fȫt(e)*). Diese Lauterscheinung gilt in der Mark als Relikt der Sprache des starken Anteils niederländischer Siedler.[29] In der Schrift werden diese alten Diphthonge, so z. B. im Berliner Stadtbuch, in der Regel nur durch den langen ersten Vokal *i* und *u* (das auch für *ü* steht) wiedergegeben.

Der Umlaut von Vokalen wird nur für den Wandel von *a* zu *e* in der Schrift bezeichnet. Bezeichnungen für *ö, ü* und die umgelauteten Diphthonge fehlen.

Die Vokale *u* und *i* werden in Konsonantenverbindungen mit *l* und *r* häufig zu *o* und *e* gesenkt: *pelgerynne* (›*Pilgerin*‹); *borger* (›*Bürger*‹); *kortlich* (›*kürzlich*‹); so auch *u (ǖ)* zu *ō (ȫ)* in offener Silbe: *ovel* (›*übel*‹); *schotelen* (›*Schüsseln*‹).

a wird zu *o* vor *l* und Dentallaut: *holden* (›*halten*‹); *Woldemar.*

Aus dem Bereich der Formenbildung sei hier nur der zeitige Zusammenfall des Dativs und Akkusativs des Personalpronomens der ersten und zweiten Person (*mi, di*) erwähnt.

Einige dieser Lauteigentümlichkeiten des älteren Berlinischen werden auch nach dem 15. Jahrhundert beibehalten. Als besonders stabil erweisen sich naturgemäß alle Eigenheiten, die auch in den südlich und südöstlich angrenzenden Sprachlandschaften des Ostmitteldeutschen verbreitet sind, darunter die noch heute geltenden Kennformen des Berlinischen *Been* (›*Bein*‹), *Bōm* (›*Baum*‹).

Der Berliner Totentanz

Zum Abschluß der Betrachtung der älteren niederdeutschen Sprache Berlins muß ein Text vorgestellt werden, der das wichtigste der wenigen erhaltenen dichterischen Zeugnisse des mittelalterlichen Berlin bildet. Zwar enthält auch das Berliner Stadtbuch zwei gereimte Partien, an Qualität und Wirkung können sie sich jedoch mit dem Berliner Totentanz nicht messen. Der Berliner Totentanz hat seinen Platz wohl in den achtziger Jahren des 15. Jahrhunderts als Wandmalerei in der Turmhalle der Berliner Marienkirche gefunden. Möglicherweise ist er bald nach der Pestepidemie des Jahres 1484 entstanden. Er steht in der Tradition der niederländisch-norddeutschen Totentanzdichtung des 15. Jahrhunderts, unmittelbarer Vorgänger ist wohl eine verlorene Totentanzdarstellung in der Hamburger Franziskanerkirche von 1473/74.[30] Die von den Vorbildern unabhängige Anordnung der Tanzpaare und der Vergleich mit den erhaltenen anderen Texten erlauben es, den Berliner Totentanz als ein relativ selbständiges Werk anzusehen, dessen Text zwar nicht in allen Zügen eigenständig ist, in der überlieferten Fassung aber doch als ein berlinisches Erzeugnis, als eine Stoff- und Textbearbeitung mit typischen Berliner Zügen gelten darf. Ein wichtiges Argument für die Selbständigkeit des Berliner Totentanztextes ist die eigenwillige Komposition. Eröffnet wird der Berliner Totentanz durch die kurze Ansprache eines Franziskanermönchs. Danach folgen nicht wie sonst die obersten Würdenträger Papst, Kaiser, Kardinal o. ä., sondern nach dem Küster zunächst in aufsteigender Linie die Geistlichen bzw. Gelehrten, wie Pfarrer, Arzt, Bischof, bis zum Papst, dann Christus am Kreuz und schließlich in absteigender Linie die weltlichen Berufe. Ein aufschlußreiches Gesellschaftsbild ergibt deren Anordnung: Kaiser, Kaiserin, König, Herzog, Ritter, Bürgermeister, Wucherer (d. h. Geldverleiher), Junker, Kaufmann, Handwerker, Bauer, Wirtin, Narr und (vermutlich) ein Kind; mit den Bezeichnungen des Originals, soweit die Textstellen erhalten sind: *keyser, keyserin, konig, hertoch, ritter, borgermeister, wukerer, juncker, kopman, amptman* bzw. *werkman, bure, krugersche.* Der Tod spricht jeden seiner Tanzpartner an. Wie die Anrede besteht auch jede Antwort aus nur sechs Zeilen. Wir zitieren die relativ gut erhaltene Reihe der weltlichen Berufe Bürgermeister, Wucherer, Kaufmann und Handwerksmeister[31]:

TOD

Her borgermeister van grotheme stade,
Gy sint die upperste in deme rade,
Dat gemeine beste stunt in jwer gewalt,
Dar thu dat recht der armen wol dusentfalt.
Hebbe gy den allen wol vor gewesenn,
So moge gy desses dantzes genesen.

BÜRGERMEISTER

Och gude doeth, ick kan die nicht entwiken,
Du halest den armen vnde den riken.
Wen sie hebben gelewet wol dusent jar,
So muthen sie noch volgen diner schar.
Nimant is diner gewalt anich io ghewesen.
O criste jhesu, help my nhu dat ick genese!

Tod

Her wukerer med jwen blawen sacke,
Vor gelt were gy van gudeme snacke,
Gy deden den armen ein schok vor twe,
Dar vmme muthe gy nhu liden groth we.
Legget van jwer siden den swedeler,
Gy muthen al mede jn dath olde her!

Wucherer

Ach, war schal ik arme mhan nhu bliuen,
Sint ik wuker nicht meyr mach driuen?
Mine kindere scholen dath wedder gewen,
So mogen sie med gade ewich lewen.
Des helpe my ok, jhesus, dhu ewige goth,
Wente van erden to scheydin is neyn spoth.

Tod

Her kopman, wat gy, ghvmmen nu hastych synt!
Gy sparet noch reghenweder edder wynt,
De market ys doch seker hier all gedan,
Gy muthen enquantzwys met my dantzen gan.
Vorueret jw nicht, legget aff dy sparen!
Wente sterven is jw ok an ghebaren.

Kaufmann

Och gude doet, wo kome gy my dus hastich an!
Wol dat ik byn ghewesen eyn thur kopman,
Doch is myne rekenschop noch gar unclar;
Dat klaghe ik dy, criste, al apenbar.
Wultu se nu clar maken, des hefst du macht,
Ik hebb seker nicht vele up dy dacht.

Tod

Her amptman ghut, van banstes wol ghebaren,
Gy synt wesen eyn warkman wol voruaren,
Dar kunde gy vore behende lyden.
Gy muthen bet an den dodendantz glyden,
Sprynghet vp, ik wyl jw vore synghen!
Synt gy wesen ghut, so mach jw ghelynghen.

HANDWERKER

Och mechtyghe got, wat is myne kunst,
Synt ik hebbe ghekreghen gades ungunst?
Den hilghen dach hebbe ik nicht ghevyret,
Sunder in deme kroghe rvseleret
Och criste, woldestu my dat vorgheven,
So muthe ik myt dy nu ewich leuen!

Textnahe Übersetzung:

TOD

Hochangesehener Herr Bürgermeister
Ihr seid der oberste im Rat.
Das allgemeine Wohl lag in Eurer Hand,
dazu das Recht der Armen wohl tausendfach.
Habt Ihr dem allen korrekt vorgestanden,
so könnt Ihr vor diesem Tanz bewahrt werden.

BÜRGERMEISTER

O guter Tod, ich kann Dir nicht entweichen,
Du holst den Armen und den Reichen.
Selbst wenn sie tausend Jahre gelebt haben,
so müssen sie doch Deiner Schar folgen.
Niemand ist je von Deiner Herrschaft frei gewesen.
O Jesus Christus, hilf mir jetzt, daß ich gerettet werde!

TOD

Herr Wucherer mit Eurem blauen Sack,
für Geld seid Ihr immer freundlich gewesen.
Ihr gabt den Armen ein Schock statt zwei,
dafür müßt Ihr nun große Schmerzen leiden.
Schnallt den Beutel von Eurer Seite,
Ihr müßt mit in das Totenheer!

WUCHERER

Ach, wo soll ich armer Mann nun bleiben,
wenn ich keinen Wucher mehr treiben kann?
Meine Kinder sollen das zurückgeben,
so können sie mit Gottes Hilfe das ewige Leben erlangen.
Dazu hilf auch mir, Jesus, Du ewiger Gott,
denn von der Erde zu scheiden ist nicht leicht.

TOD

Herr Kaufmann, wie Ihr nur immer so geschäftig seid!
Ihr laßt Euch weder durch Regen noch durch Wind stören.
Der Markt ist doch hier sicher schon beendet.
Ihr müßt jetzt sozusagen mit mir tanzen gehen.
Erschreckt Euch nicht, legt die Sporen ab!
Denn sterben zu müssen ist auch Euch von Geburt an bestimmt.

KAUFMANN

O lieber Tod, wie kommt Ihr so überraschend zu mir!
Natürlich bin ich ein reicher Kaufmann gewesen,
doch meine Schlußrechnung ist noch ganz unklar;
das klage ich Dir, Christus, ganz offen.
Willst Du sie nun klar machen, dazu hast Du die Macht.
Ich habe sicher zu selten an Dich gedacht.

TOD

Mein lieber Herr Zunftmeister, ehelich geboren,
Ihr seid ein erfahrener Handwerker gewesen.
Deshalb durftet Ihr früher bequem daherschreiten.
Ihr müßt Euch nun in den Totentanz einreihen,
springt auf, ich will Euch vorsingen!
Seid Ihr fromm gewesen, so könnt Ihr Glück haben.

HANDWERKER

O großer Gott, was nutzt mein Können,
seit ich Gottes Ungnade erfahren habe?
Den Feiertag habe ich nicht eingehalten,
sondern im Wirtshaus herumgebracht.
O Christus, wenn Du mir das vergeben wolltest,
so könnte ich mit Dir nun ewig leben.

Der Übergang zum Hochdeutschen

Der Prozeß der Ablösung des Niederdeutschen durch das Hochdeutsche im Berliner Stadtgebiet prägt die berlinische Sprachgeschichte über Jahrhunderte. Gelegentliche Versuche, sich hochdeutsch auszudrücken oder die eigene Sprache in manchen Differenzpunkten den Normen des Hochdeutschen anzunähern, begleiten die Geschichte des Berlinischen seit ihrem Beginn. Sie zeigen uns das hohe Prestige des Hochdeutschen auch im niederdeutschen Gebiet schon im 13. und 14. Jahrhundert. Nicht für Berlin in Anspruch zu nehmen, aber doch mit der Mark verbunden, sind die Bemühungen einiger märkischer Adliger um die mittelhochdeutsche Poesie. So hat uns Markgraf Otto IV. († 1309) einige hochdeutsche Lieder hinterlassen, die als Zeugnis für den Versuch der Anpassung im literarischen Bereich gewertet werden können. Das Interesse märkischer Adliger an hochdeutscher Literatur verbindet sie mit ihren Standesgenossen.[32]

Ein weiteres Zeichen für die Geltung des Hochdeutschen ist der schon erwähnte Umstand, daß uns gerade in den frühen brandenburgischen Urkunden zahlreiche Personen-, aber auch Ortsnamen begegnen, deren lateinische Form nicht auf dem Niederdeutschen, sondern auf dem Hochdeutschen beruht. Solche Textstellen werfen die Frage auf, ob die Verfasser der betreffenden Urkunden es hier wirklich mit Namensträgern aus dem hochdeutschen Sprachgebiet zu tun hatten oder ob sie vielmehr – wofür mehrfach die Ortsnamen sprechen – ihren lateinischen Text vom Hochdeutschen her konzipierten. Zu bedenken ist ferner, daß verschiedene hochdeutsche Formen im Niederdeutschen schon im 13./14. Jahrhundert so verbreitet sind (z. B. ›*sich*‹, ›*ganz*‹), daß sie geradezu den Charakter von Lehnwörtern haben.

Auch die oben zitierten hochdeutsch aussehenden Schreibungen wie ›*ein stein wulle*‹ bedürfen genauer Interpretation. Sie werden in der Regel als Markierungen der Vokallänge (mnd. $\bar{e}$), nicht als Zeugnisse für den Diphthong verstanden. Nun hat aber schon die ältere Forschung festgestellt, daß in Berliner mittelniederdeutschen Urkunden des 14. und 15. Jahrhunderts eine besonders auffällige Anzahl hochdeutscher Schreibungen begegnet: *alt, halten, nymt, angesehen, sein* (Possessivpronomen), *drey, dreihundert, meinen, haus, lieben, gestorben, tragen, thun, getan, keysertům, ritterschaft, pfleger, pflicht, geworffen, dorfe, zu, zeit, zwischen, zwitracht, besitzen, witczig, holtz* usw. [33] K. Bischoff hat darauf hingewiesen, daß sowohl das gesprochene wie das geschriebene frühe Mittelniederdeutsch der Mark Brandenburg für bestimmte mnd. $\bar{o}/\bar{e}$ durchaus *u/i* bevorzugt: *vuder* statt *voder, schumeker* statt *schomeker, buk* statt *bok, vir* statt *ver, tigeler* statt *tegeler* und *bir* statt *ber* (›Bier‹).[34] Bischoff erklärt diese *u/i* als eindeutig niederländisch. Die Vielzahl früher hochdeutscher Schreibungen in berlinbrandenburgischen Urkunden sollte aber auch unter sprachsoziologischem Aspekt bewertet werden. Der Gesichtspunkt der angestrebten Nähe zum Schriftbild hochdeutscher Texte, also die Prestigewirkung des Hochdeutschen schon im 14./15. Jahrhundert neben dem natürlich auch wirkenden Prestige der mnd. Schreibsprache des Hansebereichs, tritt hier bestimmend hervor.

Diese Tendenzen werden seit dem Übergang der Landesherrschaft an Markgrafen und Kurfürsten aus hochdeutschem Gebiet im Jahre 1323 – und an deren zum großen Teil nicht einheimisches Verwaltungspersonal – dadurch verstärkt, daß sich die Märker daran gewöhnen müssen, in amtlichen Angelegenheiten hochdeutsch angesprochen zu werden. Wer seine Rechte wahrnehmen will, muß sich sprachlich auf Verwaltungsakte in hochdeutscher Sprache einstellen, er muß zumindest die »passive Kompetenz« in dieser zweiten Sprachform erwerben.

Als frühes Beispiel der Verwendung des Hochdeutschen in der Urkundensprache des Berliner Gebiets sei eine Urkunde des Markgrafen Waldemar vom 27. 7. 1315 aus Spandau erwähnt, die sich leider nur in einer Abschrift des 16. Jahrhunderts erhalten hat. Ihr folgen Urkunden des nach Waldemars Tod als Vormund tätigen Herzogs Rudolf von Sachsen vom 13. 10. 1319 aus Berlin (Bestätigung der Gubener Stadtrechte), vom 22. 5. 1323 aus Spandau (Stiftung einer Kapelle im Schloß Bitterfeld) und vom 1. 5. 1324 aus Spandau (Erlaß des Judenzinses von Spandau). Vom 11. 2. 1334 hat sich wieder eine Berliner Urkunde erhalten: Landgraf Friedrich von Thüringen und Markgraf Ludwig von Brandenburg beschließen hier in Berlin ein Verteidigungsbündnis. Diese im frühen 14. Jahrhundert beginnende Reihe hochdeutscher Urkunden aus der Mark, aus der hier nur einige unser Gebiet berührende frühe Beispiele genannt sind, wird seit der Jahrhundertmitte immer dichter. Die sich so dokumentierende hochdeutsche Urkundensprache bleibt allerdings auf längere Sicht eine Sprachform der Kanzleien, vor allem der Kanzlei der jeweiligen landfremden Markgrafen und Kurfürsten. Immerhin ist unter den Adressaten solcher Erlasse schon 1324 auch das noch niederdeutsche Spandau. Die fürstliche Kanzlei darf also auf die Kenntnis des Hochdeutschen zumindest in der städtischen Verwaltung rechnen. Als Beispiel eines solchen Textes wird hier der Schluß des erwähnten Bündnisvertrages von 1334 zitiert, der bei Riedel nach dem Original im Frankfurter Stadtarchiv abgedruckt ist. Dieser Fundort zeigt an, daß die Städte über wichtige Verträge zwischen den Territorialfürsten informiert wurden, daß also auch für derartige Texte auf das Verständnis der gewählten Sprachform im Lande vertraut werden konnte:

In daz verbündnüzze nemen wir beider syte alle, die sich zu vns verbunden haben oder vnser diner sint vnd darzu, die wir billich versprechen sulen, ob sie dar inne sin wellen. Wolt aber ir einer oder mer darinne nicht sin vnd wolde rechtes vz gan, ob wir, vnser frwnd oder diener iht zu im ze sachen heten, so sulen wir einander beholfen sin, ob wir darvmb gemant werden in aller der wize, als hie vorgeschriben stat. Daz wir dize vorgeschriben verbüntnüzze stete vnd veste halden eweclich in alle wiz, als hie vor geschriben ist, ane argelist, Dez geloben wir mit guten trwn einander vnd haben auch gesworen zu den heiligen vnd geben zu einem Vrkund darvber disen brief, bedenthalb versigelt mit vnser beider Insigel. Daz ist geschechen vnd dieser brief ist gegeben ze Berlin, als man zalt von godes geburt Driezechen hundert Jar vnd in dem vier vnd dryzigsten Jar, an dem frytag vor aller manne Vastnacht.[35]

(Lesehilfe: *beider syte* ›auf beiden Seiten‹; *die wir billich versprechen sulen* ›die wir rechtmäßig in Anspruch nehmen können‹; *vnd wolde rechtes vz gan . . .* ›und wenn einer aus dem Bündnis entlassen werden will, so werden wir einander helfen, falls wir, unsere Freunde oder Diener irgendwelche Ansprüche an ihn haben und wir daran in der vorgeschriebenen Form gemahnt werden‹; *stete vnd veste* ›beständig und fest‹; *mit guten trwn* ›ehrlich‹; *bedenthalb* ›durch beide Partner‹).

Seit der Mitte des 14. Jahrhunderts schreiben umgekehrt auch die brandenburgischen Städte in wichtigen Angelegenheiten an die Landesherren hochdeutsch – aus Rücksicht auf den Adressaten und im Interesse ihrer Sache.[36] Voraussetzung dafür ist wiederum die ausreichende Kenntnis dieser Sprachform zumindest in den städtischen Kanzleien. Im Vergleich zu anderen brandenburgischen Städten waren die Kanzleiverhältnisse in Berlin besonders kompliziert. Im 15. Jahrhundert wirkten hier neben der kurfürstlichen Kanzlei die Stadtschreiber von Berlin und Cölln und getrennt davon die Gerichtsschreiber. Aber auch der Bischof von Brandenburg, das Dominikanerkloster und das Franziskanerkloster hatten ihre eigenen Kanzleien und Schreibstuben[37].

Die Neigung der märkischen Städte zum Gebrauch des Hochdeutschen ist durchaus verschieden. Bedeutung für den späteren Berliner Sprachwechsel gewinnt neben einem gewissen landesherrlichen Druck der Umstand, daß die Städte der östlichen und südöstlichen Mark sich schon im 14. Jahrhundert dem Hochdeutschen stärker nähern als der Westen des Landes. Eine besondere Rolle spielt dabei Frankfurt/Oder, durch wirtschaftliche und familiäre Beziehungen des Städtebürgertums seit je eng mit Berlin verbunden. In Frankfurt herrscht seit der Mitte des 14. Jahrhunderts hochdeutsche Urkundensprache durchaus vor. Mit Rücksicht auf Frankfurt werden interne Schriftstücke märkischer Städte schon im 14. Jahrhundert deshalb mehrfach hochdeutsch abgefaßt.[38] Auch die Landesherren pflegen sich gerade an Frankfurt schon um die Mitte des 14. Jahrhunderts – im Unterschied zu Berlin/Cölln und anderen märkischen Adressaten – fast nur noch in hochdeutscher Sprache zu wenden.[39] Hier entsteht für Berlin zusätzlich zur Rolle der Landesherren und zu den Verbindungen zum hochdeutschen Süden ein Einflußzentrum, das schon im 14. Jahrhundert über das sich sprachlich an Frankfurt anschließende Fürstenwalde[40] von Osten her bis dicht vor die Berliner Stadttore reicht und infolge der wirtschaftlichen Bedeutung des Frankfurter Meß- und Fernhandels nachhaltig auf Berlin einzuwirken beginnt. Als Beispiel für diese Sprachform sei hier der Anfang des ersten Frankfurter Stadtbuches zitiert, das im Unterschied zum Stadtbuch Berlins bereits um 1425 weitgehend den hochdeutschen Konsonantenstand zeigt:

Vf welche czit des iares der rath ys czu seczen, prologus.
Salomon der wise, der alle syn dink nach rechter klukheyt geordyniret hat vnde geschycket, dem byllich alle klugen yn ordelicheyt nachvolgen sollen; dar vmme der rath der stat czu f r a n k e n u o r d e eyntrechtychlich das alzo gesaczt hat, das sy alle yar den rath vf synthe gallen tach ader dar by varseczen sollen vnn dar an kysen vs den andern czwen reten, weme sy wollen, ader vs den gemeinen borgern, wer en by iren eden duchte nucze vnn bequeme syn, vnde dy sollen dar czu sweren, alz recht yst vnn der eyt ut wiset, vnn den eyt sal stauen der eldeste kamerer des yares, der also luten sal von worte czu worte: Czu dem rathe, darych czu gekoren byn, dar wil ich recht an tun myme hern dem marggreuen vnn der stat, vnn wil des nicht lasen dorch lief noch dorch leyt, dorch gift noch dorch gabe, nochte dorch keynerleye vorchthe: vnn wil kenen rath melden, das myr got so helfe vnn dy heyligen.[41]

›Zu welcher Zeit des Jahres der Rat einzusetzen ist.
Vorbemerkung.
Der weise Salomon hat alle seine Angelegenheiten beispielhaft geordnet. Nach ihm sollen sich alle Vernünftigen genau richten; deshalb hat der Rat der Stadt Frankfurt einträchtig beschlossen, daß sie den Rat alle Jahre am Tag des heiligen Gallus (oder darum herum) erneuern sollen und dazu aus den andern beiden Räten auswählen sollen, wen sie wollen, oder auch aus den einfachen Bürgern, wer ihnen nach bester Überzeugung nützlich und recht zu sein scheine. Und die sollen darüber ihren Eid leisten, wie es vorgeschrieben ist und wie es die Eidesformel aussagt; den Eid soll der älteste (geschäftsführende) Kämmerer des Jahres vorsprechen. Er soll von Wort zu Wort so lauten: In dem Rat, zu dem ich hinzugewählt bin, will ich das Recht einhalten gegenüber meinem Herrn dem Markgrafen und gegenüber der Stadt. Davon werde ich mich weder durch

Freundlichkeiten noch durch Nachteile, weder durch Zuwendungen noch durch Furcht abhalten lassen; und ich werde keinen Ratsbeschluß verraten, dazu helfe mir Gott und die Heiligen.‹

Es ist besonders interessant, daß den Frankfurter Ratsmitgliedern hier schon am Anfang des 15. Jahrhunderts die Ableistung einer hochdeutschen Eidesformel abverlangt werden konnte. Das Beispiel Frankfurts belegt uns für das 14./15. Jahrhundert ein sprachliches Ost-West-Gefälle, das neben das ältere Süd-Nord-Gefälle tritt. Beide gemeinsam setzen das Niederdeutsche der Berliner Umgebung und der Stadt selbst auf verschiedenen Wegen und in verschiedenen Anwendungsbereichen unter Druck. Wir dürfen annehmen, daß sich der Einfluß des Hochdeutschen in Berlin schon gegen Ende des 14. Jahrhunderts nicht mehr nur auf die Sprache der Urkunden beschränkt.

Im 15. Jahrhundert führt der Übergang der Landesherrschaft an die Hohenzollern zu einer neuen Situation in der Stadt. Während in den ersten Jahrhzehnten hohenzollerscher Herrschaft die Reaktion der Bürger auf den Druck der anderssprachigen landesfremden Verwaltung wohl sogar zu einer Stärkung der Position des Niederdeutschen in der Stadt geführt haben mag,[42] beginnt sich nach der Jahrhundertmitte allmählich ein Wandel vorzubereiten. Die Opposition der Stadt wird gebrochen, das Bündnis von Berlin und Cölln durch den Kurfürsten aufgelöst und in Cölln seit 1451 eine feste Residenz eingerichtet.

Landesherr und Hofstaat, die sich bis jetzt in Berlin und Cölln immer nur vorübergehend aufgehalten hatten, fangen an, sich in der neuen Umgebung auf Dauer einzurichten. Nach kurzer Zeit sind zahlreiche Verwaltungsämter durch Franken besetzt. Es formiert sich eine relativ stabile »hochdeutsche Kolonie« in Berlin/Cölln.[43] Ihr gehören die meisten zugereisten Hofbeamten, aber auch die durch die Hofhaltung und das entstehende Verwaltungs- und Wirtschaftszentrum angezogenen Vertreter verschiedener anderer Berufsgruppen bis hin zu Ärzten, Musikern und Köchen an. Wie kritisch das Verhältnis zwischen der einheimischen Bevölkerung und der hochdeutschen Umgebung des Landesherrn anfangs war, wird aus einem Bericht von 1472 über den Regierungsantritt des Kurfürsten Albrecht und die umständlichen und finanziell aufwendigen Huldigungsverfahren deutlich. Über das der Huldigung in Salzwedel folgende Festessen heißt es, daß dem Kurfürsten und seinen Leuten zwei Faßmulden »*Apotheker Krüde*« (Gewürzfrüchte als Konfekt zu Getränken), dann Weißwein und Einbecker Bier vorgesetzt wurden; dazu »*in tween groten Molden*

Vaten Bonenkoken mit Mandeln vnd mit Engwer . . . in groten stücken wol by twe punden«. Davon hätten die eigenen Leute nichts abbekommen, statt dessen »*namen . . . de verhungerden Francken dat Krüde vt dem Vath vnd makeden eine Grabbusie* (ein gieriges Grabschen, d. h., sie fielen über das Konfekt her) *vnd ward sehr vernichtet . . . Desülven Francken nemen ock weg allent, wat se vppe dem Radhuse aflangen konden, also appeln, beren, mispeln vnde wat man in Köruen vnde Molden auer sydes ghesat hadde.*«[44]

Der Zorn auf die »verhungerten Franken«, die keine Tischsitten hatten, die einheimische Sprache nicht beherrschten und am Hof die besseren Stellen besetzten, hat sich nur langsam gelegt. Familiäre oder freundschaftliche und gesellige Beziehungen zur einheimischen, niederdeutsch sprechenden Bevölkerung sind deshalb zunächst selten, sie scheinen sich erst im 16. Jahrhundert deutlicher herauszubilden, so z. B. in Vereinigungen wie der Wolfgangsgilde, der Liebfrauengilde oder anläßlich gemeinsamer Schützenfeste.[45]

Mit der engen Bindung an die Stadt verstärkt sich nun einerseits der Druck der hochdeutschen Verwaltungszentrale auf die Bürgerschaft, andererseits wird auch der Hof und sein Gefolge durch die neue Umgebung zunehmend sprachlich beeinflußt. Die passive und aktive Beherrschung sowohl des Niederdeutschen wie des Hochdeutschen verbreitet sich auf beiden Seiten, die Ansätze zur Ausbildung von Kompromißformen, zu Merkmalen der Sprachmischung werden gefördert. Parallel hierzu und durch die Landesherrschaft dazu angehalten, wechselt die Stadt in ihrer wirtschaftlichen Orientierung vom niederdeutschen Norden zum hochdeutschen Süden. Die Bindung an die Hanse tritt zurück. Stabil bleiben die Beziehungen zu Frankfurt, das wie schon vorher als Hansestadt so auch nach dem durch die Hohenzollern erzwungenen wirtschaftspolitischen Wechsel für Berlin ein Vermittler und ein Mittelpunkt des polnisch-deutschen Handels bleibt[46]. Die Bindungen Berlins an Frankfurt werden wohl in den Jahren des stärksten kurfürstlichen Drucks auf Berlin und Cölln in der Mitte des 15. Jahrhunderts durch Abwanderung von Angehörigen patrizischer Familien nach Frankfurt noch verstärkt. Die Ablösung des Niederdeutschen durch das Hochdeutsche, noch kaum im privaten Bereich und im innerstädtischen Kleinhandel, aber doch bei vielen anderen, zumal offiziellen Gelegenheiten wird so durch mächtige Interessentengruppen in der Stadt und durch das Vorbild anderer Städte des Ostens und Südostens der Mark gefördert.[47] Im ersten Jahrzehnt des 16. Jahrhunderts vollzieht die Berliner Verwaltung den

Schritt, den Frankfurt ein rundes Jahrhundert vorher getan hat. Der neue Stadtschreiber Johannes Nether, seit 1504 im Amt, stellt die Stadtkanzlei - wohl nicht aus eigenem Antrieb, sondern veranlaßt durch seine Vorgesetzten, die Kämmerer Hans von der Gröben, Thomas Kuleplatz, Bartholomäus Schum und Jakob Hüwener oder die Bürgermeister Christoph Wins, Joachim Ryke und Kerstian Matthias[48] - auf den schriftlichen Gebrauch des Hochdeutschen um. Während bei Johannes Nether selbst auch noch niederdeutsche und Mischformen begegnen, schreiben schon seine Nachfolger konsequent hochdeutsch. Dieser Sprachwechsel der Stadtverwaltung kann sicher nicht als getreues Spiegelbild der städtischen Verhältnisse außerhalb der Kanzlei gedeutet werden, er stellt aber doch einen wichtigen Orientierungspunkt für die folgende Entwicklung dar. Besonders stabil bleiben noch für lange Zeit niederdeutsche Lokalnamen, Maßangaben, Warenbezeichnungen und auch Berufsnamen. Weil sich diese Bezeichnungen in der städtischen Umgangsprache zunächst als immun gegen Versuche der Verhochdeutschung erweisen, werden sie auch in der Kanzlei weitgehend beibehalten, um Störungen in der Kommunikation zu vermeiden. So finden wir bei Johannes Nether auch nach dem Sprachwechsel z. B. *Solthalle* ›Salzhalle‹; *Coppermole* ›Kupfermühle‹; *Paddenstretken* ›Paddensträßchen‹; *Wittensee* ›Weißensee‹; *vat* ›Faß‹; auch *vetken, grot vat* (als Weinmaße); *dusent* ›tausend‹; *schepel* ›Scheffel‹; *wyn* ›Wein‹; *murstein* ›Mauerstein‹; *kalck luschen* ›Kalk löschen‹; *awen* ›Ofen‹; *tins* ›Zins‹; *scheplude* ›Schiffsleute‹; *tymermann* ›Zimmermann‹; *korkenmaker* ›Korkenmacher‹ und vieles andere.[49] Auch in den Formulierungen der Überschriften folgt Nether anfangs oft noch der Tradition seiner niederdeutschen Vorgänger, so bleibt der größere Teil der Überschriften zunächst niederdeutsch, ein nennenswerter Rest ist lateinisch, hochdeutsche Titel sind weit in der Minderzahl.[50] Dieser Umstand bezeugt, daß kein abrupter Wechsel stattfindet und daß auch Nether in der Lage ist, das Niederdeutsche zu benutzen. Sogenannte »hyperkorrekte Formen«, die uns bezeugen, daß jemand die eine Sprachform automatisch und ohne genaue Kenntnis in die andere umsetzt, scheinen bei Nether völlig zu fehlen.[51] Agathe Lasch, die Nethers Sprache am genauesten untersucht hat, vermutet, daß er sein Hochdeutsch im obersächsischen Gebiet gelernt hat und sich nach der thüringisch-obersächsischen Kanzleisprache richtet, nicht nach der z. T. mit fränkischem Personal besetzten kurfürstlichen Kanzlei in Cölln.[52] Dies ist deshalb interessant, weil die Vorbildfunktion der obersächsisch-thüringischen Kanzleisprache hier naturgemäß noch nicht auf die Wirkung der Reformation zurückgeführt werden kann.

Während die märkischen Städte des Ostens und Südostens, wie Frankfurt, Fürstenwalde, Müncheberg, Beeskow, Storkow, Zossen, den Übergang zum Hochdeutschen mindestens in der Kanzleisprache lange vor Berlin vollzogen haben und der Norden und Westen der Mark mit Bernau, Gransee, Neuruppin, Tangermünde, Prenzlau, bzw. Brandenburg, Rathenow, Perleberg, Stendal großenteils, aber doch mit deutlichem Abstand dem Berliner Beispiel folgen,[53] ist das Umland der Städte zunächst weithin niederdeutsch geblieben. Dieser niederdeutsche Grundcharakter des Märkischen wird allerdings vor allem in der Mittelmark und im Südosten seit eh und je durch Einflüsse des Hochdeutschen (Mitteldeutschen) von Süden her aufgelockert. Vor allem durch den täglichen Warenaustausch im Kleinhandel, aber auch in manch anderer Beziehung und durch den normalen Zuzug der Bewohner blieben die städtischen Gebiete mit dem Umland verbunden. Wir haben uns auch den Sprachwechsel Berlins also keineswegs als abrupten Übergang, sondern als langwierigen Prozeß der Umorientierung in einem reich differenzierten Gefüge sozialer und kommunikativer Normen vorzustellen. Die Grenzen des zum Hochdeutschen rechnenden mitteldeutschen Gebiets bewegen sich am nachhaltigsten aus südöstlicher Richtung langsam auf das Berliner Stadtgebiet zu. Der Übergang zum Hochdeutschen wird innerhalb der Stadtgrenzen durch die territorialen und städtischen Verwaltungsinstanzen in der kritischen Phase entschieden gefördert. Um die Wende vom 15. zum 16. Jahrhundert stellt sich die städtische Kanzlei bewußt auf die neue Sprachform um. Die Bürgerschaft mag dieser Reform in einzelnen Fällen vorangeschritten sein, zum größten Teil vollzieht sie den gleichen Schritt zögernd und nach Interessenlagen differenziert in den folgenden Jahrzehnten.

Das 16. und 17. Jahrhundert
Hochdeutsch neben Niederdeutsch

Der Übergang Berlins zum Hochdeutschen und der Charakter der Berliner Sprachformen in der Übergangszeit werden von den älteren Spezialarbeiten unterschiedlich bewertet. Da es sich um einen überaus wichtigen Vorgang in der Sprachgeschichte der Stadt handelt, sollen hier die verschiedenen Standpunkte kurz dargestellt werden. Agathe

Lasch, die bedeutende Erforscherin des älteren Berlinischen, deren Leben im faschistischen Konzentrationslager endete, vertrat die Ansicht, das berlinische Hochdeutsch sei eine im wesentlichen von außen bestimmte, dem obersächsischen Vorbild folgende, bewußt übernommene und erlernte Sprachform ohne engere Bindung an das Märkische der Umgebung der Stadt: »nicht, wie sonst meist die Mundart, in ruhigem Fortgang der alten angestammten Form geworden, sondern als ein neu erlernter hochdeutscher Dialekt seit dem 16. Jahrhundert von einer niederdeutschen Bevölkerung fortentwickelt, als Stadtmundart ohne Hinterland, gleichzeitig immer von der Schriftsprache bedroht, weil sie nach Form und Sprachkörper nicht weit genug von ihr entfernt war.«[54] Hermann Teuchert, der beste Kenner der märkischen Sprachverhältnisse in seiner Zeit, hat der Auffassung von Agathe Lasch widersprochen, weil er den Anteil des Niederdeutschen an der Sprache Berlins und die sprachlichen Wechselwirkungen von Stadt und Land anders beurteilte. Nach seiner Ansicht ist die Wirkung der ursprünglich niederdeutschen Bevölkerung auf die neuen Sprachformen, wie sie sich seit dem 16. Jahrhundert durchsetzten, als stärker zu veranschlagen. Die Erklärung der berlinischen Sprachbesonderheiten kann nach Teuchert »nur in der Aufstellung der Theorie einer Mischsprache liegen: das Berlinische der hd. Periode erwächst auf dem Boden der nd. Heimatsprache durch Einführung des obs. Vokalstandes, soweit nicht schon Übereinstimmung bestand, und durch Anpassung der Verschlußlaute mit der gleichen Einschränkung«[55]. In der benachbarten Mittelmark hätten sich vorher schon niederdeutsche und mitteldeutsche Elemente zu einer neuen Mundart zusammengefunden: »Da Berlin aber von dieser Mda. umschlossen wird, so muß aus dieser dialektgeographischen Lage die Abhängigkeit Berlins von der Sprache seiner Landschaft auch für md. Bestandteile des Laut-, Formen- und Wortschatzes, neben den heimischen nd. Elementen, gefolgert werden. Außer dem unmittelbaren Zustrom obs. Sprache hat auf Berlin auch das mitteldeutsche Element seiner ländlichen Nachbarschaft eingewirkt, und zwar zu allen Zeiten seiner deutschen Sprachgeschichte.«[56] Die Kontroverse von Lasch und Teuchert erfordert eine Schärfung des Blicks für die das frühe Berlinische beeinflussenden unterschiedlichen Sprachformen. Wir müssen die Fernwirkung des Obersächsischen und die Nahwirkung des Mittelmärkischen der städtischen Umgebung nicht als Gegensätze, sondern als nebeneinander bestehende und auf einen Ausgleich drängende Komplexe sprachlicher Normen begreifen, wobei dem Vorbild der oben erwähnten, zeitlich vorangehenden Umstellungsprozesse in anderen märkischen Städten besondere Bedeutung zukommt. Daß der Übergang zum Hochdeutschen ostmitteldeutscher Prägung in Berlin keinen isolierten Schritt der Stadtkanzlei darstellt, zeigt sich in den erhaltenen Dokumenten sehr rasch z. B. daran, daß auch Briefe und Rechnungen Berliner Handwerker schon am Beginn des neuen Jahrhunderts überwiegend der neuen Sprachform folgen.[57] Die Vermeidung typischer Merkmale des Niederdeutschen und ihre Ersetzung durch die des Hochdeutschen wird im Verlauf des 16. Jahrhunderts durch weitere Faktoren entschieden gefördert. Im Jahre 1506 erhält die Mark in Frankfurt/Oder eine Landesuniversität. Zwar hatte schon im 15. Jahrhundert die weitaus überwiegende Mehrheit brandenburgischer und berlinischer Studenten in hochdeutschen Universitätsorten, so vor allem in Leipzig, studiert und höchstens jeder achte an den Universitäten des niederdeutschen Gebiets Rostock oder Greifswald[58], aber mit der Gründung der Viadrina im hochdeutschen Frankfurt erhält Berlin sozusagen vor der Haustür eine Ausbildungsstätte, deren Absolvierung von nun an von jedem märkischen Beamten mit höherer Ausbildung erwartet wird, dazu rechnen wir die Verwaltungsbeamten des Kurfürsten ebenso wie die Juristen, Pfarrer, Gymnasiallehrer, Stadtschreiber, aber auch Kämmerer und Bürgermeister der Städte. Die Tatsache, daß Frankfurt zur Zeit der Universitätsgründung schon lange auf der hochdeutschen Seite der Sprachscheide, Berlin aber auf der niederdeutschen Seite lag, mag für die Bevorzugung Frankfurts vor der Residenzstadt Berlin ein wichtiges Motiv gewesen sein. Natürlich war die Lehr- und Disputationssprache der Universitäten des 16. Jahrhunderts noch das Lateinische, trotzdem dürfen wir davon ausgehen, daß die Universitätsorte auch die Ausbildung der Studenten in der Muttersprache, die Kenntnis ihrer Dialektdifferenzen, den Ausgleich sprachlicher Unterschiede und die Übung im Hochdeutschen wesentlich förderten. Die Erfordernisse der höheren wissenschaftlichen Ausbildung wirkten aber auch zurück auf die Bildungsziele der verschiedenen Schulformen. So wird in Schulordnungen des 16. Jahrhunderts, wie in der des Berliner Gymnasiums zum Grauen Kloster von 1574, die Pflege des Hochdeutschen als Unterrichtssprache verlangt. Neben den Schulen kommt der Sprache der kirchlichen Unterweisung und des Gottesdienstes besondere Bedeutung zu. Bald nach dem Tod Joachims I. (1535) wird ab 1539 auch die brandenburgische Kirche reformiert. Vorangegangen war wieder der brandenburgische Osten, die Neumark. 1540 wird die Brandenburgische Kirchenordnung gedruckt.[59] Damit tritt die deutsche Sprache in Liturgie, Predigt und Kirchenlied an die Stelle des bis dahin vorherrschenden Lateins. Der weithin geltende Zwang zum sonntäglichen Gottesdienstbesuch erweist sich somit als eine wirksame Nötigung zum passiven und aktiven Gebrauch der von den Pfarrern gepflegten Sprachform. Das konnte in niederdeutschen Gebieten das Niederdeutsche sein, in Berlin ist mit dem Einzug der Reformation das auch an Wittenberg orientierte Hochdeutsch zur Sprache des Gottesdienstes geworden. So sehr aber der - späte - Einzug der Reformation die Entwicklung Berlins zum Hochdeutschen schließlich gefördert hat, soll doch nicht vergessen werden, daß die Entscheidung des Rates für die neue Sprachform vor der Reformation gefallen ist. Der vom Landesherrn eingesetzte Propst von Berlin war in der Regel schon im 15. Jahrhundert ein Vertreter der hochdeutschen Kolonie, und selbst die Berliner Klöster gingen bereits in der ersten Hälfte des 16. Jahrhunderts unter dem katholischen Joachim I. zum Gebrauch des Hochdeutschen über.[60]

In diese Übergangsperiode ordnet sich auch der frühe Berliner Buchdruck ein. Wie in Frankfurt, wo mindestens seit 1505 auch für den Berliner Bedarf hochdeutsch gedruckt wird, gibt es in Berlin keinen niederdeutschen Buchdruck. Ende 1539 oder Anfang 1540 wird für zunächst nur vier Jahre der erste, aus Wittenberg berufene Buchdrukker in Berlin tätig. Sprachwirksamer als die anfangs geringe Eigenproduktion der märkischen Druckerei ist aber sicherlich der seit Beginn des 16. Jahrhunderts auch hier nachweisbare Buchhandel.[61] Daß der Berliner Buchdruck spät einsetzt und der märkische Buchdruck und wohl auch Buchhandel überhaupt in der ersten Hälfte des 16. Jahrhunderts wenig bedeutend ist, muß auch auf die antireformatorische Politik bis zum Tode Joachims I. zurückgeführt werden. Als Textbeispiel für die Sprache der kurfürstlichen Kanzlei sei deshalb ein Auszug aus dem an die märkischen Städte gerichteten Verbot des Drucks, der Verbreitung und des Besitzes reformatorischer Schriften in Brandenburg vom Jahre 1524 zitiert:

Demnach ... haben wir als Cristlicher Churfurst bedacht, das vns solichs zu zusehen vnd zugestatten keins wegs getzimen will. Dieweyl dann auch etzlich andere Churfursten vnnd Fursten der gleichen bucher in irem Furstenthumb vorbotten / Ist an euch vnser Ernstlich begern / vnd befelh / das Ir von stundt ahn / allen ewern einwonern vnd vnderthanen / In ein gemein versameln lassen / ansagen vnd gebietten / das ein yglicher er sey hohes oder nydern standes / geistlich oder werntlich solicher bucher so vntter Martini Lutters nahmen / außgangen / vnd von Ime verteutschet Alt vnd New Testament / eussere / die nicht keuffen oder lesen lasset. Sonder so sie die haben / one sewmen / euch verantwortten / damit die nicht weytter vnter die lewt / zuuorfhurung derselben außgebreyttet / vnnd verhalten werden. Die wollet vns von stundt zuschicken.[62]

(Lesehilfe: *werntlich* ›weltlich‹; *eussern* ›entäußern, abgeben‹; *sewmen* ›Säumen‹; *verantwortten* ›überantworten, ausliefern‹; *zuuorfhurung* ›zur Verführung‹; *verhalten* ›zurückbehalten‹).

Für das 16. Jahrhundert sind wir nicht mehr in so starkem Maße wie vorher auf Kanzleitexte angewiesen. Selbst poetische Quellen fließen nun reicher. Mit der Einführung der Reformation am Ende der dreißiger Jahre beginnt auch die Pflege des Schuldramas in der Mark. Die von Erasmus von Rotterdam und Melanchthon zur Förderung der Lateinkenntnisse und der bürgerlichen Moralvorstellungen als Schullektüre empfohlenen Komödien des Terenz werden übersetzt, in den Lehrplänen werden regelmäßig Terenzaufführungen durch die Schüler vorgesehen. Seit 1546 sind solche Aufführungen an Spandauer und Berliner Schulen bezeugt; schon 1544 gibt Johann Agricola, Schüler und Freund Luthers, seit 1540 Berliner Hofprediger und einflußreicher Reformator in der Mark, in Berlin eine Verdeutschung der »Andria« des Terenz als Hilfe zum Lateinlernen gedruckt heraus.[63] Bereits Luther hatte die Aufführung auch deutscher Schuldramen empfohlen, aber 1573 klagt der Berliner Rat anläßlich einer Kirchenvisitation, daß die Berliner Lehrer aus finanziellen Gründen lieber deutsche als lateinische Spiele aufführen, obwohl aus ihnen doch für die Schüler weniger zu lernen sei.[64] Für die Förderung eines hochdeutsch bestimmten Sprachausgleichs in der Stadt sind die öffentlichen Aufführungen hochdeutscher Dramen natürlich ein wichtiges Indiz, da sie nicht nur die Fähigkeit der Schüler zur Darbietung hochdeutscher Texte, sondern auch die Aufnahmebereitschaft des Publikums bezeugen. Neben die lateinischen und deutschen Schuldramen der Terenztradition treten schon in der Mitte des 16. Jahrhunderts auch andere Gattungen, vor allem die Weihnachtsspiele[65], Dramatisierungen der biblischen Weihnachtsgeschichte. Alle diese Stücke müssen in sprachlicher Hinsicht zunächst viel genauer auf das Publikum des Aufführungsortes Rücksicht nehmen, als das später der Fall war. Diese notwendige Rücksicht erlaubt es uns, Texte für Berlin auch dann – wenn auch mit aller Vorsicht – in Anspruch zu nehmen, wenn ihre Verfasser nicht einheimisch sind. Das gilt für den Hamburger Heinrich Knaust und für den Straßburger Christoph Lasius. Knaust, als Absolvent aus Wittenberg schon zwanzigjährig Rektor der Lateinschule an der Cöllner Petrikirche, läßt sein Weihnachtsspiel am 6. 1. 1541 in der Stadt aufführen und im gleichen Jahr drucken. Lasius, ebenfalls Wittenberger Theologe, kommt 1546 als Pfarrer an die Nikolaikirche in Spandau und führt dort am 2. 2. 1549 seine »Historia nativitatis Christi« auf, 1552 und 1553 läßt er die dramatisierte »Historia von der Susanna« folgen. Gedruckt wurde das Spandauer Weihnachtsspiel ›Historia nativitatis Christi‹ 1586 in Frankfurt/Oder unter dem Titel ›Ein gar schön herrlich new Trostspil, noch niemals in druck kommen. Von der Geburt Christi vnnd Herodis Bluthundes, als dieser letzten zeit fürbilde‹. Der Titelzusatz verdeutlicht die Absicht, auf die Gegenwart zu wirken. Als Textbeispiele aus den Weihnachtsspielen von Knaust und Lasius und damit als Zeugnisse für eine dem Berliner Publikum in der Mitte des 16. Jahrhunderts zumutbare hochdeutsche Sprachform seien deshalb die in beiden Spielen begegnenden gesellschaftskritischen Passagen zitiert. Der von Kaiser Herodes befohlene Kindermord gibt den Verfassern die willkommene Gelegenheit zu kritischen Äußerungen gegen die Obrigkeit, vorsichtigerweise werden sie in beiden Fällen den Teufeln in den Mund gelegt. Bei Knaust lauten die Schlußverse eines »Canticum Diabolorum« nach Herodes' Höllenfahrt:

Nu steht es mit der Hellen wol;
Denn sie nu wird schir werden vol,
Wenn die grossen Hanse und Herrn
Also sich wollen zu uns kern. (Vers 1337–1340)

Bei Lasius hören wir aus gleichem Anlaß ein Teufelslied:

Zur Hellen zu, zur Hellen zu,
Ihr guten Gsellen all!
Laßt euch nit grauen,
Wir habn ein weitten Stall.

...

Es soll nicht feilen
Wol an Geselschafft gut,
Es sitzen grosser Hansen
Viel in der Hellen Glut. (Vers 1357–1372)

Später heißt es noch deutlicher:

Wer Gwalt bekompt, der hat auch Recht.
Das Recht ist aller Herren Knecht,
Es mus sich lencken, wie man wil;
Grossen Herren ist nichts zu viel. (Vers 1493-96)

O ihr gekrönte Madenseck,
Seht, das euch nit Gotts Zorn erschreck! (Vers 1565 f.)

Vergleichen wir solche für ein Berliner Publikum bestimmte Texte mit dem Sprachstand des späten 15. Jahrhunderts, so fällt einerseits der krasse Wandel der sprachlichen Situation in der Stadt im Lauf der vorausgehenden fünfzig Jahre, andererseits die relative Nähe zu den geltenden Normen des Hochdeutschen über die letzten vierhundert Jahre hinweg deutlich in die Augen. Natürlich haben wir zu bedenken, daß Knaust und Lasius sicher noch nicht die gesprochene Sprache ihrer berlinischen Zeitgenossen getreu abbilden, aber dieses Deutsch wurde in der Stadt, wie nochmals betont werden soll, immerhin von den jugendlichen Schauspielern gesprochen und von den Zuschauern verstanden. Wie sich im reformierten Berliner Schulwesen des 16. Jahrhunderts Latein und Deutsch ergänzen, belegen die lateinischen Regiebemerkungen bei Knaust und Lasius. Wie entspannt sich das Verhältnis beider Sprachen im Schuldrama geben konnte, zeigt uns die Asterixsprache der Teufelsnamen im Weihnachtsspiel von Lasius: Das Gefolge Beelzebubs besteht aus den Teufeln *Fürsthetzere, Lügentichterus, Blutdürstimacherus, Seelmordero, Geldkratzerus, Ehrsuchtus, Neidstifftero, Blendelustus* und *Leutschendero.*

Wenn bei der Inanspruchnahme der Texte von Knaust und Lasius für die sprachliche Situation in Berlin noch eine gewisse Zurückhaltung geboten ist, so treten solche Bedenken bei dem dritten Weihnachtsspiel, das anonym überliefert ist, zurück. Dieses im Jahre 1589 in Berlin am kurfürstlichen Hof von jungen Adligen aufgeführte Stück zeigt uns ein sorgfältig differenziertes sprachliches Bild. Die Sprache der handelnden Personen ist im allgemeinen hochdeutsch, davon hebt sich die Sprache der vier Hirten als Vertreter der Landbewohner ab. Während der zweite und dritte Hirt sich in einigen wichtigen Merkmalen deutlich um die Annäherung an das Hochdeutsche bemühen und in ihrer Sprachform einer Ausgleichssprache der Berliner Stadtbevölkerung der Zeit wohl nahekommen, bleiben der erste und vierte Hirt im ganzen konsequenter beim Niederdeutschen. Aus diesen Hirtengesprächen eines Stückes, das wegen seiner adligen Spieler und seines Publikums am Hof auf die bei Knaust und Lasius begegnende Tyrannenschelte völlig verzichtet, sei hier ein Ausschnitt aus dem Hirtendialog der ersten Szene wiedergegeben:

Der erste Hirt

Gi Knechte, gedenckt, hefft gude Acht
Thu dem Vih in diser kolle Nacht!

Der ander Hirt

Was uns geburdt, das thun wier gern.
Hilff Gott, wi dutt di Kolle so weh!

Der erste Hirt

Ick gleub, datt nich elenger Lüde
Gefungen werden dise Thide,
Den die in sottener Angst undt Noth
Erwerwen muten dedt tegeliche Brodt.
Bi Dage unde Nacht hebbe ick kene Rhu,
Dett richten mi die skengisge Wulffe thu.
Bin ick nicht wakendt alle Thidt,
So kost et minen Skepken ir Hütt.
Itzt thütt ick tu dem ersten Mahll,
Dett klingen muten Berch unde Thall.
Thewes, geff acht up min Hörne,
Dett thudt den skengisken Wulwen Törn!
Thutte gegen mi tum enger Mall,
Datt bliwet ken Wulff da öwerall!

Der ander Hirt

So blas ick als en Gegersmahn,
So gutt als ichs gelernet ha.
Loß dich och hören, lieber Gespan,
So flehen die Wulwe all davon.
So sein wir diese Nacht alle drey
Hie mit einander sorgenfrey.

Der dritte Hirt

Lieben Gesellens, hörtt min Klagen!
Die Keltt wil mi fast gar verjagen.
Vor Frost ich zitter mit dem Horn,
Mein Blosen ist heutt alle verlorn.
So kalte Nacht ich nie endtpfandt,
So lang ich huet up dessen Landt.
Die Himellrött tigt ok was an,
Wiwol icks nicht verstehen kan.
Datt Gewolk verschwinget ganz undt gar,
Umb uns ist es schön hell undt chlar.
Welher weis nun, was das bedeudt?

Der erste Hirt

I ga, ett is uppestede eine kolle Thidt,
Die gewönlig mack ene klare Nacht.

...

Hort up von juen Dispentiren!
Mi dut so mechtigen sehre frisen,
Mi zittern all mine Gelider,
Von Frost mutt ig mi legen neder.
Ick rade ju, folget ock miner Lehre!

Der dritte Hirt

So legen wi uns all doher.
Gott wiert vor uns gar threulich huten,
Uns undt unser Vih wol behütten.

(Lesehilfe: *gi* ›ihr‹; *kolle* ›kalte‹, ›Kälte‹; *elenger* ›elender‹; *gefungen* ›gefunden‹; *thide* ›Zeit‹; *sottener* ›solcher‹; *skengisge wulffe* ›schindische, grausame Wölfe‹; *skepken* ›Schäfchen‹; *hütt* ›Häute, Felle‹; *törn* ›Zorn‹; *enger* ›ander‹; *gegersmahn* ›Jägersmann‹; *verschwinget* ›verschwindet‹; *uppestede* ›auf der Stelle, jetzt‹; *frisen* ›frieren‹).

Erinnern wir uns an die oben genannten besonders typischen Merkmale des Niederdeutschen in Berlin, so finden wir in diesem kurzen Textausschnitt den Beweis, daß eine ganze Anzahl der gleichen Merkmale auch jetzt noch den – hier durch die niederdeutschen Hirten vertretenen – sprachlichen Hintergrund kennzeichnen, von dem sich die Hochdeutschsprecher abzuheben bemüht sind. Die nicht immer einheitliche Schreibung erlaubt trotz einiger Unsicherheiten folgende Schlüsse:

- Die Regeln der Lautverschiebung (Abwandlung von *p, t, k*) sind nicht durchgeführt: *up* ›auf‹; *skepken* ›Schäfchen‹; *tu* ›zu‹; *datt, dett* ›das‹; *ick* ›ich‹; *wakendt* ›wachend‹. Auch altes *d* bleibt erhalten: *dage* ›Tage‹; *gude* ›gute‹
- *g* am Wort- und Silbenbeginn wird spirantisch wie *j* gesprochen, deshalb kommen sogenannte ›umgekehrte‹ Schreibungen vor: *gegersmann* ›Jägersmann‹; *gi (ji)* ›ihr‹
- *b* wird zwischen Vokalen als *w* gesprochen: *bliwet* ›bleibt‹, *öwerall* ›überall‹
- *nd* wird zu *ng: elenger* ›elender‹, *gefungen* ›gefunden‹, *skengisge* ›schindische‹, *enger* ›ander‹, *verschwinget* ›verschwindet‹
- *ī, ū, ǖ* sind nicht diphthongiert: *bi* ›bei‹, *tit* ›Zeit‹, *mine* ›meine‹, *lüde* ›Leute‹, *hüt* ›Häute‹
- germanisches *ai/au* erscheint als *ē, ō: en* ›ein‹; *kene* ›keine‹; *ok* ›auch‹
- *a* wird vor *l* und Dental zu *o: kolle Nacht* ›kalte Nacht‹
- Dativ und Akkusativ des Personalpronomens sind weiterhin auch im Singular gleich: *mi* ›mir, mich‹.

In einem so kurzen Text sind natürlich nicht alle interessanten Differenzen belegt. Andererseits sind die Schreib- und Druckgewohnheiten z. B. auf die Kennzeichnung der märkischen Diphthonge $\bar{u}^{e}$ oder $\bar{\ddot{u}}^{e}$ nicht eingestellt, während die übliche Schreibung *ie* unterschiedlich gedeutet werden kann. Wichtig ist aber neben einigen Inkonsequenzen noch, daß die alten Umlaute (z. B. *ö, ü, eu*) nun ziemlich regelmäßig bezeichnet sind und daß manche Besonderheiten, wie der ebenfalls alte Wandel von *ld* bzw. *lt* zu *ll (kolle Nacht),* nun auch in der Schrift erscheinen. In solchen Besonderheiten, die in der Regel das Berlinische mit der Sprache der märkischen Umgebung verbinden, begegnen wir den Schwierigkeiten, die alle Berliner im 15./16. Jahrhundert und z. T. noch lange danach beim Übergang zum Hochdeutschen hatten. Wichtiger als diese Besonderheiten ist aber die Tatsache, daß die Berliner bei der langsamen Gewöhnung an die Lautverhältnisse des Hochdeutschen die gewohnte Art ihrer Lautbildung, ihre phonologische Grundlage, in wesentlichen Zügen beibehielten. Das bedeutet: Die Berliner realisierten die hochdeutschen Lautregeln auf ähnliche Weise, wie es heute ein Norddeutscher mit niederdeutscher Muttersprache tut, wenn er hochdeutsch spricht. Dies betrifft vor allem die Unterscheidung stimmhafter und stimmloser Konsonanten, die Vokalbildung, aber auch die Wort- und Satzintonation. Deshalb unterscheidet sich berlinisches Hochdeutsch vom sächsischen Hochdeutsch schon im 16. Jahrhundert, obwohl die Berliner dem Vorbild der »sächsischen« Aussprache und Schreibweise noch bis ins 18. Jahrhundert z. T. bewußt nacheiferten.

Was in Berlin während der ersten Anpassung an das Hochdeutsche schon im 16. Jahrhundert erreicht wurde, ist eine wesentliche Differenzierung der Sprachsituation, die weitgehende Durchsetzung hochdeutscher Schreibnormen und die Entwicklung zur niederdeutsch/hochdeutschen Zweisprachigkeit je nach den Erfordernissen der sozialen bzw. beruflichen Stellung. Im 16. Jahrhundert war diese Tendenz zur Zweisprachigkeit im passiven Sprachgebrauch, also im Hören und Verstehen, in der Stadt weitgehend realisiert, im aktiven Sprachgebrauch wird das Niederdeutsche in der breiten Bevölkerung noch dominiert haben. Diese Differenzierung ist aber die Grundlage für Sprachmischungsprozesse, in denen sich allmählich eine hochdeutsch geprägte berlinische Umgangssprache mit starken niederdeutschen Relikten in der Aussprache, im Wortschatz, in der Satzgestaltung und in der Sprechmelodie festigt. Die so entstehende Mischsprache mit dominierenden Merkmalen des Hochdeutschen bildet sich im 17. und 18. Jahrhundert weiter aus und verdrängt allmählich das vorher herrschende Niederdeutsch als Berliner Stadtsprache auch im mündlichen Gebrauch. Wir besitzen ein Gedicht aus dem Jahr 1637 auf die Hochzeit des bedeutenden Berliner Kirchenmusikers Johann Crüger (1598–1662, Kantor an der Berliner Nikolaikirche seit 1622) mit der Tochter des Schmieds und Schulzen von Stralau.[66] Es ist bezeichnend, daß die niederdeutsche Sprache, zu dieser Zeit in der Berliner Umgebung noch ganz gebräuchlich, hier schon zur Erzielung gemütlich-komischer Effekte auf Kosten des hauptstädtischen Komponisten dienen kann:

JUNGE SCHMEEDISCHE

Et iss my hertlich leed, dat ick dat mut erfahren,
Dat desse gude Man van hitt' iss fuͤst erfraren.
Suͤst wat my anbedrefft, wold' ick em helpen gern,
Ick woll' em laten nich in noͤden, dat sy fern!
Wenn et man moͤglich weer. Dat aͤwerst nich kan wesen,
Wiel hee bloth gehet uͤmb met schriewen vnn met lesen,
Vnn so man einziglich dem Febus hanget an,
Vnn van den Liedern man tu vele schnacken kan,
Dat dienet nich tur Cur, Sal werden em benahmen
Dat Feber, mut hee ock in unsre Guͤlde kamen,
Mit eenem wort, He mut een Schmedt syn, wy ick bin.

Kroͤger

Doch hoͤrt: Mut ick ock eenen Knecht,
De my im schmeeden helpt, annehmen? segget recht?

Schulte

By lief' vnn gude nich. Sal sy ju recht Curiren,
So moͤte gy alleen met macht den Hamer fuͤhren,
Hier dienet Huͤlpe nicht, Sal ju geholpen syn,
So helpe Sie alleen, Suͤst nempt man tu de Pyn.

Kroͤger

Nu, eh' mie sall so ball de Kranckheet in die Erden
Verscharren, wil ick eh' een Isentwinger werden,
Versoͤken, wiel et doch sall syn, by welchem Stuͤck
Ick werde hebben nu henfort dat beste Gluͤck,
Efft werden beter my de Lieder gahn van staden,
Oder dat Schmeedewerck? dartu gy my so raden.

Schulte

Druͤmb wil ick ropen an de hoͤchste Hemmelsgunst
De suͤlvest vpgebracht hett desse schoͤne Kunst,
Sie wolle gefen doch, dat dorch dat truͤwe Hert'
Der Liesen nich alleen der kolle Febers schmert',
De ju tu sehre brennt, van ju werd' affgewehrt,
Besuͤndern dat gy ok, wie et sich denn gehoͤrt,
Alleene moͤgen so dat suͤte Handwerck driewen,
Dat, efft dat Meesterstuͤck noch moͤchte een wiel uthbliewen,
Doch endlick kam herby de ju sehr leeve Stund',
Do man gluͤckwuͤnsche ju van Herten vnde Mund',
Ju lude rope tu: Et moͤte luter Gluͤcke,
Gy Schmeede Luͤde, syn by juwem Meesterstuͤcke,
Ja driewet desse Kunst noch lange ahne struss!
Dat davan angefuͤllt mach werden Disch vnd Huss.

(Lesehilfe: *hitt* ›Fieberhitze‹; *fuͤst* ›fast‹; *erfraren* ›erfroren‹; *suͤst* ›sonst‹; *aͤwerst* ›aber‹; *Febus* ›Phoebus (= Apoll als Gott der Musik)‹; *ju* ›euch‹; *gy* ›ihr‹; *ball* ›bald‹; *isentwinger* ›Eisenbezwinger‹; *Febers schmert* ›Fieberschmerz‹; *suͤte* ›süße‹; *efft* ›ob, wenn‹; *lude* ›laut‹; *struss* ›Ärger, Verdruß‹).

Als Gegenpol zum Gebrauch des Niederdeutschen im unbeschwerten privaten Milieu noch des 17. Jahrhunderts sei hier der Berliner Bürgereid aus der Mitte des gleichen Jahrhunderts in der amtlichen hochdeutschen Form zitiert[67]:

Ich N. gelobe und schwere, dem curfursten zu Brandenburgk, meinem gnedigstem herrn, und einem erbarn rat beider stedte Coln und Berlin jederzeit getreu, gehorsamb und gewehr zu sein, ihren nutzen und frommen nach meinem hochsten vermugen zu befordern und dokegen ihren schaden und nachteil zu kehren und abzuwenden. So oft ich auch von curf. g[naden] und einem erbarn rat beider stedte, bei tag und nacht, in heimlicher oder offentlicher sachen von wolgemelten räten beider stede Berlin und Coln verbottschaft werde: so will ich gehorsamlich und unausbleiblich erscheinen und darkommen und alles dasjenige, was mir auferlegt wird, mit getreuen vleis bestellen, mich auch in keinerley sachen wider hochstgedachtem curfursten oder der räten beider stedte gebrauchen lassen. So will ich auch alle und jede burgerliche schosse und unpflichte nach hochstem meinem vermugen gerne abtragen und zahlen und mich in allen dingen, wie einem treuen burger eigenet und gebuhrt, erzeigen und vorhalten. So war mir Godt helfe und sein heiliges wort.

Das 18. Jahrhundert: Hochdeutsch, Französisch und berlinische Umgangssprache

Während die Sprachsituation der Stadt im 16. und 17. Jahrhundert durch niederdeutsch-hochdeutsche Zweisprachigkeit, die Ausbildung einer berlinischen Mischsprache und das langsame Vorrücken hochdeutscher Sprachformen auch im privaten mündlichen Verkehr gekennzeichnet ist, tritt gegen Ende dess 17. Jahrhunderts eine neue Komponente hinzu, die den allmählichen Sprachausgleich zugunsten des Hochdeutschen für längere Zeit zumindest im sozialen Milieu der Oberschicht teilweise neutralisiert. Der schon im 17. Jahrhundert modische Gebrauch französischer Wörter erhält durch die Öffnung der brandenburgischen Grenzen für die in Frankreich verfolgten Reformierten eine bevölkerungspolitische Basis, die auch die Entwicklung des Berlinischen beeinflußt. Im Jahre 1685 lädt der Kurfürst Friedrich Wilhelm durch das Edikt von Potsdam die in Frankreich hart verfolgten Hugenotten ein, sich in seinem Land anzusiedeln. Hauptaufnahmeort und neue Heimat für - bis 1700 - etwa 5-6000 französische Emigranten wird die Hauptstadt Berlin. Jeder fünfte Berliner kam damals aus

Frankreich. Die Hugenotten, qualifizierte Fachleute in vielen Berufen, finden auch an anderen Orten Preußens in relativ geschlossenen Gemeinden kirchliche, soziale und administrative Zentren; ihre Anwesenheit, ihr Einfluß im Handwerk, im Bildungswesen, in der Verwaltung, im Militär stärkt die Rolle des Französischen während des ganzen 18. Jahrhunderts zunächst in den durch Einwanderer unmittelbar betroffenen Bereichen. So wird die Umgangssprache der Berliner im Kontakt mit den zugewanderten Hugenotten durch zahlreiche französische Ausdrücke bereichert. Obwohl es sich in manchen Fällen um auch anderwärts im Deutschen bezeugte Fremdwörter handelte, wurde ihr Gebrauch in Berlin durch den täglichen Umgang mit den neuen Nachbarn doch wesentlich gefestigt. Durchgesetzt haben sich in Berlin so z. B. *Botten* (›grobe Schuhe‹, les bottes), *Buddel* (bouteille), *Bulette* (boulette), *Buljong* (bouillon), *Deez* (tête), *Fetz* (fête), *Karree* (carré), *Kastrolle* (casserole), *Kinkerlitzchen* (quincailles), *Kommode* (commode), *Kotelett* (côtelette), *Lamäng* (*etwas aus der Lamäng erledigen;* la main ›die Hand‹), *Maller, Mallör* (malheur), *Manschette* (manchette), *Muckefuck* (mocca faux), *Parterre* (parterre), *partu* (partout), *penibel* (pénible), *Ragufeng* (ragout fin), *ratzekahl* (radical), *Schemisett* (chemisette), *schesen* (zu chaise ›Kutsche‹*), Stampe* (estaminet), *Täng* (teint), *visavi* (vis-à-vis) u.a.m. Darüber hinaus tragen die Einwanderer aber zur Bestätigung der Rolle des Französischen als Sprache der höheren Bildung, des Hofes und der Verwaltungsspitzen wesentlich bei. Ein geflügeltes Wort, das die Berliner Situation kennzeichnet, lautet: »Wer nicht französisch kann, der kömmt zu Hof nicht an.«[68] Für eine einflußreiche Oberschicht in Berlin wird so die alte Zweisprachigkeit Niederdeutsch/Hochdeutsch, die der Ausbildung einer berlinischen Mischsprache förderlich war, durch eine neue Zweisprachigkeit Französisch/Berliner Umgangssprache abgelöst.

Zweifellos besaß im Ergebnis dieser Entwicklung das Französische am Hof, gestärkt durch den Zuzug der Hugenotten, einen festen Platz. Trotzdem bedürfen verallgemeinernde Urteile wie: »Die Sprache des Berliner Hofes ist damals (unter dem Großen Kurfürsten, H. S.) vorwiegend französisch . . .«[69] oder: »Fast zwei Jahrhunderte dauert die französische Einflußperiode. Französisch ist die Umgangssprache der Hofkreise«[70], einer eingehenden Prüfung. Immerhin schränkt schon A. Lasch ein: »Zu Ende des 17. Jahrhunderts ist auch die Sprache der Hofkreise, soweit sie deutsch ist, ›berlinisch‹«[71]. Wir müssen den Bereich der französischen Konversation bei gesellschaftlichen Anlässen, die geläufige Anwendung gängiger Floskeln, das Zeugnis französisch geführter Briefwechsel z. B. Sophie Charlottes, der Frau Friedrich I., unterscheiden von der Sprache des privaten Umgangs und auch von der Sprache der Regierungsgeschäfte und der Verwaltung in einer wiederum nach Sachgebieten differenzierten Praxis, die sich zudem in den angesprochenen 200 Jahren deutlich wandelte. Über diesen ganzen Bereich wissen wir noch sehr wenig. Interessantes Vergleichsmaterial bieten die eigenhändigen Niederschriften der politischen Testamente des Großen Kurfürsten Friedrich Wilhelm von 1667 und der Könige Friedrich Wilhelm I. und Friedrich II.[72] Es fällt jedem Leser sofort auf, daß der Kurfürst Friedrich Wilhelm im 17. Jahrhundert nur ganz vereinzelte Schwierigkeiten mit der Dativ/Akkusativ-Unterscheidung hatte, während einige andere berlinische Charakteristika auch bei ihm begegnen, aber das Bild seiner Sprache doch nicht prägen. Das sind z. B. die Schwierigkeiten mit den *s-*, *sch-* und *z*-Lauten *(gewessen, grensen, Sals, schwischen* [zwischen], *Milice),* die Vorliebe für *s*-Plurale *(Stathalters),* der Sproßlaut nach *r (errenstlich, das Corren)* und einige andere vokalische und konsonantische Eigenheiten. Ganz anders ist das Bild beim Enkel Friedrich Wilhelm I. Es wimmelt von charakteristischen Berolinismen in der Lautung und z. B. in der Pluralbildung *(Schmeichelers, Kerrels).* Bei ihm herrscht die Dativform als Einheitskasus des Personalpronomens im Singular *(mir, dir, ihm)* und die Akkusativform als Einheitskasus des Substantivobjekts im Singular und Plural *(nach meinen toht, mit meine gesundheit, mit den semtlichen adell, bei die andehre Ettats, aus eure landeskinder).* Diese die Mitglieder der königlichen Familie - hier stellvertretend für eine sozial herausgehobene Oberschicht - als Sprecher und Schreiber einer berlinischen Umgangssprache zwischen Dialekt und Standardsprache ausweisenden Eigenheiten signalisieren schon am Anfang des 18. Jahrhunderts ein gelockertes Verhältnis zu den Normen der hochdeutschen Standardsprache und eine Aufwertung der berlinischen Umgangssprache.

Daß das Hochdeutsche während des 18. Jahrhunderts auch in Berlin weiter an Boden gewinnt, bezeugen der Zeitungs- und Buchdruck, zahlreiche bedeutende Schriftsteller und Wissenschaftler, private Briefwechsel wie der Schriftverkehr der Behörden. Doch gerade die Spitze des Feudalstaates geht diesen Weg nicht mit. Friedrich II. veranlaßt die Berliner Akademie, ihre Verhandlungen nur in französischer Sprache zu führen und zu publizieren. Das Hochdeutsche, das er nicht voll beherrscht, hält er vorläufig für ungeeignet als Sprache höherer Bildung und anspruchsvoller Literatur[73]. Natürlich konnte sich Friedrich II. deutsch ausdrücken, aber er übte sein Deutsch wie viele Standesgenossen offenbar nur im Verkehr mit Untergebenen, vor allem Soldaten, Lakaien oder auch wenigen des Französischen unkundigen vertrauten Freunden. Aus diesem Grund können uns seine deutschen Briefe als Beispiele berlinischer Umgangssprache aus der Mitte des 18. Jahrhunderts dienen, einer Umgangssprache, die - wie immer - ihre besonderen Schwierigkeiten für den Leser hat, weil sie keiner eigenen orthographischen Normierung unterliegt. Wir zitieren einige Beispiele aus dem Briefwechsel Friedrichs mit seinem ehemaligen Kammerdiener und Vertrauten Fredersdorf:

März 1754:

Cothenius hat mihr gesagt, er Wolte Dihr Schröpen lassen; ich glaube, gegen d 20ten wirt es tzeit seindt. ich freüe mihr recht, daß du nuhn doch die nacht 4 Stunden Schlafen Könst. die Schmertzen Könen nicht Ehr Weck bleiben, bis daß das geschwihr mehr wirdt gereiniget und das geblühte versüßet seindt. dartzu gehöret Tisane. lasse es Dihr nuhr nicht verdrisen! umb gesundt zu werden, mus man Schon was ausstehn! du sihest doch Schon einen guhten anfang Deiner besserung; und Mus die Diet und Tisane das übrige beförderen. ich befehle Dihr dem himel weiter! gottbewahre![74]

Februar 1755:

ich bitte dihr recht sehr, nehme dihr doch gegen denen Schlime Zeiten recht in acht! ich wolte Dihr Sehr ungern verlihren! und haben Wihr erst die 2 Schlimme Mohnahte vorbei, so hat es guhte wegen. wenn morgen guht übergehet, So lege Dihr nuhr auf guhten apetit und Suche Dich mit Essen und Schlafen So vihl zu erholen, wie Möchlich.

man Saget, Deine Camer, wohr Du nuhn bist, ist auch Wärmer wie die vohrichte; allso hüte Dihr ja vohr alle verkältung, auf daß wihr das Solistitium überstehen. ich versichere Dihr, daß ich recht in Sorgen vohr Dihr bin, und daß mihr öfters nicht guht zu-muhte darbei ist.[75]

Mai 1755:

habe du nuhr guht vertrauen und Sei nicht verdrißlich! dis fiber ist baldt abgeholffen worden. wann du Glaubest, daß es Möglich ist, Dihr in 4 Wochen zu Curihren, das ist ohnmöhglich! ich habe mit allerhandt Docters und feldscheers umb die Krankheit gesprochen. allein es ist ein Schlimer zufal, der nicht anders als durch die länge der tzeit zu helffen ist; und ohne was buhße könts nicht abgehen! allein in 3 oder 6 tage werden die Kräfte Schon Wieder- Komen. Setze Dihr nuhr feste in Kopf, daß deine besserung nicht anders, als lanksam, geschehen Kan, und daß noch hier und dahr zufäle Komen müssen, alleine von Mohnaht zu Mohnaht geringer, ich weiß alles, was Cothenius Dihr gebraucht. alleine Wie ein

Ehrlicher man Kan er nicht anders an Dihr handelln. und nuhn mustu von der tzeit abwahrten, was in Keine Menschliche Kräfte ist, zu tzwingen.[76]

Als Beispiel für die etwas bessere Beherrschung literatursprachlicher Normen durch Fredersdorf sei auch einer der Gegenbriefe zitiert. Der ehemalige Kammerdiener ist vier Jahre älter als sein König und nicht wie dieser im Milieu der Berliner Umgangssprache aufgewachsen. Er stammt aus Garz in der östlichen Mark und hat sein Hochdeutsch während der Militärzeit in Frankfurt/Oder und Küstrin gelernt. Im Oktober 1754 schreibt er wegen des nicht funktionierenden großen Springbrunnens in Sanssouci, dessen Wasserreservoir durch eine Windmühle gefüllt werden soll, an seinen Herrn:

Es hatt sich ein Mensch hir-her gefunden, der in reiche von Ew. K. M. Hern officirs gehört, daß hir so vil geldt an eine Fontaine verwand währ. ich habe Ihm gestern alles Zeigen lassen. Er hatt seine gedanken über die Plümpe-arbeit und fehler der machine ausgeführt, und saget mir, würde versuchen, die Sache in Stande Bringen. Wan Ihm aber Ew. Konigl. Maj. da-Zu Emploiren wolten, so wolte Er den Winter durch das Werk in solchen Stand setzen, daß man allemal Könte das reservoir voll Mahlen. Er giest sich Zugleich alle röhren selbst; und versteht das hidruling aus dem Fondament und hatt, laut seine atteste, an unter-Schiedene Fürstliche Höffe der- gleichen und, die noch viel difficiler sein, angefertiget. was Ew. Konigl. Maj. allergnädigst Befehlen, werde dem Man Bescheiden. Mit Meinen umständen gehet es recht gut, außer der grosen Mattigkeit, so ich Beständig wegen des Wenigen Schlaffs empfinde.[77]

(Lesehilfe: *schröpen* ›schröpfen‹; *Tisane* (ein schweißtreibender Arzneitrank); *Diet* ›Diät‹; *Plümpe-arbeit* ›Pumpenanlage‹; *emploiren* ›anstellen, beschäftigen‹; *hidruling* ›Hydraulik‹; *wohr* ›wo‹; *Solistitium* ›Sonnenwende‹, hier wohl für den Frühlingsanfang).

Auf einige in diesen Textausschnitten begegnende Sprachmerkmale sei aufmerksam gemacht:

- Die benutzten Schreibformen liegen – vor allem bei Friedrich – großenteils weit unter der zu dieser Zeit erreichten Normierungsebene
- Benutzung zahlreicher, vor allem französischer Fremdwörter auch im privaten Rahmen eines solchen Briefwechsels bei beiden Partnern
- Weitgehender Zusammenfall der Kategorien des Dativs und Akkusativs, meist zugunsten der Dativformen der Personalpronomen *(mir, dir, ihm)* bzw. der Akkusativformen der Substantive (im Plural: *atteste, höffe, Kräfte* statt *Attesten, Höfen, Kräften*)
- Pluralbildung auf *-s* nicht nur bei Fremdwörtern: *officirs, doctors, feldscheers*

- Spirantische Qualität des *g: möchlich*
- Charakteristika der berlinischen Umgangssprache der Zeit sind auch die hier benutzten Formen *in Kopf* (verschliffen aus ›*in den Kopf*‹), die *e*-Varianten *(feste, alleine),* attributives *was (was buhße),* der Artikel *dis (dis fiber),* die Präposition *vohr* (›*für*‹), entrundete Formen wie *geschwihr* (›*Geschwür*‹), das Suffix *-icht (vohrichte* für *vorige)* u. a.

Ein bürgerliches Gegenbeispiel der weitgehend gelungenen Annäherung an hochdeutsche Sprachnormen bietet die Chronik des Berliner Bäckermeisters Johann Friedrich Heyde aus den Jahren 1740 bis 1786[78]. Auch bei Heyde finden wir eine Anzahl typischer Berolinismen im Bereich der Dativ/Akkusativ-Unterscheidung *(gegen ihnen / mit welches /* [er starb] *an einen hitzigen Brust Fieber /* [er ist] *in der Frembde gegangen / nebst zwei andere Regimenter),* der Pluralbildungen auf *s (von den Schicksals),* Vokalrundungen *(würklich, Würkung)* und Entrundungen *(Gerichte* für *Gerücht).* Aber die Gewandtheit des Ausdrucks und die Beherrschung auch der schriftlichen Normen geben ein gutes Zeugnis für die Schulbildung eines Berliner Handwerkersohnes.

Die Orientierung einer gesellschaftlichen Oberschicht am Französischen beeinträchtigt für eine kurze Übergangszeit die Entwicklung der überregionalen hochdeutschen Ausgleichssprache. Die Sprachform des Französischen, an die wir in erster Linie zu denken haben, wenn wir von seinem Einfluß auf das Deutsche im 18. Jahrhundert sprechen, ist das Französische der Hauptstadt Paris. Da die Hugenotten aber aus allen Landesteilen Frankreichs stammten, also auch aus solchen mit starken Unterschieden zur Sprache der Hauptstadt, müssen wir davon ausgehen, daß der sprachliche Einfluß französischer Handwerker, Fabrikanten oder auch Wissenschaftler auf die Sprache Berlins keinesfalls einheitlich war. Die sprachlichen Differenzierungen innerhalb der französischen Gemeinde Berlins haben sicherlich zur relativ raschen Anpassung vieler Hugenotten aus den Kreisen der Handwerker, Händler oder auch der am Rande Berlins angesiedelten Gärtner an die deutsche Sprache ihrer Kunden und Geschäftspartner geführt. Als Beispiel für diesen beruflich bedingten Angleichungsprozeß sei hier der Begleittext zu einem Kupferstich von Daniel Chodowiecki zitiert, in dem ein zweiundachtzigjähriger Berliner Seifenhändler französischer Herkunft seine Ware anpreist. Dieser Seifenhändler des Jahres 1775, geboren 1693, könnte ein Vertreter der ersten in Brandenburg geborenen Hugenottengeneration sein:

Marchand des Savonettes tres renomme a Berlin. age 82 ans:
»Bonjour me chers Messieurs! Kauff sick kut Savonet!
Etuits, un schön Pomat von Wacks un renlick fett.
Kauff Kauff sick in die Zeit, so hab sick in das Noth.
O Monsieur! keb kleick kelt; Haselir nit: Ick brauck Brot.
Ick nick kan borck; ich hab su Hauß Frau, un viel kind;
Freß mi bal Ohr klat weck; Kauff un besahl keschwindt.
Is schon die leßte Tag: Die Sonntag Komm heran;
Sons kan nick fuhr der Staat; Greiff sick der Herr dock an;
Der Herr sahl; Ick seh schon; Is sick ene brave Herr!
(A propós! keb mi dock ene pris de Saint' Omer.)
O brave Monsieur! is ock von mi ene kut Patron;
An armen Schelm Verdien sick ene Kottes Lohn.
Un ene schöne charmante Maitresse, von fucksehn Jahr.
Viele tausent kute klück wünsch ick su meiner Waar.
Ha! Ha! da siß ene Herr, der mi ock nick kezahl.
Haselir dock nick su sehr! Ick kehn muß ene mahl;
Kauff sick der Kram su samm. Ha! schöne kute kelt!
So komm en kleen Fransoß nock durck das krüße Welt.
Adieu! Messieurs! Messieurs! nun hab sick der argent.
Bon Appetit! Messieurs! klenn Fransoß is content.
Bien Oblige' mes chers Seigneurs! de tout mon Coeur,
Laß sie Kott lanke leb, so keb sie mi nock mehr.«[79]

In einigen Besonderheiten dieses Textes treffen sprachliche Schwierigkeiten des Franzosen mit den Anpassungsproblemen anderer einheimischer oder zugezogener Berliner zusammen:
- Mangelnde Unterscheidung stimmhafter und stimmloser Laute, insbesondere des *g* und *k: kut/gut; keb/geb; kelt/Geld; klat/glatt; keschwindt/geschwind* usw.
- *k*-Aussprache des *ch;* dadurch auch im Munde des Franzosen die zum Teil zur Berliner Umgangssprache passenden Formen *ick/ich; sick/sich; ock/auch,*
- Einheitsformen für das Personalpronomen im Dativ und Akkusativ: *mi/mir, mich,*
- *e* für *ei: renlick/reinlich; kleen/klein; ene/eine, einen.*

Auffällig sind aber z. B. auch:
- die zahlreichen unnötigen Reflexivformen: *kauff sick; hab sick; greiff sick an; is sick* usw.,
- die Schwierigkeiten bei der s-Aussprache, die sich in der mehrfach fehlenden Unterscheidung von *s* und *z* zeigen: *su/zu; besahl/bezahl; leßte/letzte* usw.,
- die Realisierung des *r*-Lauts: *fucksehn/vierzehn,*
- die Bildung des Infinitivs: *borck/borgen; leb/leben.*

Daß der Text trotz des Wunsches nach Verständlichkeit mit französischer Lexik durchsetzt ist, darf uns nicht wundern, denn gerade solche französischen Brocken wie *Bonjour; Etuits; Pomat; Monsieur; A propós, charmante Maitresse; Bon Appetit* waren im 18. Jahrhundert in Berlin dem vom Händler mit kosmetischen Erzeugnissen angesprochenen Publikum sicherlich bekannt und werden eher verkaufsfördernd als verkaufshemmend gewirkt haben. Vermutlich sind so auch die im Textbeginn, in der Mitte und am Ende eingefügten längeren französischen Floskeln zu bewerten.

Die Durchsetzung eines hochdeutschen Sprachstandards in Berlin wird im 18. Jahrhundert nicht nur durch das Französische, sondern auch durch die Existenz mehrerer anderer Zuwanderergruppen teils verzögert, teils beeinflußt. Während die große Salzburger Emigrantenwelle in den dreißiger Jahren des 18. Jahrhunderts Berlin nur berührt, finden andere oberdeutsche (Schweizer, Berchtesgadener, Württemberger) Exulanten hier dauerndes Bürgerrecht.[80] Entsprechende Einbürgerungen begegnen schon im 16. und 17., massiert im 18. Jahrhundert. Die wichtigste Zuwanderergruppe stellen dabei zahlenmäßig und in ihrer sprachlichen Wirkung zweifellos die Juden dar, die - größtenteils Rückwanderer aus Osteuropa, aber auch noch Vertriebene aus dem Österreich Maria Theresias - seit 1671 in die Stadt aufgenommen werden, vom Erwerb der Bürgerrechte jedoch noch für lange Zeit ausgeschlossen bleiben. Während des 18. Jahrhunderts wächst die Berliner Bevölkerung von ca. 30 000 auf mehr als 150 000 Einwohner. Zahlreiche Neubürger stammen mit großer Wahrscheinlichkeit aus bereits hochdeutsch sprechenden, wenn auch sprachlich noch nicht einheitlich geprägten Gebieten. Der Zwang der städtischen Großgemeinde zur Kooperation und Kommunikation überwindet nun Schritt um Schritt die sprachlichen Differenzen ihrer Bürger. Ihm erliegen schließlich auch solche Gruppen, die sich um einen besonderen sozialen Zusammenhalt in der Stadt und um die Pflege eigener kultureller Traditionen bemühen, ob sie nun als Glieder von Sondergemeinschaften Privilegien genießen, wie die Hugenotten, oder vor allem gemeinsam auf äußeren Druck reagieren müssen, wie die Juden. Die sprachliche Anpassung insbesondere der jiddischsprechenden Zuwanderer vollzieht sich Generation um Generation bis in das 20. Jahrhundert. Die Eindeutschung der Hugenotten ist gegen Ende des 18. Jahrhunderts bereits entschieden, wenn auch noch nicht vollendet.

Im Verlauf der geschichtlichen Entwicklung setzt sich die soziale

Gliederung nach der Stellung in der Produktion und Gesellschaft schließlich gegen die ursprüngliche kulturelle Bindung von Zuwanderergruppen durch. Die sprachliche Absonderung auch der Berliner Hugenotten wird in den ersten Jahrzehnten des 19. Jahrhunderts durch das Zusammenwirken verschiedener Einflüsse entscheidend geschwächt. Die Anpassung der Masse der Gemeindemitglieder an die Arbeits- und Lebensbedingungen Berlins ist vollzogen, der konfessionelle Sonderstatus der Kirchengemeinde und deren soziale Dienste (Kranken- und Altersversorgung) allein genügen nicht, um die sprachliche Angleichung an die deutsche Umgebung zu verhindern.[81] Der im Ergebnis der napoleonischen Kriege anwachsende preußisch-deutsche Patriotismus und Nationalismus tun das Ihre, um den Gebrauch des Französischen auch in der reformierten Gemeinde weiter zurückzudrängen. Wie intensiv und fruchtbar aber sowohl die deutsch-französischen wie auch die deutsch-jiddischen Kontakte gerade in Berlin über lange Zeit waren, kann an zahlreichen Lehnwörtern aus diesen Sprachen in unserem Wörterverzeichnis verfolgt werden.

An der Schwelle des 19. Jahrhunderts: Berliner Hochdeutsch und Umgangssprache in neuen Funktionen

Die Sprachlehrer und Grammatiker des 16., 17. und 18. Jahrhunderts stellen in ihrer Mehrzahl die Aussprache des Hochdeutschen in Obersachsen, das sogenannte meißnische Hochdeutsch, als vorbildlich hin. Hochdeutschsprechern aus dem niederdeutschen Gebiet fällt allerdings schon früh der weitgehende Zusammenfall bestimmter Laute, die die Schriftsprache unterscheidet, in der sächsischen Aussprache auf. Diesen Zusammenfall von *b/p, d/t, g/k* vor allem nehmen dann einige Grammatiker zum Anlaß, die norddeutsche, am Schriftbild orientierte, also »korrekte« Aussprache hervorzuheben. Gelegentlich fällt das Lob der dem hochdeutschen Gebiet benachbarten nördlichen Provinzen noch spezifischer aus. In der Sammlung der Tischreden Luthers, der seine Jugendjahre in niederdeutscher Umgebung verlebt hat, wird folgender Ausspruch des Reformators aus dem Herbst des Jahres 1532 zitiert: »Marchionica lingua facilis est, vix labra moventur, et excellit Saconicam«[82] bzw. in zeitgenössischer Übersetzung: »Die Merckische Sprache ist leichte; Man merckt kaum, das ein Mercker die Lippen reget, wenn er redet; sie vbertrifft die Sechsisch.«[83] Mit dem

18. Jahrhundert nehmen positive Urteile über das märkische Hochdeutsch deutlich zu.

Im Jahre 1771 schreibt der Berliner Gymnasialprofessor und Grammatiker Johann Friedrich Heynatz: »Da Sachsen und die in Ansehung der Sprache zur Mark Brandenburg gehörenden Länder die meisten und ersten guten Schriften in Deutscher Sprache geliefert haben: so haben sie beide ein nahes Recht, über die Streitigkeiten der übrigen Provinzen von Deutschland zu urtheilen. Giebt es indessen eine allgemeine Hochdeutsche Sprache, so muß entweder die Sächsische oder die Märkische Mundart den Ausschlag geben.«[84] Heynatz propagiert hier praktisch die berlinische Aussprache des Hochdeutschen; der Ort seines späteren beruflichen Wirkens, Frankfurt/Oder, konnte sich seit dem Dreißigjährigen Krieg, wie die übrigen märkischen Städte, in keiner Weise mehr mit der wirtschaftlichen, politischen und kulturellen Machtstellung und Ausstrahlung Berlins messen. Der bedeutendste Lexikograph und Grammatiker der Epoche, Johann Christoph Adelung, setzt sich gleichzeitig noch entschieden für die allgemeine Anerkennung der sächsischen Aussprache ein, obwohl auch er als geborener Niederdeutscher persönlich seine heimische Mundart allen anderen vorzieht: »Denn sie ist gerade das Gegentheil der Oberdeutschen Sprache, und unter allen Deutschen Mundarten in der Wahl der Aussprache der Töne die wohlklingendste, gefälligste und angenehmste.«[85] Daß sich im Prinzip der Standpunkt von Heynatz und nicht Adelungs Beharren auf der »meißnischen« Tradition des Hochdeutschen durchsetzen konnte, so daß »die hochdeutsche Literatursprache vorwiegend mit niederdeutschen Lautwerten ausgesprochen wurde«[86], zuerst auf der Bühne, dann als Normvorstellung guter Aussprache verallgemeinert, war Ergebnis der politischen Entwicklung des 18. Jahrhunderts. Die preußische Machtpolitik Friedrichs II. trug wesentlich dazu bei, daß Berlin als wirtschaftliches und politisches Zentrum Nord- und Mitteldeutschlands die bis dahin beherrschende Rolle der sächsischen Städte zurückdrängte. »Damit wurde der niederdeutsche Raum, vor allem die Mark Brandenburg, die inzwischen dem Hochdeutschen völlig aufgeschlossen worden war, auch zum sprachlichen Vorbild«[87], und die preußische Hauptstadt trat für viele das Erbe Leipzigs und Dresdens als Bezugsort der Aussprachenormen des Hochdeutschen an. Wie vorher in Sachsen ist auch in Berlin natürlich nicht der Dialekt oder die städtische Umgangssprache gemeint, auch fehlt es nicht an kritischen Stimmen, die einen solchen Wandel des Normenbezugs nicht akzeptieren. Da die als vorbildlich geltende Aussprache des Hochdeutschen aber auf ostmitteldeutscher Grundlage mit niederdeutschen Lautwerten beruht, kommt in der Tat, wenn wir eine Region suchen, in der dieser Kompromiß eine natürliche Grundlage hat, am ehesten Berlin mit seinem märkischen Umland in Frage. Zweifellos spielt die hochdeutsche Ausgleichssprache der Stadt mit ihrer gewaltigen Bevölkerungsentwicklung seit dem 18. Jahrhundert hierbei die entscheidende Rolle. Seit den letzten Jahrzehnten des 18. Jahrhunderts müssen wir in der Sprache der Stadt zunächst zwischen den beiden Polen eines weithin anerkannten Berliner Hochdeutsch in mündlicher und schriftlicher Verwendung und einer oft kritisch bewerteten (weil noch zu stark an den märkischen Dialektformen orientierten) und in allmählicher Auflösung befindlichen Stadtmundart unterscheiden. Die Berliner Umgangssprache hält als Kompromißform etwa die Mitte zwischen den Extremen. Sie orientiert sich im allgemeinen an den Normen des Hochdeutschen, bewahrt aber einige besonders typische Merkmale der Stadtmundart. Wenn wir seit dieser Zeit vom »Berlinischen« sprechen, meinen wir diese städtische Umgangssprache. Dabei können einzelne Merkmale des Berlinischen auch in sonst gepflegter Rede auftreten und sogar bewußt kultiviert werden. Seit dem Ende des 18. Jahrhunderts haben indessen aufmerksame Grammatiker derartige Merkmale (*Beene/Beine, Boom/Baum, jehen/gehen, ick/ich, det/das* usw.) bekämpft. Sie sind zwar aus der Sprachwirklichkeit nie verdrängt worden, ihr Gebrauch wird aber durch die Sprachkritik des 18. und 19. Jahrhunderts eigentlich nur noch zum Zweck der sprachlichen Charakterisierung der Berliner, zur Erzielung witziger Wirkungen oder umgangssprachlicher Treffsicherheit zugelassen. Der geborene Berliner hat sich um solche Urteile selten gekümmert, wenn er sein Berlinisch oder auch sein Hochdeutsch spricht.

Die sich in Berlin festigende Verantwortung für das Hochdeutsche zeigt sich seit dem 18. Jahrhundert in vielen Aktivitäten: Leibniz fordert von der zu gründenden Akademie der Wissenschaften schon in den ersten Jahren des Jahrhunderts eine aktive deutsche Sprachpflege. Der Berliner Pädagoge Bödiker schreibt bereits Ende des 17. Jahrhunderts eine einflußreiche, wiederholt aufgelegte hochdeutsche Grammatik. Der Rektor des Gymnasiums zum Grauen Kloster Leonhard Frisch, als germanistischer und slawistischer Sprachforscher Mitglied der Akademie der Wissenschaften, veröffentlicht im Jahre 1741 ein Wörterbuch, das noch von Jacob Grimm nach einhundert Jahren als ein vorbildliches Werk anerkannt und genutzt wird. Nach der vorübergehenden Orientierung auf das Französische unter Friedrich II. bemüht sich die Akademie durch Preisschriften und am Ende des Jahrhunderts durch die Einrichtung einer »Deutschen Deputation«, die Erforschung der eigenen Sprache und ihre Pflege neu zu beleben[88]. Im Jahre 1815 wird die »Berlinische Gesellschaft für deutsche Sprache« gegründet, die erste bedeutende Sprachgesellschaft des 19. Jahrhunderts, die sich über mehr als ein halbes Jahrhundert um die Erforschung der Sprachgeschichte, der Grammatik und des Wortschatzes bemüht und für diese Aufgabe besonders unter der Berliner Lehrerschaft überall Helfer zu gewinnen versucht[89]. Berliner Lehrer waren um die Wende vom 18. zum 19. Jahrhundert an Fragen der Sprachpflege sehr interessiert. Hervorgehoben seien die einschlägigen Leistungen von Friedrich Gedike, dem Reformator des höheren Berliner Schulwesens in den 90er Jahren des 18. Jahrhunderts, und seiner Kollegen Johann Jakob Engel, Johann Heinrich Ludwig Meierotto und Karl Philipp Moritz. An den Schulen hatte sich der Unterricht in deutscher Sprache als Fach allmählich durchgesetzt. Die Lehrer brauchten Orientierungshilfen im Bereich der noch offenen Normierungsfragen vor allem in der Grammatik, in der Aussprache und im Wortschatz einer überregionalen Literatur- oder Standardsprache. Als überall zugängliche Beispiele guter sprachlicher Gestaltung spielten natürlich auch die Werke der schönen Literatur eine bedeutende Rolle. Das selbstbewußter werdende Berliner Bürgertum suchte zumindest seit der zweiten Hälfte des 18. Jahrhunderts seine sprachlichen Vorbilder nicht in der Sprache des Hofes, die noch unter dem starken Druck des Französischen und seiner anerkannten literarischen und sprachlichen Muster stand, sondern bei den deutschen Modeautoren der Zeit. Für die letzten Jahrzehnte der Regierungszeit Friedrich II. († 1786) bezeugt ein Berliner Schriftsteller für die Hauptstadt Preußens: »In keiner Familie, welche nur irgend Anspruch auf wissenschaftliche Bildung machen wollte, fehlte eine kleine Privatbibliothek ... Ueberall fand man die Werke von Gellert, Weiße, Klopstock, Ramler, Gleim, Lessing; überall die Romane von Hermes, Spalding's Bestimmung des Menschen, die Schriften von Moses Mendelsohn.«[90] Wer keine eigene Bibliothek besaß, nutzte eine der zahlreichen Leihbibliotheken.[91] Die für die Begründung einer kulturell engagierten Geselligkeit in Berlin so überaus bedeutsame Henriette Herz (1764–1847), Frau des Berliner Arztes und Philosophen Marcus Herz, berichtet für das Ende des 18. Jahrhunderts über Berliner Lesegesellschaften: in dieser Zeit »war das Lesen mit verteilten Rollen sehr an der Tagesordnung und blieb es bis in das erste Jahrzehnt dieses Jahrhunderts hinein«, daran beteiligte sich mit großem Erfolg auch Karl Philipp Moritz.[92] Die modische und intensive gemeinsame Beschäftigung mit literarischen Werken förderte ganz gewiß die Pflege überregionaler Sprachformen, wie sie in der schönen Literatur praktiziert wurden, auch in Berlin und sicherte ihnen von hier aus wiederum weitere Verbreitung.

Im Ergebnis der starken industriellen Entwicklung der Stadt erreicht das Wachstum der Bevölkerungszahlen noch in den ersten Jahrzehnten des 19. Jahrhunderts eine neue Qualität. Grundlage des notwendigen sprachlichen Ausgleichs zwischen zuerst Zehntausenden, dann Hunderttausenden Zuwanderern innerhalb weniger Jahrzehnte und der ansässigen Bevölkerung kann nur die Sprachwirklichkeit der Stadt mit ihren noch gegenläufigen Tendenzen sein. Als Beispiel für die berlinische Ausgleichssprache am Ende des 18. Jahrhunderts sei aus einer Arbeit des soeben erwähnten Berliner Dichters, Pädagogen und Akademiemitglieds Karl Philipp Moritz zitiert, in der er aus Sorge, die einheimischen dialektalen Merkmale könnten die Entwicklung zum Hochdeutschen stören, die in Berlin am Ende des 18. Jahrhunderts gängige Umgangssprache charakterisiert. In seiner »Anweisung die gewöhnlichsten Fehler, im Reden, zu verbessern nebst einigen Gesprächen« (Berlin 1781) gibt der aus Hameln gebürtige Niedersachse zunächst auf fast zwanzig Seiten ein »Alphabetisches Verzeichnis einiger Wörter, die am häufigsten unrichtig ausgesprochen, oder, in einem unrichtigen Sinne gebraucht werden«. Dieses Verzeichnis soll hier nicht ausgeschrieben werden, aber der heutige Leser mag doch überrascht sein, wenn er erfährt, welche sprachlichen Eigenheiten seinen Vorfahren vor reichlich 200 Jahren hier unter manchen anderen bereits vorgehalten werden:

allens ›alles‹, *aberst* ›aber‹, *allehne* ›selber‹, *arbehten* ›arbeiten‹, *bisken* ›wenig‹, *Bohm* ›Baum‹, *Böhme* ›Bäume‹, *Behn* ›Bein‹, *det* ›das‹, *druf* ›drauf‹, *Dinges* ›Ding‹, *drängeln* ›drängen‹, *derf* ›darf‹, *ehns* ›eins‹, et ›es‹, *ehngal* ›egal‹, *is* ›ist‹, *ick, icke* ›ich‹, *jut* ›gut‹, *janz* ›ganz‹, *kohffen* ›kauffen‹, *Kinner* ›Kinder‹, *kihken* ›sehen‹, *krauchen* ›kriechen‹, *Kop* ›Kopf‹, *Lohb* ›Laub‹, *langen* ›reichen‹, *man* ›nur‹, *Männicken* ›Männchen‹, *mehnen* ›meinen‹, *nich* ›nicht‹, *ne* ›nein‹, *Näse* ›Nase‹, *nischt* ›nichts‹, *ohch* ›auch‹, *olle* ›alt‹, *Rohch* ›Rauch‹, *wollen Sie so gut sind?* ›... sein‹, *ville* ›viel‹, *versauffen* ›ersaufen‹, *wehnen* ›weinen‹, *ich wehß* ›ich weiß‹, *zweh* ›zwei‹.

Moritz nennt aber auch zahlreiche Beispiele, die für das neuere Berlinisch nicht mehr typisch sind und die die inzwischen eingetretene Entwicklung oder auch die stärkere Bindung der Sprache der Hauptstadt an die märkischen Dialektverhältnisse zu seiner Zeit verdeutlichen:

antzwey ›entzwei‹, *balle* ›bald‹, *derbei* ›dabei‹, *duhn* ›tun‹, *Dühr* ›Tür‹, *di* ›dich, dir‹, *der* ›da‹, *dohb* ›taub‹, *ehnduhnt* ›einerlei‹, *fuhl* ›fiel‹, *fung* ›fing‹, *gelung* ›gelang‹, *hernachens* ›hernach‹, *herummer* ›herum‹, *herinder* ›herein‹, *Höhchte* ›Höhe‹, *hebben* ›haben‹, *he* ›er‹, *hehsch* ›heiser‹, *jistern* ›gestern‹, *kladdern* ›klettern‹, *Krähge* ›Krähe‹, *Lengde* ›Länge‹, *Ledder* ›Leiter‹, *menche* ›manche‹, *mi* ›mir, mich‹, *Nähgde* ›Nähe‹, *Natel* ›Nadel‹, *ohwer* ›ober‹, *Perschon* ›Person‹, *Rehge* ›Reihe‹, *süllte* ›sollte‹, *schehf* ›schief‹, *stohl* ›stahl‹, *er tradde* ›er trat‹, *er trunk* ›er trank‹, *trohmen* ›träumen‹, *überlig* ›übrig‹, *wih* ›wir‹, *wechengehn* ›weggehen‹, *zwarst* ›zwar‹.

Karl Philipp Moritz, der den Berliner Sprachgebrauch als Zugereister vielleicht besonders kritisch beobachtete, beschließt seine »Anweisung« von 1781 durch zwei Textbeispiele, in denen er, wie er selbst sagt, die Eigentümlichkeiten des Berlinischen bewußt und übertreibend häuft. Aus beiden Texten, einem »Frühlingsgespräch zwischen einem Herrn und einer Dame« und einem »Gespräch zwischen zwei jungen Damen, die viel Lektüre besitzen«, seien hier die einleitenden Passagen zitiert.

Frühlingsgespräch

ER: *Sehen Sie, wie das Lohb uf die Böhme schon widder ausschlägt! o wie schön is doch der Frühling!*

SIE: *Ja, des freuet mir immer am mehsten, wenn ich sehe, wie die Böhme erscht anfangen grün zu werden, des seht jar zu schön aus.*

ER: *Aberst lahßen Sie uns doch noch en Bisken uf die Wiese jehn, Sie glohben jar nich, wie ville Veilchen, dies Jahr, wachsen: ich habe schonst für ein paar Tage welche gepflückt, un wenn Sie mich erlohben wollen, so will ich Sie heute en klehn Pucket pflücken.*

SIE: *O des wird mich sehre angenehm sind, Sie seynd aber jar zu jütig.*

ER: *So! – derf ich Sie nu gehorsamst ufwarten?*

SIE: *Ich bin Sie recht sehre verbunden.*

ER: *Da schteht eine Banke, lahßen Sie uns doch hier en Bisken besitzen bleiben, wenn es Sie gefällig is.*

SIE: *O recht jerren, wir haben hier so eine schöne Außicht – warten Sie, da krauchst Ihnen eine Raupe uf die Schulter – so, nu is sie weg.*

ER: *Ich danke Ihnen erjebenst.*

SIE: *Belieben Sie doch einmal nach Ihre Uhre zu sehen, was die Klocke is.*

ER: *Es is erscht en Viertel uf viere. Wir haben noch Zeit überlig – zwarst Sie jehen heute Abend in die Komödie. Ich bin doch selber neuschierig, was das vor ein Stück seyn wird, das sie heute ufführen duhn. Ich mache mich ohch sonst nix nich aus die Narrenspoßen: aber die Leute machen jo so erschtaunend viel Rühmens von den Hamlet. Wenns man nich widder so full is, wie neulich, da drängelten einen die Leute bald dod.*

SIE: *Lohffen Sie doch nich so sehre, un lahßen Sie uns um des Haus herummer jehen, da kommen wir nähger!*

ER: *Wie sie befehlen – wir haben noch einen ziemlichen Weg für uns, und müßen eilen, wenn wir früh genug in die Schtadt seyn wollen – Ich glohbe jahr die Komödie is all anjejangen.*[93]

Gespräch zwischen zwei jungen Damen

ERSTE DAME: *Ach meine Liebste! wie freuet es mir, deß ich Ihnen hier treffe! ich habe Sie so villerlei zu verzählen, deß ich jahr nich wehß, wo ich anfangen soll!*

ZWEITE DAME: *O erzählen Sie doch joh geschwinde, ich habe Sie denn ohch noch jahr mänches zu veroffenbahren.*

ERSTE D.: *I nu, hören sie man, was ich jestern vor en Schreck hatte, weil ich zu Hause kommen daht: inwährend ich die Treppe hinufjung, bejegnete mich erschtlich mein Vetter, in erschtaunender Eile, un schtieß mir bei ehner Haare um; ich jung uf meine Schtube, drunk meinen Koffee, hung meine Uhre uf, fung an enne Arie aus die Jagd auf's Klovier zu schpielen, un sung dazu, des klung mich so kurjöhß, ich mache des Klavier uf, un eh' ichs mir versehn duhe, schpringen mich zwei große dicke Mause entjejen, nu können Sie leicht denken, wie ich mir verschrack, ich schprung aus eine Ecke in der andern, weil ich glohbte, die Mause rennten immer hinter mich her, bis ich endlich noch die Dühre zu packen kriegte, un, just zu allen Glücke die Katze draußen war, die ließ ich herinn, un da hätten Sie Ihre Lust sehen sollen, was die Katze vor en Schpecktakel mit die ehne von die behden Mause bedrieb, denn die andre war weggeloffen, des war zum dodlachen, erscht schpielte sie en Bisken dermit, denn krigte sie se widder zu packen, und zerkratzte sie jämmerlich mit die Klauen, bis sie se zuletzt dodbiß, ich schtund derweile immer in die Dühre, und sahe zu, un lachte, deß mich die Thränen aus die Ohgen liefen.*[94]

Die sprachkritischen Bemerkungen von Moritz treffen großenteils auch noch für das Berlinische der ersten Hälfte des 19. Jahrhunderts zu.

Den um das Jahr 1800 auch am preußischen Hof erreichten Stand der Beherrschung des Hochdeutschen Berliner Prägung bezeugen uns anschaulich die Liebesbriefe des Prinzen Louis Ferdinand an Pauline Wiesel. Gegenüber den Beispieltexten von Karl Philipp Moritz haben sie den Vorzug der Authentizität. Textpassagen aus unterschiedlichen Briefen, die die charakteristischen Züge der berlinischen Umgangssprache deutlich belegen, sind im folgenden absichtlich kombiniert:

Liebe Pauline laß mir einen Augenblick bey dir kommen ... gewiß wird es mir gelingen, dir liebe süße Freundin mit dich selbst und dem Glücke zu versöhnen / nur du kannst mich von dich trennen / das Aufstehen – und die Morgens mögen wohl schön seyn indessen sich an deiner seite zu schmiegen ..., o das ist schöner noch / Alles üble ... kanst du nur aus mein innerstes vertreiben / noch mehr Vertrauen kann ich in dir ... haben / Alles Liebe ich an dich / Ach Pauline wie schmerzt alles dieses mir / Liebe Freundin, wie oft denke ich an dem Augenblick der uns vereinen wird, meine Phantasie mahlt Ihm stets mit neuen Farben aus / ich ... Lebe nur um in meinen Geschäftskreise ... zu würken / meinen süßesten Lohn ... erwarte ich ... von dich / davon bin ich überzeugt, ... daß das Glück deines Lebens nur ... durch mir kommen kann[95].

Louis Ferdinand (1772–1806), genialischer Neffe Friedrichs des Großen, gehörte um 1800 zu den die Berliner Salons beherrschenden Persönlichkeiten. Die zitierte Textfolge vermittelt uns eine Vorstellung, wie berlinisches Hochdeutsch in diesen Salons praktiziert wurde, als die berlinische Gesellschaft ihre eigenen norddeutsch geprägten Sprachnormen den im 18. Jahrhundert als vorbildlich geltenden obersächsischen selbstbewußt entgegenstellte.

Parallel zur Festigung der hochdeutschen Standardsprache in der Stadt – und parallel zur wachsenden Autorität des in Berlin gesprochenen und geschriebenen Hochdeutsch in anderen Teilen des deutschen Sprachgebiets – werden die deutlichen dialektalen Merkmale der Berliner Umgangssprache oder Stadtmundart vom Stand der Hochsprache aus auch weiterhin meist kritisch betrachtet; das hindert aber einige Autoren nicht daran, sie zum Erreichen witziger Wirkungen bewußt einzusetzen. So verfährt am Beginn des 19. Jahrhunderts der schriftstellernde ehemalige Offizier Julius von Voß (1768–1832), z. B. in seiner 1818 uraufgeführten Posse »Die Damenhüte im Berliner Theater«[96], nach ihm und am wirkungsvollsten aber Adolf Glaßbrenner (1810–1876). Als kurzes Beispiel für das Berlinische, das Julius von Voß seit 1810 in seinen Lustspielen verwendet,[97] sei hier mit Agathe

Lasch ein Vers aus dem Schwank »Frau Rußkachel« (aufgeführt 1816) zitiert:

Och ick war in jüngern Jahren
Woll en rechtet schmuckes Kind
Doch ick habet bald erfahren
Det die Männer treulos sind.
Erstlich rönnen se, det se schwitzen
Un denn lassen se Enen doch sitzen
Drum man lieber nicht gefreit
Junfer geblieben in Ewigkeit.[98]

Wie kein anderer hat Glaßbrenner die Berliner Volkssprache aufmerksam beobachtet und sich offensichtlich bemüht, die Eigenheiten des Berlinischen möglichst genau zu erfassen und zu berücksichtigen.[99] Das Berlinische steht bei Glaßbrenner nicht mehr - wie noch bei Moritz - wegen seiner Abweichungen von den Normen der hochdeutschen Standardsprache am Pranger der Sprachkritik. Glaßbrenner schreibt - neben hochdeutschen - berlinische Texte, um in dieser sprachlichen Form die Ansichten seiner Berliner - und natürlich die eigenen - möglichst wirkungsvoll vor ein größeres Publikum zu bringen. Sein besonderes Interesse gilt der Schilderung typischer Berliner Verhältnisse und Situationen, vor allem des Alltagslebens der mittleren und unteren sozialen Schichten, und dem Ausdruck seiner kritischen Haltung gegenüber deren Lebensbedingungen, den gesellschaftlichen und staatlichen Zuständen. Das durch Glaßbrenner vermittelte sprachliche Selbstbewußtsein der Träger dieser Sprachform ist die Grundlage für die Stabilität einer Anzahl typischer Sprachmerkmale bis in die Gegenwart. In der Menagerie-Szene des ersten Heftes des »Bunten Berlin« springt der Wärter für den Tiererklärer van Aken ein: *»Nehmen Se't nich übel, daß der eijentliche Erklärer, der des jebrochene Deutsch spricht, nach de Stadt Mittagbrodessen jejangen is. Ich kann des Jebrochne noch nich rauskriejen, weil ich ein Berliner bin, un mein reines Deutsch spreche.«*[100] Daß Glaßbrenners Texte in ihrer Sprachform keineswegs einheitlich sind, ist gelegentlich in seiner schnellen Arbeitsweise,[101] öfter aber wohl doch in der Absicht begründet, der typischen Mischung verschiedener Sprachformen in der Stadt gerecht zu werden: »Gewöhnlich spricht er (Piefke, als eine der Verkörperungen des echten Berliners, H. S.) berlinisch. Der Schwung seiner Seele reißt ihn in's Hochdeutsche; plötzlich macht er mit seinem Witze einen Salto mortale und ist wieder mitten in seinem Berlinerthum.«[102] Des Unterschieds der Sprachformen und ihrer sozialen Grundlagen sind sich Glaßbrenners Gestalten dabei gelegentlich durchaus bewußt: *»Sie Herr Werling, Sie jenießen woll keinen Schluck jebrannten Weines mit'n Happen jeschmierte Schrippe dazu? Sie sind woll zu hochdeutsch zu so was?«*[103]

Zur Personencharakterisierung wechselt Glaßbrenner deshalb je nach den Bedingungen des sozialen Milieus, der Redesituation, den stilistischen und kommunikativen Besonderheiten zwischen ausgeprägter Stadtmundart, korrektem Hochdeutsch und allerlei Mischformen bewußt ab. Dieser Wechsel ist besonders leicht zu beobachten an den auffälligen Varianten *ick/ich*[104], *das/des/det*[105], *auch/ooch* usw. oder an den mehr oder weniger erfolgreichen Anstrengungen seiner Figuren, sich grammatischer Konstruktionen des Hochdeutschen zu bedienen, z. B. Genitivkonstruktionen zu gebrauchen oder Dativ- und Akkusativobjekte zu unterscheiden.

Als Beispiele solcher differenzierten Nutzung der Möglichkeiten des Berlinischen bzw. der Annäherung an das Hochdeutsche seien hier abschließend zwei Ausschnitte aus dem »Eckensteher Nante« – in dialektnaher Umgangssprache – einer Szene aus dem »Heiratsantrag in der Niederwallstraße« gegenübergestellt. Aufmerksamkeit verdienen im »Heiratsantrag« die nicht immer glücklichen Versuche der Glaßbrennerschen Figuren, die lautlichen und grammatischen Normen der Standardsprache einzuhalten:

Der ächte Eckensteher Nante

Erste Scene.
Nante. Mehrere Vorübergehende.

NANTE (sitzt auf einem Steine an einem Eckhause und trinkt aus seiner Schnapsflasche.):

Aaach, des schmeckt! des schmeckt als wenn Eener Schnaps drinkt, un er schmeckt ihm. So, nu hab' ick jefrühstückt, nu wer' ick mir mal de Welt ansehen, ob noch Allens in Ordnung is. (er sieht sich um.) *Himmel is da, is oben, de Erde is hier, un de Destlationsanstalt is drüben: Welt, jetzt kannste wieder losjehen! Lebenslauf, ick erwarte Dir.* (steht auf.) *Na, wat is 'n det? Wat rejen sich denn vor Jefühle an meine Brust uf?* (er schlägt auf die Schnapsflasche, welche in der Seitentasche steckt.) *Willste woll ruhig sind, Carline! Mahnste mir denn ewig an Dein Dasein! Na, dies Mal will ick Dir nochmal nachjeben, aber wenn de wieder kommst, denn ooch.* (er trinkt und besieht dann die Flasche.) *Carline, ick kann et Dir länger nich verhehlen: ick liebe Dir! Als ick Dir sah, bejann mein Leben, meine Jurjel jehört Dir auf ewig, nur der Dot kann mir von Dir trennen. [. . .]*[106]

Dritte Scene.
(Aermliche Dachstube. In der Mitte steht ein gedeckter Tisch.)
Frau Schwabbe und ihr zwölfjähriger Sohn Fritz.
Später Nante.

FRAU SCHWABBE: *Na det weeß der Deibel, wo Vater heute wieder bleibt! Fritze, loof mal runter un seh mal zu, ob de ihn nich siehst, un wenn er kommt, denn sage man, er soll kommen, sonst brennen mir de Kartoffeln an.*

FRITZ: *I wat wer' ick 'n da noch unnütz runter loofen, er wird schon kommen. Da hör' ick 'n schon uf de Treppe.*

FRAU SCHWABBE: *Na denn is et jut, denn brauchste nich runter zu jehen, denn kannste hierbleiben.* (Nante tritt herein.) *Na kommste endlich anjelatscht, biste endlich da? Ick warte schon seit 'ne halbe Stunde mit det Mittagbrod, schon über 'ne halbe Stunde wart' ick!*

NANTE (legt seinen Hut ab und setzt sich an den Tisch.):
Da haste Recht dran jedhan, Mutter Schwabben. Nanu sind alle deine Sehnsuchte befriedigt, nu bin ick hier, nu werde mal hier sichtbar mit's Essen, denn mir hungert wie'n Scheundrescher. Fritze, setze Dir! (zu seiner Frau, die mit dem Essen kommt.) *Wat haste denn heute, Mutter Schwabben? Quetsch-* (er steht erschrocken auf.) *Quetschertoffeln? Schon wieder Quetschertoffeln? Herrjees, ne det wird mir denn doch zu ville! Een Dag wie alle Dage, da wird man ja zu lauter Quetschertoffeln, det hält ja keen Pferd aus!*

FRAU SCHWABBE: *Na, halte man Deinen Mund, reiße man nich jleich Dein jroßes Maul wieder so uf! Ick habe Dir heute en paar Bratwürschte dazu jemacht. Mit so'n Essen kann en Jeheimrath zufrieden sind!*

NANTE (nimmt sich eine Bratwurst.):
Det kann er. Wenn er jrade will, denn kann er zufrieden sind. Na Fritze, Jierschlunk! nimm Dir doch nich jleich wieder so'n ganzen Teller voll, nachher bleibt et wieder stehen!

FRITZE: *Krieg' ick denn nich ooch en bisken Bratwurscht?*

NANTE: *Wat willste haben? Bratwurscht? Warte, ick wer' Dir bebratwurschten! Keile kannste kriejen, aber keene Bratwurscht! [. . .]*[107]

Ein Heiraths-Antrag in der Niederwallstraße

HERR KLEISICH: *Du mußt ooch hernach etwas Kaffeekuchens zu de Choklade holen lassen.*

MAD. KLEISICH: *Det wird Allens jeschehen, ohne det Du Dir dreinmengst. Du hast weiter nischt zu dhun, als deß er bei Dir anhält, weil Du der Mann bist, als Vater!*

HR. KLEISICH: *Carline, hat er denn bestimmt jesagt, deß er um Dreier Uhr bei mich anhalten wollte?*

CAROLINE: *Janz bestimmt.*

HR. KLEISICH: *Es is aber schon en Viertel uf Vierer un meine jeht noch um mehre paar Minutens nach.*

CAROLINE: *Er wird vielleicht abjehalten.*

HR. KLEISICH: *Wenn ich wo anhalten will, kann mir Nichts abhalten. Ich habe mir bei Deiner jetziger Mutter durch nischt abhalten lassen. Des is jetzt jrade dreißig Jahr, als ich bei Ihres Vaters, des Lichtziehers Ente, Vormittags um elf Uhr, uf den 13ten Aujust anjesagt hatte, um ihrer anzuhalten, un es hatte noch nich jeschlagen, da hatten wir uns schon versprochen. – Ich vermuthe, er liebt Dir nich.*

MAD. KLEISICH: *Ach Jott, wat wird er ihr denn nich lieben? Dämlijet Jerede! Des Mächen is ausjewachsen, un . . .*

HR. KLEISICH: *Ja, des is sie schon lange.*

MAD. KLEISICH: *Un hat eine Viehsomie, un is sehr schön hoch jebaut, obgleich sie en bischen mager vor ihre Jröße is. Aber vor so 'nen abjeloffenen Briefdräger von mindestens 42 Jahren bis noch älter is se doch immer noch en amöbles Mächen.*

HR. KLEISICH: *Des is sie; sie hat aller Fähigkeiten für einer Frau, und schlacht't nach ihren Vater. Wiewohl sie um mehr als eines Kopfes jrößer is als ich und sehr viel schlanker als ihrer Mutter, so hat sie doch in ihr Jesicht Familie. Un denn kommt sie ooch nich blos so, sie hat was.*

MAD. KLEISICH: *Wenn ich man wüßte, worum sich Bornike noch jar nich bei uns hat sehen lassen! Er macht Dir nu schon übern halb Jahr de Cour, un . . .*

CAROLINE: *Ich habe Dir ja schon erzählt, Mutter, deß er so sehr zerstreut is, deß ihn seine Silberjroschens vor de Briefe immer durch den Kopp jehen. Un denn wollte er ooch nich. Er wollte nich eher bei uns kommen, bis er um mir anhielte.*

KLEISICH: *Dieses find' ich janz in der Ordnung als Mann von Ehre. Ich habe mir uf diesem feierlichen Actes als Vater von Bildung vorbereitet, un ich hoffe nich, deß er Schande von seinem Anhalt hat. Indessen, er kommt nich.*

MAD. KLEISICH: *Er wird zerstreit sind.*

KLEISICH: *Ich hoffe nich, deß er so zerstreit is, deß er meiner Dochter liebt, ohne um ihr anzuhalten! Ich bin in diesen Punkt bedeutend strenge, besonders seitdessen Caroline des Unjlick mit den Dischl ...*

CAROLINE: *Vater!*

KLEISICH: *Es is jut. Es war man ein janz kleines, un es is dodt. Wenn aber der Herr Briefdräger Bornike nich vorher um Dir anhält, in alles Form um Dir anhält, so ... doch ich will nischt sagen.*[108]

Eine genaue Analyse der Sprache Glaßbrenners findet der Leser dieses Bandes im Beitrag von Helmut Schönfeld. Wir wollen hier nur andeuten, daß auch hinter älteren berlinischen Texten, wie sie oben mehrfach zitiert sind, ein ganzes - wenn auch wandelbares - System lautlicher Regelungen steht. Dazu kommen grammatische, syntaktische, stilistische Regelungen und natürlich die Berliner »Ausdrücke«, wie sie im Wörterverzeichnis vorgestellt werden. Trotzdem ist zu beachten, daß die meisten Merkmale weder in den erhaltenen Texten noch in der zu erschließenden Sprechsprache der Berliner des frühen 19. Jahrhunderts einheitlich oder vollständig durchgeführt sind. Die ständige Auseinandersetzung mit dem Hochdeutschen, die erfolgreichen Bemühungen der Berliner, auch die Hochsprache zu beherrschen, führen schon in dieser Zeit dazu, daß ein Teil der erwähnten Lauterscheinungen nur in einem begrenzten Kreis von Wörtern realisiert wird. So stören bald beim ernsthaften Versuch des Hochdeutschsprechens nur noch ganz bestimmte berlinische Sprachmerkmale den gewünschten Effekt. Einige berlinische Ausdrücke, die Schwierigkeiten, Genitiv, Dativ und Akkusativ richtig einzusetzen, und wenige typische Wortformen erweisen sich dabei als besonders stabil. Sprachkritische Sprüche wie »icke, dette, kieke mal, Oogen, Fleesch und Beene« weisen auf diese »starken« Züge des Berlinischen hin. Sie sind es auch vor allem, die den Berlinern von anderen kritisch vorgehalten werden. *»Kofen Se liebe Herrens! sieben versilberte Pillen vor de Frauens vor eenen Silberjroschen«* und *»Hier Madamken können Se für 1 Sgr den lieben Mann siebenmal den Text lesen, ohne des er darüber brummen duht«*, heißt es in zwei Neuruppiner Bilderbogen von ca. 1836, in denen am Ende der im übrigen hochdeutschen Texte die Berliner Käufer angesprochen werden. Das »typisch Berlinische« ist hier auf wenige Merkmale reduziert.

Ähnlich verfahren andere Berlin-fremde Kritiker wie z. B. Carl Stauber in seiner 1851 von den Fliegenden Blättern veröffentlichten Bildgeschichte über die Alpenreise einer Berliner Familie (»Reise-Erinnerungen, lose Blätter aus dem Tagebuche des Barons Blitz-Blitz-Hasenstein auf Rittwitz«[109]). Stauber, der Oberpfälzer ist, benutzt zur Charakterisierung seiner Berliner zum einen einige übertreibende Modewörter *(janz famos, jottvoll-unjeheurer Anblick, perplex, pikfein, pompös, schauderös, verflucht)* und wenige typische Wendungen *(keen Funken von 'ner Idee, nu heert sich denn doch wieder alles uf, nu man weiter so in 'nen Text, mir schwant nix Jutes).* Unter den Lauterscheinungen, die Stauber berücksichtigt, steht das berlinische *j* bzw. *ch* für *g* weit voran. Er setzt außerdem *ee* für *ei* (*beede, eener, keen, nee, reene* usw.), *oo* für *au (jeloofen, ooch),* vereinzelte *is, nich, uf, wat* oder auch die richtig beobachteten *Katoffeln, Pollezei* und *Wasserstiebeln.* Im Grunde wird aber von Stauber die Rede der Berliner durch *j* für *g, ee* für *ei, oo* für *au,* durch *uf, wat* und wenige typische berlinische Ausdrücke deutlich charakterisiert.

Auch Karl Marx und Friedrich Engels waren Kenner und kritische Beobachter des Berlinischen. Darauf hat der Romanist Werner Krauss aufmerksam gemacht: »Dem wildgewordenen Kleinbürger (Stirner) wird auf berlinisch heimgeleuchtet.«[110] Krauss bezieht sich auf die um 1845 geschriebene »Deutsche Ideologie« mit ihrer massiven Kritik an den Ansichten des Berliner Schulpädagogen, Philosophen und Journalisten Caspar Schmidt (1806–1856), der seine philosophischen Werke unter dem Pseudonym Max Stirner veröffentlichte. Der Stirner-Abschnitt der »Deutschen Ideologie« steht unter dem - nach Heinrich Heine abgewandelten - berlinischen Motto *»Was jehen mir die jrinen Beeme an?«* In den polemischen Text eingesprengt sind berlinische Formen wie *»die Jebildeten«, »die Unjebildeten«* (Stirner sei der Ansicht, *»daß die Jebildeten über die Unjebildeten herrschen«;* bei ihm werde *»aus dem Unjebildeten der Nichthegelianer, aus dem Jebildeten der Hegelianer«*); der Begriff der Indifferenz bei Schelling sei »auf berlinisch verdolmetscht: *Jleichjiltigkeit*«. Stirner gilt als *»der jebildete Berliner«,* ihm wird seine *»Schulmeister-Jescheitheit«* vorgehalten; die Rede ist von *»den Berliner Freijeistern«.* Auch Wendungen wie *»alle jeworden«* werden benutzt. Es ist interessant zu beobachten, mit wie wenigen Lautmerkmalen hier der Sprachgebrauch des Berliners eindeutig getroffen wird.

Noch vor dem bis heute beispiellosen Ausbau der Stadt im 19. Jahrhundert, als etwa anderthalb Millionen Neubürger hier eine Existenzgrundlage suchten, sprachlich integriert wurden und diesem Integrationsprozeß zugleich sein besonderes Gepräge gaben, war am Ende des 18. Jahrhunderts die Entscheidung gefallen, daß zwar nicht die berlinische Umgangssprache, aber doch die in Berlin durch eine relativ stabile Schicht praktizierte Standardsprache mit ihren typischen norddeutschen Zügen für weite Teile des deutschen Sprachgebiets zu einer wichtigen Orientierungsgröße wurde. Die produktive Spannung zwischen ostmitteldeutschen und niederdeutschen Normen der Aussprache, der Schreibung und auch der Lexik hatte in Berlin lange vor 1500 ihren Anfang genommen, sie prägte die ganze neuere Sprachgeschichte der Stadt und wirkt dank der Stabilität der entscheidenden Einflußfaktoren bis in die Gegenwart fort.

Im Prozeß der Ablösung des Niederdeutschen durch das Hochdeutsche entstanden und durch mannigfache »äußere« Zutaten bereichert, gewinnt das Berlinische in doppelter Konkurrenz - mit den »korrekten« Formen der Schriftsprache und den Dialektformen der märkischen Umgebung - im frühen 19. Jahrhundert die Stabilität eines eigenen Sprachtypus. Wesentlichen Anteil an der langsamen Ausbildung dieses Sprachtypus haben die Zuwandererströme, die Berlin seit dem 17. Jahrhundert erreichten. Die Zuwandererpatente für die Wiener Juden (Kurfürst Friedrich Wilhelm am 21. Mai 1671) und die französischen Protestanten (Edikt von Potsdam am 20. 10. 1685, ebenfalls durch den großen Kurfürsten) und das Aufnahmepatent für die durch Berlin ziehenden Salzburger Protestanten (Friedrich Wilhelm I. am 2. Februar 1732) waren herausragende Beispiele staatlicher brandenburg-preußischer Einwanderungspolitik. Dauernden Wohnsitz in und um Berlin fanden in dieser Zeit aber auch andere Immigrantengruppen: Niederländer, Schweizer, Berchtesgadener, Pfälzer, Württemberger, böhmische Brüder, Sachsen und Thüringer. Den Hauptanteil der Berliner Neubürger stellten schon im 18. Jahrhundert preußische Untertanen, vor allem aus den Ostprovinzen. Nur so erklärt sich die Verfünffachung der Einwohnerzahl im 18. Jahrhundert, die mit dem Anwachsen der Stadtbevölkerung im 19. Jahrhundert von 150 000 auf knapp 2 Millionen nochmals eine dramatische Steigerung erfuhr. Angesichts der heutigen Zuzugsprobleme darf hier einmal auf die historische Leistung der Berliner und der Stadt Berlin verwiesen werden, die mit der wirtschaftlichen und sprachlichen Integration der Zuwanderer schon vor Jahrhunderten erbracht wurde. Im 18. und 19. Jahrhundert lebten in jeder Generation mehr zugezogene als geborene Berliner in der Stadt und in ihrem schon städtisch organisierten Umfeld. Getragen vom Selbstbewußtsein des Bewohners der Hauptstadt, wurde das sich wandelnde Berlinische in jeder Generation von neuem zum unverwechselbaren Kennzeichen des »echten« Berliners und genoß damit dessen Prestige oder zog die an den Sprachträgern geübte Kritik auch auf sich. Wie sich seine Struktur, die sich bei allem Reichtum der Laut- und Formenbildung, des Wortschatzes und der Satzkonstruktion auf eine knappe Formel bringen, auf einen stabilen Kern weniger charakteristischer Züge reduzieren läßt, weiter ausbildet und festigt, wird in den folgenden Abschnitten für die neuere und neueste Zeit dargelegt.

Anmerkungen

1 Max Siewert, Die niederdeutsche Sprache Berlins von 1300 bis 1500. In: Jahrbuch des Vereins für niederdeutsche Sprachforschung, Bd. 29, Norden/Leipzig 1903, S. 66 f.

2 Vgl. Hartmut Schmidt, Von der Mittelalterlichen Stadtsprache zum Berlinischen des 19. Jahrhunderts. Aspekte der Sprachgeschichte Berlins. In: Ders. (Hg.), Berlinisch in Geschichte und Gegenwart. Stadtsprache und Stadtgeschichte. Berlin 1988, S. 4.

3 Karl Bischoff, Mittelalterliche Überlieferung und Sprach- und Siedlungsgeschichte im Ostniederdeutschen. Wiesbaden 1966, S. 292 f.

4 Codex diplomaticus Brandenburgensis. Hg. v. Adolph Friedrich Riedel. Hauptabteilungen I-IV, Berlin 1838-1869 (im folgenden: Riedel), Abt. I, Bd. 11, S. 1, Kopie.
(In anderen Veröffentlichungen werden die Hauptabteilungen auch durch die Buchstaben A-D bezeichnet. Die Hauptabteilungen sind in Bände untergliedert. Außerhalb dieser Gliederung stehen 3 Bände Namenverzeichnis, 2 Bände Chronologisches Register und 1 Supplementband.)
Zur Fälschungsfrage der zitierten Spandauer Urkunde von 1232 vgl. Eberhard Bohm in: Wolfgang Ribbe (Hg.), Geschichte Berlins. Bd. 1, München 1987, S. 130: Die Urkunde »ist mit Sicherheit an der Stelle interpoliert, das heißt verfälscht, an der die Länder Barnim und Teltow erstmals genannt sein sollen«.

5 Riedel, Abt. I, Bd. 11, S. 2.

6 Riedel, Abt. I, Bd. 23, S. 1 [14. Juli 1253].

7 Ebd., S. 4, Original.

8 Ebd.

9 Riedel, Abt. I, Bd. 20, S. 187, Original.

10 Ebd.

11 Riedel, Abt. I, Bd. 12, S. 1, Kopie.

12 Alle Beispiele aus: Berlinisches Stadtbuch. Neue Ausgabe. Hg. v. P. Clauswitz. Berlin 1883, S. 65, 68 f., 73 f., 77, 79, 89 f. Die Virgeln (/) trennen Belege.

13 Vgl. H. Schmidt, Von der Mittelalterlichen Stadtsprache, S. 5.
14 Berlinisches Stadtbuch, S. 89.
15 Vgl. Vladimir Šmilauer, Handbuch der slawischen Toponomastik. Prag 1970, S. 143; Reinhold Trautmann, Die elb- und ostseeslawischen Ortsnamen, Teil 1, Berlin 1948, S. 82; Reinhard E. Fischer, Die Ortsnamen der Zauche. Weimar 1967, S. 98.
16 Agathe Lasch, Berlinisch. Eine Berlinische Sprachgeschichte. Berlin 1928, S. 314. Eine lesenswerte Würdigung der Leistung Agathe Laschs gibt Norbert Dittmar in: Wandlungen einer Stadtsprache. Berlinisch in Vergangenheit und Gegenwart. Hg. v. Norbert Dittmar und Peter Schlobinski. Berlin 1988, S. XII–XX.
17 Berlinisches Stadtbuch, S. 15 f., vgl. Lasch, Berlinisch, S. 32 und 321.
18 Riedel, Abt. I, Bd. 14, S. 50, Kopie.
19 Riedel, Abt. II, Bd. 1, S. 93.
20 Agathe Lasch, Geschichte der Schriftsprache in Berlin bis zur Mitte des 16. Jahrhunderts, Dortmund 1910, S. 20, 77 f.
21 Riedel, Abt. I, Bd. 1, S. 125 f., Original.
22 Riedel, Abt. II, Bd. 1, S. 467 f., Original.
23 Riedel, Abt. II, Bd. 1, S. 467 f. (1321); Riedel, Abt. I, Bd. 9, S. 20 (1322); Riedel, Supplementband, S. 227 f. (1334).
24 Berlinisches Stadtbuch. Neue Ausgabe. Hg. v. P. Clauswitz. Berlin 1883.
25 Ebd., S. 59.
26 Ebd., S. 250 f.
27 Vgl. Lasch, Geschichte der Schriftsprache, S. 292 f., dies., Berlinisch, S. 249; Herrmann Teuchert (Rez.), A. Lasch, Berlinisch, in: Teuthonista, Jg. 5, Berlin 1928/29, S. 302; ders., Die Mundarten der brandenburgischen Mittelmark und ihres südlichen Vorlandes, Berlin 1964, S. 124, 148.
28 Lasch, Geschichte der Schriftsprache, S. 274 (nach dem Berliner Schöffenbuch u. a.).
29 Hans-Joachim Gernentz, Niederdeutsch – gestern und heute. Rostock 1980, S. 32 f.
30 Helmut Rosenfeld, Berliner Totentanz. In: Die deutsche Literatur des Mittelalters. Verfasserlexikon (im folgenden: Verfasserlexikon). Bd. 1, Berlin/New York ^{2}1978, Sp. 734; Wilhelm Seelmann, Der Berliner Totentanz. In: Jahrbuch des Vereins für niederdeutsche Sprachforschung, Bd. 21, Norden/Leipzig 1895, S. 81–94.
31 Mittelniederdeutscher Text nach Seelmann, Der Berliner Totentanz. In: Jahrbuch des Vereins für niederdeutsche Sprachforschung, S. 102–104. In dieser Ausgabe Vers 255 bis 314 ohne Vers 279 bis 290, korrigiert nach: Willy Krogmann, Berliner Sprachproben aus sieben Jahrhunderten. Berlin 1937, S. 34–36.
32 Vgl. Verfasserlexikon, Bd. 3, Berlin 1943, Sp. 349 f., 677; Bd. 2, Berlin/New York ^{2}1980, Sp. 36–39; Bd. 3, Berlin/New York ^{2}1981, Sp. 785–787; Minnesinger. Deutsche Liederdichter des zwölften, dreizehnten und vierzehn-

ten Jahrhunderts ..., gesammelt ... von Friedrich Heinrich von der Hagen, 4 Teile, Leipzig 1838, Teil 1, S. 11 f.; Teil 3, S. 160–170; Teil 4, S. 25–29, 742–744; Deutsche Liederdichter des 13. Jahrhunderts. Hg. v. Carl von Kraus (Bd. 2 besorgt von Hugo Kuhn). Tübingen 1952–58. Bd. 1, S. 317–320; Bd. 2, S. 380–382.

33 Nachweise bei Siewert, Die niederdeutsche Sprache Berlins, S. 68 f.

34 Bischoff, Mittelalterliche Überlieferung, S. 291.

35 Riedel, Supplementband, S. 18 f., Original.

36 Vgl. Lasch, Geschichte der Schriftsprache, S. 27 f.

37 Eine Übersicht über die Stadt- und Gerichtsschreiber in Berlin und Cölln gibt Lasch, Geschichte der Schriftsprache, S. 345 ff.; knappe tabellarische Übersichten über die Urkundenlage im 14. und 15. Jahrhundert jetzt auch bei Georg Butz, Grundriß der Sprachgeschichte Berlins. In: Norbert Dittmar/Peter Schlobinski, Wandlungen einer Stadtsprache, S. 7 f.

38 Vgl. Lasch, Geschichte der Schriftsprache, S. 30 f.

39 Vgl. ebd., S. 14–16.

40 Vgl. ebd., S. 30. Zur wachsenden Bedeutung Frankfurts im Verhältnis der beiden Städte seit der 2. Hälfte des 15. Jahrhunderts vgl. auch Lasch, Geschichte der Schriftsprache, S. 134 (Frankfurter Universität und lateinisch-hochdeutsche Druckerei); H. Schmidt, Von der mittelalterlichen Stadtsprache, S. 7 f. (Universitätsgründung); und Butz, Grundriß, S. 14 (wirtschaftliche Umorientierung).

41 Riedel, Abt. I, Bd. 23, S. 168; Fotokopie der Stelle bei Elfriede Schirrmacher, Das Stadtarchiv Frankfurt (Oder) und seine Bestände. 1. Feudalismus und Kapitalismus, Frankfurt/Oder 1972, S. 1 (Manuskriptdruck).

42 Lasch, Geschichte der Schriftsprache, S. 108 f.

43 Ebd., S. 112.

44 Riedel, Abt. I, Bd. 14, S. 349.

45 Vgl. Lasch, Geschichte der Schriftsprache, S. 113–116.

46 Genauer zur Rolle Frankfurts H. Schmidt, Von der mittelalterlichen Stadtsprache, S. 7.

47 Zum Problem der Ablösung des Niederdeutschen durch das Hochdeutsche und der besonderen Bedeutung des niederdeutschen Rückzugsgebiets zwischen Wittenberg, Frankfurt und Berlin in diesem Prozeß vgl. – mit Nennung weiterer Literatur – Hartmut Schmidt, Luther, Adelung und das Märkische. Zur Aussprachetradition des Hochdeutschen. In: Luthers Sprachschaffen. Gesellschaftliche Grundlagen, Geschichtliche Wirkungen. Hg. v. Joachim Schildt. Berlin 1984, Bd. 1, S. 149–162; sowie Peter von Polenz, Martin Luther und die Anfänge der deutschen Schriftlautung. In: Sprache in der sozialen und kulturellen Entwicklung. Beiträge eines Kolloquiums zu Ehren von Theodor Frings (1886–1968). Hg. v. Rudolf Grosse. Berlin 1990, S. 185–1916.

48 Lasch, Geschichte der Schriftsprache, S. 168–170.

49 Ebd., S. 158–162.

50 Ebd., S. 156.
51 Ebd., S. 164.
52 Ebd.
53 Ebd., S. 152 f.
54 Lasch, Berlinisch, S. 6.
55 Teuchert (Rez.), A. Lasch, Berlinisch. In: Teuthonista, S. 300.
56 Ebd., S. 305.
57 Lasch, Geschichte der Schriftsprache, S. 218–221.
58 Ebd., S. 117 nach P. C. Priebatsch. In: Forschungen zur brandenburgischen und preußischen Geschichte, Bd. 12, Leipzig, S. 407.
59 Vgl. Knut Schulz in: Ribbe (Hg.), Geschichte Berlins. Bd. 1, S. 296.
60 Lasch, Geschichte der Schriftsprache, S. 81–83.
61 Ebd., S. 146 f., vgl. S. 122, 132 f.
62 Nach Faksimiledruck der Martin-Luther-Ehrung 1983 der DDR. Abbreviaturen z. T. aufgelöst.
63 Johannes Bolte (Hg.), Drei märkische Weihnachtsspiele des 16. Jahrhunderts. Berlin 1926, S. 5 f.
64 Ebd., S. 7.
65 Bolte, Drei märkische Weihnachtsspiele, bietet Texte und Erläuterungen der drei hier behandelten Weihnachtsspiele.
66 Hier nach der Ausgabe von Johannes Bolte, Märkisches Hochzeitsgedicht v. J. 1637. In: Jahrbuch des Vereins für niederdeutsche Sprachforschung, Bd. 24, Jg. 1898, Norden/Leipzig 1899, S. 143–147.
67 Die Bürgerbücher von Cölln an der Spree 1508–1611 und 1689 bis 1709 und Die chronikalischen Nachrichten des ältesten Cöllner Bürgerbuches 1542–1610. Hg. v. Peter von Gebhardt. Berlin 1930 (= Quellen und Forschungen zur Geschichte Berlins, Bd. 3), S. XII.
68 Berlin. 800 Jahre Geschichte in Wort und Bild. Von einem Autorenkollektiv unter Leitung von Roland Bauer und Erik Hühns, Berlin 1980, S. 70. Zur Aufnahme französischer Fremdwörter vgl. Ewaldt Harndt, Französisch im Berliner Jargon, Berlin [10]1990.
69 Lasch, Berlinisch, S. 91 f.
70 Ebd., S. 93. Diese Angaben übernimmt Klaus-Peter Rosenberg, Der Berliner Dialekt – und seine Folgen für die Schüler. Tübingen 1986, S. 88: Der Hof »sprach [. . .] seit dem 17. Jahrhundert vorwiegend französisch. Dies sollte für fast 200 Jahre so bleiben«.
71 Lasch, Berlinisch, S. 97.
72 Lasch, Berlinisch, S. 98, bespricht sprachliche Merkmale der Hohenzollern ausgiebig, auch solche Friedrichs I., der in unseren Vergleich der politischen Testamente nach der Ausgabe von G. Küntzel und M. Hass, Die politischen Testamente der Hohenzollern, Bd. 1, Leipzig und Berlin 1911, nicht einbezogen ist. Vgl. ferner Wolfgang Schuller, Schäker und Schlingel. In: Fruchtblätter, Freundesgabe für Alfred Kelletat. Hg. v. Harald Hartung, Walter Heistermann und Peter M. Stephan. Berlin 1977,

S. 285–294 (über die Randnotizen Friedrichs II. auf amtlichen Schriftstükken). Interessantes Material für das 16. Jh. bietet Ingeborg Klettke-Mengel, Die Sprache in Fürstenbriefen der Reformationszeit untersucht am Briefwechsel Albrechts von Preußen und Elisabeths von Braunschweig-Lüneburg. Köln/Berlin 1973, Elisabeth (1510–1558) war Tochter des brandenburgischen Kurfürsten Joachim I. Sie verlebte ihre Kindheit bis zum 15. Lebensjahr in Berlin und zeigt in ihren Briefen zahlreiche märkisch-berlinische Sprachzüge.

73 Genaueres in Hartmut Schmidt, Überregionaler Sprachausgleich und städtische Umgangssprache aus Berliner Sicht. Frühe Forschungsansätze im Umkreis der Akademie der Wissenschaften. In: Zeitschrift für Phonetik, Sprachwissenschaft und Kommunikationsforschung, Berlin, Jg. 40 (1987) 743–757, S. 745.

74 Die Briefe Friedrichs des Großen an seinen vormaligen Kammerdiener Fredersdorf. Hg. u. erschlossen v. Johannes Richter. Berlin-Grunewald o. J. (1926), S. 273 f.

75 Ebd., S. 365 f.

76 Ebd., S. 382 f.

77 Ebd., S. 343.

78 Johannes Friedrich Heyde, Der Roggenpreis und die Kriege des großen Königs. Chronik und Rezeptsammlung des Berliner Bäckermeisters Johann Friedrich Heyde 1740 bis 1786. Hg. u. eingeleitet von Helga Schultz. Berlin 1988. Leider erlaubt die Ausgabe wegen orthographischer Angleichungen an die heutige Orthographie kein sicheres Urteil über Lauteigentümlichkeiten der Sprache des Autors.

79 Kupferstich von Daniel Chodowiecki, 1775. Umschrift nach: Preußen. Versuch einer Bilanz. Ausstellungsführer. Hg. v. Gottfried Korff, Bd. 1, Hamburg 1981, S. 231.

80 Die Bürgerbücher und Bürgerprotokollbücher Berlins von 1701 bis 1750. Hg. v. Ernst Kaeber, Berlin 1934, S. 81–89; vgl. Ingrid Mittenzwei, Friedrich II. von Preußen, Berlin 1980, S. 76.

81 Vgl. Frédéric Hartweg, Sprachwechsel und Sprachpolitik der französisch-reformierten Kirche in Berlin im 18. Jahrhundert. In: Jahrbuch für die Geschichte Mittel- und Ostdeutschlands. Hg. v. Hans Herzfeld u. Henryk Skrzypczak, Bd. 30, Berlin 1981, S. 162–176.

82 Martin Luther. Tischreden. Hg. v. Ernst Kroker, Bd. 2, Weimar 1913, S. 640.

83 Martin Luther. Tischreden. Hg. v. Johann Aurifaber. Eisleben 1566 (Faks. Leipzig 1981), S. 578[b].

84 Johann Friedrich Heynatz, Briefe die Deutsche Sprache betreffend. Teil 1, Berlin 1771, S. 13–24, zit. nach Ingrid Eichler/Gunter Bergmann, Die Beurteilung des Obersächsischen vom 16. bis zum 19. Jahrhundert. In: Beiträge zur Geschichte der deutschen Sprache und Literatur (Halle), Bd. 89 (1967), S. 1–57 (Zitat S. 42).

85 Johann Christoph Adelung, Umständliches Lehrgebäude der Deutschen Sprache, Bd. 1, Leipzig 1782, S. 79.
86 Wörterbuch der deutschen Aussprache. Leipzig 1964, S. 11.
87 Eichler/Bergmann, Die Beurteilung des Obersächsischen. In: Beiträge zur Geschichte, S. 41.
88 Vgl. H. Schmidt, Überregionaler Sprachausgleich, S. 746 f.
89 Vgl. Hartmut Schmidt, Die Berlinische Gesellschaft für deutsche Sprache an der Schwelle der germanistischen Sprachwissenschaft. In: Zeitschrift für Germanistik. Leipzig, Jg. 4 (1983) 278-289; ders., Berlinische Monatsschrift (1783-1796). ›Diskussion Deutsch‹ in Berlin am Ende des 18. Jahrhunderts. In: Diskussion Deutsch. Zeitschrift für Deutschlehrer aller Schulformen in Ausbildung und Praxis. Frankfurt/M., H. 103 (1988) 507-514.
90 C. von Kertbeny [= Carl Maria Benkert], Berlin wie es ist. 1831. Faks.-Druck Leipzig 1981, S. 222 f.
91 So berichtet z. B. Karl Friedrich Klöden, Von Berlin nach Berlin. Berlin 1976, S. 244. - Klöden (1786-1856) war ausgebildeter Goldschmied, zuletzt Direktor der Berliner Gewerbeschule.
92 Henriette Herz in Erinnerungen, Briefen und Zeugnissen. Hg. v. Rainer Schmitz. Leipzig/Weimar 1984, S. 62, 69 (vgl. S. 52).
93 Karl Philipp Moritz, Anweisung die gewöhnlichsten Fehler, im Reden, zu verbessern nebst einigen Gesprächen. Berlin 1781, S. 27-29.
94 Ebd., S. 31 f.
95 Briefe des Prinzen Louis Ferdinand von Preußen an Pauline Wiesel. Hg. v. Alexander Büchner. Leipzig 1865. Die zitierten Stellen aus verschiedenen Briefen, durch Virgeln getrennt, auf S. 56-77.
96 Text bei Krogmann, Berliner Sprachproben, S. 64-88.
97 Vgl. Lasch, Berlinisch, S. 129.
98 Ebd., S. 337.
99 Ingrid Heinrich-Jost, Literarische Publizistik Adolf Glaßbrenners. München/New York/London/Paris 1980, S. 285; Heinz Gebhardt, Glaßbrenners Berlinisch. Berlin 1933, S. 26-28.
100 Adolf Glaßbrenner, Buntes Berlin. 1. Heft, Berlin 1838, S. 4.
101 Gebhardt, Glaßbrenners Berlinisch, S. 25 f.
102 Ebd., S. 4.
103 Adolf Glaßbrenner, Buntes Berlin. 14. Heft, Berlin 1853, S. 23.
104 Vgl. Gebhardt, Glaßbrenners Berlinisch, S. 40.
105 Vgl. ebd., S. 57.
106 Adolf Glaßbrenner, Buntes Berlin, 5. Heft, Berlin 1838, S. 9 f.
107 Ebd., S. 30 f.
108 Adolf Glaßbrenner, Buntes Berlin. 13. Heft, Berlin 1843, S. 17-20, ohne die Regiebemerkungen.
109 Neu gedruckt unter dem Titel: Und Friederike notierte sich diese Jeschichte. Urlaubserlebnisse dreier Norddeutscher in Oberbayern im Jahre 1851 von St. München 1953.

110 Werner Krauss, Karl Marx im Vormärz. (1953) In: Krauss, Die Innenseite der Weltgeschichte. Ausgewählte Essays über Sprache und Literatur. Leipzig 1983, S. 271.

Berliner Umgangssprache in Flugschriften und Maueranschlägen von 1848

JOACHIM SCHILDT

Die entscheidenden Tage der Revolution 1848 in Berlin

In der revolutionären Bewegung der Jahre 1848/49 in Deutschland kommt dem Berliner Revolutionsgeschehen aufgrund der ökonomischen und sozialen Widersprüche in Preußen und in der Stadt, der sich daraus ergebenden gesellschaftlichen Spannungen sowie des Status Berlins als Haupt- und Residenzstadt besondere Bedeutung zu.[1] Bereits 1847 hatten mehrere spektakuläre Ereignisse die besondere Rolle Berlins in den Auseinandersetzungen zwischen dem Bürgertum und restaurativen Kräften des Adels deutlich werden lassen. Vor allem waren im Vorrevolutionsjahr die Gegensätze zwischen der politischen Führung Preußens und der Mehrheit der ökonomisch tragenden Kräfte hier besonders klar zutage getreten. Alle Klassen und Schichten in Deutschland, die auf Reformen drängten, erwarteten von Berlin, daß im Konflikt zwischen adligen und bürgerlichen Kräften der Anstoß für die gesellschaftliche Neugestaltung von hier ausgehe. Als in den letzten Tagen des Februars 1848 Nachrichten von der Pariser Revolution in Deutschland eintrafen, blieb es in Berlin zunächst noch ruhig, während es anderswo bereits zu Volksversammlungen, auf denen gezielte Forderungen aufgestellt wurden, und auch zu Aufständen kam. In Berlin wurde zunächst vorwiegend in den Cafés und Lesekabinetten über die neusten Meldungen aus Paris diskutiert. Erst am 6. und 7. März fanden verschiedene Versammlungen statt, auf denen eigene Forderungen formuliert wurden. Diese Bewegung erfaßte immer weitere Kreise, so daß am 13. März zum ersten Mal Militär gegen heimkehrende Versammlungsteilnehmer, Ansammlungen diskutierender Bürger eingesetzt wurde; dabei gab es erstmals Tote und Verwundete. Als am 15. März in Berlin die Nachricht vom revolutionären Geschehen in Wien eintraf, spitzte sich die Situation weiter zu; Barrikaden wurden errichtet. Unter dem Eindruck dieser Ereignisse unterzeichnete Friedrich Wilhelm IV. am 17. März ein Gesetz über die Aufhebung der Zensur, nachdem der Deutsche Bund bereits Anfang März jedem Bundesstaat diese Maßnahme freigestellt hatte. Gleichzeitig stimmte der preußische König der beschleunigten Einberufung des Landtages zu. Damit waren zwei der wichtigsten bürgerlichen Forderungen erfüllt. Am 18. März versammelten sich Tausende von Menschen auf dem Schloßplatz, um dem König zu danken. Als die Menge jedoch das im Schloß zusammengezogene Militär sah, trat an die Stelle der Begeisterung Empörung. Daraufhin erhielt das Militär den Befehl, die erregte Menge zurückzudrängen; dabei fielen Schüsse. Das war der Auftakt dafür, daß innerhalb kurzer Zeit zunächst in der Innenstadt, später auch in den Außenbezirken Barrikaden errichtet wurden. In den blutigen Kämpfen, die bis zum Morgen des 19. März andauerten, wurden über 200 Bürger vor allem in Barrikadenkämpfen durch das preußische Militär getötet. Am 19. März wurde das Militär unter dem Druck der Verhältnisse aus der Stadt abgezogen; der König kam mit Einschränkungen der Forderung nach einer Volksbewaffnung nach. Die Bürgerwehr, von der die Arbeiter zunächst noch völlig ausgeschlossen blieben, wurde aufgebaut. Bis zum 22. März, dem Tag des Begräbnisses der Opfer der revolutionären Kämpfe, herrschte offenbar noch eine relative Einmütigkeit unter den revolutionären Kräften; sie ging in dem Maße verloren, wie die einzelnen Gruppierungen in den folgenden Wochen und Monaten zum Teil unterschiedlichen Zielstellungen nachgingen.

Satirische Literatur in Preußen

Zu den Errungenschaften der revolutionären Märztage des Jahres 1848 gehörte die Durchsetzung der Pressefreiheit in Preußen.[2] Eine Flut von Druckerzeugnissen, für deren Herstellung 45 Druckereien und 10 Schriftgießereien sorgten, war die Folge; in Berlin existierten plötzlich ungefähr 150 periodische Presseerzeugnisse, deren Auflagen mit den Ereignissen der Revolution sprunghaft anstiegen. So kletterte z. B. die Zahl der Abonnenten der »Vossischen Zeitung«, einer der bekanntesten Zeitungen dieser Zeit, von 19 850 im Jahre 1847 auf 24 000 im Revolutionsjahr. Die Zeitungen und Zeitschriften trugen dem aktuellen Informationsbedürfnis Rechnung und reagierten sofort auf aktuelle politische Ereignisse. Das wird u. a. auch daran deutlich, daß Mitte der vierziger Jahre von 450 preußischen Zeitungen nur 42 einen politischen Teil besaßen, 1848 dagegen allein in Berlin 90 Periodika mit politischer Orientierung herausgegeben wurden. Neben diesen Zeitungen, die unterschiedliche politische Richtungen vertraten, nahm auch die Zahl satirisch-humoristischer Publikationen zu, von denen allein in Berlin 35 angeboten wurden. Auch sie behandelten Themen aus dem Revolutionsalltag; allerdings kann man bei ihnen die Tendenz feststellen, daß ihre Herausgeber bzw. ihre Redaktionen versuchten, sich ironisch-distanziert zu verhalten. Als Beispiele seien der von D. Kalisch begründete »Kladderadatsch« (1820-1872), das »Berliner Großmaul«, der »Berliner Krakehler«, »Der Teufel in Berlin« oder der »Satan« genannt. Sie stehen in einer Tradition, die in die vorrevolutionäre Periode zurückreicht, in der man mit Witz, Ironie und Satire versuchte, die Pressezensur zu unterlaufen. Einer der typischen Vertreter dieser Richtung ist A. Glaßbrenner, der zu den wenigen Vormärzautoren gehörte, die wirklich zum Volke fanden. Nachdem 1832 sein »Berliner Don Quixote« der Zensur zum Opfer gefallen war, begründete er im selben Jahr die Reihe »Berlin, wie es ist und - trinkt«, von der bis 1850 15 Hefte erschienen, sowie später eine weitere Serie »Buntes Berlin« mit ebenfalls 15 Heften. Hier begegnen uns bereits die unverwechselbaren Volksgestalten wie die Berliner Eckensteher, Hökerinnen, Fuhrleute, Köchinnen, waschechte Kleinbürger und Weißbierphilister. »In ihrer Denkweise, ihrer aufsässig-schnoddrigen Derbheit wie duckmäuserischen Verzagtheit waren das typische, bis ins kleinste Details genau getroffene Konterfeis der verschiedenen sozialen Volksschichten, beobachtet, gewissermaßen ›fotografiert‹ bei ihren sonn- und alltäglichen Beschäftigungen, bei der Arbeit und bei ihren Vergnügungen, Glaßbrenner verstand es, auf diese Weise treffende sozialtypologische (und zunehmend auch individualisierte) Charakteristiken zu geben und zugleich, gleichsam parallel zum Aufstieg der politischen Oppositionsbewegung, in mehr oder weniger direkten Anspielungen den zeitgeschichtlichen Hintergrund mitzuliefern«.[3] In den vierziger Jahren verschärfte sich Glaßbrenners Humor, er wurde zur Satire. Seine Gestalten aus dem Volke wurden zu Trägern heftiger Angriffe gegen die sog. gebildeten Stände, den Adel, gegen religiöses Muckertum, gegen alles Reaktionäre. Hier trat besonders die Figur des Guckkästners hervor, der - Soldat und Invalide der Befreiungskriege, Plebejer - seitdem Tagesereignisse sowie Vorgänge von weltpolitischer Bedeutung gleichermaßen glossierte. »Zum ersten Mal knüpfte hier ein Schriftsteller auf diese Weise systematisch an politische Tagesgeschehnisse großen und auch kleinsten Formats an, um die Volksmassen zu politisieren.«[4]

Das Flugblatt als agitatorisches Mittel

Im Revolutionsjahr 1848 wurde nun in den politischen Auseinandersetzungen ein neues publizistisches Mittel eingesetzt, das Flugblatt. Auf Schnellpressen gedruckt und vervielfältigt wurde es auf der Straße für ein bis zweieinhalb Silbergroschen angeboten oder war bei Privatadressen, die auf den Einblattdrucken angegeben waren, zu erwerben. Zuerst wurde das Flugblatt von den am 18. und 19. März angegriffenen restaurativen Kräften verwendet; mit Rechtfertigungen, Erklärungen, Versicherungen, Aufrufen wandten sie sich an die Berliner Bevölkerung und bedienten sich dabei des Maueranschlags oder des Handzettels. Diese Muster wurden sofort von Berliner Lokalautoren aufgegriffen und in vielfältigen Formen modifiziert. Ihr Inhalt bezog sich auf ganz konkrete Geschehnisse des Revolutionsjahres, vor allem der entscheidenden Märztage. Im Unterschied zu den periodisch erscheinenden Zeitungen und Zeitschriften waren die Autoren der Einblattdrucke nicht gezwungen, eine konsequente politische Linie zu verfolgen. Sie konnten sich besondere Ereignisse herausgreifen und sie je nach Intention hoch- und herunterspielen. Dabei bedienten sie sich teils einer humorvollen, teils einer ironisierend-sarkastischen Darstellungsweise. Für Einblattdrucke, die auch in Serien erschienen, waren aufreizende Titel, sprechende Karikaturen sowie die Knappheit des Textes, der sowohl monologisch als auch dialogisch aufgebaut sein konnte, charakteristisch. Fiktive Redner, die bestimmte Berliner Typen verkörpern, treten auf, z. B. Nante, der Bürgerwehrmann Schulz, der »Birjer« Strampelmeier, Piefke, der Maurerpolier Kluck, Herr Bullrig, Wilhelm Ludewich Jrapschmann, Madame Püsecke, die approbierte Hebamme, oder der jüdische Bürger Isaac Moses Hersch.

Diese Pseudonyme haben vor allem die Aufgabe, bestimmte Typen und deren Haltungen zur Revolution zu charakterisieren. Viele der Einblattdrucke erschienen anonym. Bei anderen dagegen war bekannt, wer sich hinter bestimmten Pseudonymen verbarg. Der Maler A. Hopf, einer der bekannteren Verfasser von Einblattdrucken, veröffentlichte sie unter dem Pseudonym »Ullo Bohmhammel, Vize-Gefreiter bei de Börjerwehr«. Aus seiner Feder stammt die Dialog-Serie »Nante als National-Versammelter«, in der sich die beiden Typen Nante und Brennecke in satirischer Weise über aktuelle Fragen unterhalten. A. Cohnfeld, von Beruf Arzt, wurde Schriftleiter der satirischen Zeitschrift »Berliner Krakehler« und veröffentlichte viele Einblattdrucke unter dem Pseudonym »Aujust Buddelmeyer, Dages- Schriftsteller mit'n jroßen Bart«, u. a. auch eine Serie »Gardinen-Predigten der Madame Bullrichen, ihrem Gatten Ludewig . . . gehalten«. Hinter dem Pseudonym Isaac Moses Hersch, dessen Einblattdrucke in einem in Wortschatz, Lautung und Orthographie an die Berliner Umgangssprache angenäherten Jiddisch verfaßt sind, scheint sich nach neueren Forschungen der Verleger S. Löwenherz aus Berlin zu verbergen.[5]

Berliner Drucker und Verleger von Flugblättern

Von den Berliner Druckereien, die seit den zwanziger Jahren Schnellpressen von hoher Leistungsfähigkeit eingeführt hatten, war 1848 nur ein Teil an der Herstellung der Flugschriften beteiligt. Im direkten Auftrag der Autoren arbeiteten hauptsächlich die Firmen Reichardt, Spandauer Str. 49, Fähndrich, Schleuse Nr. 4, Marquardt u. Steinthal, Mauerstr. 53, Litfaß, Adlerstr. 6 und Sittenfeld. Im Auftrage von Verlegern druckten insbesondere Brandes u. Schultze, Roßstr. 8, Schiementz, Commandantenstr. 76, Draeger, Adlerstr. 9, Nietack, Heilige Geiststr. 46 sowie Lauter u. Col, Klosterstr. 64. Sie alle - wie auch einige kleinere, nur selten in diesem Geschäft in Erscheinung tretende Druckereien wie z. B. Lindow, Neue Schönhauser Str. 12 oder Friedländer, Neue Friedrichstr. 78 b - hatten ihre Druckereien im wesentlichen in der Friedrichstadt angesiedelt, wie die Straßennamen deutlich machen. Die Einblattdrucke wurden teils auf der Straße verkauft, teils durch Buchhandlungen. So trägt z. B. das Flugblatt »Fort mit de Berjerwöhr! Es leben die Soldaten« neben der Feststellung, daß es vom Verlag S. Löwenherz, Charlottenstraße 27, verlegt ist, zusätzlich den Hinweis: »Auch durch alle Buchhandlungen baar zu beziehen«. A. Hopf gibt auf dem Blatt »Nante als National- Versammelter« (Erste Sitzung) an: »Im Selbstverlage des Verfassers und zu haben bei Jähns, Unter den Linden No. 30«; A. Cohnfeld, unter dem Pseudonym Aujust Buddelmeyer schreibend, läßt auf seinem Einblattdruck »Die Theekessels in Frankfurt sind an den janzen Skandal schuld« vermerken: »Zu haben: Mohrenstr. 57, 2 Treppen hoch«.

Lesepublikum / Adressatenkreis

In diesem Zusammenhang stellt sich nun die Frage, für welchen Adressatenkreis diese Einblattdrucke geschrieben worden sind. Vergegenwärtigen wir uns noch einmal ihren Inhalt. »Waren es zunächst die überkommenen Institutionen und Personen gewesen, denen man Spottgesänge nachschickte, so richteten sich Kritik und Hohn bald gegen Revolutionsverlauf, revolutionäre Helden und manche März-Errungenschaft – häufig mit gutem Recht, hin und wieder aber auch aus kleinlicher Nörgelsucht und um des billigen Applauses willen.«[6] Von hier aus liegt die Vermutung nahe, daß es zunächst alle Klassen, Schichten und sozialen Gruppierungen waren, die mehr oder weniger in Opposition zum herrschenden Adel standen. Aber bereits eine tiefergehende Analyse macht deutlich, daß die in den Einblattdrucken vertretene kritische Haltung doch auf einen ganz bestimmten Leserkreis zugeschnitten war, auf »mittlere« Schichten des Bürgertums, für die einerseits in Grenzen Oppositionshaltungen typisch sind, andererseits jedoch auch wechselnde Standpunkte bei der Beurteilung bestimmter Situationen und Geschehnisse während der Revolution. Die »niederen« Schichten des Volkes in Berlin sind weniger angesprochen, und ihre politischen Positionen, von denen aus Bewertungen vorgenommen werden, finden auch kaum angemessenen Ausdruck. Mit diesen Feststellungen korrespondiert die Tatsache, daß man für den Erwerb eines Einblattdrucks in der Regel immerhin einen Silbergroschen (Sgr.) aufwenden mußte, was für die Masse der unterprivilegierten Schichten viel Geld, also meist unerschwinglich war. Nur wer einigermaßen gesicherte Einkünfte besaß, konnte es sich erlauben, nicht nur hin und wieder einen Einblattdruck, sondern teilweise sogar ganze Serien zu erwerben. – Ihre Produktion sowie ihr Absatz gingen dann auch in dem Maße zurück, wie die Politiker der Restauration bereits gegen Ende des Jahres 1848 die Pressefreiheit wieder einzuschränken begannen »und mit Hilfe des am 12. Mai 1851 erlassenen Pressegesetzes die literarische Öffentlichkeit durch wirtschaftliche, vertriebsorganisatorische und haftungsrechtliche Auflagen wieder unter Kontrolle nahmen ... Von außen bedrängt und innerlich längst ohne Widerstandskraft, traten sie zurück, verschwanden ganz und wurden vergessen; Presse und Literatur, die sich auf die nachrevolutionären Restaurationsverhältnisse eingestellt hatte, schoben sich an ihre Stelle; die kurzfristige Ehe von Journalistik und Belletristik war zerbrochen.«[7]

Sprachliche Gestaltung der Flugblätter

Die Einblattdrucke und Flugschriften, die im Revolutionsjahr 1848, insbesondere um die Märztage herum als den Höhepunkt auf den Markt kamen, sind auch unter sprachlichen Gesichtspunkten interessant. Die einzelnen Sprachzustände in den zurückliegenden Phasen der Entwicklung des Deutschen sind nur durch schriftliche Zeugnisse belegt, in denen sich geschriebene Sprache, Schriftsprache in ihren verschiedenen funktionalistischen Ausprägungen und mit der für geschriebene Sprachformen typischen Besonderheiten findet. Von der gesprochenen Sprache dagegen - sei es Dialekten, Umgangssprachen oder gesprochenen Varianten der Schriftsprache - finden sich keine direkten Nachweise, lediglich hin und wieder Reflexe davon in bestimmten literarischen Gattungen und Textsorten, die nach Ansicht der Forschung mehr oder weniger Einflüsse gesprochener Sprachformen aufweisen. In den Einblattdrucken - ausgenommen die regierungsamtlichen Maueranschläge, die in hochdeutscher Schriftsprache verfaßt sind - begegnen nun erstmals in größerem Umfang Sprachformen, die der Mitte des 19. Jahrhunderts in Berlin gesprochenen Sprache sehr nahestehen, sie möglicherweise - natürlich gebrochen durch die Verschriftlichung und möglicherweise stilisiert - mehr oder weniger direkt wiedergeben. Dabei sind zwei Gruppen von Texten zu unterscheiden. In der einen von ihnen wird eine auf dem ehemaligen Berliner Stadtdialekt aufbauende Umgangssprache verwendet, die in einzelnen Texten schon eine größere Nähe zur gesprochenen Variante der Schriftsprache aufweist. Sprachlich besonders realitätsnahe sind z. B. die von A. Cohnfeld verfaßten, unter dem Pseudonym »Aujust Buddelmeyer« herausgegebenen Einblattdrucke; offenbar hatte Cohnfeld, der seit 1834 als praktischer Arzt in Berlin tätig war, aufgrund seines Berufs besonders guten Kontakt zur breiten Masse des Volkes und konnte so deren Sprache besonders gut wiedergeben. Ähnliches gilt hinsichtlich des Sprachlichen aber auch für A. Hopf, der sich der bereits in der Vormärzliteratur, u. a. bei Glaßbrenner bekannten Nante-Figur bedient, insbesondere in der Serie »Nante als National-Versammelter«. - Die andere Gruppe umfaßt jiddisch-deutsche Texte in einer Sprachform, die ein in Wortschatz, Lautung und Orthographie an die Berliner Umgangssprache angepaßtes Jiddisch darstellt. Typisch für diese Texte, mit denen ein relativ großer jüdischer Bevölkerungsteil in Berlin angesprochen wird, sind z. B. die »Offenen Briefe« des Isaac Moses Hersch. Für beide Gruppen von Texten ist besonders hervorzuheben, daß in ihnen - erstmals in der deutschen Sprachgeschichte mit dieser Deutlichkeit belegt - in größerem Umfang gesprochene Sprachformen - allerdings verschriftlicht, aber dadurch auch nur überliefert - in der politischen Auseinandersetzung eingesetzt werden mit dem Ziel, dadurch die breite Masse des Volkes besser zu erreichen als mit einem Flugblatt bzw. Einblattdruck in schriftsprachlicher Fassung. Zwar gibt es in dieser Hinsicht in der deutschen Sprachgeschichte schon eine gewisse Tradition, die bis in die Zeit der Reformation und des Bauernkrieges zurückreicht, aber hier lag in der Agitationsliteratur doch eindeutig Schriftsprache vor, die mit sprechsprachlichen Elementen durchsetzt war, während jetzt doch die Berliner Umgangssprache als eigenständige Existenzform in der politische Agitation verwendet wird. Zur Erhöhung der Verständlichkeit der Texte trägt darüber hinaus bei, daß sie vielfach dialogisch aufgebaut sind, als offene Briefe, in Form von Straf- und Gardinenpredigten oder Ansprachen den Adressaten direkt ansprechen und ihn damit in das Geschehen einbeziehen.

Typische Beispiele für Flugblätter

Im folgenden sollen einige - vom Inhalt sowie von der sprachlichen Gestaltung her typische - Einblattdrucke[8] vorgestellt werden; sie werden - wo vertretbar - gekürzt und inhaltlich wie sprachlich[9] erläutert:

1. *Fort mit de Berjerwöhr!*
Es leben de Soldaten!
Preis 1 Sgr

Brennecke: *Wie der Kram abloofen wird, da bin ick ooch noch neijierig druff.*

Pisecke: *Wie soll er ablofen? Se werden immer eekliger werden, un zuletzt schießen.*

Brennecke: *Dumm jenug sind se derzu.*

Neumann: *Ick kann man das Ministerium nich bejreifen. Seid acht Dage alle Abende een un denselben Skandal. Immer Constäpler und ewig Constäpler, und nach zehne Bürjerwehr, un denn drumm dumm, un tah! tih! tah! tih! schnätterätänk! drum dumm! det is ja reene um doll zu werden.*

Brennecke: *Un wenn der Uffloof noch watt zu bedeuten hätte! Aberscht so, is't ja reener Läppsch!*

PISECKE: *Das is ja eene olle Jacke: Watt nischt zu bedeiten hat, da is de Polezei en Luder druff, wo ett aberscht knifflig is, wie z. B. am Sonntag mit den unangemeld'ten Festzug, da is se ganz stille un wundert sich bloß.*

NEUMANN: *Ett war eene reene Uebereilung von den Bardeleben des er am 31. Juli den Lindenklub un die politische Ecke durch en Maueranschlag verbieten daht.*

PISECKE: *War een sehr großer Fehler. Hätte der Polizei- Präsident sich so verstellt un gemacht, als wenn der Lindenklub jar nich da wäre, da hätte der Witz lange uffgehört, da hätten's die Berliner lange dicke gekriegt; aberscht so? Jrade kunträr. Nu gingen se erst recht hin, weil se nich hingehn sollten.*

BRENNECKE: *Un nu wollen se eenen och Abends schonst das spazieren jehen unter de Linden verbieten.*

PIESECKE: *Na, na. Man jo nich!*

NEUMANN: *Woll! Un da is keener doller wie de Bürjerwehr und besonders die Jägersch. Die gehn blind druff wie das liebe . . .*

PIESECKE: *Ist'ne rechte Kunst, uff wehrloses Volk mit Waffen loß zu gehn; des kann een Jeder.*

NEUMANN: *Ja un wenn se des Volk, mehrstendeehls Neujierige, manst bloß zurückdreiben dähten, da möchte ett noch jehen, so aberscht stoßen se mit de Kolben drinn, hauen mit de Säbels uff de Leite, stechen mit de Panjenettersch uff de Menschen loß, als wenn es gar nischt wäre. Ett sind neilich eene Menge verwund't un och Ener so gestochen, des er den anderen Dag druff Mittags jestorben is.*

PIESECKE: *Des wäre aberscht . . .*

NEUMANN: *Ja, ja, so is ett. Se werden't noch so doll machen, das de Arbetersch un des Volk sich mit de Soldaten verbinden muß, um de Bürjerwehr mal jehörig uffzuwichsen!*

BRENNECKE: *Ja Noth dut ett. Da waren wir ja am 18. März mit unsre Soldaten nich halb so schlimm dran, wie mit die Mukebolds von Bürjersch. Pfui! die hatten doch noch so viel Räsong im Leibe, daß sie keene wehrlosen Menschen uffspießten, se schossen se doch bloß todt.*

PIESECKE: *Des musten se schonst, sonst wurden sie dodt geschossen. Des von dunnemals war was anders. Des war een Kampf! Jetzt aberscht, wo die Leite mehr zum Spaß nach de Linden loofen, um de uffgepflanzten Constäpler zu sehen, da is et ja eene Nichtswirdigkeet Menschen so zu mißhandeln.*

. . . (Auslassung von 36 Zeilen)

NEUMANN: *Keener is aberscht och doller, wie die mit de Uneformen. Die sind doch reene wie nich jescheid't. Wenn des mal widder losjehen sollte, die werden se sich niederträchtig uff't Korn nehmen.*

PIESECKE: *Ja ick sehe och nich, wie wir Ruhe kriejen sollen. Mit de Bürjersch wird's Nischt, un mit die Constäpler erscht recht nischt, zu mal da se vielleicht diese Woche schonst widder uffhören, von wegen die Knöpe nämlich, denn ohne Knöpe jeht's doch nich, da bedanken sich selbst die Leute och derfor. Das Beste bleibt daher wirklich Neumann sein Vorschlag, nämlich die Bürjerwehr zu entwaffnen un die Jarde vor die Herstellung der Ruhe zu jebrauchen. Dadurch gewinnen wir och wieder das Vertrauen von die Soldaten. Drum fort mit de Bürjerwehr! die Soldaten sollen leben.*

Berlin, Verlag von S. Löwenherz, Charlottenstraße Nr. 27
(Auch durch alle Buchhandlungen baar zu beziehen)

Verfasser:	anonym
Verlag:	S. Löwenherz, Berlin Charlottenstr. 27
Drucker:	nicht genannt
Blattzahl:	1
Erscheinungszeit:	nach dem 24. 7. 1848, an dem die Ernennung von Schutzmännern, sog. Konstablern, nach englischem Vorbild angekündigt wurde.
Inhalt:	Brennecke, Pisecke und Neumann, drei Vertreter der unteren Berliner Schichten, beschweren sich über Ausschreitungen der Bürgerwehr und der Konstabler gegen Unschuldige und erörtern die Möglichkeit eines Bündnisses zwischen Arbeitern und Soldaten mit dem Ziel, die Bürgerwehr und die Konstabler in die Schranken zu weisen. Sie fordern deren Abschaffung und die Rückkehr des Militärs.
Sprache:	Berliner Umgangssprache *Constäpler* = Schutzleute, Konstabler *Muckebold* = vgl. abmucken = töten, umbringen, übel zurichten *Panjenettersch* = Bajonette *Rähsong* = Räson

2.

Offener Brief
an den
Ex = Bürger = General Blesson
von
Piefke

Ik habe eene janze Zeit lang daruf jewartet, des der General-Abmucker Isaak Moses Hersch sich ooch iber Ihre werthe Perschon hermachen wirde.

Aus eene jewisse anjeborene Bescheidenheit habe ik bisher des Maul jehalten, wie's ville Dependirte in de National-Versammlung dhun; aberscht ick sehe wohl in, des Hersch mir des Amt sich abnehmen will; un da ik jloobe, des die Wuth, die in mir kocht, durch't Schreiben een Bisken besänftigt wird, so schneide ik mir'ne Jensefeder zurechte, stippe se in de Dinte, und schreibe eenen offnen Brief, um Ihnen uf diesem, nich mehr unjewöhnlichen Weje meine Meinung zu sagen, uf Nante'sch nämlich, was man deitsch nennt.

Sie haben mir schon von Anfang Ihrer Laufbahn als Berjerjeneral partoutement nich gefallen, als Sie bei den jroßen, denkwirdigen Zug nach den Friechrichshain, anschlajen ließen, an alle Ecken, daß die Birjerwehr sich nich als solche, sondern als Privatperschon dabei betheiligen werde. Sie selbst haben den Zug nich mit jemacht. Wodrum nicht? Jloobten Se vielleicht, Se wirden sich bei den Zug eene Verkältung zuziehen? oder es wirde sich ein Jewitter, so'n allerhöchstes unjnädiges Donnerwetter iber Ihr Haupt entladen? Letzteres is jleichjiltig; aber Verkältung, nämlich der Birjer-Herzen, hatten Se sich zugezogen, weil Se nich im Zuge standen. –

Se erkennen wohl am Ende ooch de Revolution nich an? Na denn missen se jefälligst staarblind sind, denn hätten wir keene Revolution nich jehabt, dann hätten wir ooch keene Volksbewaffnung, Birjerbewaffnung nennt man des – un hetten wir keene Volks – ne – Birjerbewaffnung, dann wäre ooch des Zeichhaus nich geplindert worden. Des Zeichhaus is aber geplindert worden – erjel haben wir ooch eene Revolution jemacht. – Nummro zwee, da haben Se de Birjerwehr, die mit Freiden jedes Opfer bringt, bei de Nationalversammlung so madig jemacht, daß Keener een Stick Brot von ihr nehmen wollte. »Se kommt nich, wenn ich se rufe«, sagten Se, Herr Blesson. Aber umjekehrt werd een Schuh draus. Sie sind nich jekommen, als de Birjerwehr Ihn'n jerufen hat nach't Zeichhaus. Wo waren Se denn da? Se sind doch sonst immer Hans Dampf in alle Jassen. Haben vor de Seehandlung een Dampfschiff gebaut, das, als et in't Wasser kam, zu dief jing. Nachher haben Se Berlin bewässern wollen; aber de Ausführung Ihres Planes hätte de Stadt so ville Jeld jekostet, des wir erscht hätten janz Peru ausjraben missen (Auslassung von 4 Zeilen).

Ja die Zeichhaus-Plinderung, die hat Ihn'n een Denkmal jesetzt, wojejen alle Müllhaufen Berlin's Maulwurfshüjel sind. O, ik kann Ihn'n jar nich beschreiben, wie't vor Wuth in mir kocht, wenn ik an die Jeschichte denke. Des Sie, als erjrauter Soldat, dabei so janz den Kopp verloren haben sollten, des will mir nich scheinen. Aberscht andre Vermuthungen bleiben dabei vor den nachdenkenden Menschen, un een solcher schmeichle ich mir zu sind, übrig. Entweder haben Se de Volksbewaffnung zur Wahrheit machen, und eenen jeden Waffen verschaffen wollen; aberscht zu solche Freisinnigkeit halte ik Ihn'n nich fähig, wenn ik uf Ihr friheres Wirken als Stadtverordneter zaruckblicke. Oder Se haben in den Dienst der reakschonären Parthei jestanden, wölche vermittelst diese Zeichhausjeschichte eenen dichtigen Handstreich ausführen, un den Birjer jejen's Militair hetzen wollte, damit die junge Freiheit endlich mit Kartätschenkugeln wieder ermordet wirde, was jedoch durch die Menschenfreindlichkeit des Hauptmanns von Ratzmer verhindert wurde. – Also entweder waren Se feige, oder een Hochverräther an't souveraine Volk, wat hejer dasteht als een absoluter souverainer Firscht. Vor Beides verdienen Se, des ik Ihnen mein Verachtungs-Votum ertheile, was hiermit jeschieht. Hier steh' ik, ik kann nich andersch.

Herr von Ratzmer ist vor's Kriegsjericht jestellt worden, weil er seinen Platz verlassen hat, und dies Jericht muß ihn zum Tode verurtheilen. Ihnen Herr Blesson, stell' ik vor's Jericht der Jeschichte. Des wird Ihnen zu einem ewigen Leben, aber zu war vor eenen, verurtheilen, weil Se nich uf den Platz jewesen sind, den Se mit Ihrem Blute hätten vertheidigen missen.

So, nu hab' ik die Jensefeder vor all die Wuth, die bei Schreibung dieses offnen Briefes in mir kochte, janz zerstaucht, un da ik firchte, deß man mir vor'n Verschwender erklären wirde, un des sämmtliche Jense mir in Anklagezustand versetzen wirden, wenn ik noch ne zweete Feder vor dissen Jejenstand verbrauchte, so schließe ik, und zeichne

Piefke
mitblamirter Bürgerwehrmann
Berlin, zu haben Neue Schönhauser Str. 12, 1 Treppe hoch
Gedruckt bei Carl Lindow

Verfasser:	anonym
Verlag:	nicht genannt, zu erwerben Neue Schönhauser Str. 12
Drucker:	Carl Lindow
Blattzahl:	2
Erscheinungszeit:	bald nach dem 14. 6. 1848
Inhalt:	Am 14. 3. 1848 erschoß die Bürgerwehr in Berlin bei Auseinandersetzungen mit einer aufgebrachten Volksmenge, die die Waffenkammer im Zeughaus beobachtete, zwei Männer. Einigen Hundert aufgebrachten Personen gelang es, in das Zeughaus einzudringen und sich der Waffenvorräte zu bemächtigen. Die Bürgerwehr konnte den meisten die Waffen wieder abnehmen. Das Verhalten der Bürgerwehr wurde von der Öffentlichkeit verurteilt, so daß ihr Kommandeur Blesson zurücktreten mußte. Im Flugblatt wird Kritik

am Verhalten Blessons in verschiedenen Situationen geübt. So distanzierte er sich praktisch von dem Marsch von rund 50 000 Menschen, die am 4. 6. 1848 zum Friedrichshain in Berlin zogen, um die Toten der Märzrevolution zu ehren. Beim Sturm auf die Waffenkammer des Zeughauses war er offenbar nicht anwesend und kam damit seinen Verpflichtungen als Kommandeur nicht nach. Es wird die Vermutung geäußert, er habe absichtlich den Dingen ihren Lauf gelassen, um der Reaktion eine Handhabe für ein Eingreifen des Militärs gegen das Volk zu geben.

Sprache: Berliner Umgangssprache
Abmucker = vgl. abmucken = übel zurichten
Dependirte = Deputierte
erjel = daher, folglich
Firscht = Fürst
jlooben = glauben
partoutement = unbedingt, um jeden Preis
reakschonär = reaktionär
Zeichhaus = Zeughaus, jetzt Museum für deutsche Geschichte

3. *Der Mauerpolier Kluck*
an seine Berliner Freunde

Kinderkens, paßt uf, ick will ne Rede reden. Posito ick setze den Fall, ick wär en Geheimer Hofrath, so wär' ick keen Arbeeter und dürfte nich mit Euch reden; so aber bin ick von's Jewerk, denn den Mauerpolier Klucken kennt Ihr ja alle, erjel werd' ick ne Rede reden.

Kinderkens! am 18. März, als Ihr eklig wurdet über die faule Wirthschaft und Barikaden bautet, wie Ihr die da Oben jezeigt wat ne Harke ist, da wart Ihr richtige Jungens, denn was Ihr jethan, habt Ihr vor die Freiheit jethan, erjel habt Ihr den roten Adlerorden verdient, oder wat 1000 Mal besser ist, Ihr habt den Dank der Nation verdient. Na, die Freiheit wär nu da; aber von die Freiheit alleene kann keen Mensch nich leben, man muß ooch arbeeten. Denn posito ick setze den Fall die gebratene Tauben kommen uns in den Mund rin jeflojen, denn brauchte keener nich zu arbeeten, man brauchte man zuzuschnappen. Also arbeeten muß man, des ist klar wie Kloßbrühe. Aber um zu arbeeten müssen ooch Leite da sind, die eenen Arbeet jeben.

Kinderkens, wenn Ihr nu aber ewig Krakehl in die Stadt macht mit Katzenmamsiken oder andere Jeschichten, seht Ihr, denn jlooben die Leite, es jeht all widder los, die Reichen jeben Pech und die, die nich ausreißen, verbuddeln ihr Jeld, die koofen nischt, die laaßen nischt nich bauen, nichte nischt arbeeten und was ist nu die Folge? wir loofen rum, haben keene Arbeet und laaßen uns die Sonne in den Rachen scheinen. Nu sagen wieder Manche, Kinder, Ihr müßt ufpassen, sonst nehmen sie uns wieder unsere Freiheit. Sonne Dummheeten! Vergeßt Ihr denn, daß wir jetzt den Landtag haben? wat brauchen wir uns denn den Kopf zu verdrehen? davor sind ja unsere Depetirten, die werden sich die Butter nich von's Brot nehmen lassen ...

Menche ärgern sich, wenn sie eenen Reichen sehen und denken, des wär doch schön wenn du des Jeld hättest. Nu denkt euch mal, wenn Rothschild all sein Jeld heut vertheilte, da käme uf jeden von uns vielleicht Zwei Silbergroschen, na das wäre was Rechts! Jlobt Ihr denn, alle die reich heeßen sind wirklich reich? – Wie viele, die Ihr vor reich halt, sitzen in Schwindel und möchten uf die Rehberge arbeeten, sogar uf Accord, wenn sie man könnten.

Nu sagen noch etzlige, ja die Bürgersch haben Waffen, warum haben wir denn keene? Herrjeh! wat habt Ihr'n denn, wenn Ihr Nachts aus die Betten müßt? Wollt Ihr uf die Wachen ziehen, wovon wollt Ihr'n leben? – Wozu 'n Kuhfuß? wer hat Euch die Waffen am 18. März jejeben un wie habt Ihr da losjehauen?! Kinderkens, wollt Ihr also rechtschaffen sind, wollt Ihr Euch und Eure Frau und Kinder ernähren, wollt Ihr, daß die Provinz nich sagt, die Berliner sind Krakehler und Rebeller, so folgt Euren Freund Klucken, seid fleißig bei Eure Arbeet un nach de Arbeet verhalt Euch wie's ordentliche Bürger geziemt, ruhig und ordentlich, laßt den Krakehl und die Katzenmamsike und bleibt lieber Nachts ruhig bei Muttern.

Kommt aber Eener der Euch hetzen will mit die Bürgersch, und der Euch von die Arbeet abholen will, den nehmt bei die Klafitken und sagt ihm: Von Redensarten werd' wir nich satt! Drum hört was Freund Kluck Euch sagt:

Freiheit ist gut, aber Freiheit ohne Ruhe, das ist Kalk ohne Wasser! das ist nischte nischt und in keene Sache niemals nich. Und darum keene Feindschaft nich!

Der Mauerpolier Kluck
Abgedruckt aus der Bügerwehr-Zeitung Nr. 9. Verlag von
A.Friedländer, Neue Friedrichstraße Nr. 78 b.
Friedländersche Buchdruckerei, Neue Friedrichstraße Nr. 78 b.

Verfasser: anonym: Kluck, Held aus dem Volksstück »Das Fest der Handwerker« des Berliner Lustspielautors Louis Angely (1830)
Verlag: A. Friedländer, Berlin, Neue Friedrichstraße Nr. 78 b
Drucker: A. Friedländer, Berlin, Neue Friedrichstraße Nr. 78 b
Blattzahl: 1
Erscheinungszeit: nach dem 23. 5. 1848, wahrscheinlich Anfang Juni
Inhalt: Aufforderung an die unteren Schichten, vor allem die Arbeiter, wieder zur Tagesordnung überzugehen und zu arbeiten, nachdem es einen funktionierenden Landtag gibt und die Abgeordneten darüber wachen können, daß die Errungenschaften der Revolution erhalten bleiben. Appell, die Katzenmusiken, Lärmkonzerte, die nach dem 23. 5. vor den Häusern von Mitgliedern der Regierung aus Unwillen über den Verfassungsentwurf des preußischen Königshauses veranstaltet wurden, einzustellen und sich wie »ordentliche« Bürger zu verhalten.
Sprache: Berliner Umgangssprache
Depetirte = Deputierte, Abgeordnete
erjel = daher, folglich
Jewerk = Handwerk, Gewerk
Katzenmamsike = Katzenmusik, Lärmkonzert
Klafitken = Schlafitchen, Rock-, Jackenkragen
Kuhfuß = Bezeichnung der Bürgerwehrmänner für ihr Gewehr
Pech jeben = weglaufen, entfliehen
posito = gesetzt den Fall, angenommen
Rebeller = Rebellen
Rehberge = Gebiet im Norden Berlins, wo vom Berliner Magistrat Arbeitslose für Erdarbeiten eingesetzt wurden

4.

Soldatens, stecht de Deegens in!

Verbrüderte Predigt an die 60,000pfündige Miletär=Batterie in Berlin un Umjejend.

Von

Matthias Strobel,

bürgerlicher Schuhmacher vor Civil un Miletär, außerdem Demokrat un Feind von'n absoluten Lebenswandel.

Olle Jungens, so is et Recht, Arm in Arm wollen wir det schwerenöthsche Jahrhundert in de Schranken fordern, un denn wollen wir den sehen duhn, der uns det mißverstandene Freiheitsgefühl wieder in den absoluten Pfuhl rinschmeißen will. Die bürgerlichen un de miletärischen Kuhfüße werden ihn det schon ufklären, des de Brüderlichkeit in'n vollen Jange is. So muß et ooch sind, die

demokratsche Kanaille

uf de breiteste Jrundlage, un de

aristokratsche Krebsjang

uf de schmalste Jrundlage, denn wollen wir sehen, wer zuerst uf'n Proppen is. Aber Brüder müssen wir sind, un nich so'ne Antipoden, die immer mit de Beene uf'nander losstrampeln; det muß Allens een Herz un eene Seele sind, un een Jedankenstrich, un dieser Jedanke muß die Faßon haben duhn:

Alle vor eenen, un eener vor Alle.

Kinderkens, 'ne verdeibelte Jschichte war des doch in'n März mit de Kardädschen, wir konnten nu eenmal die blauen Bohnen nich verdrajen duhn, un det is ooch keenen nich krumm zu nehmen, un des wir denn Euch det scheene Berlin verweisen dahten uf'ne Zeitlang, des war nur det natürliche Jefühl der Selbsterhaltung, verbunden mit ne Portion Freiheitsdrang un en Bisken Rebellerlaune. Un ick sage denn doch, wenn wir Euch in de Kasematten uf'n Pelz gekommen wären, ob Ihr det hättet so mit anjesehen und ob Ihr uns nich rausser jeschmissen hättet, des uns det Hören un Sehen in de Pilze jejangen wäre. Deshalb sage ick: Darum keene Feendschaft nich, Wurst wider Wurst, wie Du mich, so ich Dich un nu is et jut.

Kinderkens, was haben wir nu dadervon, wenn wir uns nu immerzu in de Haare liejen duhn, wenn wir uns nu jejenseitig uffressen und dodtschießen, na denn haben wir jar nischt! – Det wollt Ihr doch jewiß ooch nich, un det wird doch des Ende von'n Liede sein, wenn wir uns nich verdrajen duhn . . . was habt Ihr dadervon, wenn Ihr über so'ne Barrikade stolpert, un det Uffstehen verjessen duht? Krüppel uf zeitlebens, un denn vor diese janze Zeit in'n Thierjarten mit'n Leierkasten an'n Halse – des nennt man denn »Invalide sein«. Un vor wen das nu Allens? vor en Keenig! Soldatens, haben wir denn keenen Keenig? eben so jut wie Ihr, aber det duhn wir ihn denn doch nich zu Jefallen, des wir uns vor ihn aufopfern duhn, un denn braucht Ihr des ooch nich zu duhn, det sage ick Euch, des nehmt Euch zu Herzen. Seid Ihr denn mehr wie wir? Ihr injebildeten Dejenknöppe, seid Ihr nich eben so jut Bürgersöhne, wie wir? Laßt den Keenig doch sein adeliges Uffjebot vor ihn ufbieten, dise wattirten Jroßmäuler sind ja sonst immer de Ersten bei Allens, un Ordens wollen se ooch jern Alle drajen duhn, nanu, hier is nu de Jelegenheit, zeigt mal, des Ihr Vollblut seid! Na was meent Ihr denn eegentlich, Soldatens, wenn wir zusammen halten duhn, sollte det nich en ochsigen Spaß jeben? Ick würde so'n Jroßmaul sagen: »Jutester, Du jammerst mir!« un jeben ihn so'n Denkzettel uf de breiteste Jrundlage, des ihn der Schnürleib außenander jinge. Staatsbürjer! Staatsbürjer, sage ick! bedenckt, wat dieses heißen duht, Ihr seid nich mehr Futter vor de Kanonen, ne Ihr seid freie Staatsbürjer, nich mehr, wie früher, det Steckenpferd vor so'n adeligen Leutenant, ne Kinderkens, det is nu Allens anders jeworden; jetzt könnt Ihr es ooch bis zum Jeneral bringen, Ihr werdet jetzt nich mehr geDu't, sondern geSie't, un wen habt Ihr dies Allens zu verdanken? – den Berlinern! Wenn wir nich in'n März die Barrikaden gebaut hätten gedahn, na denn bliebe der Gemeene en gemeener Mensch, un brächte et höchstens bis zum Korporal, anstatt jetzt zum Jeneral; . . . Des haben wir Allens jemacht, un Ihr hattet doch uf uns losgeballert mit de Kardädschen, aber Ihr seid unsre Brüder, un deshalb haben wir det Mißverständnis verjessen. Nu müßt Ihr aber ooch die Vernunft nich in'n Tornüster rin packen, un nich uf uns losjehen, wie uf alt Eisen, ne, nu müßt Ihr ooch denken: »Wie Du mich, so ich Dich« un müßt rinschlajen in de Versöhnung, die wir Euch anbieten duhn. Un deshalb rufe ich Euch aus den innersten Jrunde meines Busens zu:

Soldatens, stecht de Deegens in!
Im Namen der Freiheit, der Jleichheit un der Brüderlichkeit Amen! –
Zu haben: Klosterstr. 64
Druck von E. Lauter und Co., Klosterstr. 64

Verfasser: anonym, Matthias Strobel ist wahrscheinlich ein Pseudonym
Verlag: nicht angegeben, aber offenbar identisch mit der Druckerei
Drucker: E. Lauter und Co., Berlin Klosterstr. 64
Blattzahl: 1
Erscheinungszeit: Mitte September 1848
Inhalt: In dem Flugblatt unternehmen die Berliner Demokraten den Versuch, die Bürgerschaft und die vor der Stadt zusammengezogenen Truppen zu vereinigen.
Sprache: Berliner Umgangssprache
Antipoden = Gegner
Kardädschen = Kartätsche, Artilleriegeschoß und auch das Geschütz dazu
aristokratischer Krebsjang = bezieht sich auf den Versuch des Adels, schrittweise die Zugeständnisse während der Revolution wieder zurückzunehmen
Kuhfüße = Bezeichnung der Bürgerwehrmänner für ihr Gewehr
in den absoluten *Pfuhl rinschmeißen* = bezieht sich auf das um den 22. 9. 1848 eingesetzte Ministerium Pfuel, von dem zu befürchten war, daß es einen harten, gegen die bürgerlichen Liberalen gerichteten Kurs einschlagen werde
uf'n Proppen = in Verlegenheit

5. *man zwee mal die Woche*
Eine Nachhilfe für die
Nationalversammlung
von Madame Püseke, abprobirte Hebamme
(Preis 1 Sgr)
Motto: Alle Woche zwier
Schadet weder mich noch dir (Luther)

Darf ich meine Ogen trauen, was ich in de Voßsche lese? Alle Dage jreift die Herren Deppentirten zu sehre an und nu wollen se man alle Woche zwee mal? I mein Jott du doch, det is zu wenig. Da können wir jo warten, bis wir alt und jrau werren, ehe wir det Verfassungskindeken über die Doofe halten können. Ich bin zwars man Bürjerin, aber des kann ich mir nich jefallen laaßen. Allens wat recht is, lobt Jott! Man zwee Mal die Woche und davor drei Daler den Dag? I, straf mir Jott, so ville krieje ick jo vor die ganze Nacht nich! Ick möchte man wissen, ob et denn wirklich so schwere is, so eene Verfassung uf die Welt zu bringen? Meine Ansicht nach is so'ne Verfassung jar nischt. Die mach ick wie Wurscht. Un wenn ick wüßte, det et die Herren Deppentirten nich übel nehmen, weil ick man Birjerin bin, so würde ick Ihnen mal wat vorschlagen. Ick habe doch schon so ville zur Welt jebracht, warum soll et hier nich ooch jehn? Ick denke't mir so: Oben druf als Ueberschrift kommt der Spruch: »Mit Jott, vor Könich un Vaterland!« Des is was vor die Provinzen. Wenn se des lesen, denn nehmen ses unbesehns. Des heeßt mit Ausnahme von de Rheinprovinz, denn die is schon eklich, un Westphalen, denn des is ooch schon anjestochen, un Schlesingen, denn des is noch eklicher, un Posen, denn des weeß alleene nich, wat et will, un Preußen, denn det hat seine olle Nicken noch nich verjessen, und drei Viertel von Pommern, wo des Cöslinsche Unjeziefer sich noch nich injefressen hat, und der jrößte Theil von Brannenburg, wo det Berliner Blut drin stecht. Aber die Kreise von Teltow und Jüterbock und des Jehemraths Viertel in Berlin, die nehmen et jewiß mit düse Überschrift, denn die is vor ihren Juh.

Na, denn wäre der Anfang jemacht, und des is die Hauptsache. Det dicke Ende folgt von selbst nach, det muß ick am besten wissen. Wat is denn nu ooch noch ville weiter. Des Feto, oder wie des Dings heeßt, det is dummet Zeuch. Ob se det jeben oder nich, det is tut mäm eenjal; Wat Jott will, muß doch jeschehen. Des Rad von die Weltjeschichte kann Keener nich ufhalten un wenn die Zeit um is, denn jeht es vor sich; des muß ick am besten wissen.

Die Kammern können Ihnen ooch keene Sorje nich machen. Ick denke, des versteht sich von selbst. Eeene Kammer is jenung un muß jenung sind. Ich weeß des aus des praktische Leben. Wo die Wirthschaft in zwee Schlafkammern jedeelt is, da is keene Lübe nich un kommt nischt bei raus. Wollen aber die Provinzen, um Jüterbock und Teltow rum, nich mit eene Kammer zufrieden sind, na, zum Deibel, denn machen se vor die noch aparte eene Putzstube, wo sick die Jüterbocksche Ritterschaft un die Teltoschen Bauern drin ufklawiren können. Det läßt sich Allens machen, wenn ener man Lust hat. Man immer druf, det is mein Wahlspruch! In die Hände jespuckt un anjefaßt, denn jeht et ooch.

Wat fehlt denn also noch? Jar nischt. De Reljon wird aussen Staate beseitigt un der Adel wird abjeschafft, des steht feste. Dajejen kann der Adel nischt haben, denn et schadt ihm nischt, er bleibt doch wat er is, un

Kammerherr wird dadrum noch keen Birjerlicher nich werren! Ick woll et ihm ooch verdenken. Sehn Sie, det wären die Hauptsachen! Also nu haben Se meinen Entwurf, un nu duhn Se mir den Jefallen, un kommen Se widder öfter zusammen. Zwee mal die Woche is jar nischt. Det Sie bei Kräften dabei bleiben, des jloob ick, aber det Land muß de Schwindsucht dabei kriejen, und det wollen Sie doch ooch nich, denn Sie werren jo doch noch öfter deppentirt werden wollen. Leben un leben laaßen, det is mein Wahlspruch un damit empfehle ick mir Ihnen allerseit zu jeneigten Andenken

Madame Püseke
abprobirte Hebamme
Zu haben: Mohrenstr. 57, 2 Treppen hoch
Druck von Marquardt u. Steinthal, Mauerstr. 53

Verfasser:	anonym, Madame Püsecke ein Pseudonym
Verlag:	keine Angabe des Namens, aber Hinweis auf die Möglichkeit des Erwerbs der Flugschrift: Zu haben: Berlin Mohrenstr. 57, 2 Treppen hoch
Drucker:	Marquardt und Steinthal, Berlin Mauerstr. 53
Blattzahl:	1 (zweispaltig)
Erscheinungszeit:	Wahrscheinlich Anfang September 1848
Inhalt:	Hinweis auf eine Information in der »Vossischen Zeitung«, daß die Vertreter in der Nationalversammlung nur noch zweimal in der Woche tagen. Forderung der Bürger nach intensiver Arbeit in der Nationalversammlung die ganze Woche hindurch, vor allem bei der Schaffung einer Verfassung
Sprache:	Berliner Umgangssprache mit größerer Nähe zum Stadtdialekt *aparte* = extra *Deppentirte* = Deputierte, Abgeordnete *Doofe* = Taufe *enjal* = egal *Feto* = Veto *jedeelt* = geteilt *Jehemraths-Viertel* = Geheimratsviertel *jenung* = genug *Lübe* = Liebe *Nicken* = verborgene Aufsässigkeit, Eigensinn *Reljon* = Religion *tut mäm* (franz. même) = ganz und gar *ufklawiren* = aufputzen *in de Voßsche* = in der »Vossischen Zeitung«

6.

Ministerken, Juchhedewich!

Nach Brandenburg, da jehn wir nich.

Rück du mit deiner Rechten aus, die Linke bleibt in't Schauspielhaus.

Eene vor-populige Stimme, ufgefangen vor's Komödienhaus, un wiedergegeben von

Ulle Bohmhammel,

Vice-Gefreiten von de Börjerwehr.

Aber ick bitte Ihn um Allens in de Welt, Herr Prässedent von de Ministers! wat mögen Sie sich woll vor'n Begriff jemacht haben von det Berliner Volk un von de National-Versammlung? Denken Sie denn, Sie sind in Breslau? Un eene Vertagungs-Erklärung is nischt weiter wie'n Armeebefehl!? – Sie sitzen uffen Proppen, Herr Brandenburg!

Sie kommen da, mir nischt, dir nischt in's Komödienhaus, ohne »Ju'n Morgen« zu sagen, un fangen da jleich an, mir nischt dir nischt zu erklären:

Die National-Versammlung kann zu Hause jehn, un in 14 Dagen sehn wir uns widder – in Brandenburg. –

I nee doch, Herr Minister-Prässedent werden sollender, aber von de National-Versammlung noch nich anerkannt geworden seiender Herr von (ach nee, det »von« is abgeschafft) Herr Brandenburg, wollt ich sagen; so jeschwinde jeht des nich mit uns! Verstehn Se! – Aber wodrum liefen Sie denn so jeschwinde widder furt? Wurde Ihn schwiemelich? Oder witterten Se Morjenluft? – Oder wollten Se blos man die »laufende« Geschäfte besorgen? – Ick weeßt nich. – Aber wie ick Ihn so springen sah, un die scheene Kinder von de Rechte hinderher; da dacht' ick so bei mir:

Der Bock voran, un die Hammel hinderdran!

Nu laaßen Se uns mal een Wörtken vernünftig reden, Herr Ex-Ex-Excellenz! – Sie dachten, et würde mit Ihn so jehn wie mit eenen jewissen Cäsar:

Kommen, sehn un siegen!

Jekommen sind Se, jesehn haben Se ooch, un jehört noch weit mehr; aber mit det Siejen, det wer'n Se mir erlauben, det is Schwärmerei – sagt Beckmann. – Haben Se die Börjerwehr jesehn? Haben Se det Volk jesehn um's Kommödienhaus rings rummer?

Ick gloobe nich, det Se sich danach umjesehn haben, denn Se hadden't sehre eilig. Aber ick sage Ihn, det waren Jesichter, so ernst un fest un würdevoll, un mit 'ne jehörige Portion männlichen Trotz untermischt, des Ihn un noch manchen Andern gewiß himmelangst jeworren wäre, wenn Sie't jesehen hädden. – Aber ick verjesse, det Se mit zu de Potsdammer jehören, un in Potsdam scheinen se Alle'n Staar zu haben, un ick jloobe, ehr lernen se' da ooch nich sehn, bis ihnen der Staar orntlich jestochen is . . .

Also wieder uf den besagten Hammel zu kommen.

Wir wollen weder Brandenburg in die National-Versammlung noch die National-Versammlung in Brandenburg.

Woso nach Brandenburg? Worum nich lieber nach Teltow oder Charlottenburg? – Det is een Ufwaschen! Ne, ne, jutstet Ministerium! Wat Sie da geschmust haben von unfreie Berathung, un von Terrorismus, oder wie det Ding heeßt, der hier von's Volk geübt wer'n soll, det sind faule Fische, die essen wir nich, wenn Sie uns ooch 'ne Honigbrühe mit geriebenen potsdamer Zwieback drüber gießen! –

Die Abgeordneten haben ihr Mandat vor Berlin, un nich vor Brandenburg. Will »Eener« den Sitz von de National-Versammlung verlegen, denn muß Er erscht uns Urwähler fragen, ob wir des ooch wollen.

So steht's! Ihre Kanonen uffen Kreuzberg, un Ihre Soldaten vor de Dhore, det is uns reene Wurscht! – . . .

Die ganze Versammlung, mit Ausnahme von die Paar – – – hat uns gezeigt, daß sie vor's Volk, un aus dem Volk is. un des Volk wird ihr jetzt zeigen, daß de National-Versammlung uf's Volk rechnen kann. Hand in Hand: Bürger, Handwerker, Studenten, Künstler, Arbeeter!! – Arbeeter!! (euch nenn ick zweemal) – so fordern wir unser Jahrhundert, det heeßt: Alle die et hundsfötisch mit uns meenen, in de Schranken! – . . .

Vom Absolutismus zur Republik, det wär' een allzu gewaltiger Sprung. Mitten mank liegt noch ne jroße Kluft – die laaßt uns erst ausfüllen, durch 'ne wahrhaftige Constitution. Aber keen Wechselbalg von Constitution. Veritable muß se sind, sonst in 'n Müllkasten mit ihr. – Dazu jehört aber vor Allem:

Een volkstumlichet Ministerium.

Brandenburg mag sind, wie er will; aber dreiviertel von de preißsche Bevölkerung hat sich schon vorher jejen ihn ausjesprochen. Et is also widder een Mißverständnis von de Krone, det sie uns een solchet Ministerium ufdringen will. Een volkstümlichet Ministerium, un die National-Versammlung bleibt in Berlin, un denn sind wir jut, und Allens wird jut. Hallelujah! –

Von wejen die Republik – davon später! –

Zu haben: Roßmarien-Straße Nr. 3, parterre
Druck von E. Lauter
u. Co, Klosterstr. Nr. 64

Verfasser:	A. Hopf, Psdeudonym U. Bohmhammel
Verlag:	nicht genannt, aber Hinweis darauf, wo das Flugblatt zu erwerben ist: Berlin Roßmarienstraße Nr. 3. parterre
Drucker:	E. Lauter und Co, Berlin Klosterstr. 64
Blattzahl:	1 (zweispaltig)
Erscheinungszeit:	um den 9. November 1848
Inhalt:	Um den 2. 11. 1848 übernimmt Generalleutnant Friedrich Wilhelm Graf von Brandenburg die Regierung in Preußen. Am 9. 11. 1848 teilt er der Nationalversammlung mit, daß sie auf Beschluß des Königs nach Brandenburg/Havel verlegt sei, da eine freie Entschlußfassung der Abgeordneten in Berlin wegen des Drucks der Volksmassen nicht gewährleistet sei. Die Mehrheit der Abgeordneten bestreitet dem König das Recht, eine solche Maßnahme zu treffen, und sie tagt weiter in Berlin. U. Bohmhammel (A. Hopf) bringt die Meinung der Masse der Abgeordneten zum Ausdruck.
Sprache:	Berliner Umgangssprache *Constitution* = Verfassung *hundsfötisch* = schlecht, gemein *mank* = zwischen *mir nischt dir nischt* = ohne weiteres *rings rummer* = rund herum *schwiemelich* = schwindlich *schmusen* = vortäuschen, vorgeben *Urwähler* = Wähler der Wahlmänner bei indirekter Wahl *veritable* (franz.) = echt, groß *wodrum* = warum *woso* = wieso, warum

7. *Nante als National-Versammelter*
Erste Sitzung. Preis 1 Sgr

Nante: *Bürger Brenneke sei mir willkommen in der Freiheit! Fief la Constitution uf die allerbreitste Unterlage! Ick habe Dir ja seit den Vinkeschen Rechtsboden – Schwabbel-Landtag nich gesehn. Wat dreibst Du'n jetzt? –*

Brennecke: *Ick? Nischt. Wir haben ja Freiheit, wer wird denn da arbeeten? Vor de Langweile dreib ick een Bisken Buchhandel. Setz mir in Nahrung. Hier: Kladderadatsch sechs Dreier, die Berliner Krakeler eenen Groschen, den Prinzen von Preußen zu bedeutend heruntergesetzten Preisen sechs Pfennge, da kriegst du noch die vorjährige Thronrede zu; die liest sich jetzt recht heiter.*

Nante: *Ich drücke Dir mein Bedauern aus. Proletarier. Bei den Verdienst kannste doch nich leben un Miethe zahlen, un Schulden haste ooch.*

Brenneke: *Du erweckst in mir homerisches Gelächter, wenn Du von Miethe red'st, un den Antrag, meine Schulden zu bezahlen, lehn' ick Einstimmig ab. Ick gebe der Hoffnung Raum, daß die National-Versammlung mit die Staatsschulden ooch gleich meine bezahlen wird; denn bei 150 Millionen »wohlgeordneten Finanz-Ausfall« kommt et uffen Paar Groschen mehr oder weniger nich an.*

Nante: *Ich wer' darüber 'ne Motion bei'n Landtag stellen. Der Altar des Vaterlands is groß, da kann eene ganze Menge druf geopfert wer'n. Nu muß ick aber erst die Frage stellen, ob du zu keenen Clubb gehörst.*

Brenneke: *Diese Frage muß ick in verneinendem Sinne beantworten. Des Abends geh ik nach die Zelten und lasse mir politsch bilden, ick helfe Comité-Mitglieder ernennen vor die Adressen, hebe bei Abstimmungen eene Hand hoch un helfe demonstriren. Daruf beschränkt sich meine politische Wirksamkeit. Genährt werd' ick uf Staatskosten; denn meine Frau is in die glorreiche März-Nacht vor Schreck über'n ersten Kardätschenschuß aus Mißverständnis gestorben, mithin bin ick een Hinterbliebener, un habe Ansprüche uff Nationalbelohnung.*

Nante: *Ick halte diesen Jögenstand für erledigt, un trage daruf an, zur wirklichen Diskussion überzugehen. Zuerst werd ick mir Deine Ansicht ausbitten, ob Du zwee Kammern willst oder blos eene.*

Brenneke: *I Menschenskind zwee, da brauchste gar nich zu fragen. Eene vor den Hausgebrauch un eene Rumpelkammer, wo die alten Scharteken drin ufbewahrt wer'n. Man kann später Alles wieder brauchen.*

Nante: *Du verstehst mir miß; ick meene Landtagskammern.*

Brenneke: *Ach so. Ja wenn ick Dir da meine unmaßgebliche Meinung sagen soll, so halt' ick vor't Beste: so ville Kammern wie Abgeordnete; denn zwee in eene Kammer det dhut keen Gut's, oder man müßte immer eenen Pommer un eenen Berliner zusammen sperren; die sind sich zum Fressen gut. Apropos, die Pommern haben ja woll Schlöffeln vor Berlin gewählt!*

NANTE: *Ich globe, aber der hat sich vor Magdeburg entschieden.*

BRENNEKE: *Issen da ooch een Landtag?*

NANTE: *Ne, blos een geschlossener Clubb. – Aber nu muß ick nach de Singakademie gehn, un sehn ob die breitspurige Partitur aus Sanszuzie noch nich angekommen is. Neugierig bin ick wat unser Kapellmeester komponiert haben wird. Gewiß is et een neuet Lied nach die alte Melodie »Immer langsam voran!« Aber denn interpellir' ick des Ministerium, un lass' et stürzen. Uff Wiedersehn Bürger Brenneke, in No. 2 –*

BRENNEKE: *Adje, Bürger Depentirter. Un seid hübsch uffen Posten, damit die National-Versammlung nich von'n alten Landtag ausgelacht wird. (Für sich:) Det wäre eene Hauptblamage*

A. Hopf
Berlin 1848
Im Selbstverlag des Verfassers und zu haben bei Jähns,
Unter den Linden No. 30
Druck von F. Nietack in Berlin

Verfasser:	A. Hopf, sonst unter dem Pseudonym U. Bohmhammel
Verlag:	Eigenverlag von A. Hopf
Drucker:	F. Nietack, Berlin
Blattzahl:	1 (in einer Serie)
Erscheinungszeit:	bald nach dem 22. 5. 1848, dem Tag der Eröffnung der preußischen Nationalversammlung
Inhalt:	Nante, ein volksverbundener Abgeordneter und Vertreter der Linken, mischt sich unter die Leute und plaudert mit Brenneke, einem Vertreter der Stadtarmut (Proletarier) über Probleme der Nationalversammlung, wobei er die Angelegenheiten des Parlaments, das in der Singakademie (heute: Maxim-Gorki-Theater) tagt, der Öffentlichkeit der Straße zugänglich macht. Hinweis auf die Traditionen, an die die Flugblätter anknüpfen, an den »Kladderadatsch« sowie den »Krakehler«. An einzelnen Problemen bzw. Ereignissen werden genannt: (a) Behandlung der Staatsschulden in der Nationalversammlung (b) Entscheidung über die Zahl der Kammern im preußischen Landtag (c) Hinweis auf die

»Zelte«, einen beliebten Versammlungsplatz im Tiergarten, wo zahlreiche Massenkundgebungen zur Revolutionszeit stattfanden (d) Hinweis auf »Clubbs«, demokratische Vereine, die während der Revolution eine wichtige Rolle bei der demokratischen Meinungsbildung spielten.

Sprache: Berliner Umgangssprache mit relativ großer Nähe zur Schriftsprache
apropos = übrigens, dabei fällt mir ein
een Bisken = ein bißchen
fief la Constitution = es lebe die Verfassung
interpelliren = Einspruch beim Parlament einbringen
Jögenstand = Gegenstand
Motion = Antrag
Scharteken = altes wertloses Zeug

8.

11. Auflage
Bürgerwehreken
siehste wie De bist?
Eine Gardinen-Predigt,
ihrem Gatten Ludewig beim Schlafengehen gehalten
von Madame Bullrichen
(Herausjejeben von Aujust Buddelmeyer, Dages - Schriftsteller mit'n jroßen Bart)
(Preis 1 Sgr)

Laaß mal des Jewehr stehen, Ludewig! Haste mir verstanden? Du sollst den Kuhfuß stehen laaßen! Willste mir noch weiß machen, deß Du Korage hast? Loof, loof, Du jammerst mir! Wat? So läßt Dir vonnen Mastrat behandeln? Des Milletär Dir vor de Nase rinzubringen und Du derfst nich mucksen? Fuj, schäme Dir! Sage um Jotteswillen keene Menschenseele nich, daß Du Dir injebulden hast, en halber Soldate zu sind; sie würden Dir doch man auslachen.

Ludewich, so wahr en Jott in Himmel lebt, ich schäme mir, deß ick Deine Jattin bin. Wenn ick et nich jenau wüßte, ick würde Dir vor jar keenen Mann nich halten. Sage mal, wovor haste die Hosen an? Wovor haste Deinen Bürjerbrief bezahlt? Daß Du Dir von Deinen Mastrat den Daumen ufs Oge drücken läßt? - Still und vertheidige Dir nich. Du bist ne olle Waschlappe, weeßte des? Ne, über des Mannsvolk muß man jiftig werren, man mag wollen oder nich.

Also zum Exciren, wie'n oller pollscher Rekrute, daderzu biste jut jenug, und de Nacht Patrolje loofen, statz bei Deine Jattin Dir zu bemühen, un uf de Wachstuben rumdreiben, un der Deibel weeß wat noch, Jott verzeih mir meine schwere Sünde, daderzu lääßte Dir jebrauchen, nich wahr? Aber wenn se Dir Deine ... haltet Maul, wenn ick spreche! Des Exciren und des Alles is nöthig? I, du olle Nachtmütze, wozu is et denn nöthig? Vorleicht zu's Parademachen? Ick will Dir't sagen, wozu et nöthig is, wenn Du't noch nich weeßt. Daß de Dir mit'n Kuhfuß Deine Rechte beschützt un lääßt Dir nich wie'n Loofbursche behandeln, daderzu is et nöthig, siehste. Aber wenn Du Dir von jeden Schaffskopp uf de Nase spielen laaßen willst, denn brauchste och nich exciren, Du Dämelfriede! Haste mir begriffen?

Ne, is't die Menschenmöglichkeit, will sich diese Flanze enen Waffenrock machen laaßen unne Federpuschel uf'n Hut stecken!Na, du wärst mir jrade so Eener innen Waffenrock! Ne Ludeken, denn müßteste doch een bisken mehr Feuer innen Leibe haben. Weeßte wat? En Unterrock koof Dir un vermach den Mastrat Deine Hosen, des wäre gescheidter! Na wat weenste denn nu? Wirste stille sind! Nu plinst die olle Muhme Suse wie'n injetunkter Schwamm. Bedrage Dir besser, denn wirste och keenen Hundslohn nich kriejen! Stille sollste sind!

Ach loof Deine Wege, ick will keenen Kuß nich von Dir haben. Ziehe Dir aus un mach det Du int Nest kommst. Wat sagste? Det ene mal soll ick et Dir noch verzeihen, Du willst och jerne Alles duhn, was in Deine Kräfte steht? I seh mal Ener, Du kannst ja ordentlich klugschmußen! Sag mal warum kannste den jejen mir son großet Wort führen, un wenn Dir Dein Mastrat kujenirt, denn kannste det Maul nich ufduhn? Wat? Schweige still, wenn ick mit Dir rede! Verdeffendire Dir jejen Deinen Hauptmann, oder wie der großnästge Musje titlirt werd, aber nich jejen mir! Höre uf zu plinsen un antworte mir mal. Haben se Dir nich versprochen, deß se keen Militär nich in Berlin rinbringen wollen, ohne Dir als Bürjerwehr zu fragen? Ja? Na siehste! Haben se Dir bei dies letzte Milletär gefragt? Ne! Na also! Haben se also nich ihr Versprechen jebrochen, haben se nich jelogen, haben se Dir nich beleidigt? Stille sollste sind! Un wat hast Du jedahn? Du olle Nachtmütze bist mit Dein Kuhfuß hingeschlammst un hastet Milletär noch injeholt. Du willst en Mann sind? Fuj, schäme Dir die Ogen aus'n Kopp! Du brauchst jar nich zu Bette zu kommen! Son Mann oder jar keener! ...

I, denkst Du denn, ick bin jejen des Milletär? Nich in Jeringsten! Konträr des Jejentheil! Ick will die Soldaten recht jerne rin haben, unser Ener hat ja och seinen Jenuß davon. Aber mir ärjert man, daß sie Euch dabei uf die Nase spielen, daß sie Euch dadrum bedriegen, was sie Euch versprochen haben, un daß Ihr sonne Schlafmützen seid und nehmt des so hin, des krepirt mir, sehste! Ne, sind des 24 000 Mannsleute mit Jewehre und

Fahnen un Musike un orntliche Officiere mit weiße Federpuschels, un laaßen sich von enen sonnen Mastrat . . . Ne, ick weeß nich, Ludewich, wat ick von Euch denken soll. Aber laaßt man jut sind. Wir Frauensleute werren Euch in die Kur nehmen, denn wert Ihr wol en Bisken Korasche kriejen! Nanu schlaf, Lude! Ne, Du bist doch en närrscher Peter! Willste Dir och nie nich mehr was vonnen Mastrat jefallen laaßen? Jewiß nich! Na, denn sollste och wider mein Jatte sind. Ju'n Nacht!

Zu haben: Mauerstr. 17, 1 Treppe hoch
Druck von Marquardt u. Steinthal, Mauerstr. 53

Verfasser:	Aujust Buddelmeyer, Dages - Schriftsteller, Pseudonym für A. Cohnfeld
Verlag:	wird nicht genannt, aber Hinweis darauf, wo das Flugblatt zu erwerben ist: Zu haben: Berlin Mauerstr. 17, 1 Treppe hoch
Drucker:	Marquardt u. Steinthal, Berlin Mauerstr. 53
Blattzahl:	1 (zweizeilig)
Erscheinungszeit:	nach dem 21. 9. 1848
Inhalt:	In Gestalt einer Strafpredigt, die Madame Bullrich ihrem Ehemann Ludewig hält, wird das Verhältnis zwischen Bürgerwehr, die in den ersten Tagen der Revolution gebildet wurde, und dem regulären Militär kritisch beleuchtet. Die Regierung, die der Bürgerwehr versprochen hatte, sie zu fragen, wenn Militär von außerhalb der Stadt nach Berlin verlegt werden soll, hat dieses Versprechen mehrfach gebrochen. Kritik an der Bürgerwehr, die sich durch hinhaltende Aussagen abspeisen läßt
Sprache:	Berliner Umgangssprache mit relativ großer Nähe zum Stadtdialekt *Deibel* = Teufel *exciren* = exerzieren *injebulden* = eingebildet *injetunkt* = eingetaucht *klug schmußen* = klug reden *konträr des Jejentheil* = ganz im Gegenteil *Korage* = Courage *Kuhfuß* = Bezeichnung der Bürgerwehr für das Gewehr *kujeniren* = kujonieren, drangsalieren, quälen *Loofbursche* = Laufbursche *Mastrat* = Magistrat, hier wohl Regierung *Patrolje* = Patrouille

plinsen = blinzeln
pollsch = polnisch
titlieren = titulieren
verdeffendiren = verteidigen

9.

Die Versöhnung am Grabe!

Achtung! Präsentirt's Jewehr vor die brave Bürjerwehr!

Allens is nu wieder jut, blos der Majestrat nich,
Na denn laßen böse sind, Ludeken des schad't nich.

Sechste Gardinen-Predigt,
ihrem Gatten Ludewig bei der Rückkehr vom Begräbniß der Arbeiter am 20. October
gehalten von Madame Pullrichen.

(Veröffentlicht von **Aujust Buddelmeyer,** Dages-Schriftsteller mit'n jroßen Bart.)

(Preis 1 Sgr.)

Halt Lude! Bleib mal in de Dühre stehn. Enen Ogenblick man, ick will mich man blos meinen Pantoffel holen. Ne, rücke nich aus, ick will Dich nischt duhn! Ne, Ludeken, meiner Seele nich; konträr des Jejendeihl, ick will Dich en Verjnüjen machen. So, hier is der Pantoffel. Nanu paß mal uf!

So, Ludewich, nu mach Du'n Honnär mit de Hand an Deinen Federhut un marschir bei mich vorbei, aber orntlich milletärsch; ick kann des Stramme jar zu jut leiden. Allens in de Welt, man bei'n Mann nischt Latschiges! So! Nanu halt! Rumjedreht! Herjekommen un mich nen Kuß jejeben! So, Ludeken! Biste mit mich zufrieden? Ja? Na, ick mit Dich och! Du hast Dir jut benommen beis Bejräbniß! Ick habe Dich mit Absicht die Dage her janz Deinen Willen jelaaßen un Dir beobacht; ick wollte doch mal sehn, ob mein Oller nich och'n mal von selbsten en bisken Jrips haben wird? Un richtig, et jung! Na warte man, nu werr ick Dir och öfter wat alleene überlaaßen! – I' nu, warum nich! Des sollte Dich jrade lieb sind! Denkst Du, ick freue mir nich, wenn Du mal 'n Mann spielst un wat leist vor's Vaterland? –

Ja Ludewich, heute haste Dir mit Deine Collejen bei mir rausjebissen, heute haste jezeigt, deß du en demokratischet Herz in Leibe hast, un Dir nich von de reakzionärschen Ufputschers als en dodtet Instrument jebrauchen laaßen duhst. Ick habe mir ville über Eure dämligen Paraden jebost, aber mit Dein heutjet Benehmen bei des Arbeiter-Bejräbniß kannste vor de Menschheit Parade machen!

Nanu, Reakzion, duh mich den Jefallen un reiß Dich die paar Jaare, die Du noch an de Hofrathswinkel sitzen hast, rene aus. Der Spaß is Dich verdorben, un Du hast Dir umsonst int Fäustken jelacht. Des war so'n Fressen vor Dich an 16. October, nich wahr? Da haste jedacht: »an 18. März hat mich des Mißverständnis nen Jenickfang jejeben, da dervor soll mich des Mißverstädniß von 16. October wieder uf'n jrünen Zweig bringen!« Ja Kirschkuchen! Zum jrünen Zweig is et schonst zu spät in Jahre, wenn Dich aber mit'n juten drocknen Knüppel jedient ist, den kannste jenießen. Zieh den Waffenrock aus Ludeken, ick hab Dich den Schlafrock en bisken gewärmt, un Du solst och jleich en Gläsken Punsch haben. – Ne, war des en Leichenzug! Bürgerwehr un Schützen un de Schitzengilde, un de Klubbs, un hundertdausend andere Menschen, un blos der Majesdrat nich. Aber des schadt nischt, des beweist blos: Des es och ohne Majestrat sehre jut jeht!

Un weeste, Ludeken, wodrüber ick mir noch gefreut habe? Deß de Linke mit derbei gewesen is. Ick muß Dich offenherzig jestehn, die Rechte kommt mich benah wie en Majesdrat vor: ick möchte Keenen nich jerne beleidgen, aber ick möchte schwören, daß Jeder von de Rechte jut zum Oberborjemester paßt, oder wenigstens zum Stadtrath.

Et ist ungefähr de Coleur de gris, die diese Sorte haben muß. Et ist doch schön, wenn der Mensch vernünftig is. War wäre woll draus jeworren, wenn de Arbeiter getükscht hätten, un hätten gesagt wie der Majesdrat, deß erscht Reue un Abbitte sind muß! Denn wären nächster Tage de Berliner Posten in Wien ausgeblieben, des kannste jloben.

Ne Ludeken, wenn ich Dir och manchmal en Bisken Hundslohn jebe, wenn du mal ene Dumheit Dir zu schulden kommen läßt, oder ik jrade kollrich bin, sone olle Schulmesternicken habe ick doch nich, det ick von Dir Reue un Abbitte verlange. Des wäre och sehre demlich von mich, denn bei son Betragen würdst Du trotz Deine Schlafmitzigkeit doch am Ende tüksch werren, un mich zeigen, wo der Zimmermann des Loch jelaaßen hat.

Was stechste denn da vor Papier in de Tasche, Ludewig? De Voßsche Zeitung? nu seh mal wat du widder vor Mißgriffe bejehst. Weeßte denn nich, des ick de Voßsche Zeitung sammle, weil alle Bekanntmachungen von Hochedeln Majesdrat drin stehen? Ne Ludewig duh mich de Liebe un wiedersprech mich nich! Wat brummelste da widder? Du kannst ihr nich leiden? sie dogt mit samst de Bekanntmachungen nischt? Ach jib Dir doch man! Wozu ick ihr sammle, daderzu dogt se mit de Majesdrats-Bekanntmachungen jrade sehre jut. Man weeß nich, wie man mal in de Lage kommen duht, wo man sehre froh is, des Blatt mit sonne Bekanntmachungen bei de Hand zu haben.

Nu sag mal Ludeken, habt Ihr Euch nu och recht ufrichtig verdragen? Ja? na des freut mir. Blut ist geflossen, dadrum muß nu Eure Freundschaft och

wahre echte Blutsfreundschaft

sind, Ihr müßt Brüder sind, mit Leib un Seele, un zusammen halten in Freud un Leid, in Noth un Dodt. Un wer dadrüber tüksch is, den laaß man tüksch sind, der Deibel wird ihm schonst holen, un zwars bei jute Zeit.

So Ludeken, hier is der Punsch. Drinke man, mein Schnutcken, immer drink, drink. Wenn Du och en bisken ufgeregt wirst, des schat nischt, wir jehen ja jleich zu Bette. – Ne, Ludewig, dalbere jetzt nich; nachher. --- herjehs en Fackelzug! Was bedeut denn das? Wat willste Lude, enen Konstabler fragen? Des du Dir nich unterstehst! von die Kerls will ick nischt wissen un nischt erfahren, nich mal wo't brennt, wenn Feuer is. – Wat Deibel, die stehen mit de Fackeln jo bei Waldeckens stille. Det is meiner Seele en Fackelzug vor de brave Linke! Hörmal, nu schrein se Hurrah! Schrei mit Lude, schrei düchtig:

Die brave Linke soll leben! Vivat hoch!

So, des war vors allgemeine Beste, un nu wollen wir uns mit unse Angelegenheiten beschäftigen. Komm zu Bett, Ludeken.

Zu haben Leipzigerstr. 14, 2 Treppen hoch
Gedruckt bei Louis Kolbe, Leipzigerstr. 86

Verfasser:	Aujust Buddelmeyer, Dages-Schriftsteller Pseudonym für A. Cohnfeld
Verlag:	wird nicht genannt, aber Hinweis darauf, wo das Flugblatt zu erwerben ist: Zu haben: Berlin, Leipzigerstr. 14, 2 Treppen hoch

Drucker: Louis Kolbe, Berlin, Leipzigerstr. 86
Blattzahl: 1 (zweizeilig)
Erscheinungszeit: nach dem 20. 10. 1848
Inhalt: Im Herbst 1848 war es in Berlin zu weiteren revolutionären Unruhen unter der Bevölkerung sowie zu Barrikadenbauten gekommen. Die Erhebungen wurden niedergeschlagen. Die dabei erschossenen Arbeiter wurden am 20. Oktober beerdigt. Madame Bullrich zollt ihrem Ehemann Ludwig Anerkennung dafür, daß er bei der Beisetzung seine demokratische Einstellung deutlich kundgetan hat.
Sprache: Berliner Umgangssprache mit relativ großer Nähe zum Stadtdialekt
konträr des Jejendeihl = ganz im Gegenteil
Honnär = Ehrenbezeugung
jebost = geärgert
getükscht = getrotzt
kollrich = wütend, zornig
Schulmesternicken - Besonderheiten, Schrullen eines Schulmeisters
sie dogt = sie taugt
Deibel = Teufel
jib Dir man = beruhige dich
des schat nischt = das schadet nichts

10. *Offener Brief*
des Rebb Jekef Mosche Hersch
an den König von Preußen

Motto: Ich will nischt reden zweideutig wie a Kabbenett.
ich will chotschek reden einfach taitsch.

Lieber Rebb Mailach!
Woos hot sich gethün in der Szait von de Revelitzjon? – Wai geschrien! Das Minestergum Hanse: Camp: un de Rechte Natzjunol-Versammelung will nischt onerkennen de Revelitzijon? – Woos soll doos bedeiten? – Ich kenn nischt gescheid werden deraus; aber e sauvill kenn ich eppes wohl begreifen: Das Minestergum un de Rechte Natzjunol-Versammelung werd sich schneiden, de Krie. A schwarz Johr! A schwarz Maisel ibber se! – Soll merr sauville thairess Blutt ummesünst vergossen hoben? Soll merr sauville prave Lait un Frainde geschochten gesehn hoben un se in'n Friedrichshein dorummer begroben gemußt, dodermit des neie Minestergum, un de Rechte

Natzjunol-Versammelung mit seine Gimmel-Rads (3 Thaler) statt a Konstetitzijon ßu berathen, unsre toiten Balmachomes (Helden) schmaihen un schänden kenn; als se nischt gefallen gesollt sein in a Revelitzijon, un daß se uns nischt hoben errungen de Freiheit? – Schneidst'er de Krie! – Hot merr gesehn, woos sich gethün? – A Spaaß! es soll nischt gewesen sein a Revelitzijon; Nu! woos is es eppes denn gewesen? Hei! etwa a Spielche ßum Shaitvertreib? oder a Maneverche mit a Perrade? Lieber Rebb Mailach! soll meer Gott Gesunderhaint schonken; es is nischt gewesen a Spielche ßum Shaitvertreib, aach kai Maneverche mit a Parrade! Nai! es ist eppes gewesen a erschreckerlicher Kampf uff Toid ün Leben! Ihre Balmachomes (Soldaten), lieber Rebb Mailach! hoben gar geschossen mit Kartaitschen un Granaten, und hoben uffgespißt mit de Bagenetters unsre unbewaffnete Berrgers, un hoben mit scharfschneidige Sebels zerhackt unsre Schutzbeamte mit de weißen Binden um 'n Arm un a Steckelche in de Hand, das Se ihnen hoben gegeben statt a Waff, drmit se gesollt beschitzen uns ün unsre Kinderches.

Sehn Se, lieber Rebb Mailach! A sau is es eppes gewesen! Das Minestergum Hanse: Camp: is nischt gewesen bei de Revolitzijon, dorummer hot es Nischt gesehn von a Revolitzijon; aber Sie, lieber Rebb Mailach senn chotschek drbei gewesen un wissen, das es eppes hat gegeben a erschreckerliche Revolitzijon! Se wissen, daß se hoben geloßt schießen uff uns 18 Stund, dos ma hot geschochten unsre brave Bergers, daß ma hot vergossen unschuldig Blutt, un daß ville gefallen sind, um de Freiheit.! –

Ma hot se begroben, unsere gefallenen Balmachomes. in 'n Friedrichshain! Ma hot die thairen Laichen vrrbeigefihrt vor 'n Schloß, und Sie, lieber Rebb Mailach! haben chotschek gestanden uff 'n Schloß, un hoben geschwonken mit a Trauerfahne, un hoben geeihrt unsere gefallenen Balmachomes! – Sehn Se, lieber Rebb Mailach! das hoben Se gethun. Sie kenen es nischt leignen, Sie sind doch a verninftiger, a nichterner Mann, un kennten es eppes vergessen gesollt hoben? – Au wai geschrien! wie konn man a sau Eppes vergessen in de kurze Shait? – Nai lieber Rebb Mailach! Se hoben es nischt vergessen, das grauße Ereigniß von de Revolitzijon! Se hoben selbsten gesogt, daß Se Sich an der Spitze vun de Bewegung stellen; daß Praißen in Taitschland fortan uffgaiht; daß Se hoben gewollt schaffen a ainiges Taitschland, un hoben uns versprochen a Konstetutzijon uff de breiteste Grundlage. Nu! sehn Se, lieber Rebb Mailach! das hoben Se gesagt; also kennen Se nischt verleignen unsre Revolitzijon. Aber was thut sich dermehr? Hanse: Camp: un de rechte Natzjenol-Versammlung hoben dennoch nischt gewollt anerkennen unsre Revolitzijon.

Ich hob es chotschek schon einmal gesagt, nu! ich sog es nochmals; se

wollen nischt anerkennen, aber se sollen un missen anerkennen unsre glorreiche Revolitzijon, oder ma werd se stertzen!
... (24 Zeilen Auslassung)
In de Thraunraide is nischt gesogt von a Revolitzijon, aach nischt von a Volksbewaffnung; in 'n Verfassungsentwurf is widder nischt gesogt von a Revolitzijon un aach nischt von a Volksbewaffnung! Gotteswunder! daß ma hat gekonnt vergessen solche Wichtigkeiten! Aber worummer hat man se gekonnt vergessen, unsre heilige Rechte? – Chotschek deshalb, weil 's Hanse: Camp: Minestergum sie vergessen gewollt hoben? – A schwarz Johr ibber Aich! Ihr sollt nischt gewollt kennen, was Mir nischt gewollt gehabt hoben! Das Hanse: Camp: Minestergum soll abdanken, a sau winscht es das suveraine Volk, un wenn Se, wie Se gesagt hoben, das Volk lieben, so sprechen Se ibber das Minestergum a schwarz Maiselche, un merr jogen es chotschek ßum Taifel, do senn merr's laus.
Se kennen nischt gleiben, lieber Rebb Mailach! woos firr a uffgeraigte Stimmung is unters Volk. Seit 'n 18. Maerz Achtzehn hundert acht un verzigg bin ich »nischt meihr unterthainigg«; aber ich bin a Gutgesinnter, un rathe chotschek freindschaftlich: sitzen Se nischt in Sangsißi, kümmen Se her ßu uns, un jogen Se das Minestergum fort mit de schofle Grundlage, dodermit merr machen a naies, un – Alles kenn noch gütt werden. Ba mai Leben! wenn Se thun, woos merr gewollt gehobt hoben, werd ma nischt machen noch a Revolitzijon.

Jekef Mosche Hersch
Konstetitztjoneller Berrger
Druck von Eduard Krause, Lindenstraße 81
Zu haben beim Verleger, Karl W. Musch, Klosterstraße No. 23

Verfasser	Jekef Mosche Hersch, Pseudonym. Folgt in Namenwahl und Stillage dem Vorbild von Isaac Moses Hersch, einem Verfasser vieler Flugblätter im Jahre 1848 (Vgl. Nr. 11)
Verlag:	Karl W. Musch, Berlin, Klosterstr. 23
Drucker:	Eduard Krause, Berlin, Lindenstr. 81
Blattzahl:	1 (zweispaltig)
Erscheinungszeit:	zwischen dem 9. 6. 1848 und dem 20. 6. 1848, dem Datum des Rücktritts des Ministeriums Camphausen-Hansemann
Inhalt:	Vor der preußischen Nationalversammlung legte am 30. 5. 1848 der Ministerpräsident Camphausen die Einstellung der Regierung zur Revolution und zur Volksvertretung dar. Dabei leugnete er im Grunde,

daß eine Revolution stattgefunden hatte; er nannte sie eine »Begebenheit«. Der Verfasser appelliert nun an Friedrich Wilhelm IV., deshalb den Ministerpräsidenten abzulösen und sich selbst zur Revolution zu bekennen. Er erinnert an die Märzgefallenen, an den Leichenzug, dem der König die Ehre erwies, und fordert den König auf, aus Potsdam zurückzukehren und sich - wie versprochen - an die Spitze der Einigungsbemühungen in Deutschland zu stellen.

Sprache: in Wortschatz und Orthographie teilweise an die Berliner Umgangssprache angenähertes Jiddisch

Bagenetten = Bajonette
chotschek = dennoch, trotzdem
eppes = etwa, ungefähr
Friedrichshain = Park im Berliner Stadtbezirk Friedrichshain, wo die Märzgefallenen begraben sind
geschochten = getötet, geopfert
geschwonken = geschwenkt
Gimmel - Rads = wörtlich: drei Taler, bezogen auf die Abgeordneten der preußischen Nationalversammlung, die drei Taler Sitzungsgeld erhielten
sich die Krie schneiden = sich verrechnen
Maneverche = Manöver
Maisel = Teil einer Verwünschungsformel
Minestergum Hanse: Camp: = Ministerium Camphausen-Hansemann
Rebb Mailach = Anrede an Friedrich Wilhelm IV.
Sansißi = Sanssouci, wo sich Friedrich Wilhelm IV. und die Königsfamilie seit den Revolutionstagen aufhielten
Stekelche = Stöckchen
stertzen = stürzen
Thraunraide = Thronrede Friedrich Wilhelms IV. am 22. 5. 1848 vor der preußischen Nationalversammlung

11. (J. M. Hersch's Briefe Nr. 4)

Offener Brief
an die hohe
National-Versammlung
von
Isaac Moses Hersch

Preis 1 Sgr.

Hohe National-Versammlung von die rechte Seite!
Wie ich hab gehört, was Sie haben gemacht vor eine Abstimmung vor unsre glorreiche Revelution und vor unsere todte Brüder un Märzhelden inn'n Friedrichshain, bin ich geworden blaß vor Schreck. Wie heißt? Sie wollen also dafke nich anerkennen unsere Revelution. Heißt a Schmue. Wissen Sie nich, daß Sie nor durch unsre Revelution eppes sein. Was werden Sie sagen, wenn unsere Revelution nich wöllte anerkennen Ihnen? Aber ferchten Sie sich nich! Das werd se nich thun. Worum? Weil der gesunde Zeichel sagt, was einmal da is, das muß man anerkennen wenn es Einen och nich is angenehm. Also mussen wir Ihnen anerkennen, mussen Sie och anerkennen unsere Revelution. Sagen Sie mir nor, hohe Versammlung von die rechte Seite, was wöllen Sie eigentlich? Sie wöllen nich glauben, daß wir haben gehatt eine werkliche Revelution? Gehen Sie, was is das vor ein großer Stuß! Sollen wir eppes Ihnen die ganze Schmue mit de Barrikaden un die Kardädschen noch emal vormachen? Heißt a Chuzpe! Wissen Sie, wie mir das vorkommt? Ich werd Ihnen verzählen ein Moschelchen. Vor Zeiten is enmal gewesen a pommerscher Landjunker, der hat gewollt uf'n Kerchenthorm ansehn eine Sonnenfinsterniß, weil er aber is gewesen a pommerscher Landjunker is er erscht gegangen in den Stall bei die Pferd' und bei de Ochsen und bei de Hammels, und darnach hat er sich niedergesetzt und hat gefrühstückt ganz gehörig und wie das is gewesen vorbei, is er gestiegen uf den Kerchenthorm und hat gewollt sehen die Sonnenfinsterniß. Aber die Sonnenfinsterniß hat nischt gewart uf den Herrn Landjunker aus Pommern, sie is auch gewesen vorbei. Was thut mein Landjunker? Er befehlt den Mann uf'n Thorm, er soll die Sunnenfinsterniß von vorn anfangen, und wie er hört, des geht nich, fragt (!) er an sich zu beisern und schreit, es is ein Betrug, es is gar nischt gewesen ein Sonnenfinsterniß, weil er se nich hat gesehn! – Dadruf hat er gewöllt schlagen mit de Junkerpeitsch den Mann uf'n Thorm, bis der is geworfen zörnig und hat gepackt den Junker beim Kragen und hatt'n runtergeschmissen die Trepp.
Aus dieses Moschelchen können Sie sehen, wie mans macht mit Leute, welche nich wöllen anerkennen solche Sachen, was werklich geschehen

sind. – Hohe Versammlung von die rechte Seite! Ich frag Ihnen, was werd die Welt sagen? Daß Sie nich sein mit rausgegangen nach'n Friedrichshain bei unsre todte Brüder, vor die der König hat abgenommen sein majestätischen Hut, is schon gewesen mieß. Aber man kann es Ihnen verßeihen, – warum? Ein Mensch liebt die Bewegung und ein anderer liebt das Stillsitzen. Nu! weil sie lieben eppes das Stillsitzen, sein Sie daheim geblieben? Aber nischt anerkennen, is werklich halb meschugge. Sie wöllen nich sagen, daß unsre Märzhelden – Gott laß sie selig ruhen! – sich haben verdient gemacht ums Vaterland. Nu sagen Sie mir nor, wie werd es Ihnen gefallen, wenn Sie werden sein aufgelöst, und man werd fragen die Nation, und die Nation werd sein zörnig und werd nich wöllen sagen, daß Sie sich haben verdient gemacht um das Vaterland? – Ei weih, ei weih, ich sag Ihnen, es wird sein das eine große Geseire.

Hohe Versammlung von de rechte Seite! Ich habe eine große Bitte an Ihnen. Sie haben nischt gewöllt anerkennen unsre Revelution, thun Sie mir wenigstens den Gefallen un erkennen Sie an die französische Revelution von Paris, denn es würde mir sehr ärgern, wenn die Franzosen Ihnen auch erscht müßten verzählen a Moschelche von ein pommerschen Landjunker. Was thun Sie dermit! Sagen Sie mal, was haben Sie davon, wenn so ein französischer Chattes sich über Ihnen lustig macht? Ich ferchte so schon, man werd in die ganze Welt lachen! Man werd sagen, Sie machen es, wie die kleine Kinder, was sich zuhalten die Augen, wenn Sie sich vor was ferchten. So halten Sie sich zu die Augen vor de Revelution und schreien: »Nei, nei, der Mummelack is nich da!« Heißt a Geschrei! Ich sag Ihnen, der Mummelack is ja da, aber er stecht Ihnen nor denn in den Sack, wenn Sie sich vor ihm ferchten. Machen Sie die Augen uf, Hohe Versammlung von die rechte Seite, un Sie werden sehen, der Mummelack is ein schöner Mann, un brengt Ihnen viele schöne Sachen mit, welche Sie mussen dankbar von ihm annehmen. Wenn Sie das aber nich thun, alsdann wird er zörnig und geht weg und kommt bald wieder und brengt mit eine große Ruthe, und schlagt damit die unartige Kinder, so wahr mir soll Gott helfen mit die Meinigen! Also hohe Versammlung von die rechte Seite, bekehren Sie sich und besinnen Sie sich. Horchen Sie nich uf die Predigers, denn Sie sein nich in die Kerche. Man sagt, die Provinzen sein neidisch uf Berlin, weil Berlin hat gemacht die Revelution! Hast Du so was gesehen! Hätt eppes die Revelution gesöllt werden gemacht in Kamin, oder in Kottbus? Was sein das vor Narrischkeiten! Ich sage Ihnen, wenn ein Mensch nischt versteht, muß er nischt reden. Also leben Sie wohl, Hohe Versammlung von de rechte Seite, gehen Sie uf den rechten Weg, denn wird Ihnen wohl sein und uns alle wird wohl sein und das Gezänk wird ufhören, und de Franzosen werden nich mehr lachen und man werd Ihnen nich brauchen Moschelcher zu verzählen und ich werde mir mit Pläsir nennen

Berlin, im Juni 1848

Ihren guten Freund
Issac Moses Hersch,
constitutioneller Berger
Berlin, Verlag von S. Löwenherz,
Charlottenstr. Nr. 27 und Sophienstr. Nr. 5
(Auch durch alle Buchhandlungen baar zu beziehen)
Druck von Brandes u. Schulze, in Berlin
Nachdruck ist gemeiner Diebstahl!
Der Nachdruck hat die Strafe des Gesetzes zu gewärtigen.

Verfasser:	Isaac Moses Hersch; Pseudonym, hinter dem sich wahrscheinlich der Verleger S. Löwenherz verbirgt.
Verlag:	S. Löwenherz, Berlin, Charlottenstr. 27 und Sophienstr. 5
Drucker:	Brandes und Schulze, Berlin
Blattzahl:	1 (zweispaltig)
Erscheinungszeit:	Juni 1848
Inhalt:	Vor der preußischen Nationalversammlung legte am 30. 5. 1848 der Ministerpräsident Camphausen die Einstellung der Regierung zur Revolution und zur Volksvertretung dar. Dabei leugnete er im Grunde, daß eine Revolution stattgefunden hatte; er nannte sie eine »Begebenheit«. Der Autor appelliert an die Rechten in der Nationalversammlung, sich dazu zu bekennen, daß es eine Revolution gegeben hat und daß die Märzgefallenen sich um das Vaterland verdient gemacht haben.
Sprache:	in Wortschatz, Lautung und Orthographie stärker an die Berliner Umgangssprache angenähertes Jiddisch *sich beisern* = sich erbosen, erregen *Chuzpe* = Unverschämtheit *dafke* = nun gerade *eppes* = etwas *Geseire* = Sache, Angelegenheit *meschugge* = verrückt *Moschelchen* = kleine Geschichte *Pläsir* = Vergnügen *Schmue* = Sache, Angelegenheit *Stuß* = Unsinn *verzählen* = erzählen *Zeichel* = Verstand

Anmerkungen

1 Vgl. dazu Karl Obermann, Zur Genesis der Revolution von 1848/49 in Deutschland. In: Karl Obermann. Flugblätter der Revolution. Eine Flugblattsammlung zur Geschichte der Revolution von 1848/49 in Deutschland. Berlin 1970.

2 Vgl. Berliner Straßenecken-Literatur 1848/49. Humoristisch-satirische Flugschriften aus der Revolutionszeit, Philipp Reclam Jun., Stuttgart 1977, S. 25 ff.

3 Geschichte der deutschen Literatur von 1830 bis zum Ausgang des 19. Jahrhunderts. Von einem Autorenkollektiv, Leitung und Gesamtbearbeitung Kurt Böttcher. Erster Halbband in Zusammenarbeit mit Rainer Rosenberg (1830–1848), Helmut Richter (1849–1870). Mitarbeit Kurt Krolop, Berlin 1975, S. 337.

4 Geschichte der deutschen Literatur, S. 340.

5 Vgl. Sigrid Weigel, Flugschriftenliteratur 1848 in Berlin. Geschichte und Öffentlichkeit einer volkstümlichen Gattung, Stuttgart 1979, S. 180.

6 Berliner Straßenecken-Literatur 1848/49, S. 31.

7 Berliner Straßenecken-Literatur 1848/49, S. 31 f.

8 Archive, die bei der Quellensuche benutzt wurden: Amerika-Gedenkbibliothek, Berliner Zentralbibliothek, Berliner Stadtbibliothek, Ratsbibliothek, Staatsbibliothek Preußischer Kulturbesitz, Berlin

9 Zum Berlinischen als Sprachform vgl. Beate Führer, Das Berlinische im Tagesschrifttum von 1848/49. Studien zum Verhältnis von Idiolekt, Soziolekt und Dialekt. Frankfurt a. M./Bern 1982; Heinz Gebhardt, Glaßbrenners Berlinisch. Berlin 1933; Agathe Lasch, Berlinisch. Eine berlinische Sprachgeschichte. Berlin 1928 (Neudruck Darmstadt 1967). Wandlungen einer Stadtsprache. Berlinisch in Vergangenheit und Gegenwart, hrsg. von N. Dittmar u. P. Schlobinski, Berlin 1988; P. Schlobinski, Stadtsprache Berlin. Berlin/New York 1987; N. Dittmar, P. Schlobinski, I. Wachs, Berlinisch, Berlin 1986; Zum Jiddischen vgl. R. Lötzsch, Jiddisches Wörterbuch, Leipzig 1990.

Die berlinische Umgangssprache im 19. und 20. Jahrhundert

Helmut Schönfeld

Eine Reihe von Wandlungsprozessen in der Berliner Sprache, die bereits in den vorangehenden Jahrhunderten begonnen hatten, setzten sich im 19. und 20. Jahrhundert fort, jetzt aber beschleunigt. Grammatiker und Pädagogen traten stärker für die Durchsetzung der sich herausbildenden einheitlichen Schriftsprache ein; damit war zwangsläufig die Forderung nach einem Aufgeben regionaler Berliner Sprachelemente verbunden. Gefördert wurde dies durch das verbesserte Schulwesen. Von besonderer Bedeutung für die Entwicklung der Sprache und den Umgang mit der Sprache in Berlin waren die im 19. Jahrhundert in dieser Stadt schnell voranschreitende Industrialisierung, die Entwicklung Berlins zur Großstadt und schließlich zur Hauptstadt mit den sich daraus ergebenden Folgen sowie das stärkere Bewußtwerden der Eigenständigkeit der berlinischen Sprache. Das waren Prozesse, die nicht in einem bestimmten Jahr begannen, sondern sich über längere Zeit erstreckten. Einen wesentlichen Einschnitt stellt die Mitte der dreißiger Jahre einsetzende industrielle Revolution dar, die mit wesentlichen sozialen Umwälzungen verbunden war. Diese ökonomischen und gesellschaftlichen Veränderungen hatten starke Auswirkungen auf die Sprache der Berliner und den Sprachgebrauch. Deshalb beginnen wir die Betrachtung der sprachlichen Verhältnisse in der Stadt Berlin im 19. und 20. Jahrhundert um 1830. Es entstanden die Fabrikindustrie, die maschinelle Großindustrie und zwei neue Klassen, die Bourgeoisie und das moderne Industrieproletariat. Dies führte zu starken Differenzierungen und zu Veränderungen in der Lebensweise. Der Umfang und die Struktur der Personengruppe, mit der man täglich gemeinsam arbeitete und sprach, änderte sich grundlegend. Daraus ergaben sich neue sprachliche Anforderungen. Die Arbeitswelt brachte eine Fülle neuer Dinge und Tätigkeiten, die bezeichnet werden mußten. Die Entwicklung Berlins zu einem Ballungszentrum der Industrie war aber auch mit einer massenhaften Zuwanderung von Menschen verbunden, was in der sprunghaften Zunahme der Einwohnerzahl deutlich wird. Sie kamen im 19. Jahrhundert vorwiegend aus der Mark Brandenburg, aber auch aus anderen Territorien. Diese überwiegend jugendlichen und ledigen Zuwanderer aus dem ländlichen Proletariat waren in der Mitte des 19. Jahrhunderts in Berlin vor allem als männliche Hilfsarbeiter bzw. als weibliches »Dienstpersonal« tätig. Unterkunft fanden die jungen Männer in Massenquartieren (Baracken, Arbeiterkasernen usw.) oder in Schlafstellen überbelegter Proletarierwohnungen. Die Zuziehenden brachten ihre Sprache mit. Das war häufig die Mundart mit einem nur das dörfliche Leben betreffenden Wortschatz, der den Anforderungen der Großstadt und des Industriebetriebes überhaupt nicht genügte. Das führte dazu, daß die zuziehenden Männer gewöhnlich die Sprache ihrer Berliner Arbeitskollegen übernahmen, während die zugezogenen jungen Mädchen meist versuchten, sich die Sprache ihrer bürgerlichen Umgebung anzueignen.

Berlin wurde mehr und mehr zur Fabrik- und Arbeiterstadt und zur Großstadt, also auch zu einem Zentrum der Verwaltung und des Handels. Dadurch veränderte sich die soziale Gliederung der Berliner Bevölkerung entscheidend. Das führte auch zu Wandlungen in der Siedlungsstruktur, zu einer in Ansätzen seit dem Beginn der 60er Jahre zu beobachtenden zunehmenden Gliederung der Stadt, nämlich in Industrieviertel mit erbärmlichen Wohnquartieren, in Mietskasernenviertel, aber auch Villenkolonien. Die tiefe soziale Differenzierung, z. B. in der Ausbildung, im Beruf, im Besitz und in der Lebensweise, war mit der Herausbildung stärkerer Unterschiede in der Beherrschung und Verwendung des Berlinischen und der Schriftsprache verbunden. Von Angehörigen bestimmter sozialer Schichten wurde im Beruf der Gebrauch der mündlichen Schriftsprache gefordert. Die einzelnen Bevölkerungsgruppen hatten unterschiedliche Möglichkeiten, sie sich anzueignen. Vor allem die Arbeiterklasse war von einer guten Schulbildung ausgeschlossen. Das hatte auch Einfluß auf das Berlinische, seine Form und seine Verwendung.

Die ökonomischen und gesellschaftlichen Veränderungen in Berlin wirkten sich seit dem Ende des 19. Jahrhunderts zunehmend auch auf die angrenzenden Regionen aus. Vielfach nahmen die Zuzügler jetzt ihren Wohnsitz in den Vororten und in den Dörfern der Randgebiete, die sich öfter auch zu Arbeiterstädten – teilweise auch mit eigener Industrie – entwickelten. Täglich strömten nun zahllose Menschen –

auch aus der Mark Brandenburg – zu ihren Arbeitsstätten in Berlin und in den Vorstädten. Durch die sich nach 1865 zunehmend verbessernden Verkehrsbedingungen und die wirtschaftlichen Veränderungen wuchsen die Stadtteile und die benachbarten Orte enger aneinander, was 1920 schließlich zum politischen Zusammenschluß des Groß-Berliner Wirtschaftsraumes führte. Diese Entwicklung förderte seit dem Ende des 19. Jahrhunderts auch die Ausbreitung der im Zentrum Berlins üblichen Stadtsprache bis in die Vororte und Randgebiete.

Neben dieser natürlichen Entwicklung, die sich – in unterschiedlichem Maße – in jeder Stadtsprache vollzieht, wirkten nach dem Bewußtwerden der Eigenständigkeit des Berlinischen noch einflußreiche Gruppen mit bestimmten Absichten auf diese Sprache und den Sprachgebrauch ein. Das geschah nicht im normalen Gespräch, sondern vor allem durch die Verwendung des Berlinischen in der Lokalliteratur, in kulturellen Institutionen (z. B. im Theater und Kabarett), in Zeitungen, Witzblättern usw. Hier schuf man bewußt eine Fülle von Redewendungen, neuen Wörtern und Wortverdrehungen, setzte sprachliche Modewellen in Bewegung und förderte ihre Verbreitung. Teilweise wurden diese sprachlichen Neuprägungen von der Berliner Bevölkerung übernommen, teilweise verschwanden sie schnell wieder. Diese Einflüsse auf das Berlinische verstärkten sich wesentlich seit den dreißiger Jahren des 19. Jahrhunderts.

Als Großstadt und schließlich als Hauptstadt des Deutschen Reiches wirkte Berlin geistig, kulturell und sprachlich auf die nahen und fernen Territorien ein; berlinische Sprachbesonderheiten wurden in weite Regionen übernommen.

Während der Teilung Deutschlands hatten sich zwei unterschiedliche Wirtschafts- und Gesellschaftssysteme entwickelt. Das hatte auch erhebliche Auswirkungen auf die Sprache und den Sprachgebrauch im geteilten Berlin. Nach der Beseitigung der innerdeutschen Grenze und beim Zusammenwachsen wurden und werden die Menschen der beiden Teile Deutschlands direkt mit den sprachlichen Verschiedenheiten konfrontiert. Von den sich daraus ergebenden kommunikativen Problemen sind die Berliner in besonders starkem Maße betroffen.

Was ist »Berlinisch« im 19. und 20. Jahrhundert?

Bei den meisten Menschen kann man an bestimmten Eigenheiten ihrer Sprache erkennen, in welcher Region sie aufgewachsen sind. Besonders leicht ist das gewöhnlich beim Berliner im Alltagsgespräch möglich. Man sagt dann: er berlinert oder er spricht berlinisch. Häufig hört man in diesem Zusammenhang - von Berlinern und Nichtberlinern - eine Fülle von Fragen. Was ist eigentlich das Berlinische? Es sprechen doch nicht alle Berliner gleich, welches ist heute das »richtige« Berlinisch? Ist das Berlinische nicht ein wahlloses Durcheinander? Ist das Berlinische eine Mundart, ein Dialekt, ein Jargon oder schlechtes Hochdeutsch? Entspricht das heutige Berlinische dem von 1830? Woran erkennt man das Berlinische? In Potsdam, Brandenburg und in anderen Orten spricht man doch ähnlich. Welches sind die Besonderheiten des Berlinischen? Die Berliner - und auch viele Bürger aus anderen Regionen - können meist sofort mehrere besondere Merkmale nennen. Öfter sind diese in Versen bzw. Sätzen zusammengefaßt, z. B.:

Icke, dette, kieke mal,
Ogen, Fleesch un Beene!
(Nee, mein Kind, so heeßt et nich:
Augen, Fleisch und Beine. - Oder:
Die Berliner allzumal
Sprechen jar zu scheene.)

Oder man charakterisiert das Berlinische mit dem Laut *j* für *g*, beispielsweise mit dem Satz von der *jut jebratnen Jans,* und man verweist auf den Gebrauch von *mir* statt *mich.* Solche Hinweise finden sich nicht nur in der Gegenwart, sondern bereits im 19. Jahrhundert. So schreibt beispielsweise Adolf Glaßbrenner 1848: »Meenen Sie, weil ick manchmal det ›G‹ wie Jot ausspreche un mir berlinisch jehen lasse? Ick bin ein Berliner . . .«[1] Der Berliner Felix Eberty gab 1878 als besonders charakteristische Merkmale des Berlinischen an: die Aussprache des *g* als *j,* die Dehnung der Endsilbe *-er,* z. B. *Tischleer, Adleer,* sowie die Unfähigkeit des Berliners, den Dativ und Akkusativ zu unterscheiden.[2] Das typische Berlinische setzt sich jedoch aus zahlreichen sprachlichen Merkmalen zusammen, die teilweise erheblich von der Schriftsprache (= Standardsprache, Hochsprache) abweichen, und zwar auf allen sprachlichen Ebenen, also in der Lautung, in der Wortbildung, in der Syntax und im Wortschatz.

Die von den Berlinern gesprochene Sprache war nicht zu allen Zeiten dieselbe. Im Laufe der Jahrhunderte sind starke Wandlungen zu beobachten. Für die Zeit vor 1830 hat dies Hartmut Schmidt in diesem Band dargelegt. Die älteste gesprochene Sprache der Berliner Bürger war die auch in der Umgebung übliche niederdeutsche (nd.) Mundart, und zwar der mittelbrandenburgische Dialekt. Deutsche Siedler aus dem westelbischen Raum hatten die nd. Mundart mitgebracht. Ihr spezifisches mittelbrandenburgisches Gepräge erhielt sie durch den sprachlichen Einfluß der hier im 12. Jahrhundert siedelnden Niederländer. Diese Mundart (= Dialekt) wurde im 19. Jahrhundert auch noch in den Berlin umgebenden Dörfern und in mehreren der 1920 eingegliederten Stadtteile gesprochen. Durch die Übernahme der Schriftsprache auf ostmitteldeutscher Grundlage im 16./17. Jahrhundert wurden viele niederdeutsche Eigenheiten abgelegt und überregionale - auch obersächsische - Formen aufgenommen. Es entstand eine Stadtsprache mit zahlreichen Mundartmerkmalen, die sich allmählich - vor allem in Anlehnung an die Schriftsprache - von einer Halbmundart bzw. Stadtmundart zu einer städtischen Umgangssprache mit vielen lokalen Besonderheiten entwickelte. Diese Umgangssprache, die sich organisch herausbildete, wurde von den Berlinern geschaffen. Sie ist ein sprachliches System mit eigenen sprachlichen Regeln, in dem die einzelnen Elemente nicht wahllos verwendet werden können. Um 1830 war zwar bei diesen Prozessen im Kern - vor allem in der Lautung - weithin der heutige Stand erreicht; das Berlinische hat aber seit der ersten Hälfte des 19. Jahrhunderts eine weitere Entwicklung durchgemacht, und zwar auf den einzelnen Sprachebenen in unterschiedlichem Umfang. Es wurden alte Elemente, die aus verschiedenen Quellen stammen, in großer Zahl bewahrt, andere wurden abgelegt und neue geschaffen. Wir verstehen also unter Berlinisch die berlinische Umgangssprache, die von den in Berlin Aufgewachsenen vor allem im zwanglosen Gespräch verwendete Sprache. Sie wurde und wird von Berlinern unterschiedlicher sozialer Gruppen (nach Beruf, Schulbildung, Alter usw.) in verschiedenartigen Situationen gebraucht. Dadurch sind teilweise erhebliche sprachliche Unterschiede vorhanden. Diese berlinische Umgangssprache - mit ihren Differenzierungen - steht im Mittelpunkt der Betrachtungen, denn im 19. und 20. Jahrhundert wurde von der Berliner Bevölkerung im Alltagsleben nur das Berlinische oder die Schriftsprache verwendet.

Wenn wir uns mit den Verhältnissen und Entwicklungen in der gesprochenen berlinischen Sprache eingehender befassen wollen, sind gute Kenntnisse der jeweiligen gesprochenen Sprache nötig. Schallplatten- oder Tonbandaufnahmen mit der berlinischen Sprache liegen uns jedoch erst für das 20. Jahrhundert vor. Wir sind also für die frühere Zeit auf schriftliche Darstellungen und Angaben angewiesen, die für einzelne Zeiträume von unterschiedlicher Qualität sind. Einen guten Einblick in die berlinische Sprache und ihre Verwendung zu Beginn der industriellen Revolution ermöglichen uns die von dem Berliner Adolf Glaßbrenner (1810–1876) meist in der berlinischen Sprache verfaßten Schriftenreihen »Berlin, wie es ist und – trinkt« und »Buntes Berlin«, die zwischen 1832 und 1850 veröffentlicht wurden. Die Sprache in diesen Schriften wurde umfassend bzw. an Einzelpersonen von Heinz Gebhardt und Detlef Kruse systematisch untersucht. Eine weitere wertvolle Quelle sind die von Julius von Voß (1768 in Brandenburg geboren, † 1832) in berlinischer Sprache verfaßten Bühnenstücke sowie die Berichte, in denen die Berliner Kleinbürger beobachtet und beschrieben sind. Glaßbrenner und Voß haben den unterschiedlichen Gebrauch des Berlinischen mit seinen Formen gut erkannt und oft auch wiedergegeben. In den Schriften und Bühnenstücken werden unterschiedliche sprachliche Abstufungen des Berlinischen verwendet, und zwar je nach Zugehörigkeit zu Berufsgruppen, den Gesprächspartnern und der Situation. Auf die Schriften von Glaßbrenner ist bereits Hartmut Schmidt in diesem Band eingegangen (S. 169 ff.). Glaßbrenner und Voß bemühten sich häufig um eine lautgetreue Wiedergabe der berlinischen Aussprache. Das wird bei Voß auch daraus ersichtlich, daß in seinen Stücken Fischer die niederdeutsche Mundart, Juden die jiddische Sprache und Personen aus anderen Regionen die dort üblichen Lautungen benutzen. In der folgenden Zeit nahm die Verwendung des Berlinischen in Romanen, Erzählungen sowie auf der Bühne zu, z. B. in Singspielen und Possen. Sie liegen teilweise veröffentlicht vor. Die berlinische Sprache ist darin mit unterschiedlicher Genauigkeit wiedergegeben.

Weitere wertvolle Quellen sind die Beiträge von Pädagogen, Wissenschaftlern und Berliner Schriftstellern über die berlinische Sprache und ihre Verwendung im 19. und 20. Jahrhundert. Paul Lindenberg veröffentlichte eine Sammlung »Berliner geflügelte Worte« (1887). Einige Berliner Schriftsteller gaben ihren Veröffentlichungen kleine Zusammenstellungen berlinischer Wörter, Redewendungen und sprachlicher Besonderheiten bei. Sie behandelten auch den Umgang der Berliner mit ihrer Sprache sowie den Berliner Witz und Humor. Hier seien nur einige genannt: der Arzt M. Ring in »Berliner Leben« (1882),

Victor Laverrenz in »Berliner Volkswitz« (1899), Franz Lederer in seinen Büchern »Ick lach ma 'n Ast« (1929) und »Uns kann keener« (1923) sowie Hans Ostwald »Berlinerisch. Was nicht im Wörterbuch steht« (1932). Am Ende des 19. Jahrhunderts begann man mit dem Sammeln des Berliner Wortschatzes, u. a. C. F. Trachsel (1873), H. Meyer (»Der Richtige Berliner . . .«, 1. Aufl. 1878, 10. Aufl. 1965), Hans Brendicke (1897). Seit 1968 erscheint im Berliner Akademie Verlag das umfangreiche »Brandenburg-Berlinische Wörterbuch«, von dem bisher mehr als zwei Bände vorliegen (A–E 1976, F–K 1985, L–Q). Seit dem Ende des 19. Jahrhunderts bemühte man sich auch, das Lautsystem des Berlinischen sowie später auch die Besonderheiten in Wortbildung und Syntax zu erfassen und zu beschreiben, z. B. Bruno Graupe (1879), »Der Richtige Berliner . . .« (ab 1880), Brendicke (1892). Umfassend hat Agathe Lasch (1928) das Entstehen und die Entwicklung des Berlinischen untersucht.

Erst in den 80er Jahren begannen Wissenschaftler, anläßlich der 750. Wiederkehr der ersten urkundlichen Erwähnung Berlins, sich wieder verstärkt mit der Sprache in Berlin im 20. Jahrhundert zu beschäftigen. Das erfolgte in den beiden Stadtteilen getrennt, weil auf Grund der politischen Verhältnisse vor Ende 1989 die Zusammenarbeit der Wissenschaftler und gemeinsame Forschungen nicht möglich waren. Mitarbeiter der Freien Universität, vor allem Peter Schlobinski, Norbert Dittmar, Klaus-Peter Rosenberg und Detlef Kruse, legten Forschungsergebnisse zur sprachlichen Situation im Westteil Berlins vor, hauptsächlich zur Lexik des Berlinischen, zur sprachlichen Variation, zum Stil und Witz der Berliner sowie zur sprachlichen Bewertung. In Berlin-Ost untersuchte Jürgen Beneke die Jugendsprache und ich die Struktur und Verwendung des Berlinischen sowie die Bewertung in unterschiedlichen Gruppen. Joachim Wiese veröffentlichte ein Kleines Berliner Wörterbuch. Aus diesen Forschungsergebnissen sind bereits Unterschiede in der Sprache und im Sprachgebrauch zwischen den Berlinern im Ostteil und im Westteil der Stadt erkennbar. Für tiefere Erkenntnisse sind jedoch noch systematische Auswertungen sowie die Fortführung der jetzt begonnenen gemeinsamen Forschungen nötig.

Die unterschiedlichen sprachlichen Verhältnisse und die Entwicklung des Berlinischen kann man verdeutlichen durch den Vergleich von Texten, die berlinische Sprache von Angehörigen unterschiedlicher sozialer Gruppen in verschiedenen Situationen und Zeiträumen wiedergeben. Deshalb werden hier mehrere Texte abgedruckt, nämlich literarische aus der Zeit um 1822 (Voß), um 1843 (Glaßbrenner) und um 1922 (Erdmann Graeser). Außerdem wird noch die Sprache von Bewohnern in Berlin und den heutigen Stadtteilen Müggelheim sowie Biesdorf (um 1880) gegenübergestellt und verglichen, und zwar anhand von 40 Sätzen, zu denen im Rahmen der Erarbeitung des »Deutschen Sprachatlas« Erhebungen gemacht wurden. Bei den schriftlichen Texten ist allgemein zu berücksichtigen, daß in geschriebener Sprache Schwierigkeiten bei der Lautwiedergabe und Inkonsequenzen durch den Verfasser auftreten. Ein Vergleich von kurzen Texten vermittelt natürlich nur einen groben Eindruck von den Unterschieden und Problemen. Zu einem tieferen Einblick sind längere Texte und systematische Analysen nötig; hierfür wurden von uns jeweils weitere Quellen herangezogen.

Die beiden folgenden Texte (von Glaßbrenner und Graeser) sollen vor allem einen Eindruck von den Unterschieden zwischen der berlinischen Umgangssprache um 1843 und 1922 vermitteln. Die Wandlungen in ihren Einzelheiten werden danach in den Kapiteln zur Lautung, Flexion, Wortbildung und Syntax sowie beim Wortschatz dargelegt, wobei allerdings immer nur wenige Wörter oder Sätze beispielhaft für viele angeführt werden können.

Gespräch von Sandbuben
(von A. Glaßbrenner, 1843[3])

JOCHEN: *Det weeß der Deibel! det heite Keener an unsern Sand anbeißen will. Mir hungert wie'n deutschen Dichter, un wir haben noch keenen Sechser zu 'ne Schrippe.*

FRITZE: *Du hast noch keenen rechten Aki bei't Verkoffen; jib mir de Molle, ick will Dir schonst zeijen, wie man zu Jroschens kommt. Jib her! Hier in det Haus wer ick mal jleich anfangen. Hier wohnt de Jusdiezreethin, die consemirt wat ehrliches von Sand. Die schauert alle acht Dage det Acktenzimmer von ihren Mann, sonst fressen ihm de Mäuse immer de Jründe aus de Erkenntnisse wech.*

JOCHEN: (schreit): *Kooft Sand, Sand!*

FRITZE (klingelt im Hause): *Heite keenen Sand, Mamsellken?*

KÖCHIN: *Nee, wir haben erst jestern welchen jekooft.* [. . .]

JOCHEN (sieht Fritze wieder): *Richtig, ooch wat verkooft. Heidi!*

FRITZE: *Ja, det hat abersch Hitze gekost. Hett ick nich die Ohrfeige versprochen, wär' nischt draus jeworden. Aber so wie ick de Jusdiezreethen von de Ohrfeige munkelte, lenkte se in, un jab kleene bei.*

JOCHEN: *Ich habe Dir aber derweile doch noch bessere Jescheffte jemacht; laß Dir verzehlen! Seh' mal: ick sitze hier so uffen Wajen un schreie Sand aus, so kommt een junger Wippdich mit jestreeften Vatermord, un 'ne Schleefe an de Binde wie'n Dhorflijel, un pst! mir zweemal. Ick sage: wat woll'n Se'n? »Hör' mal!« sacht er, »willste Dir een Zweejroschenstick verdienen?« I, sag' ick, allemal derjenichte welcher! »Jut«, sacht er, »hier haste eenen Brief; den soste da driben in det jrüne Haus eene Treppe hoch abjeben, entweder an de Köchin, oder an de Madamme, aber ja an keenen Mannsperschon! Wenn so Eener kommt, dann frachste, ob er keenen Sand koofen will. Mach' Deine Sache klug! hier haste en Zweejroschenstick!« Jut! Det fass ick also un schlendere riber, jeh' de Treppe ruf un klingle. Macht mir en Mann uf mit 'ne Brille; ick also pfiffig, ick frage ihn: heite keenen Sand? »Ja«, sacht er, »komm man rein!« Un so zieht er mir rein, un macht hinter mir de Dhüre zu. »Hör mal«, sacht er, »willste Dir en Vierjroschenstick verdienen?« Ick seh' ihm an, ick denke, wat soll det heite heeßen: is heite der jingste Dach, oder spukt et bei die Beeden? Ick sage also: en Vierjroschenstick? Warum dieses nich? »Hör mal«, sacht er, »ick habe durch't Fenster jesehen. Dir hat en Mann da driben einen Brief jejeben, den De hier an de Madam jeben sollst.« Sie haben 'ne jute Nase, sag' ick. »Hier haste en Vierjroschenstick, jib mir den Brief«, sacht er. Ick laß also det Vierjroschenstick in de Tasche verschwinden, un kitzle den Brief aus den Sand raus. Hier is er! sag' ick. Drauf macht nu der Mann den Brief uf, un lest ihm, un wird kupperroth, un flucht 'ne janze Menge Schwerenothen, un wie er damit fertich ist, so sacht er zu mir: »Hier haste noch en Vierjroschenstick, Junge, aber dhu mir ooch en Jefallen.« Ick lasse det Jeld also wieder verschwinden un saje, wat woll'n Sie'n? »Jeh wieder riber«, sacht er, »un sage zu den Herrn, der Dir den Brief jejeben hat, die Madam hätt'n Dir selbst abjenommen, un hätte sich unjeheier jefreit, er möchte man jleich riber kommen; ihr Mann wäre nich zu Hause!«*

Gespräch aus *Koblanks Kinder*
(von E. Graeser, 1922[4])

»Nee, Nante, da hast du mir nu falsch verstanden – det hat sie nich als Vorwurf jemeint. Sie hat dir nur verjlichen!«

»Sie soll mir nich verjleichen – der Popel! Sie soll Respekt haben vor ihrem Vater, dem sie das Leben verdankt!«

»Na – da hat woll auch ihre Mutter 'n bißken Anteil dran«, sagte Röschen, »und Respekt – Nante – Respekt bloß is auch sone Sache, aber nich die Hauptsache, sondern det is die Liebe. Und lieben tut sie dir det

weeß ick am besten, also rede nich, wenn sie nach Hause kommt. Sie is immer schon unjlicklich, wenn sie in die Wohnung tritt. ›Bei andre Leute‹, sagt sie, ›riecht's nach Kultur, bei uns immer nach Sauerkohl.‹«

»Dafür könnte ich sie schon wieder tachteln! Sauerkohl riech ich doch lieber als den Kulturjeruch im Museum bei die ollen äjiptischen Mumien, wo ich bloß Kopfschmerzen von krieje!«

»Nee – den Jeruch, den sie meint, der is noch anders! Aber da siehste, Nante, den Unterschied! Wir beede sind altmodische Leute, und unse Ansichten sind's auch, denn die Zeit ist fortjeschritten, wir aber nich. Wat in meine Jugend unschicklich war, det is jetz schicklich!«

»Aber Rösekin, Schicklichkeit ist zu allen Zeiten immer dieselbe jeblieben!«

»Nee!«

Sie sagte es so heftig, daß er stutzte. »Wieso nee, Rösekin? Da steckt doch noch 'was hinter?«

Frau Koblank häkelte erregt an ihrer Decke, ohne zu antworten.

»Willst's nicht sagen?«

»Nante, ick möchte nich jerne Krach machen, und du kannst solche Sachen nich ohne Krach abmachen!«

»Das käme doch drauf an!«

»Wenn du mir – nee, lieber nich!«

»Raus mit die Maus, Rösekin!«

»Wenn du mir versprechen willst, keenen Krach zu machen, sondern die Sache schlau anzufangen, dann möcht ick dir noch wat sagen, wo wir doch heute schon so vieles besprochen haben!«

»Schieß los – ich versprech' dir alles!«

»Es is wat mit Theo«, zögerte sie.

»Wieeder anjepumpt?«

»Ach Jott, da würde ick keen Wort mehr drüber sagen, wo du dir neulich so drüber ufjeregt hast, aber es is nich Jeld, sondern die Schicklichkeit, um die sich's dreht. Da hat er, nach alle die firlefanzigen Dinger zuletzt eene jehabt, die nach'm Bild zu urteilen ein sehr nettes Mädchen jewesen is, Mieze hieß sie. Ick hab' 'n paar Briefe von se jelesen.

Zur Lautung des Berlinischen

Jeder, der das Berlinische spricht oder gehört hat, weiß, daß diese Stadtsprache in der Lautung zahlreiche Besonderheiten aufweist. Mehrere sind deutlich wahrzunehmen, andere sind weniger auffällig. Diese besonderen Berliner Lautmerkmale, ihr regelhafter Gebrauch und die Wandlungen von 1830 bis zur Gegenwart, lassen sich unserer Meinung nach am besten erfassen und deutlich machen durch einen Vergleich mit den schriftsprachlichen Lautungen. Deshalb werden bei dem jeweiligen schriftsprachlichen Laut die wesentlichen Abweichungen des Berlinischen angeführt. Außerdem werden hier Angaben zu den sprachlichen Wandlungen gemacht. Die angeführten Wörter stehen gewöhnlich als Beispiele für mehrere. Zu beachten ist aber, daß die betreffenden Lautregeln nicht immer in allen Wörtern mit diesem schriftsprachlichen Laut zutreffen, denn es gibt auch Ausnahmen. Das Erkennen von Übereinstimmungen zwischen den jeweiligen Lauten im Berlinischen und den entsprechenden Lauten in der niederdeutschen Mundart der Umgebung soll dadurch ermöglicht werden, daß öfter auch deren entsprechende Laute verzeichnet werden. Um die Lesbarkeit zu erleichtern, wird das normale Alphabet verwendet, wobei der Strich über den Buchstaben die Länge des Lautes angibt. Nur vereinzelt werden zur genauen Kennzeichnung der Lautqualität Zeichen der international üblichen Lautschrift herangezogen (vgl. zu *ĝ* auch S. 236).

Vokale

Das lange *ā* (nd. *ɔ:a*, teilweise *ɔ:, a:*) spricht der Berliner gewöhnlich wie schriftsprachliches klares *ā* aus. Mundartliches *ō* statt *a* hielt sich länger nur in einigen Wörtern: *jo* ›ja‹, *dorum* ›darum‹.

Statt des kurzen *a* war in einigen Wörtern bis zu Beginn des 20. Jahrhunderts *e* bzw. *ä* üblich: *derf, derfst, mänch.* Noch heute heißt es – wie in der niederdeutschen Mundart – gewöhnlich *det* ›das‹, bei der Jugend allerdings überwiegend *dit.*

Schriftsprachliches langes *e* ist verschiedenen Ursprungs. Langes *e* wird heute im Berlinischen wie in der Schriftsprache als geschlossenes *e (e:)* ausgesprochen. Das trifft auch für altes langes *ä* zu (beide nd. *ɛ:a, ɛ:ä, ɛ:ə;* teilweise *ä:, ɛ:, e:*). Im 19. Jahrhundert war wohl bereits allgemein langes geschlossenes *ē* im Berlinischen üblich, z. B. in *lesen, nehmen, jehn, Ferd* ›Pferd‹, *Keese.* Einige vereinzelt in Lokalliteratur und Wörterverzeichnissen des 19. Jahrhunderts vorkommende Formen mit *ä* deuten entweder darauf hin, daß die Entwicklung noch nicht völlig abgeschlossen war, oder es sind an die Schriftsprache angelehnte Schreibformen. Letzteres ist in den meisten Fällen wahrscheinlicher. Beispielsweise hat Glaßbrenner nebeneinander *Speene, Militeer* und

Mächen, Dämel. Neben überwiegendem *ee* schreibt Voß (1822) *Mächens,* Brendicke (1897) *Daesel, Dämelsack,* aber *Schafsdemel.* Es ist anzunehmen, daß vor allem Mundartwörter längere Zeit *ä* beibehielten.

Schriftsprachliches *i* ist oft zu *ü* gerundet, vor allem im 19. Jahrhundert, vielfach aber auch noch in der Gegenwart, besonders vor *r* und Konsonant: *Kürsche, Bürne.* An Obstwagen stand öfter: *Fürsije.* Auch vor *sch* ist noch *ü* üblich: *Füsch.*

Schriftsprachliches *o* und *u* werden allgemein wie in der Schriftsprache ausgesprochen. Nur für *ur* war im vorigen Jahrhundert - nach dem Ersetzen des nd. *or* - teilweise auch *ür* üblich: *Turm* und *Türm.*

Für schriftsprachliches *ei* spricht man *ē*, jedoch nur dann, wenn altes *ei* (nd. meist *ē*) zugrunde liegt: *Been, kleen, Seefe.* Dagegen bleibt *ei* bei altem *ī* (nd. *ī*): *dein, Eis, Zeit.* Ausnahmen sind *meen* ›mein‹ und *ei* unter schriftsprachlichem Einfluß in Wörtern wie *Geist, Meinung* und in Endungen *(-keit).* Im 19. Jahrhundert weithin übliches kurzes *e* in mehreren Wörtern, z. B. *Letter, Emmer* und *klenner,* ist in der Gegenwart meist durch *ei* ersetzt. Kurzes *i* wird gesprochen in *rin* ›herein, hinein‹, *sin(d)* ›sein‹. Im 20. Jahrhundert setzt sich *ein-* gegenüber altem *in-* immer mehr durch: *einfalln, einkoofen* gegenüber *infalln, inkoofen.*

Für schriftsprachliches *au* spricht man *ō*, jedoch nur dann, wenn altes *au* (nd. meist *ō*) zugrunde liegt: *ooch, Boom, lofen.* Das *au* bleibt dagegen bei altem *ū* (nd. *ū*): *Haus, Bauer.* Kurzes *u* ist üblich in *uff* ›auf‹, *druff* ›darauf‹ u. ä. In einigen Wörtern blieb altes *ū* erhalten: *Schnūte* ›Schnauze‹. Das Nebeneinander von *o* und *au* für geschriebenes *au* führte im 19. Jahrhundert teilweise zu Unsicherheiten in der Aussprache: *hauch* neben *hoch* ›hoch‹.

Die schriftsprachlichen Vokale *ö, ü, eu, äu* (nd. *œ, ø:, y, y:, y:ə, œy*) wurden bis zur ersten Hälfte des 20. Jahrhunderts allgemein und später von älteren Berlinern als *e, i, ei* ausgesprochen: *Leffel, beese, Sticke, miede, eire, heite.* Man sagte also: *Die Diere hat ooch ma Eel un neie Farbe needich.* Wenn dem *äu* altes *äu* (nd. *ȫ*) zugrunde liegt, wird meist *ē* gesprochen: *Beeme.* Man nennt diese Erscheinung Entrundung. Dadurch lauten gleich: *kennen* und *können, lügen* und *liegen, Feier* und *Feuer.* In schriftlichen berlinischen Texten ist die Entrundung oft nur in einzelnen Wörtern oder gar nicht ausgedrückt worden.

In vielen Wörtern wurde und wird der Vokal gekürzt. Das ist bei einsilbigen Formen von Substantiven und Adjektiven der Fall, aber auch in Verbformen: *Hoff, Jlass, Jrass, kricht, jekricht* von *kriegen,* in *jenuch, dreizen, ville, Dinstach, Schmitt* ›Schmied‹ usw. (vgl. *ei, au*). Bei einer Reihe von Wörtern wurde die im 19. Jahrhundert übliche Kürze später aufgegeben: *kam, jab, Lob, wieder.*

Vor *r* und Konsonant *(rd, rt, rn, rm)* wird im 19. Jahrhundert die Länge des Vokals allmählich der schriftsprachlichen Regelung angepaßt *(Art, warte, Karte).* Vielfach wird aber auch noch später wie weithin im umgebenden niederdeutschen Raum kurzer Vokal lang ausgesprochen: *haart, schwaarz, feerdich, Woort.*

In unbetonten oder schwach betonten Silben sind im 19. und 20. Jahrhundert die Vokale oft bis zu einem unbetonten *e (ə)* abgeschwächt, z. B. bereits bei Glaßbrenner *Medezin, Professer, Conkerrenz, ausenander,* neben *arritieren, Kinderkin.* – Häufig schwinden Laute in den Endsilben: *jefalln, ha'm, een'* ›einen‹, *komm', sing', jearbeit.* Im Satz nicht betonte Wörter werden oft geschwächt bzw. gekürzt: *de* ›die, du‹ (weeßte), *n* ›ein, einen, einem, den, dem, ihn‹ *(uff 'n), ma* ›mir‹, *wat kost'n* ›was kostet das denn‹, *hast't* ›hast du es‹. – Auslautendes *-e* schwindet in bestimmter Stellung: *ik weer* ›ich werde‹, *haak* ›habe ich‹.

Die Endung *-isch* verlor früher häufig den Vokal *(berlinsch, steetsch),* mehr als in der Gegenwart. Die Endungen *-ner, -ler* wurden im 19. Jahrhundert meist gedehnt und betont ausgesprochen: *Klempnéer, Kellnéer.*

An zahlreiche Wörter hängt der Berliner ein *-e* an: *Bette, feste, schöne, dreie, Fritze, drinne, dranne, alleene, ville.* Bei *icke* und *dette* kann dies jedoch nur in bestimmter Satzstellung geschehen.

Konsonanten

Schriftsprachliches *p* bleibt gewöhnlich *p: Plumpe.* Nur vereinzelt gebraucht man an- bzw. inlautend dafür noch *b: baff, buffen, Ribbe.* – Für *pf* (nd. *p*) spricht man im Anlaut *f: Fennich, flanzen.* Nur in wenigen Wörtern ist nd. *p* im 19. und 20. Jahrhundert noch erhalten: z. B. bei Glaßbrenner *plicken, plücken;* bis zum Beginn des 20. Jahrhunderts *Pote, Puhl;* bis zur Gegenwart *Proppen* und *p* statt *f* in *kniepen* ›kneifen‹. Im In- und Auslaut steht häufig bis heute *p* statt *pf: Appel, knüppern* ›knüpfen‹, *Kopp, Strümpe.*

Für *b* (nd. *b, w, f*) gebraucht man gewöhnlich schriftsprachliches *b.* Bis zur ersten Hälfte des 20. Jahrhunderts war in einigen Wörtern *p-* üblich, aber deren Anzahl verringerte sich *(Puckel, Prezel).* Inlautend zwischen Vokalen (nd. *w*) ist heute der Verschlußlaut *b* üblich, der auch im 19. Jahrhundert geschrieben wurde: *Arbeet, aber.* Der Reibelaut *-w-* in dieser Stellung, der auch im niederdeutschen Dialekt meist vorhanden – oder aber geschwunden – ist, war also wahrscheinlich durch die Annäherung an die Schriftsprache bereits durch *b* ersetzt worden. Um 1781 wird von C. P. Moritz noch *w* in *ohwer* ›ober‹, *Ohweramtmann* als berlinisch angeführt. Die Endung *-ben* wird meist zu *-m, ha'm, je'm.*

Schriftsprachliches *f* (nd. *f, w*) spricht man gewöhnlich als *f (Feier),* in einigen Wörtern, abhängig von den Nachbarlauten, inlautend als *w (fimwe, ölwe)* bzw. als *b (Deibel, Keber, Stiebel).* Zwischen den Vokalen wurde *f* im 19. Jahrhundert öfter noch als *w* gesprochen, wenn niederdeutsch *w* vorlag, also *Brief* und *Briewe* (Trachsel 1873, Brendicke 1892).

Für schriftsprachliches *t* (nd. *t, d*) steht inlautend und auslautend gewöhnlich *t: Mutta, jut.* In einigen Wörtern ist allerdings noch niederdeutsches *dd* üblich: *schliddern, zoddelich,* seltener in *hadde, hädde.* Im Anlaut gebraucht man noch bis in die ersten Jahrzehnte unseres Jahrhunderts – wie im nd. Dialekt – weithin *d-: danzen, Disch.* Einige Wörter waren davon ausgenommen: *Tinte, Tee.* In der Gegenwart hat sich anlautendes *t-* meist durchgesetzt. In den Verbindungen *-lt-* und *nt-* (nd. *-ll-, -ng-*) schwand auch im 19. Jahrhundert öfter noch der Laut *t: kolle* ›kalte‹, *hinner* ›hinter‹. Bewahrt sind Reste bis heute: *olle* ›alte‹. In bestimmten Wörtern fehlt auslautendes *-t* bis zur Gegenwart häufig: *is, nich, jib's, jetz.* Andererseits wird bei mehreren Wörtern im 19. Jahrhundert meist *-t* oder *-st* angehängt: *schonst, lieberst, zwarscht, aberscht, vorchte.* Bei einigen ist angefügtes *-t* noch heute weit verbreitet: *eemt* ›eben‹, *anderst.*

d steht gewöhnlich wie in der Schriftsprache: *deine Kleeder.* Nur in wenigen Wörtern wurde bis in die ersten Jahrzehnte des 20. Jahrhunderts zuweilen *t* statt *d* verwendet: *Natel, Anektote.* Für die Verbindung *-nd-* findet sich im Berlinischen statt des mundartlichen *-ng- (angere)* im 19. und 20. Jahrhundert meist *nd (andere)* und nur selten noch *-nn- (annere, Kinner).* Andererseits kam mundartliches *-nd-* statt *n* ebenfalls nur noch vereinzelt in der ersten Hälfte des 19. Jahrhunderts vor, z. B. *Dunderwetter, Diender* (Glaßbrenner, Voß). Auch in der Verbindung *-rd-* schwindet *d* nur noch selten, z. B. in *wern* ›werden‹, *ick wer, jeworn,* und zwar teilweise bis zur Gegenwart. Allgemein fehlt auslautendes *d* bis heute in *un, sin,* außerdem in *Meechen* ›Mädchen‹.

Der Laut *k* wird wie schriftsprachliches *k* gebraucht und ausgesprochen. Ausnahmen sind veraltetes *Kalch* und noch heute übliches *Marcht.*

Der schriftsprachliche Verschlußlaut *g* wird fast immer als Reibelaut

(Spirans) gesprochen. Die Aussprache des Lautes ist jedoch je nach seiner Stellung unterschiedlich, nämlich als *j*, als *ch* (wie in *ich* bzw. *ach*) bzw. dem *r* ähnlich, also auch stimmhaft oder stimmlos. Es heißt zwar *Jejend*, aber *Oĝen* ›Augen‹ und *saacht.* Im Anlaut spricht man stimmhaftes *j: jehn, jut, jlatt, jroß.* Inlautend zwischen Vokalen steht nach hinteren (dunklen) Vokalen (*a, o, u, au*) ein stimmhafter Reibelaut (*ach*-Laut = γ, z. B. *ku:γəl* ›Kugel‹, *tra:γiʃ* ›tragisch‹), der dem vom Berliner in der Schriftsprache zwischen Vokalen gesprochenen *r* gleicht. Der Laut wird hier zur besseren Lesbarkeit mit *ĝ* bezeichnet. In der Aussprache unterscheiden sich also nicht: *Ware* und *Wage, Jahre* und *jage.* Zwischen Vokalen nach vorderen (hellen) Vokalen (*e, i, ei*) sowie nach *l* bzw. *r* steht stimmhaftes *j: Kejel, eenzijen, Felje, Morjen.* Vor stimmlosen Konsonanten (*s, t*) sowie im Wortauslaut wird *g* zu stimmlosem *ch* (*ach*-Laut nach hinteren, *ich*-Laut nach vorderen Vokalen sowie nach *r, l*): *fliecht, saacht, Weech, Dach* ›Tag‹, *Berch.* In Fremdwörtern weicht die Aussprache des *g* öfter davon ab: *Majistrat, Portujal.* Manchmal wird *j* statt *g* auch nach dunklen Vokalen im schriftlichen Berlinisch verwendet, um einen Unterschied vom schriftsprachlichen *g* zu bezeichnen, der mit dem normalen Alphabet nicht wiederzugeben ist. Vereinzelt ist und war – abweichend von der Regel – *j* nach dunklem Vokal auch im gesprochenen Berlinisch üblich, z. B. *Ojen, Hujo.* Das war früher oft parodistisch gemeint oder geschah bei der Aneignung des Berlinischen durch Ortsfremde. Im 19. Jahrhundert war die Aussprache des *g* als Reibelaut so allgemein, daß dies in Schriften von Pädagogen kaum oder nicht kritisiert wurde und einige Fragebogenausfüller immer *g* schrieben. Die Qualität des Reibelautes im 19. Jahrhundert ist nicht immer eindeutig zu erschließen. Glaßbrenners Schreibung *Anjel, banje* bleibt unklar. Sie kann falsche Wiedergabe sein, oder sie deutet, wie die Hinweise von Moritz (1780) auf die gezierte berlinische Aussprache mit fehlendem oder vorhandenem *g (j)* erkennen lassen, eine von der Schriftsprache abweichende Aussprache an.[5] In der Gegenwart wird vor Konsonanten von der jüngeren und mittleren Generation vielfach schon *g* statt des berlinischen *j* gesprochen: *gloob ick, grün.* Berliner, die sonst *g* gebrauchen, verwenden jedoch in der Vorsilbe *ge-* fast regelmäßig den Reibelaut (*Jegend*, nicht aber *Gejend*) und ebenso im Auslaut und vor *t (Dinstach, jekricht).* Auslautendes-*ng* ist *-nk* (-ŋ*k*)*: lank, Rink.* – Stimmhaftes *j* steht wie in der Schriftsprache.

Der Laut *ch (x, ç)* wird meist wie in der Schriftsprache gesprochen: *nich, machen, ooch.* Niederdeutsches *k* ist erhalten in *ick*, immer seltener in der Endung *-ken* (z. B. *bißken, Männeken, Spielerken*) sowie in einigen niederdeutschen Wörtern *(stuckern, stuken)*. In *doch* und *noch* ist Abfall von *ch* im 19. Jahrhundert belegt (1880, 1892): *do no nich*. Das ist auch in der Jugendsprache der Gegenwart üblich: *dononi* ›doch noch nicht‹, *wirkli* ›wirklich‹. Zuweilen wird stimmloses *ch* zwischen Vokalen wie *j* gesprochen: *wirklijet*. Teilweise sprechen ältere Berliner einen Mittellaut zwischen *sch* und *ch* (s. *sch*).

Der Laut *h* wird wie in der Schriftsprache verwendet: *Hoff*. In mehreren Wörtern wurde bis in die erste Hälfte unseres Jahrhunderts *h* zwischen Vokalen als Gutturallaut, als *j* mit leichtem *e-* oder *i*-Vorschlag gesprochen: *hejer* ›höher‹, *krejen* ›krähen‹. Das ist auch 1880 in den Fragebögen für das Berlinische und die umgebende nd. Mundart belegt. Diese Lautung wurde in jüngerer Zeit negativ bewertet.[6]

Der Laut *s* wird stimmhaft bzw. stimmlos nach der schriftsprachlichen Regelung verwendet: *Sonne, essen, Haus*. Vor Konsonanten wird anlautendes *s* wie *sch* ausgesprochen: *Schtall*. Zwischen *r* und *t* ist die Aussprache *sch* üblich: *Durscht, erscht, mehrschten*. In mehreren Fällen, in Endungen und einzelnen Wörtern, hat sich nd. *t* erhalten: *et, wat, det, -et; det is wat anderet schönet, een jefliejeltet Woort*.

Der Laut *sch* wird gewöhnlich wie in der Schriftsprache gebraucht. Ältere und jüngere Berliner sprechen ihn zuweilen wie einen Laut zwischen *ch* und *sch* aus, so daß *Kirche* und *Kirsche (Kürsche)* gleich klingen, was auch für das Ende des 19. Jahrhunderts belegt ist.

Schriftsprachliches *z* (nd. *t*) wurde im 19. Jahrhundert und in den ersten Jahrzehnten des 20. Jahrhunderts vielfach als stimmloses *s* gesprochen *(ßwei, ßeijen)*. In der Gegenwart gebrauchen gewöhnlich nur ältere Berliner *s* statt *z*, seltener jüngere.

m, n und *l* stehen gewöhnlich wie in der Schriftsprache. Der Laut *n* schwindet jedoch in *fufzen, fufzich*. Er wird durch Angleichung zu *m* vor *f (fimf, Zukumft)* sowie in der Verbindung *-nm-*, z. B. *eema, zehma, kamma* ›kann mir‹. Eingefügt wird *n* in einigen Wörtern: *allens* (19. Jahrhundert), *eenjal, jenunk*. *l* schwindet – wie im 19. Jahrhundert – häufig in *ma, eema, so ick* ›soll ich‹ sowie zuweilen in *du sost, du wist, wiste* ›willst du‹.

Der Laut *r* ist im Berlinischen im Silbenanlaut ein schwach artikuliertes Zäpfchen-*r*. Der Übergang vom Zungenspitzen-*r* zum Zäpfchen-*r* wurde am Ende des 18. Jahrhunderts beobachtet, und zwar anfangs vor allem bei den oberen sozialen Schichten.[7] Das *r* gab seinen Stimmton mehr und mehr auf. Vor *t* bzw. *z* wurde *r* zeitweilig durch stimmloses *ch* (*ach*-Laut) ersetzt: *focht* ›fort‹, *Jachten, Baacht* ›Bart‹, *Jichtel*

›Gürtel‹, *fichzen* ›vierzehn‹. Diese Erscheinung ist vor allem für die Jahrzehnte um 1900 bezeugt (z. B. Brendicke 1892). Sie war auch in anderen Städten des niederdeutschen Raumes zu beobachten, z. B. in Brandenburg (Maaß 1878) und Magdeburg, teilweise bis in die Mitte des 20. Jahrhunderts. Daneben war im Berlinischen auch Schwund des *r* vor *t* üblich, z. B. *watte* ›warte‹. In der Gegenwart wird *r* im Silbenanlaut schwach artikuliert. Dadurch kommt es zum Gleichklang von *Jahre* und *jage* in *jare.* – In einsilbigen Wörtern nach langem Vokal sowie in unbetonten *-ren* und *-er* wird *r* wie *a* ausgesprochen: *Fead* ›Pferd‹, *Baua, valoan, Oan.* Nach langem *a* wird es gewöhnlich nicht gesprochen, *waa* ›wahr, war‹. Die Wörter *er, dir, wir* lauten betont *eea, dia, wia,* unbetont aber *a, da, wa.* Wie schwierig es ist, dies in der Schrift wiederzugeben, wird am Fragebogen des Sprachatlasses für Berlin (1880) deutlich, wo der Beantwortende gewöhnlich schrieb: *dir (dea), mir (mea)* usw. Der Laut *a* für *er* ist im Berlinischen so ausgeprägt, daß man reimen konnte: *Asta, kleenet sießet Lasta.*

Zur Herkunft und Entwicklung der lautlichen Besonderheiten

Die Entwicklung in der Lautung führt dazu, daß durch Anpassen an die Schriftsprache im 19. und 20. Jahrhundert mehrere der berlinischen Eigentümlichkeiten aufgegeben wurden bzw. werden, z. B. die Entrundung *(scheene), ß-* statt *z-* (*ßu* ›zu‹), *-j-* in krähen, näher usw., *d-* statt *t-* *(danzen), j-*Anlaut statt *g-* vor Konsonant *(glas).* Einige Merkmale werden eingeschränkt *(-ken, in-).* Andere bleiben dagegen üblich, z. B. Reibelaut statt *g* in bestimmter Stellung *(jekricht, jut), ē* statt *ei, ō* statt *au, k* statt *ch* sowie *t* statt *s* in bestimmten Wörtern, *-a* statt *-er (Mutta).* Das sind die als primäre Merkmale angesehenen Lautungen des Berlinischen in der Gegenwart. Sie haben – etwa in dieser Reihenfolge – bei der jüngeren Generation den größten Signalwert, wobei sich zwischen Einheimischen und Fremden Unterschiede erkennen lassen.

Das Berlinische ist eine Sprache, die Elemente verschiedener Herkunft und unterschiedlicher regionaler Reichweite zu einem neuen sprachlichen System vereinigte. Diese Merkmale sind daher in unterschiedlichem Maße zur Kennzeichnung des Berlinischen und zur Abgrenzung von anderen Umgangssprachen geeignet. Das zeigen vor allem Karten des »Deutschen Sprachatlas« (= DSA), auf denen die Verbreitung von mundartlichen Lautungen um 1880 eingetragen ist.

Ein Teil der berlinischen Lautmerkmale ist in mehreren Mundarten und in den meisten regionalen Umgangssprachen in Ostdeutschland üblich: die Abschwächung unbetonter Endungen und Wörter (*ha'm, fang', n* ›ein, den‹, *haste* ›hast du‹), *-nk* statt *-ng (Rink), -ch* statt *-g (Berch).* In mehreren regionalen Umgangssprachen und mitteldeutschen Mundarten wird – wie im Berlinischen – anlautendes *pf-* als *f-* ausgesprochen.

Zahlreiche Laute im Berlinischen, die von den betreffenden der Schriftsprache abweichen, entsprechen denen in den niederdeutschen Mundarten der Umgebung. Ein Teil davon nimmt ungefähr das Gebiet der Mark Brandenburg ein, z. B. das von den niederländischen Siedlern mitgebrachte *det* ›das‹ (vgl. Abb. 20, Stand 1880). – Andere berlinische Lautmerkmale sind außerhalb der Stadt im gesamten Gebiet – oder doch in großen Teilen – mit niederdeutschen Mundarten üblich, wo *p, t, k* nicht zu *pf/f, z/s, ch* wurden, also nördlich der Linie *ick/ich* ›ich‹ (vgl. Abb. 21, Stand 1880), z. B. *k* statt *ch (ick, -ken), t* statt *s (wat, allet)*, anlautendes *d-* statt *t-*, *ß* statt *z* (*ßu* ›zu‹), Vokaldehnung vor *r* und Konsonant *(haart).* Das betrifft also die Mark Brandenburg, Mecklenburg, den Nordteil des Landes Sachsen-Anhalt und westlich angrenzende Gebiete.

Mehrere Besonderheiten des Berlinischen entsprechen den jeweiligen Lautungen in der umgebenden niederdeutschen Mundart und erstrecken sich darüber hinaus in Teile Obersachsens und Thüringens, z. B. *p* statt *pf* im In- und Auslaut *(Appel, Kopp)* und *j-* statt *g-*. Anlautendes *g-* wird in einem großen Gebiet Ostdeutschlands als Reibelaut *j* gesprochen, und zwar im Brandenburgischen und den angrenzenden Gebieten nördlich Halle-Torgau stimmhaft, wie es auch im Berlinischen üblich ist, in den betreffenden Teilen Obersachsens und Thüringens jedoch stimmlos als *ch* (*ich-* Laut), (vgl. Abb. 22, Stand 1880). Ungefähr an der gleichen Linie grenzt sich nördliches stimmhaftes *-j-* für *-g-* ab bei *Weeje* ›Wege‹, *Berje* ›Berge‹ gegenüber obersächsischem stimmlosem *Wääche, Bärche.* – Auch die Laute *ō* statt *au* (bei altem *au*, berlinisch *Boom, kofen*) und *ē* statt *ei* (bei altem *ei*, berlinisch *Been*) sind in der mittelmärkischen Mundart und in der obersächsischen Umgangssprache üblich. Daß sich diese Laute im Berlinischen durchgesetzt haben, beruht sicher auf der Einwirkung der obersächsischen Umgangssprache, denn in einigen der betreffenden Wörter weist die niederdeutsche Mundart *ö* auf, z. B. nd. *köpen*, berlinisch *kofen* ›kaufen‹.

Eine deutliche Übernahme von Eigenheiten der obersächsischen

Abb. 20: Verbreitungsgebiet von det ›das‹
(um 1880; nach dem DSA bearbeitet von H. Schönfeld)

Abb. 21: Verbreitung von k statt ch, am Beispiel von ich und machen (um 1880; nach dem DSA bearbeitet von H. Schönfeld)

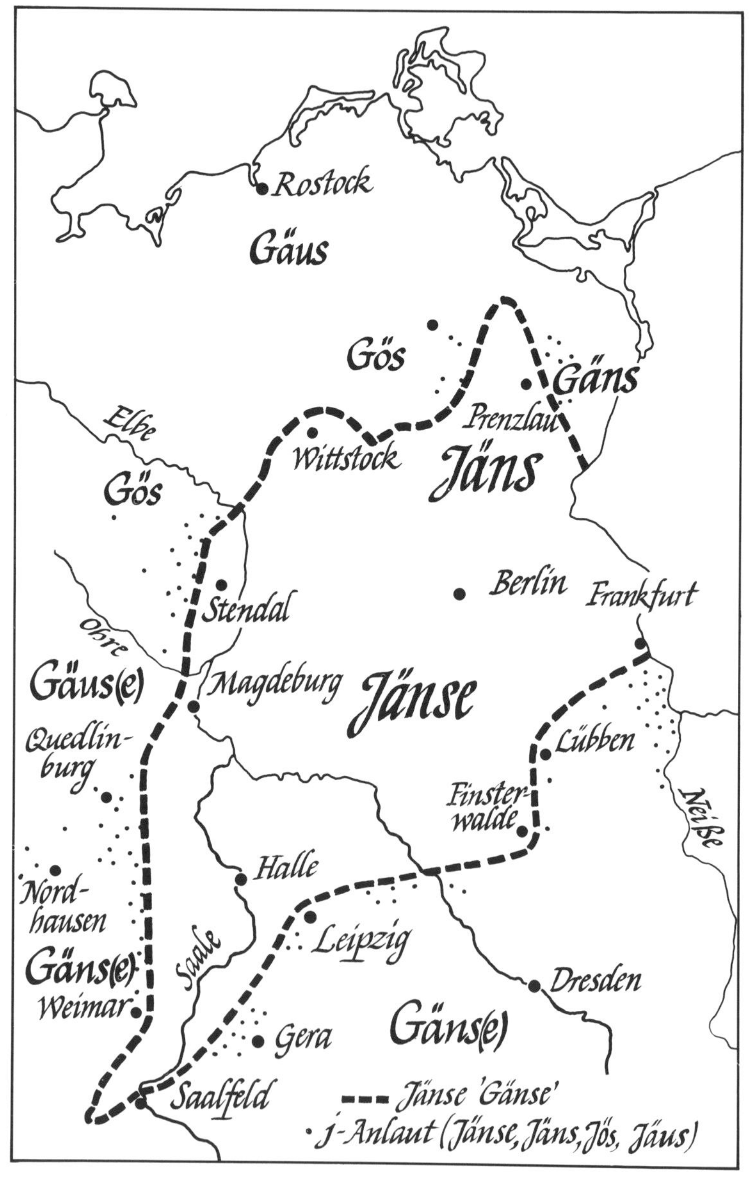

Abb. 22: Verbreitung von j- statt g-, am Beispiel von Gänse (um 1880; nach dem DSA bearbeitet von H. Schönfeld)

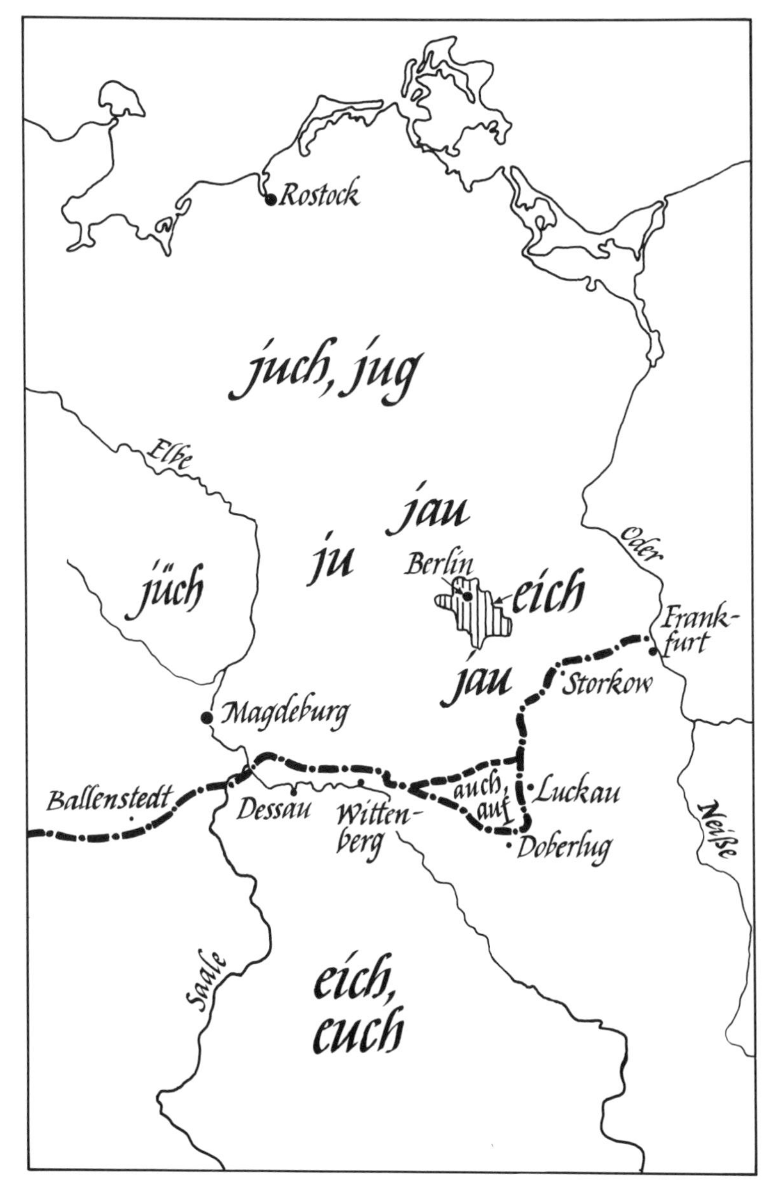

Abb. 23: Mitteldeutscher Einfluß auf Berlin, am Beispiel von eich ›euch‹ (um 1880; nach dem DSA bearbeitet von H. Schönfeld)

Umgangssprache in das Berlinische zeigt sich am Beispiel der Entrundung. Auf der Abb. 23 (Stand 1880) heben sich der Berliner Raum und einige benachbarte Orte mit *eich* ›euch‹ wie eine Insel aus dem umgebenden Mundartgebiet mit *ju* bzw. *jau* heraus. Ähnlich war es um 1880 bei berlinischem *eire* ›eure‹ (umgebende Mundart: *juge* bzw. *jaue), iber* ›über‹ *(äwer, ȫr), Durscht* ›Durst‹ *(Dorscht, Dörscht), drocken* ›trokken‹ *(drȫ, dreue), jesaacht* ›gesagt‹ *(jesäät)* usw. Das ist auch bei schriftsprachlichen Merkmalen im Berliner Raum gegenüber der umgebenden Mundart um 1880 oft festzustellen: *mit* gegenüber *met, hinten* gegenüber *hingen, Wiese* gegenüber *Wäese* bzw. *Wische* usw.

Mehrere lautliche Besonderheiten sind nur in Berlin und in der unmittelbaren Umgebung üblich bzw. werden hier besonders häufig verwendet, z. B. ein Mittellaut zwischen *ch* und *sch (Kirche/Kirsche).*

Zur Flexion, Wortbildung und Syntax

Im 19. Jahrhundert waren in diesem Bereich zahlreiche Eigenheiten vorhanden, deren Zahl durch die verbesserte Schulbildung allmählich stark vermindert wurde und die sich heute oft nur auf einige Beispiele beschränken. Mehrere der berlinischen Formen werden nur noch von einem Teil der Berliner verwendet, einige sind aber auch heute noch weit verbreitet.

Substantiv

Der Genitiv wird meist umschrieben durch den Akkusativ und ein Pronomen oder durch die Präposition *von:den (Mann) sein Hund* bzw. *der Hund von den Mann.*

Auch in der Gegenwart herrscht - wie im 19. Jahrhundert - Unsicherheit im Gebrauch von Dativ und Akkusativ. Häufig wird der Akkusativ statt des Dativs verwendet, was durch die lautlichen Abschwächungen, den lautlichen Zusammenfall von Dativendung *-em* und Akkusativendung *-en* noch begünstigt wird: *jib det den (mein) Mann* (s. auch Präpositionen, Pronomen).

Öfter fehlt der Artikel nach Präpositionen, besonders nach *auf, in, nach, statt, von* und *zu: in Schule, uf Klo, uf Straße, nach Kirche.*

Die Pluralbildung weicht nur noch in Einzelfällen von der Schriftsprache ab:

auf *-er: Dinger, Eester* (zu *Aas*), *Stöcker*;
auf *-s: Meechens, Jroschens*;
auf *-n: Knieen, Stiebeln, Fenstern*;
mit Umlaut: *Ärme.*

Abweichungen beim grammatischen Geschlecht sind am Ende des 19. Jahrhunderts in großer Zahl belegt, in der Gegenwart betrifft dies nur noch wenige Wörter:

männliches Geschlecht: *der Benzin, der Liter, der Meter*; veraltet *der Petroleum, der Jas*;
weibliches Geschlecht: *die Kinne, die Kniee, die Flehe* ›Floh‹;
sächliches Geschlecht: *das Monat* (veraltet).

Für schriftsprachliches *-chen* findet sich noch oftmals die Verkleinerungssilbe *-ken (Fritzken)*, öfter auch *-eken/-iken (Männiken), -erken (Spielerken)* und seltener, vor allem nach *k, -sken (Stücksken).* Adjektive und Adverbien werden nur noch selten verkleinert: *scheeneken.*

Adjektiv

Das Adjektiv wird im Nominativ und Akkusativ des Plurals hinter dem bestimmten Artikel vereinzelt gegen die schriftsprachliche Regel stark flektiert: *die scheene Äppel.* – Einige Substantive, Adverbien und Präpositionen werden als Adjektive gebraucht: *det is ne klasse Sache, ne abbe Ecke.*

Pronomen

Beim Pronomen fällt besonders der abweichende Gebrauch von Dativ und Akkusativ auf, hauptsächlich beim Personalpronomen (persönliches Fürwort) *mir/mich, dir/dich.* Oft wird in Witzen, Liedern usw. darauf aufmerksam gemacht, beispielsweise

Ick liebe dir, ick liebe dich,
wie 't richtig is, det weeß ick nich
un is mich ooch Pomade.
Ick lieb' dir nich im dritten Fall,
Ick lieb' dir nich im vierten Fall,
Ick liebe dir uff jeden Fall.

In der niederdeutschen Mundart des Berliner Raumes und im größten Teil des angrenzenden Gebietes waren *mi* statt *mir* und *mich* sowie *di* statt *dir* und *dich* üblich, in den westlichen benachbarten Orten *mei* und *dei*. Noch um 1820 verwendeten Personen der unteren sozialen Schichten *mi* und *di* (nach Voß). Selbst am Ende des 19. Jahrhunderts war es teilweise noch üblich, nämlich in einzelnen Wendungen sowie im Berlinisch von Bewohnern einiger später in Berlin eingemeindeter Orte (Brendicke 1897, Fragebogen um 1880). Für *mi* und *di* setzte sich beim Berliner die Dativform *mir* ›mir, mich‹ bzw. *dir* ›dir, dich‹ durch. Diese einheitliche Verwendung wurde aufgelöst, als die oberen sozialen Schichten durch die bessere Schulbildung auch die Akkusativformen *mich, dich* verwendeten. Angehörige der mittleren und unteren Sozialschichten versuchten sich anzupassen, was zu Unsicherheiten und Verwechslungen führte: *det is mich lieb, beruhige Dir, ick frage Ihnen*. Für die Jahre um 1830 gibt der bereits erwähnte F. Eberty an, daß zu der Zeit auch sonst gebildete Leute, besonders Frauen, beständig *mir* und *mich* verwechselten. Er teilte die Berliner Bevölkerung hinsichtlich des *mir/mich*-Gebrauchs in drei Gruppen ein: Die erste verwendete ausschließlich entweder *mir* oder *mich*, die zweite sprach ohne ersichtliche Regel *mir* und *mich* bunt durcheinander, die dritte, zu der viele Berliner gehörten, bediente sich jedes Mal des verkehrten Pronomens.[8] In der Gegenwart finden sich neben häufigerem Dativ und neben Verwechslungen besonders oft bei bewußterem Gebrauch des Berlinischen die unbetonten Formen *ma, da*. Damit kann vor der Problematik ausgewichen werde, denn *ma* im Akkusativ wird nicht so negativ bewertet wie *mir*. Trotz der Einwirkung von Lehrern und Eltern wird der schriftsprachliche Gebrauch oft nicht erreicht, worüber sich der Berliner selbst lustig macht. Die Mutter ist von einer Reise zurück und fragt: »Na, wie war 't denn?« Tochter: »Et waa nischt weiter. Die Nachbarin hat jestern ma bei mich jeschlafen.« Vater: »Bei *mir*«. Tochter: »Nee, det waa vorjestern.«

Die niederdeutsche Form *em* für *ihm* und *ihn* war in der ersten Hälfte des 19. Jahrhunderts bei den unteren sozialen Schichten noch üblich. Bei den beiden Personalpronomina *sie* und *Sie* werden die Dativ- und Akkusativformen *sie/ihr, sie/ihnen, Sie/Ihnen* oft abweichend von den schriftsprachlichen Regeln verwendet: *Haste se wat mitjebracht, Ihn kenn ick doch.*

du ›du‹ wird in Drohungen als *dō* ausgesprochen, was auch zu Beginn des 20. Jahrhunderts beobachtet wurde.[9]

Für das Demonstrativpronomen und den Artikel ›das‹ kommen *det, des* und *dit* vor. Glaßbrenner und Voß schreiben *det* (wie es in der Mundart üblich ist) und *des*, wobei letzteres öfter Angehörigen der oberen sozialen Schichten zugewiesen wird. Trachsel (1873) verzeichnet *des* und *det*, Brendicke (1897) *det*. Nach dem »Richtigen Berliner« wurde neben *det* früher oft *des* (geziert) gehört, *dis* und *det* hatten eine unterschiedliche regionale Verbreitung in Berlin.[10] In der Gegenwart ist meist *det* üblich, bei der Jugend überwiegt jedoch *dit*.

Verb

Bei einer Reihe von Verben steht im Präsens entsprechend dem Vokal des Infinitivs *e* auch in der 2. und 3. Person und im Imperativ (Befehlsform): *er eßt, sie sterbt, vergeß nich! les!* Der Umlaut unterbleibt öfter: *det looft, er stoßt, det fangt an.* Weit verbreitet sind noch Formen mit abweichendem Umlaut: *er frägt, er fäßt an.* Einige abweichende Formen der Vergangenheit sind noch heute üblich, z. B. ursprünglich schwache Verben mit starkem Präteritum *(er frug)* bzw. Partizip *(jelitten* ›geläutet‹, *jehoften* ›geheftet‹). *stecken* wird für stecken und stechen verwendet, dann auch *jestochen* ›gesteckt‹. Das Passiv erhält seine eigene Form dadurch, daß statt *worden* die Form *jeworden* hinzutritt: *det is jemacht jeworden.* Es kommt zu Bildungen wie: *det brauch er sich nich zu jefallen zu lassen; da hat a sich 'n Spaß jemacht jehabt. brauchen* wird ohne *zu* verwendet, aber *man hat eine Sache zu liegen, zu sitzen* oder *zu stehen.* Häufig ist die Umschreibung mit *tun*: *wat det kosten dut.* – Für die schriftsprachliche Vorsilbe *er-* war im 19. Jahrhundert häufig – wie im Niederdeutschen – *ver- (va-)* üblich, was heute selten ist: *vasoffen* ›ersoffen‹. – Auch in Verbindung mit den Verben wechseln Dativ und Akkusativ: *verzieh Dir, helf doch die Kleene, laß doch det Kind.*

Präposition

Nach Präpositionen steht in Verbindung mit einem Nomen gewöhnlich der Akkusativ, mit einem persönlichen Pronomen der Dativ: *mit die Bahn fahrn wa, ohne dir jeht 't nich.* – Öfter zeigt sich ein abweichender Gebrauch der Präpositionen: *vor* ›für, vor‹ *(vor'n Sechser), mank* ›zwischen‹, *nach* ›zu‹ *(nach Schule), mit ohne* ›ohne‹ *(mit ohne Fleesch), bei* ›zu‹ *(bei die jeh ick nicht), zu Hause* auch für ›nach Hause‹.

Konjunktion

Einige Konjunktionen werden im Berlinischen noch heute abweichend von der Schriftsprache verwendet: *als wie* ›wie‹ *(besser als wie du), denn* ›dann‹, *ehr* ›ehe‹, *wat* ›warum‹ *(wat kiekst 'n), wenn* ›wann‹, *wie* ›wie, als‹, *worum* ›warum‹.

Adverb

Einige Adverbien werden abweichend von der Schriftsprache gebraucht: *oben* ›hinauf, herauf‹ *(komm oben), richtig (det haste richtich falsch jemacht).* – Von den mit *her-* und *dar-* zusammengesetzten Adverbien werden gewöhnlich die Kurzformen verwendet, was auch im 19. Jahrhundert meist der Fall war: *rin, runter, ruff, druff, drinne, dadruff, dadran, derzu, dermank, wat is 'n da derbei.* Glaßbrenner verzeichnet auch noch *rander, rinder, rummer*, Brendicke (1897) *raußer, ranter, runn* ›herunter‹, *ringsrummer* ›ringsherum‹. – Mit *dar-* und *da-* zusammengesetzte Adverbien stehen im Satz meist getrennt: *Da ha ick keene Zeit zu.*

Satz

Auch in der Wortstellung im Satz sind mehrere Besonderheiten vorhanden. Hier kann nur auf einige hingewiesen werden. Die Verneinung wird meist verstärkt, umschrieben oder verdoppelt: *keen Aas; darum keene Feindschaft nich; hat keener keen Stift nich?* Abweichende Wortstellung *(Bengels, infamichte)* und Wiederholungen *(da bringen se een' jebracht)* sind üblich.

Betonung

In der Wortbetonung sind einige Abweichungen von der Schriftsprache üblich: *Káffe, Bómbong* ›Bonbon‹.

Zum Wortschatz des Berlinischen

Der Wortschatz des Berlinischen in der Gegenwart weist zahlreiche Eigenheiten auf, die von der Schriftsprache abweichen bzw. regional begrenzt sind. Dem Berliner ist die Besonderheit vielfach gar nicht bewußt, besonders wenn die Wörter keine spezielle Berliner Lautung aufweisen, z. B. bei *Müllschippe, Damm* ›befahrbarer Teil der Straße‹. Der Fremde oder Zugezogene versteht jedoch oft die Bedeutung von in Berlin verwendeten Wörtern nicht und muß ihren Sinn erst erschließen. Das betrifft beispielsweise Wörter wie *Schrippe, Knüppel* und *Schusterjunge* (beim Bäcker) sowie von *Schuft, Liesen, Hackepeter* (beim *Schlachter*), *Dicke Milch* und *Weißkäse* (im Lebensmittelgeschäft). Der besondere berlinische Wortschatz ist unterschiedlicher Herkunft und besitzt ein unterschiedliches Alter. Ein Teil der Wörter stammt aus der niederdeutschen Mundart und ist oder war auch in der näheren bzw. weiteren Umgebung Berlins - teilweise im gesamten niederdeutschen Raum - üblich. Durch die unterschiedliche Herkunft der Siedler im Raum zwischen Elbe und Oder, nämlich aus dem westelbischen und dem niederländischen Gebiet, enthielt die mittelbrandenburgische Mundart, die auch die Grundlage der Berliner Sprache bildete, niederdeutsche und niederländische Wörter sowie auch Wörter von den vorher hier ansässigen Slawen. Viele dieser Wörter wurden seit dem 16. Jahrhundert durch solche aus der sich herausbildenden Schriftsprache auf ostmitteldeutscher (obersächsischer) Grundlage ersetzt (*eich* statt *ju*) sowie durch Wortgut sozialer Gruppen bereichert, unter anderem durch Hugenotten. Dadurch hob sich Berlin stärker - wie eine Insel - aus der Region heraus (vgl. Abb. 23).

Vergleiche zeigen deutlich, daß der Wortschatz von 1840 mit dem um die Mitte des 20. Jahrhunderts nicht völlig übereinstimmte. Das hat verschiedene Ursachen. Alter überlieferter Wortschatz wurde aufgegeben und durch schriftsprachlichen ersetzt, Zugezogene brachten neue Wörter mit. Sachen und Tätigkeiten wurden mit den damit verbundenen Bezeichnungen aufgegeben, neue Sachverhalte benötigten neue Bezeichnungen. Dies ist in jeder Sprache zu beobachten. Eine besonders starke eigene Prägung erhielt das Berlinische durch Berlins Entwicklung zur Industriestadt, zur Groß- und Hauptstadt. Dadurch bekamen größere soziale Gruppen unterschiedlicher Art Einfluß auf die Sprache. Mit den städtischen Wandlungen veränderte sich auch die Lebensweise und die geistige Haltung eines großen Teils der Einwohner. In Berlin entstand eine Fülle von neuen Wörtern mit besonderer

Bedeutung und von saloppen Bezeichnungen. Diese sprachliche Entwicklung ist vereinzelt bereits im 18. Jahrhundert zu beobachten. In größerem Ausmaß erfolgte sie etwa zwischen 1830 und 1930, gefördert durch literarische Werke, durch Bühne und Zeitungen, durch den umfangreichen Amüsierbetrieb unterschiedlicher Art.

Von den aus der regionalen Mundart stammenden Wörtern wurden hauptsächlich solche bis heute bewahrt, die im familiären Alltagsleben üblich waren. Die Kenntnis und der Gebrauch niederdeutscher Wörter wurde - vor allem bis zur Mitte des 19. Jahrhunderts - durch den Zuzug von Personen aus der Mark Brandenburg, durch die teilweise vorhandenen Tätigkeiten in der Landwirtschaft sowie durch engere Verbindungen zu den niederdeutsch sprechenden Vororten und benachbarten Dörfern gefördert. Allerdings verminderte sich ihre Zahl durch die städtische Entwicklung und unter dem Druck der Schriftsprache seit 1830 immer mehr. Etliche sind noch weithin üblich, einige werden nur noch von älteren Berlinern bzw. von »Urberlinern« (Einwohner mit in Berlin geborenen Eltern und Großeltern) oder von Angehörigen bestimmter sozialer Gruppen verwendet. Regionale Wörter aus dem Bereich der Landwirtschaft werden von den im Stadtzentrum wohnenden Berlinern oft nicht mehr beherrscht, sondern nur noch von Bewohnern der Vororte. Dies erschwert Aussagen darüber, welche Wörter heute allgemein, vereinzelt oder nur von bestimmten Gruppen benutzt werden, welche nur noch verstanden werden oder nicht mehr üblich sind. Durchgeführte Befragungen ermöglichen lediglich einen groben Einblick.

Von den Wörtern niederdeutscher Herkunft sind einige in weiten Kreisen üblich: *doof* (eigentlich ›taub‹), *dune* ›betrunken‹, *kieken, Jöre, Kule, man* ›nur‹, *Molle* ›Glas Bier‹, *Nese.* Öfter werden solche Wörter hauptsächlich in Redewendungen gebraucht: *et jießt mit Mollen, er hat sich bekooft, besoffen wie ne Ietsche* (eigentlich ›Kröte‹), *eener kommt anjepeest* (gelaufen), *der looft sich Brüschen* (Beulen). Einige Wörter sind hauptsächlich auf ältere Berliner beschränkt: *Backebeern* ›Backbirnen, Besitz‹, *Besinge* ›Heidelbeere‹, *hojappen* ›gähnen‹, andere wurden bereits im 19. Jahrhundert aufgegeben: *all* ›schon‹, *Äxsche* ›Axt‹, *ju* ›euch‹. Der Berliner spottet auch über den Gebrauch niederdeutscher Wörter: *Da is noch eener mank uns mank, der nich mank uns mank jehört.*

Von den über 200 in brandenburgischen Mundarten festgestellten Wörtern, die niederländische Siedler mitbrachten, sind im heutigen Berlinisch nur noch wenige bewahrt. Mehrere davon sind noch allgemein üblich, z. B. *Pelle* ›Schale‹, *auspellen, polken, Kramme* ›Krampe‹ (selbst in der Zeitung verwendet). Verbreitet sind auch *spack* ›schwächlich‹, *Hängsel* ›Aufhänger an Kleidungsstücken‹, *kiesetich* ›wählerisch beim Essen‹. Einige Wörter, die im 19. Jahrhundert noch weithin gebraucht wurden, sind in der Gegenwart gewöhnlich nur noch bei älteren Leuten oder in den Randgebieten üblich, z. B. *Mieren* ›Ameisen‹, *Enke* ›Pflanzensenker‹, *Pede* ›Quecke‹, *Schmackeduzken* ›Rohrkolben‹. Mehrere Wörter wurden um die Jahrhundertwende durch schriftsprachliche Wörter ersetzt, z. B. *leech* ›niedrig‹, *Else* ›Erle‹, *Elsteroĝe* ›Hühnerauge‹. Andere verschwanden mit der Sache: *Feuertiene* ›Holzgefäß zur Brandbekämpfung‹.

Noch geringer ist die Anzahl der beibehaltenen Wörter slawischer Herkunft. Sie stammen von der früher hier ansässigen slawischen Bevölkerung oder haben sich später hier durchgesetzt. Noch heute gebraucht werden *Lanke, Luch, sich de Plauze vollschlagen.* Veraltet sind *Kaleika* ›Unsinn‹, *Bachulke* ›ungehobelter Mensch‹, *pomade* ›langsam, gleichgültig‹ u. a. Mehrere Wörter slawischer Herkunft sind noch heute bei den Fischern in Köpenick üblich (s. S. 280).

Als im 16./17. Jahrhundert die Schriftsprache auf ostmitteldeutscher Grundlage in Berlin übernommen wurde und in Anlehnung daran die hochdeutsche Sprechsprache, da wurde der vorhandene niederdeutsche Wortschatz weithin durch den überregionalen schriftsprachlichen Wortschatz ersetzt, teilweise in der obersächsischen Lautung (*eich* ›euch‹ statt *ju, leer* statt *ledig, draußen* statt *buten*). Vereinzelt gelangten auch spezifisch obersächsische (ostmitteldeutsche) Wörter in das Berlinische. Die Zeit der Wortübernahme ist jedoch nur dann klar, wenn ältere Belege vorhanden sind. Wahrscheinlich obersächsischer Herkunft sind die noch heute üblichen *fufzehn, fufzich* sowie die veralteten Wörter *Kute* ›Grube‹, *schauern* ›scheuern‹, *Schauerlappen, er lernt mir* ›er lehrt mich‹, *Kieler* bzw. *Knippkieler* ›Murmeln‹. Ungewiß ist die Übernahmezeit bei *Kneipe* (nd. *Krug*) und *(Appel-)Jriebsch* ›Apfelkerngehäuse‹. Ostmitteldeutscher Herkunft, wie Agathe Lasch das annimmt, sind wohl nicht *Strippe, widder.*

Zahlreiche Wörter französischer Herkunft gelangten vor 1830 auf verschiedenen Wegen in das Berlinische. Nur noch wenige Wörter davon sind im Berlinischen der Gegenwart erhalten. Einige sind allgemein gebräuchlich, z. B. *Bulette.* Die meisten werden hier – wie in anderen deutschsprachigen Regionen – nur von älteren Personen verwendet: *partu, reterieren, propper, blümerant, Trittewar* ›Bürgersteig‹, *aus der Lamäng* (Hand) *machen.* Deutsche Wörter erhielten französische

Endungen, z. B. *Kleedásche, Kneipjé.* Einige Wörter und Wendungen sind stärker auf das Berlinische beschränkt: *inne Bredullje kommen, Bouillonkopp* ›Dummkopf‹, *Budike* ›Gaststätte‹. Zur *Budike* gehört der *Budiker.* Zahlreiche Wörter, die Glaßbrenner, Voß u. a. verwenden, sind heute nicht mehr üblich: *duse* und *dusemang* ›sachte‹, *incommediren.* Ein Teil von ihnen war mit Modeerscheinungen aus Frankreich nach Berlin gelangt. Vom Ende des 18. bis zum Ende des 19. Jahrhunderts wurden die Bierhäuser als *Tabagien* (*Bürgertabagien, Volkstabagien*, gesprochen *Birjertabaschie* usw.) bezeichnet. Den Kellner nannte man *Markör.* Die Wörter *Destille* ›kleines Lokal‹ und *Stampe* ›Tanzlokal niederen Ranges‹ sind noch heute bekannt. Auch die Anrede *Madam, Madamken* war teilweise noch bis zum Beginn des 20. Jahrhunderts üblich. Zuweilen fügte der Berliner das deutsche mit dem entsprechenden französischen Wort zusammen, beispielsweise *Pleesirverjnüjen* (*Plaisier* und *Vergnügen*) und *mit 'n Aweck* ›mit Geschick‹ (*avec* = mit).

Berlin hatte bis in die 30er Jahre unseres Jahrhunderts eine umfangreiche jüdische Gemeinde, von der ein großer Teil der Kinder städtische Schulen besuchte. Dadurch und vor allem in den verschiedenen Situationen des Zusammenlebens mit den jüdischen Bürgern wurden den Berlinern viele jüdische Wörter bekannt. Zahllose wurden auch in das Berlinische eingegliedert, oft in lautlich veränderter Form. Infolgedessen war es auch möglich, daß Voß zu Beginn des 19. Jahrhunderts in einigen Bühnenstücken mehrere Personen verschiedene Formen des Jiddischen verwenden lassen konnte. Zeitgenossen berichten von den Einflüssen und stellten solche Wörter zusammen, z. B. *Mischpoche* ›Verwandtschaft‹, *Schabbes* ›Sonnabend‹, *Schabbesdeckel* ›bester Hut‹. *Schaute* ›Dummkopf‹.[11] Es ist jedoch meist nicht eindeutig festzustellen, ob sie direkt übernommen wurden oder vermittelt über das Rotwelsche, das einen großen Anteil jiddischer Wörter enthält.

Zahlreiche Wörter gelangten aus der Gaunersprache, auch Stromersprache oder Rotwelsch genannt, in das Berlinische. Gaunersprachen sind künstliche, schützende Geheimsprachen. Sie wurden von Gruppen von Gaunern, Dieben, Räubern und Landstreichern geschaffen und sind seit dem Ausgang des Mittelalters bekannt. Herumziehende Händler, Bettler u. ä. trugen zur Ausprägung bei und eigneten sich den Wortschatz an, ebenso teilweise wandernde Handwerker. Viele Wörter wurden dabei aus dem Jiddischen sowie aus der Zigeunersprache und ein Teil aus anderen Sprachen übernommen. Man bildete auch Ableitungen und Umdeutungen von deutschen Wörtern, z. B. *Platten* ›Geld‹; *Rummeline* ›Arbeitshaus in Berlin-Rummelsburg‹.

Das Rotwelsche war in der Vergangenheit über den gesamten deutschsprachigen Raum verbreitet, wobei regionale Differenzierungen bestanden. Es war konzentriert bei Gaunern, Verbrechern und Prostituierten in den Städten. Das war auch in Berlin der Fall. Mit dem großen Wachstum der Stadt Berlin, mit ihrer regionalen Ausdehnung und dem Anwachsen der Bevölkerung durch Zuzug aus verschiedenen Landesteilen, stieg auch die Zahl der Kriminellen erheblich. Teilweise waren sie zugewandert, teilweise waren zugezogene Arbeitsuchende unter den ungünstigen Wohn- und Lebensverhältnissen sowie durch die städtische Lebensweise und den Amüsierbetrieb kriminell geworden. Den Kern bildeten in Berlin die Diebe, wobei es verschiedene Gruppen gab, je nach der Art ihrer Spezialität. Häufig arbeitete man in Gruppen, die oft zumindest Fühlung miteinander hatten. Man kannte sich recht gut und traf sich in bestimmten Lokalen, z. B. in der ›*Tiefen Kute*‹ oder beim ›*Dowen*‹. Der Geheimhaltung und der Zusammengehörigkeit dienten die Beinamen, die die Angehörigen hatten oder erhielten (z. B. *Strippen-Friedrich, Keller-Jette*) und die Verwendung der Gaunersprache. Die Unterhaltung in den Kaschemmen führte man in Berlinisch, vermischt mit zahllosen Ausdrücken der Verbrechersprache, so daß ein Uneingeweihter einen vollständig fremden Dialekt zu hören meinte.[12] Mehrfach wurden im 19. und zu Beginn des 20. Jahrhunderts Zusammenstellungen des Wortschatzes der in Berlin üblichen Gaunersprache (Rotwelsch) angelegt, z. B. 1847 eine vorzügliche Sammlung von dem Juristen C. W. Zimmermann, die später auch von Paul Lindenberg (1892) und - neben anderen Arbeiten - von Hans Ostwald (1906) benutzt wurde. Der berufsmäßige Dieb hieß *Gannew*, der Taschendieb *Torfdrücker* usw. Einen *Masematten* (Diebstahl) hat man fast immer *ausbaldowert* und vorher genau *bedibbert* (besprochen), und zwar *betuch beschmust* (sehr leise). Einen schweren Diebstahl führten nur *kesse Jungen* (mutige erfahrene Verbrecher) durch, nicht aber *Schalfe* (Anfänger), die Furcht vor *Greifern* (Kriminalbeamten) und *Eulen* (Nachtwächtern) haben. Oft bekamen die *Schmieresteher Lampen* (witterten Gefahr). Sie *stechen Zinken* (geben ein Zeichen), und alles *verduftet* (verschwindet). War das Geschäft glatt gegangen, so wurde die *Sore* (Beute) sofort zum *Schärfer* (Hehler) gebracht, der sie *verschiebt* (weiter befördert) und den *Draht* (das Geld) *abladet* (hergibt). Danach suchte man die *Klappe* oder *Kaschemme* (Verbrecherkneipe) auf, um sich dort mit anderen Geschäftsgängern zu erholen und dann in der *Bleibe* (Schlafstelle) zu *joschen* (ruhen), falls man sich nicht *plattmacht* (obdachlos umhertreibt) oder in eine *Penne* geht.[13] - Die

Prostituierten, Zuhälter und Homosexuellen benutzten bis in die 20er Jahre weithin den in Verbrecherkreisen üblichen Wortschatz und gebrauchten ebenfalls Beinamen. Nur bei Sachverhalten, die für sie spezifisch waren, verwendeten sie besondere Wörter, z. B. für die verschiedenen Abstufungen des Erpressens: *abkochen, brennen, hochnehmen, prellen, neppen, abbürsten, rupfen* und *klemmen*. Das erbeutete Geld nannten sie u. a. *Asche, Draht, Kies, Mesumme, Moos, Pfund, Platten, Pulver, Zaster, Zimt.*[14] Um 1890 stand in einem Lokal in der Elsässer Straße:

Hast Du Draht, so laß dich nieder,
Sag', womit ich dienen kann,
Ohne Asche – drück' Dich wieder,
Setze keinen Gastwirt an![15]

Über Gaststätten und Obdachlosenasyle, über Handwerkergesellen und Arbeitslose, über die Familien, in denen Kriminelle als Schlafburschen wohnten, über Jugendliche, über Studenten- und Schülersprache drang ein großer Teil des Rotwelschen in das Berlinische ein. Viele der genannten saloppen Bezeichnungen und noch andere für Geld sind beispielsweise bis heute üblich. Ebenso gebraucht man noch *pennen* ›schlafen‹, *acheln* und *picken* ›essen‹, *Ische* ›Mädchen‹, *Zosse* ›Pferd‹, *aus Daffke* ›aus Trotz, unbedingt‹. Veraltet sind heute *Brieze* ›Bruder‹, *Jeseier* ›Klagen›. Welcher Berliner vermutet schon, daß neben *Moos* ›Geld‹ und *keß* auch *dufte, kiebitzen, veräppeln, verkohlen, Oskar* in *frech wie Oskar* und *Hechtsuppe* in der Redewendung *es zieht wie Hechtsuppe* aus dem Rotwelsch stammen?

Die neuen Lebensverhältnisse für die jungen männlichen Zuwanderer in der für sie fremden Umwelt der Großstadt, der harte Kampf um das Dasein, die menschenunwürdigen Unterkünfte, die sich vom Bürgertum unterscheidende Lebensweise, das schutzlose Ausgeliefertsein führten bei ihnen zu einem Zusammengehörigkeitsgefühl, auch mit den ebenfalls ausgebeuteten einheimischen Arbeitern. Dieser rauhen Wirklichkeit paßte sich auch ihre Sprache an. Im Gegensatz zum Sprachgebrauch bürgerlicher Schichten und entgegen den Sprachtabus sprach man die Dinge offen an und verwendete auch als anstößig und derb geltende Wörter, z. B. *verrecken* und *krepieren* für ›sterben‹, *futtern, fressen* und *spachteln* für ›essen‹, *Fraß* für ›Essen‹. Man gebrauchte aus dem Rotwelsch stammende Wörter und schuf scherzhafte Wortbildungen für Sachverhalte aus dem eigenen Lebensbereich, was dazu beitragen sollte, die Alltagsschwierigkeiten mit

Optimismus zu überwinden, z. B. *Schusterpunsch* ›dünnes Getränk‹, *Schneiderkarpen* ›Hering‹.

Wörter, die man noch um die Jahrhundertwende verwendete, wurden ungeläufig. Teilweise wurden sie mit der Sache aufgegeben, wie beispielsweise das auf dem Weihnachtsmarkt verkaufte Spielzeug *Brummer, Dreierschäfken* und *Walddeibel* sowie einige Kleidungsstücke *(Rietsche)*, Kuchen- und Gebäckarten *(Salzketer, Siste, Naute)*, die *Feuerkieke* ›kleiner Heizofen der Marktleute‹ u. a. Teilweise wurden auch nur die Wörter durch schriftsprachliche ersetzt, z. B. *Panaschee* ›Erbsen, Sauerkohl und Pökelfleisch‹.

Die veränderten sozialen, kulturellen und wirtschaftlichen Bedingungen und die damit verbundenen neuen Sachverhalte brachten seit der zweiten Hälfte des 19. Jahrhunderts eine Fülle neuer Bezeichnungen. Um 1871 kam das Wort *Mietskaserne* auf, Proletarier fanden als *Trockenwohner* (etwa ab 1863) vorübergehend Unterkunft in baufeuchten Neubauten. Der hohe Mietpreis zwang viele zur Aufnahme von *Schlafburschen* oder *Schlafmädchen*, die nur eine *Schlafstelle* (Bett) erhielten. Dienstmädchen von bürgerlichen Familien schliefen in der engen *Mädchenkammer*, zuweilen auch auf dem *Hängeboden*, der heute meist als Abstellraum dient. Daneben gab es in wohlhabenden bürgerlichen Familien die *Putzstube* oder *gute Stube* mit der *Servante* (Glasschrank) als Hauptmöbelstück (Trachsel 1873). In großen Mietshäusern war der *Portier* oder eine *Portiersfrau* (auch *Portjeesche*) tätig. Bis in das 20. Jahrhundert hängt hier vielfach noch im Hausflur der *stille* oder *stumme Portier*, die Orientierungstafel mit den Namen aller Hausbewohner. Alte Hofhäuser »taufte« man in *Gartenhäuser* um, was mit einer Mietssteigerung verbunden war (um 1890). Aus dem Bedürfnis des Proletariats begann in den 60er Jahren des 19. Jahrhunderts die Anlage von *Kleingärten*. Die Anlagen wuchsen durch die Wohnungsnot nach 1870/71 sprunghaft an. In Berlin nannte man das Gartenhaus *Laube*, die Anlage *Laubenkolonie* und ihre Bewohner *Laubenpieper*. Die erste Laubenkolonie bekam den Namen ›*Trockene Stulle*‹. Es entstanden *Wohnlauben*. Die Wochenendgrundstücke nannte man später *Klitsche*, im Ostteil der Stadt nach 1945 *Datsche*.

Die Entfaltung der Großindustrie führte zur Ausbildung zahlreicher Fachsprachen und vieler salopper Fachausdrücke (Fachjargonismen, vgl. S. 280 f.).[16] – Mit der Entwicklung der Sozialistengesetze entstanden zahlreiche spezielle Wörter, die teilweise weiter verbreitet waren: *Ausgewiesener* ›aus der Stadt ausgewiesener Sozialdemokrat‹, *Korpora*

›Volksversammlung der sozialdemokratischen Vertrauensmänner‹, *Fauler* ›Polizist in Zivil‹, *Verdeckter* ›Kriminalpolizist‹.

Mit der Entwicklung der Technik und Wirtschaft kamen zahlreiche neue Bezeichnungen auf, beispielsweise bei den Verkehrsmitteln: 1825 richtete der Berliner Hofrat Kremser einen Verkehr von mit Langsitzen ausgestatteten Kutschwagen *(Kremser)* ein. Die *Litfaßsäulen* (nach dem Buchdrucker Ernst Litfaß) wurden zuerst in Berlin eingeführt (ab 1854). Fahrräder (*Velozipeds*, ca. ab 1870), *Dampfdroschken* (um 1880), Autos *(Pferdeauto, Droschke, Autodroschke, Benzinkutsche)*, Straßenbahn *(Elektrische)*, U-Bahn, S-Bahn, Omnibus *(Omdebus)* fuhren durch die Stadt. Häufig erhielten sie oder die einzelnen Linien besondere saloppe Bezeichnungen *(Sechseromnibus, Jrüne Elektrische)*. Man ließ sich jetzt *abkonterfeien, knipsen* oder *fotografieren*.

Das Gaststättenwesen änderte sich nach 1871. Neben den traditionellen Berliner *Weißbierstuben* gab es billige, aber meist gute Kellerlokale *(Kaffeeklappen)*, in denen man *Märzenweiße* oder *Potsdamer Stange* trank und im Sommer *Dicke Milch in Satten* aß. Bereits Ende des 19. Jahrhunderts hatten diese *Kaffeeklappen* jedoch einen schlechten Ruf (Brendicke 1897 u. a.). Es entstanden auch *Wiener Kaffeehäuser*, deren Spezialitäten Wiener Namen trugen, und große prunkvolle Bierlokale *(Bierpaläste)*. Neben die berlinischen Gerichte und Getränke *Eisbein mit Sauerkohl, Weiße mit Schuß* usw. traten neue, die auch neue Bezeichnungen erhielten, neutrale und saloppe, z. B. *Rollmops, Kaßler* (nach einem Schlächtermeister Cassel), *Holsteiner Schnitzel* (nach einem hohen Beamten im Auswärtigen Amt, dem Geheimrat v. Holstein). Zahlreiche neue Bezeichnungen wurden im 18./19. Jahrhundert im Zusammenhang mit dem Rauchen gebildet (*der Ziehjarn, Pestnelke* u. a.). Vielfach durfte in den nach 1869 neu eröffneten Theatern, den sogenannten Restauranttheatern *(Schinkenstullentheatern)*, gegessen und getrunken werden. Um die Not der vielen Armen zu lindern, entstanden *Asyle, Pennen* und *Wärmehallen*. In letzteren beobachteten *Booste* und *Kalfaktoren* ständig die Obdachlosen. Scheinverkäufe an den Börsen wurden durch ausgewählte Personen, die man im Fachjargon *Bullen* oder *Bären* nannte, ausgeübt. *Fixen, hereinnehmen* und andere Wörter erhielten in diesem Jargon eine besondere Bedeutung.

Der Berliner als Sprachschöpfer

Mit dem Begriff Berlinisch verbindet man gewöhnlich nicht nur Besonderheiten in der Lautung und im Wortschatz. Im Berlinischen, in den Wörtern und Wendungen, sowie im Umgang mit dieser Sprache spiegeln sich auch der Charakter des Berliners, seine Denkweise, sein Witz und Humor wider. Der Berliner schafft neue Bezeichnungen nicht nur für neue Sachverhalte und Gegenstände, sondern auch für bereits vorhandene schriftsprachliche Bezeichnungen werden neue Ausdrücke als Dubletten gebildet, wobei die sachliche Notwendigkeit einer weiteren Benennung gar nicht besteht. Meist entstehen die speziellen Wörter und Redewendungen durch ein Streben nach Expressivität, wobei Emotionen eine große Rolle spielen. Es soll Auffälliges geschaffen und Aufmerksamkeit erregt werden. Besonders typisch ist der Gebrauch sprachlicher Bilder und bildlicher Vergleiche sowie ungewöhnlicher Wendungen. Es kommt zu Bedeutungsverschiebungen, u. a. durch neu gefundene Beziehungen. Gerade in der Fähigkeit, diese Beziehungen zu sehen und herzustellen, wird die bedeutsamste schöpferisch-sprachliche Kraft des Berlinischen gesehen. Als charakteristisch für den Berliner gilt seine Wendigkeit und Schlagfertigkeit, seine geistige und sprachliche Beweglichkeit, seine Schnoddrigkeit und Freude an der Parodie, sein kampflustiges Wesen, seine Neigung zum Offensiven und zu Ulk auf Kosten anderer, seine Fülle an Phantasie und seine Freude am Krakehl sowie seine Lust am sprachlichen Spiel.[17] Die kommt zum Ausdruck in sprachlichen Schöpfungen verschiedener Art sowie in aktuellen, gewandten sprachlichen Reaktionen, die seit dem 19. Jahrhundert in zahlreichen Büchern usw. beschrieben wurden. Berlin wurde im 19. und 20. Jahrhundert zu einem Zentrum solcher Neubildungen, die teilweise in das umgebende Gebiet und auch in entferntere Regionen übernommen wurden. Manche als berlinisch angesehene Wörter und Wendungen sind jedoch nicht in Berlin geschaffen worden, aber sie wurden von den Berlinern anerkannt und aufgenommen.

Es kam zu Neuschöpfungen von Wörtern Ende des 19. Jahrhunderts. Von Berlin aus verbreiteten sich wohl in den 70er Jahren *Radau* und *Tingeltangel*, etwas später *Klamauk*. – Durch Zusammensetzung und Umbildung entstanden neue Wörter, z. B. *Glimmstengel* ›Zigarre‹ (um 1820), *Quasselstrippe, Kientopp* (aus Kinematograph). – Andere Wörter erhielten noch eine zweite, eine übertragene Bedeutung, z. B. *Schusterjunge* ›Brötchenart‹ (früher neben *Putzmamsell*, 1873, 1897),

Knüppel ›Brötchenart‹, *manoli* ›verdreht‹ (nach der sich drehenden Lichtreklame der Firma Manoli, nach 1890).

Zahlreiche Wörter mit salopper, scherzhafter Bedeutung entstanden durch Zusammensetzungen, durch Umbildungen oder durch Bedeutungsübertragungen, häufig im Zusammenhang mit dem Herstellen neuer gedanklicher Beziehungen. Dazu gehören die Berufsspottnamen, z. B. für den Bäcker *Teigaffe, Schrippenarchitekt, Schrippendreher, Schrippenschuster*; für den Lebensmittelkaufmann *Heringsbändiger* sowie *Appelkähne* und *Oderkähne* für Schuhe, *Bonje* und *Omme* für Kopf. Noch in der Gegenwart sind *Besuchsbesen* ›Blumenstrauß‹ und *Haleluja-Staude* ›Weihnachtsbaum‹ üblich. Bei einigen Sachverhalten und Dingen entstand jeweils eine große Anzahl salopper Wörter, z. B. für betrügen, Dummkopf, gehen, Schläge, stehlen, Alkohol trinken, betrunken, für Körperteile, für Geld (über 40 Synonyme).

Gebäude, Brücken, Denkmäler erhielten zusätzliche Bezeichnungen, z. B. gab es den *Ochsenkopp* (nach einem Zeichen am Haus) und das *Jaljenhaus*, die *Sechserbrücke* (um 1900, die heutige Liebknechtbrücke) und die *Schunkelbrücke* (die neue Weidendammer Brücke) sowie für das Postgebäude an der Mauerstraße *Postkolloseum* und *Zirkus Stephan.* Die Siegesallee nannte man bereits kurz nach ihrer Entstehung spöttisch *Puppenallee*, wegen der zahlreichen Standbilder. Eine Fülle von Witzen über Denkmäler war um die Jahrhundertwende üblich. Sammlungen davon wurden veröffentlicht, z. B. von Victor Laverrenz. – Bestimmte Verkehrsmittel wurden mit saloppen Benennungen versehen, z. B. in den 20er Jahren Straßenbahnen nach ihrer Linienführung: *der blaue Amtsrichter, der kleene Assesser, der beschränkte Amtsrichter. Jichtjondel* nannte man den offenen Wagen der Straßenbahn, *Lumpensammler* die letzte Bahn. Bekannt ist der *Magistratsschirm*, die eine Fußgängerzone überdachende Hochbahn in der Schönhauser Allee (Magistratsregenschirm bei Ostwald 1928, S. 191). – Für Speisen und Getränke entstanden zahlreiche neue Wortbildungen, im 19. Jahrhundert und in der Gegenwart, z. B. *Eisbein mit Lenkstange* ›Rollmops‹, *Rasenlatscher* ›Korn mit Pfefferminz‹, *ne Weiße mit ne Strippe.* Teilweise sind diese auch sehr derb: *Verkehrsunfall* ›lose Blutwurst mit Kartoffeln‹.

Häufig kam es zu saloppen Neubildungen durch Verdrehungen. Aus *Kla-vier* wurde *Kla-fünf*, aus *fotografieren* wurde *fotografümwen, Berolina* wurde zu *Bärenlina, Destille* zu *Durschtstille* oder *Durststillstation* (was zeitweise auch als Inschrift an Destillen stand), *Unfallstation* zu

Umfallstation. Weitere Umbildungen sind *Schüttebeen* ›bitte schön‹, *Lavendeltreppe* ›Wendeltreppe‹, *Familieneis* ›Vanille-Eis‹.

Die Berliner - wie vielfach die Großstädter - schrecken vor sprachlichen Übertreibungen nicht zurück. Lieber übertrieben als undeutlich ist die Losung. Das äußert sich auf ganz verschiedene Art und Weise, besonders bei Jugendlichen. Zur Übertreibung und zugleich zur Verstärkung sind besonders geeignet Adjektive wie *riesig, unheimlich.* Sie haben die Bedeutung ›außerordentlich‹, z. B. in *riesig kleen.* Die Berliner verwendeten und verwenden noch heute in diesem Sinne zahlreiche gleichbedeutende Wörter nebeneinander. Sie sind Modewörter, werden meist nur kurze Zeit gebraucht und dann durch neue ersetzt. Am Ende des 19. Jahrhunderts dienten zum Ausdruck der positiven Bewertung *ochsig, lausig, eklig, knollig*, später *schnafte, schnieke, schnalle*, die um die Jahrhundertwende ersetzt wurden durch *knorke, dufte, schau* (in der Schülersprache auch *kiebig, schnazig, klasse, sache, toff*) und schließlich in jüngerer Zeit durch *fetzig, poppig, super, urst, det fockt, (affen-)geil.* Diese Wörter sind meist zuerst bei Jugendlichen und Kindern verbreitet. Dadurch sind sie Erwachsenen nicht immer sofort geläufig.

Eine Fülle neuer Wörter und Wendungen entstand durch Vergleiche und Umschreibungen, teilweise auch scherzhafter Art. Vielfach sind es bildliche, übertragene Wendungen, die einen mehr oder weniger starken Affektgehalt aufweisen. Eine Steigerung wird auf verschiedene Art erreicht, beispielsweise durch Erweiterungen, durch Übertreibungen, durch Ersetzen überlebter Wendungen. Bei einem Vergleich zwischen dem Sprachgebrauch in Berlin und in seiner Umgebung fällt auf, daß der Berliner statt einer einzelnen Bezeichnung häufig Bilder und Wendungen gebraucht. Einen Angeber bezeichnet man beispielsweise in der Mark Brandenburg als *Renommierhannes, Pratschkopp* usw. Der Berliner verwendet dagegen Redewendungen und sagt von ihm: *er macht Reklame, er jibt an wie ene Tüte Mücken* oder *wie ein Sack nasser Affen.* Offenbar liegt bei diesen Bildungen eine besondere Sehweise vor, in der sich der Berliner von den Menschen der Berlin umgebenden Gebiete unterscheidet.[18] Der Berliner hat bei solchen Vergleichen Interesse an technischen Errungenschaften: Eine rote Nase ist *ein Feuermelder, ein Schlußlicht* oder *ein Rückstrahler nach vorn.* Der Berliner sucht bereits vorhandene Wendungen immer noch zu steigern. Sagt man von einem langsam denkenden Menschen: *er hat eine lange Leitung* (= L hoch 2), so schafft es der Berliner bis zu L^5 bis L^7 (= *lausig lange leicht lädierte Leitung*). Groteske Wirkungen werden oft durch einen Gegensatz erreicht, beispielsweise für Dummheit und Verdrehtheit: *Dir ham se woll mit Kaltwasser verbrieht? Dir ham se woll mit 'n Klammerbeutel jepudert?*

Ein stärkeres Jonglieren mit Begriffen und Bedeutungen und logisches Denken zeigt sich bei sprachlichen Wendungen, die sich stärker vom Grundvergleich entfernt haben und Glieder der Assoziationskette bzw. gedankliche Zwischenstufen auslassen, die in anderen Regionen meist üblich sind. Deutlich wird das an Bezeichnungen, die um 1935 für den Gerichtsvollzieher üblich waren. Primärvergleiche lauteten: *Mann mit dem Kuckuck, Kuckuckskleber* u. ä. Von den Endstufen, z. B. *Kuckucksverkäufer, Kuckucksjäger* usw., kamen die am häufigsten in und um Berlin vor, die fast wie eine Verhüllung wirken, nämlich *Vogelhändler, Vogelzüchter, Tierzüchter* usw.

Das Spiel mit der Sprache zeigt sich in der Variation bestimmter Wörter innerhalb der Wendungen, z. B. hat der Berliner in der Wendung *uff'n Boom jehn* das Wort *Baum* ersetzt durch *Birke, Fichte, Pappel, Palme*, um die Wirkung zu steigern. Eine Steigerung wird auch erreicht durch Erweiterungen: *Quatsch nich Krause – jeh nach Hause! Ick lach mir 'n Ast – un setz mir druff! Mach keene Zungenwurscht – ick hab keen Teller hier!* (beim Stottern). – Auch Sprache selbst ist Gegenstand von Redewendungen: *Ick haue Dir vor den Rangierbahnhof, det dir sämtliche Jesichtszüge entjleisen. Ick wer dir eenen Jedankenstrich int Jesichte bewejen.* Der Berliner behauptet: Die Frauen am Neptunbrunnen seien die einzigen Frauen, die den Rand halten. Von der Borussia auf der Siegessäule sagte der Berliner Volkswitz um 1900: Sie ist das einzige Mädchen in Berlin, das kein Verhältnis hat (sie gefiel den Berlinern nicht).

Seit dem 19. Jahrhundert ist uns bekannt, daß bestimmte Redewendungen von vielen Berlinern in unterschiedlichen Situationen und sehr häufig – oft bis zum Überdruß – verwendet wurden. Es sind sogenannte Moderedensarten. Eine Moderedensart folgte in Berlin der anderen. Schon Glaßbrenner schrieb: »Fast in jedem Vierteljahr haben die Berliner ein neues Bonmot, das größtenteils von der Bühne herab bekannt wird . . .« Manche hielten sich kurzzeitig, andere länger. Vom Anfang des 19. Jahrhunderts bis in das 20. Jahrhundert gebrauchte man als Ausdruck der Verneinung und Zurückweisung *Ja, Kuchen!*, und zwar im 19. Jahrhundert meist in der vollen Form *Ja, Kuchen, nich London* (entstellt aus jiddisch *ja chochom, aber nicht lamdon* ›ja schlau, gerissen, aber nicht klug, weise‹).[19] Im 20. Jahrhundert wurde dafür auch verwendet: *ja, Kirschkuchen* oder *ja, Appelkuchen!* Um 1850 war üblich: *Noch lange nich genug.* Weitere Moderedensarten waren: *Hat ihm schon* (etwa ab 1873), *Das ist man äußerlich* (um 1880), *Das durfte nicht kommen.* Im 20. Jahrhundert folgten: *Da is allet zu speet, Det kannste vajessen.* Um 1900 war es in breiten Kreisen Berlins üblich, statt *geben* zu sagen: *Schmeiß mal*, z. B. *Schmeiß mir mal de Milch her!*

Um die Jahrhundertwende lösten sich sprachliche Modewellen verschiedener Art ab. Sie breiteten sich oft wie Epidemien aus, einige überzogen ganz Deutschland. Teile davon werden noch heute scherzhaft von Berlinern gebraucht. Auch hier zeigte sich beim Berliner die Freude am Spiel und am Jonglieren mit der Sprache, teilweise auch die starke geistige Beweglichkeit. Es wurde Mode, bestimmte Sätze abgekürzt mit den Anfangsbuchstaben auszudrücken: *m. w.* = machen wir. Der Berliner kam dann noch zu weiteren Deutungen für *m. w.* = ›mein Weib‹ oder ›mit Wonne‹. Er erweiterte auch zu *m.w.s.s.s.* Dem Nichtwissenden erläuterte er dann: Machen wir – sogar sehr sauber. *Knif* bedeutete ›kommt nicht in Frage‹. Es entstand sogar ein Schlager »Bitte, sag nicht knif zu mir!«

Nach dem Muster der Reklame *Koch mit Gas!* wurde der kategorische Imperativ verwendet: *Backe mit Mehl!* (Wange mit Puder), *Mausejraue Paletots!* Eine Sammlung davon erschien 1891.

Es wurde Mode, aus vorgegebenen Wörtern Sätze zu bilden, wobei die berlinische Sprache eine bedeutsame Rolle spielte. Es wurde scherzhaft die Aufgabe gestellt: *Saĝen Se mal 'n Satz, wo Drama drin vorkommt!* Antwort: *Dra' ma'* (trag mal) *Vatern de Stiebeln rin!* Ein Satz mit Konzert und Feldmütze: *Kohn zerrt Emma durch 'n Saal un fällt mit se.* Ein Satz mit Fabrik: *Wenn der Kaffe zu heeß is, vabrieh 'k ma de Schnauze.*

Vor allem nach 1923 kamen die *Bei-mir*-Wendungen auf, die aus Freude am kombinatorischen Spiel mit Begriffen immer wieder variiert wurden. Man erfand Ergänzungen zu ›bei mir‹, die dann in Gedanken mit ›bist du‹ bzw. ›ist‹ zu erweitern und vom Zuhörer zu deuten waren. *»Bei mir – Känguruh!« Wat meenste damit? »Mit leerem Beutel große Sprünge machen.«* Die Möglichkeiten der überraschenden Ausdeutung von Wortbedeutungen wurden eifrig genutzt. Beispiele sind: *Bei mir – Schiefertafel!* (auf mir/mich kannst du rechnen), *Bei mir* (bist du) *Taschenuhr!* (›Dich kann ich alle Tage aufziehen‹ oder auch ›Du kannst mir gestohlen bleiben‹).

Fragespiele verschiedener Art beschäftigten sich mit der Sprache, z. B. die Antworten auf die Frage: Was ist paradox? *Wenn Ernst albert*; wenn ein *Ober*kellner am *Unter*arm ein *Über*bein hat. Dazu wurde 1913 sogar ein Paradoxon-Preisausschreiben in Berlin veranstaltet. Auch mehrere Witze über den Emporkömmling Raffke gehen von der Sprache aus, nämlich von den mangelnden sprachlichen Kenntnissen Raffkes.

Das Spiel mit der Sprache äußerte sich auch in sogenannten Klapphornstrophen und in Schüttelreimen, z. B.

Eß nie mit Messern Kabeljau,
Bloß immer ihn mit Jabel kau!

In der seit 1910 herrschenden Hochflut von Operetten, Possen und Chansons sowie in den zahlreichen Berliner Liedern wurden auch Berliner Namenwitze und Namenreime verschiedener Art verwendet, die von den Berlinern meist weitergetragen wurden, z. B. *Kunigunde, war det ne scheene Stunde.*

Die neuen Wörter und Wendungen salopper Art verbreiteten sich gewöhnlich sehr schnell, über das Kabarett, das Theater, die Literatur, über Zeitungen, Witzblätter und Ausrufer auf dem Markt.

Abstufungen im Berlinischen

Keineswegs sprechen alle Berliner ein und dasselbe Berlinisch. Es sind dabei viele Unterschiede zu beobachten. Das trifft für die Gegenwart wie für das 19. Jahrhundert zu. In der zweiten Hälfte des 19. Jahrhunderts ist mehrfach der Gebrauch von Doppelformen belegt, was auch aus den Schriften Glaßbrenners bereits für die erste Hälfte erkennbar ist, z. B. *lumpije* und *lumpijte.* Das Berlinische wies seit dem Beginn des 19. Jahrhunderts eine starke, vor allem soziologisch bedingte Schichtung zwischen gesprochener Schriftsprache und typischem Berlinisch auf. Bestimmte Lautregeln galten nicht mehr ausnahmslos, z. B. die Entrundung. Aus den verschiedenen Abstufungen des Berlinischen bildeten sich allmählich eine der Schriftsprache nahe und eine ihr ferne (mundartnahe) Schicht mit jeweils besonderen Regelmäßigkeiten heraus. Auf das Vorhandensein dieser Abstufungen weist Glaßbrenner in seinen Beschreibungen der Berufsgruppen usw. hin. Das kommt auch im Sprachgebrauch der Personen in seinen Erzählungen und in den Bühnenstücken von Voß zum Ausdruck, z. B. in den Stücken »Der Strahlower Fischzug« und »Die Damenschuhe im Theater«, was auch der folgende Textauszug aus letzterem zeigt (vgl. auch S. 229).

Gespräche aus
Die Damenschuhe im Theater
(von J.v. Voß, 1822[20])

WALTER: *Hört mal Kinderkens, Ihr seid mie gerekummendirt, und sollt gut haben, wenn Ihr Gu dernach uffführt, heeßt det. Fritze, Du bist in Saal mank repentirliche Leute, det Du mie nich andersch kömmst wie gewaschen. Wie De vor jede Parthie 't Geld einzunehmen hest, weest De. Aberst wenn De weggehst, mußt De Dir visetieren laaßen, da nich gemuckst. Un nich bei de Stoßbahn gefressen, süst giebt et 'n Katzenkopp. Un Dich Guste will ick man sagen, det Du mir die Kegel orntlich ausrufst, Zwee, drei, achte um 'n König, wiet nu is, nich 'n Grenatierpattaillon, det is so gemeen. Un is 'n Loch, winkst De man, det is vornehm. Un mach miet nich wiet 'n Junge int Vogtland gemacht het. Der het sich 'ne Strippe ant Been gebunden und ooch an de Kegel, det se ville schmeißen sullden und er oft seinen Seckzer kriegte. So balle als ick det merke, hau ick Dich die Jacke vull, und jage Dir weg. Nu geht auf Euern Posten, Kinderkens!*

KNABEN (laufen weg)

WALTER: *Christian, wie wollen ooch noch met de Undermarkörsch reden. In de Küche un an die Bier- und Aquavitdisch müssen se gleich bezahlen, süst werd er nischt gegeben, drum müssen se sich ooch gleich widder bezahlen laaßen. Schleichen sich welche fort, is't ihr Schaden, mir geht et nischt an.*

VIEHMÄSTER: *Recht so, wer gut schmeert gut fährt. Nu, ick habe meine Meenung ooch schon von ferne 'n bisken von mich gegeben. Ick gung vorge Woche her, machte mie wat zu dune und seggte: Hören Se mal hier Herr Walter, so balle Se Ihre neue Wirthschaft ingericht hebben, können Se meine Milch kriegen. Ick schicke se Ihnen alle Morgen in't Haus. Nu, meent er denn, kann 'n Wort sind. Wie deuer 't Quart met samt't Wasser wat dermank is? Oho, meent ick wieder, meine Milch muß mie wie 'n Jude sind, der fürcht sich vor't Wasser, un ick kriege von ganz Berlin drei Groschen, weil Sie't aberst sind, will ickt um neun Dreier duhn. Na, er gung denn raußer, un die zwee Stück Mamsells kamen rinder. Ick dachte, wat soll man lange Umstände machen, un kam rüsch druf unvermerkt heeßt det. Ick seggte: wenn ick mie widder verändern sullde, het et meine Fraue gut. Den Hundwagen, den se da vorbeifahren sehen, soll sie haben. Nu meente die Eene, die großmäulige, die Male, meine Fraue sollde alleene met 'n Hundwagen gehn, un zog mie 'ne häßliche Flunsche. Ne, ne, meine Kinderken, sagt ick, davor hab' ick acht Frauens. Nu war die zweete, die dumme, die Jule widder eenfältig un meente, wenn ick schonst acht Frauen hädde, wat ick denn mit die neunte wulle. Ne, ne, mein Kindken, sagt ick dunne, zwee sind meine Hundefrauens, und sechse meine Dragefrauens, so is det zu verstehn, Se müssen nich so dumm sind. Aber wat der neue Wagen inbringt, soll meine rechte Frau vor sich hebben, davor kann se sich koofen, wat ihr Herz man verlangt. Na, da werde se 't wol gespürt hebben, wat ick meende.*

CONDITOR: *Sehn Sie nur, wie ich zu dem mal die beiden Droschken holen ließ, konnten doch in jede nur zwee und zwee. Walter setzte sich mit Malchen in eine. Julchen stieg in die zweite und ich rutschte mit herein, dachte, des is 'ne gute Gelegenheit, sich über Hals un Kopp zu unsinuieren. Es regnete, so hatt' ich 'n guten Protex, die Gardine vorzuziehen. Und da insinuiert ich mich denn, was des Zeug hielt. Ich sagte: Zuckersüßes Julchen, Sie geben ein charmantes Konditorfrauchen ab. Warum nich ooch, sagte sie, ich hätte schonst können 'ne adliche Dame werden duhn, habe man nich gewollt. Ich war aber klug, weil ich merkte, daß sie den vornehmen Nagel immer noch in Kopp hat. O, sagt ich, zuckersüßes Julchen, bei mich kommen alle Dage vornehme Herrschaften, und wenn die Weihnachts-Ausstellung is, kann vor Fürsten und Grafen keen Appel zur Erde. Nu, meine Frau is dodt, 'ne frische muß ich doch nehmen, da möcht ich nu eene, die mit vornehmen Leuten Lebensart besitzt. Was meenen Se, zuckersüßes Julchen, was meenen Se? Nu sagt' se denn wol: da müßt ich nich klug seind, wenn ich 'n Wittwer nehme, ich weeß schon worum.*

Einige Personen in den Bühnenstücken von Voß verwenden eine Sprache, die der Schriftsprache nahe steht, aber auch einige berlinische Merkmale enthält, z. B. der Conditor und die Tochter des Gastwirts. Mehrere benutzen die berlinischen Elemente fast alle und häufig, wieder andere gebrauchen zusätzlich niederdeutsche Formen, z. B. *mi* ›mir, mich‹, *di* ›dir, dich‹, *hebben* ›haben‹, *het* ›hat‹, *Dahlder* und *Diender* mit eingefügtem *d*, usw. Noch mehr niederdeutsche Wörter und Lautungen benutzen der Viehmäster (Bauer und Milchhändler), ebenso wie die Tante (eine Fleischersfrau), z. B. *gu* ›euch‹, *gue* ›euer‹, *neuschierich* ›neugierig‹, *raußer, rinder* usw. Am stärksten ist dies bei dem aus Strausberg stammenden Gastwirt Walter (Ausspann- und Tabagiebesitzer) der Fall. Er verwendet u. a. *meene Utspannung* ›meine Ausspannung‹, *met* ›mit‹, *bi* ›bei‹, *up* ›auf‹, *ook* ›auch‹, *seggt* ›sagt‹. Die Unterschiede im Sprachgebrauch zeigen sich auch in der Häufigkeit der Berliner Lautungen sowie der lautlichen Abschwächungen, z. B. *an 't* ›an das‹, *wat is 'n*.

In der folgenden Zeit wurden zahlreiche berlinische Eigenheiten aufgegeben, im Wortschatz kamen allerdings neue hinzu. Trotzdem sind Abstufungen im Berlinischen auch in späterer Zeit vorhanden, bis zur Gegenwart, und zwar der Schriftsprache nahe und ferne. Das zeigen literarische Werke, die Berliner Sprache verwenden. In der Gegenwart kann das außerdem tagtäglich beobachtet werden. Hauptsächlich ist das heute zu erkennen an der Verwendung folgender Merkmale:

1. *ē* statt *ei (Been, keen)*
2. *ō* statt *au (lofen, ooch)*
3. *u* statt *au (druff, uff)*
4. *p* statt *pf (Appel, Kopp)*
5. *t* statt *s (det, wat, -et)*
6. *k* statt *ch (ick, -ken)*
7. *j, ĝ, ch* statt *g (je-, jut, saĝen, liecht)*
8. Abschwächung unbetonter Silben und Wörter *(wat kost 'n)*
9. Dativ/Akkusativ (*mir/mich-, Ihnen/Sie*-Verwechslung).

Mit ihnen variiert der Sprecher in der Gegenwart. Es geht dabei um die Auswahl der sprachlichen Elemente und die Häufigkeit ihrer Verwendung, um das Nebeneinander von berlinischen und schriftsprachlichen Formen (*wat/was*). Welche Form bzw. Formen des Berlinischen der Berliner beherrscht, hängt davon ab, in welchem Personenkreis er das Berlinische erlernt hat und später verwendet. Das am wenigsten von der Schriftsprache durchsetzte Berlinisch beherrschen gewöhnlich die älteren Alt- oder Urberliner. Aber auch bei ihnen zeigen sich Unterschiede, und zwar nach der sozialen Schicht und dem Stadtteil, in dem man aufgewachsen ist, z. B. in Pankow oder in Prenzlauer Berg. Welche Form des Berlinischen man jeweils verwendet, hängt – mindestens seit dem 19. Jahrhundert – auch von der Gesprächssituation ab.

Lokale Unterschiede im Berlinischen

Vielfach geht man davon aus, daß auch im 19. Jahrhundert alle in Berlin aufgewachsenen Berliner dieselbe berlinische Umgangssprache – und außerdem z. T. die Schriftsprache – beherrschten und sprachen, und zwar im gesamten Berlin, also innerhalb der Stadtgrenzen etwa von 1930. Das war jedoch nicht der Fall. Regionale Unterschiede werden angedeutet von Trachsel (1873), der in seiner Wortsammlung mehrere Wörter als zum »Charlottenburger Dialekt« gehörend kennzeichnet, z. B. *min Dochter, heien* ›Heu wenden‹, *Pede* ›Quecke‹. Auch

»Der richtige Berliner« (1925) gibt lokale Unterschiede an, nämlich *hadde, hädde* für *hatte, hätte* bei alten Leuten am Schönhauser Tor. Die Unterschiede zu den Vororten, die 1920 in Berlin eingegliedert wurden, waren jedoch um 1880 viel stärker. Ganz deutlich geht dies aus den Fragebögen des »Deutschen Sprachatlasses« (DSA) hervor, die um 1880 – wie in ganz Deutschland – in Berlin und den umgebenden Orten von Lehrern bzw. Schülern der örtlichen Schulen oder vereinzelt von anderen Ortseinwohnern ausgefüllt wurden.[21] Darin sollten 40 vorgegebene Sätze in den ortsüblichen Dialekt übertragen werden. In den später (1920) in Großberlin vereinigten Orten wurde 1880 als ortsüblicher Dialekt aufgezeichnet: in 17 Orten die berlinische Umgangssprache, in 31 jedoch die niederdeutsche (mittelbrandenburgische) Mundart, in 4 eine Mischung von Umgangssprache und niederdeutscher Mundart und in 2 Orten eine pfälzische Mundart (vgl. Abb. 24, Stand 1880). Zwischen der berlinischen Umgangssprache und der mittelbrandenburgischen Mundart besteht sprachlich ein großer Unterschied, was z. B. ein Vergleich des Fragebogens von Berlin mit dem von Biesdorf zeigt (S. 270 f.). Der Fragebogen von Biesdorf gibt die Lautung der mittelmärkischen Mundart trotz der Schwierigkeiten bei einer schriftlichen Aufzeichnung ziemlich genau wieder, bis auf das geschriebene g, das sicher immer als Reibelaut (*j, ch* usw.) gesprochen wurde. In der niederdeutschen Mundart sagt man statt berlinischem *Ferd, Salz, Milch* noch *Pärd, Solt, Melk* (*p, t, k* sind bewahrt), statt berlinischem *Eis, Frau, Heiser* noch *Is, Fru, Hüser*, statt *Wasser, Feffer, miede, Bruder* noch *Woater, Peäper, müede, Brueder*, statt *-nd* noch *-ng- (anger)* usw. – Der Ort Müggelheim wurde 1747 durch 20 einwandernde Familien aus der Pfalz gegründet. In Marzahn wurden 1764 auf dem Vorwerk 20 Familien aus der Pfalz als Kolonisten angesiedelt. Der Pfälzer Dialekt, der sich in den beiden Orten über 100 Jahre hielt, ist in den Fragebögen in unterschiedlichem Maß mit Elementen der Schriftsprache und des Berlinischen durchsetzt.

Es war für viele Mundartsprecher nicht leicht, die berlinische Umgangssprache in ihrer geregelten Form, also der Norm entsprechend, zu verwenden. Vielfach behielten Mundartsprecher bei der Übernahme der berlinischen Umgangssprache einige mundartliche Laute bei, die andere schon aufgegeben hatten. Dadurch finden sich in einigen Vororten mit berlinischer Umgangssprache in den Fragebögen Abweichungen von den 1880 in Berlin aufgezeichneten Formen, z. B. *di* ›dir, dich‹, *mi* ›mir, mich‹. Der Fragebogen von Berlin hat in einigen Fällen schon die schriftsprachlichen Formen, wo die Fragebögen von

Vororten noch die typisch berlinischen enthalten: *nonnich* ›noch nicht‹, *ßu* ›zu‹, *fangt an* ›fängt an‹. Mehrere Vororte verzeichnen im Berlinischen noch einzelne Mundartformen: *unset Haus, met* ›mit‹, *Wische* ›Wiese‹. Gerundete und entrundete Vokale finden sich nebeneinander; *für* erscheint als *vor, fer, fir* und *Bürste* als *Bürschte, Birschte, Birste, Berste.* In einigen Orten ist eine stärkere Mischung von niederdeutscher Mundart und berlinischer Umgangssprache aufgezeichnet, z. B. in Schmöckwitz.

Aber auch die niederdeutsche (mittelbrandenburgische) Mundart in den Orten, die 1920 zu Groß-Berlin zusammengeschlossen wurden, war um 1880 nicht einheitlich. Es finden sich regionale Unterschiede, z. B. *Wease/Wische* ›Wiese‹, *buten/druten* ›draußen‹. In mehreren Fragebögen ist zu sehen, daß vielfach einzelne Wörter des Berlinischen in die niederdeutsche Mundart der Vororte übernommen und auch Lautregeln übertragen wurden. Das trifft für die im Berlinischen übliche Entrundung zu, wo es z. B. *scheene neie Heiser* hieß. Mundartliches (nd.) *schöne nüe Hüser* (z. B. in Heinersdorf) erscheint unter berlinischem Einfluß als *schöne neie Hüser* (Blankenfelde), als *scheene neie Hüser* (Buch), *scheene neie Hieser* (Biesdorf) und *scheene neie Heiser.* In anderen Orten (z. B. Niederschönhausen) sprachen die Kinder um 1880 überwiegend berlinisch, die Älteren meist noch niederdeutsch.

Es vollzog sich also um und nach 1880 in vielen Vororten Berlins ein komplizierter Prozeß der Übernahme des Berlinischen, der mit vielen Mischungen zwischen der niederdeutschen Mundart und dem Berlinischen verbunden war.[22] Diese Entwicklung, die sich sicher im 15. und 16. Jahrhundert im damaligen Berlin ähnlich vollzogen hat, hinterließ stärkere sprachliche Unterschiede zwischen den einzelnen Stadtteilen Berlins. Vor allem bei den *Randberlinern*, den Bewohnern der Randorte Berlins, wirkt dies bis heute nach, hauptsächlich bei der älteren Generation. Noch um 1956 bzw. 1960 gebrauchten die älteren Fischer in Köpenick in ihrer Berufssprache[23] sowie in Friedrichshagen aufgewachsene ältere Einwohner in ihrer berlinischen Sprache zahlreiche niederdeutsche Wörter und Lautungen. Der folgende Text zeigt dies deutlich.

Erzählung einer 64jährigen Frau aus Friedrichshagen (1962):

Ick will ma verzelln, wie et frieher in unser altet Dorf Friedrichshaĝen ausjesehn het (hat). *Also ruff un runn stann' die kleen' Häuschen. Alle sind se ja Eijentiemer jewesst. Un denn hen'* (hatten) *se alle ihr Haisikin. Un die hem* (haben) *alle den Einjank in 'e Mitte jehett* (gehabt). *Da het ne*

(Fortsetzung S. 273)

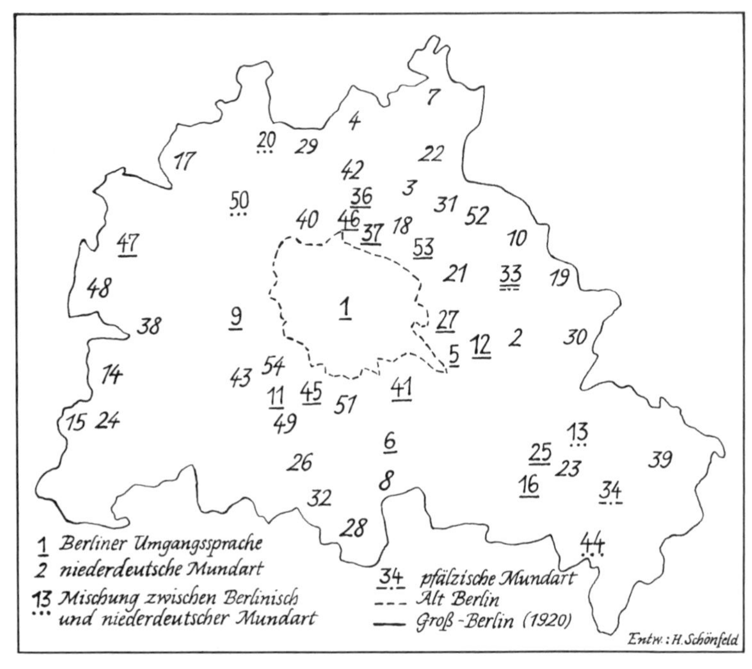

Abb. 24: Verbreitung der berlinischen Umgangssprache und der niederdeutschen Mundart im Raum von Berlin, um 1880 (nach Fragebögen des DSA bearbeitet von H. Schönfeld)

Schulorte im Berliner Raum und die jeweils von den Schülern um 1880 verwendete Sprache (Berlinisch, niederdeutsche Mundart, Mischung zwischen Berlinisch und niederdeutscher Mundart)

1. Berlin	Berlinisch
2. Biesdorf	nd. Mundart
3. Blankenburg	nd. Mundart
4. Blankenfelde	nd. Mundart
5. Boxhagen-Rummelsburg	Berlinisch
6. Britz	Berlinisch
7. Buch	nd. Mundart
8. Buckow	nd. Mundart
9. Charlottenburg	Berlinisch
10. Falkenberg	nd. Mundart
11. Friedenau	Berlinisch
12. Friedrichsfelde	Berlinisch
13. Friedrichshagen	Mischung
14. Gatow	nd. Mundart
15. Groß Glienicke	nd. Mundart

16. Grünau	Berlinisch
17. Heiligensee	nd. Mundart
18. Heinersdorf	nd. Mundart
19. Hellersdorf	nd. Mundart
20. Hermsdorf	Mischung
21. Hohenschönhausen	nd. Mundart
22. Karow	nd. Mundart
23. Kietz	nd. Mundart
24. Kladow	nd. Mundart
25. Köpenick	Berlinisch
26. Lankwitz	nd. Mundart
27. Lichtenberg	Berlinisch
28. Lichtenrade	nd. Mundart
29. Lübars	nd. Mundart
30. Mahlsdorf	nd. Mundart
31. Malchow	nd. Mundart
32. Marienfelde	nd. Mundart
33. Marzahn	Berlinisch, pfälzische Mundart
34. Müggelheim	pfälzische Mundart
36. Niederschönhausen	Berlinisch
37. Pankow	Berlinisch
38. Pichelsdorf	nd. Mundart
39. Rahnsdorf	nd. Mundart
40. Reinickendorf	nd. Mundart
41. Rixdorf	Berlinisch
42. Rosenthal	nd. Mundart
43. Schmargendorf	nd. Mundart
44. Schmöckwitz	Mischung
45. Schöneberg	Berlinisch
46. Schönholz	Berlinisch
47. Spandau	Berlinisch
48. Staaken	nd. Mundart
49. Steglitz	nd. Mundart
50. Tegel	Mischung
51. Tempelhof	nd. Mundart
52. Wartenberg	nd. Mundart
53. Weißensee	Berlinisch
54. Wilmersdorf	nd. Mundart

Berlin (Fragebogen des Sprachatlas, um 1880)

1. *In' Winta fliejen de drockene Blätta durch de Luft.*
2. *Et hert jleich uf zu schneen, denn wird det Wetta wieda bessa.*
3. *Steck man Kohlen in'n Ofen rin, det de Milch balle kocht.*
4. *De jute olle Mann is mit 'et Ferd durch 't Eis jebrochen un in 't kalte Wasser rinjefalln.*
6. *Det Feia war zu heeß, de Kuchen sinn ja unten janz schwarz jebrennt.*
7. *Ea eßt de Eia imma ohne Salz un Feffa.*
8. *De Fieße duhn ma weh, ick jlobe, ick habe se ma durchjelofen.*
9. *Ick bin bei de Frau jewesen un habe 't iha jesacht, un se sachte, se wollte 't och ihre Dochter sagen.*
11. *Ich schlag(e) dea jleich mit 'n Kochleffel um de Ohren.*
15. *Du hast heite am meisten jelernt . . ., du derfst friher zu Hause jehn als de andern.*
17. *Jeh, sei so jut, un sage deine Schwesta, se soll de Kleeda fer (for) eire Mutta fertig nehn un mit de Bürschte reene machen.*
19. *Wer hat mea mein 'n Korb mit Fleesch jestohlen?*
23. *Wea sin miede un habn Durscht.*
26. *Hinta unsa Haus stehn drei scheene Äppelbemekens mit rote Äppelkens.*
29. *Unse Berje sin nich sehre hoch, eire sin ville hejer.*
30. *Wievielle Fund Wurscht un wieville Brot wollt ea haben?*
31. *Ick versteh eich nich, ea mißt en bisken lauter reden.*
32. *Habt ea keen Sticksken weiße Seefe vor mea uf mein'n Disch gefunnen?*
33. *Sein Bruder (Brietz) will sich zwee scheene neie Heisa in eiern Jarten baun.*
36. *Wat sitzen da fer Vejelkens oben uf 'et Meierken?*
37. *De Bauern hatten fünf Ochsen un nein Kihe un zwelf Schäfkens vor 't Dorf jebracht, de wollten se verkoofen.*
38. *De Leite sin heite alle draußen uf 't Feld un mehen.*
40. *Ick bin mit de Leite da hinten iber de Wiese in 't Korn jefahren.*

Biesdorf (Fragebogen des Sprachatlas, um 1880)

1. *In Winter fleh'n die drehe Bläder derch die Luft rum.*
2. *Et hiert glich up to schneien, denn werd det Weäder wedder besser.*
3. *Duhe Koahlen in den Kachelah'n, det die Melk balle an to kochen fangt.*
4. *Der guede olle Mann is met det Pärd durch 't Is gebroacken un in det kolle Woater gefallen.*
6. *Det Füer war to hete, die Kueken sin ja ungen ganz schwart angebrennt.*
7. *Er ett die Eier immer oahne Solt un Päper.*
8. *Die Beene duen mie sehre weih, ick glowe, ick hebbe se derchgelopen.*
9. *Ick bin bi die Fru gewest un hebbe et ehr gesäät, und sie seäde, sie wolldet ooch ehre Dochter seien.*
11. *Ik schloah die gliech met dän Kochleäper um die Oahren.*
15. *Du hest hiete am mehrschten gelehrt . . ., du derfst früher na Huse goahn, as die Andern.*
17. *Geh, sei so guet, un seie dine Schwester, se sall die Kleeder ver jaue Mutter färich näh'n, un met die Berschte reene moaken.*
19. *Wer het mie mien Korw met' Fleesch gestoahlen.*
23. *Wie sind müede un hebben Dorscht.*
26. *Hinger unset Hus stoah'n drei scheene Appelbeeme met rode Appelkins.*
29. *Unse Berge sind nich sehre hoch, jaue sind ville höjer.*
30. *Wieville Pund Worscht, un wieville Brod wolln jie hebben?*
31. *Ick verschtoah' ju nich, jie meäten an Bitzkin lueder reäden.*
32. *Hebb'n jie keen Schtükskin Seepe ver mie up mien Disch gefungen.*
33. *Sien Brueder will sich zwee scheene neie Hieser in jauen Goaren bauen.*
36. *Wat sitten da vor Valekins, baane up det Mauerkin.*
37. *Die Buure hadden fünf Ossen un neun Köh un zwölf Schoape ver det Derp gebracht, die wollden sie verköpen.*
38. *Die Liede sind hiete alle druten, up det Feld un mäh'n.*
40. *Ick bin met die Liede doa hingen äwer die Weäse int Koarne gefoahren.*

Müggelheim (Fragebogen des Sprachatlas, um 1880)

1. *Im Winter flihe die drokne Bläter dorch die Luft rum.*
2. *Es hirt gleich uf zu schnihe, dan wart das Wedder widder besser.*
3. *Du Kule in den Uwe, daß die Milch bal an zu koche fang.*
4. *Der gute alte Man ist met das Perd dorchs Eis gebroch un ins kalte Wasser gefal.*
6. *Das Feuer war zu hees, der Kuche war gans schwarz gebrent.*
7. *Er eßt die Eier immer ohne Salz und Peffer.*
8. *Die Füße duhn mich so wieh, ich glebe, ich hun sie dorchgelef.*
9. *Ich bin bei der Fra gewest und hunn es er gesat, und sie sat, sie wollte es ach ehre Dochter san.*
10. *Ich schlan dich gleich met den Kochlöffel um die Uhre, du Aff.*
15. *Du host heite am mehrste gelernt und bist artig gewest, du darfst ihr hem gihn wie die Andern.*
17. *Gih, sei so gut un sahs dein Schwester, sie soll die Kleder for auer Motter fertig nähe un met die Berst rehn mache.*
19. *Wer hat mich mein Korb met Flesch gestohl?*
23. *Mehr sin mith und hen Dorst.*
26. *Hinner uns Haus stihn drei schine Äppelbähm met rude Aeppel.*
29. *Unse Berge sin nit sihr huch, die euern sin vehl hier.*
30. *Wivihl Pfund Wurst und wievil Brud wol er hun?*
31. *Ich verstihe auch nit, er mist n bischen lauter sprechen.*
32. *Hun er ken Stückches weiß Seff vor mich uf mein Tisch gefun?*
33. *Sein Bruder will zwe schiene neue Heuser in auer Gate baun.*
36. *Was sitz dort for Vogelche uf den Mauerche.*

Laube vor jestann', un uff beede Seiten war 'n Vorjarten. Det hen' se det Hewickin (Höfchen) *jenannt. Rechts war denn der Doorwech, wo se denn mit de Heiwaĝen un mit Ferd un Waĝen rinjefahren sin. Die hem alle ne Remise jehett. Meist hatten se ooch ne Kuh in Stall un paar Zicken, det war hier so Mode in unset Dorf. Von 't Hewickin ha ick schon wat jesecht. Un den warn hinten jroße Obstjerten, da warn Flaum'beme und vor allem de Burjematten* (Bergamotten), *Knedelbäume ooch. Un die Knedeln* (Wildbirnen), *die hem wa nich jeessen, die warn ßu hat* (hart). *Aber die hem wa denn in e' Rehre jeleecht, die wurden jetrockent, denn het 's in Winter Kleße jeje'm mit Knedel. Wenn wa denn Äppel flicken mußten, denn mußten wa uf de Ledder kläddern un die Äppel imma abnehm'.*

Die jeweils von den Sprechern beherrschte Form der berlinischen Sprache hing vor 1945 also in stärkerem Maße auch davon ab, in welchem Stadtteil man lebte. Der Sprachgebrauch in den Stadtteilen, nach Mundart und Form des Berlinischen, war natürlich auch bestimmt von der Entfernung zum Stadtzentrum, hauptsächlich jedoch von der Sozialstruktur der jeweiligen Bevölkerung. In Vororten mit überwiegend einheimischer Bevölkerung, die in der Landwirtschaft tätig war, hielt man länger an der Mundart fest als in Arbeitervororten. In Villenvierteln sprach man meist ein der Schriftsprache näher stehendes Berlinisch als in Arbeitervierteln. Bestimmte Stadtteile waren dafür bekannt, z. B. das *Geheimratsviertel* und das *Pantinenviertel.*

In zeitgenössischen Berichten aus dem Ende des 19. Jahrhunderts sowie von älteren Berlinern werden bestimmte Lautungen abwertend »vogtländisch« genannt. Das hat nichts direkt mit dem Vogtland um Plauen zu tun. Man brachte vielmehr das von der allgemeinen Regel abweichende Berlinisch mit der Sprache der Bewohner des Stadtteils vor dem Hamburger Tor und Rosenthaler Tor in Zusammenhang, der Vogtland genannt wurde. Dort waren seit der Mitte des 18. Jahrhunderts Handwerker aus dem sächsischen Vogtland angesiedelt worden. In diesem Stadtteil herrschte im 19. Jahrhundert besondere Armut, die Schulbildung war dadurch ausgesprochen dürftig, und die dortige Sprache galt als die schlechteste. Man sagte deshalb: »Sprech doch nich so vogtländsch!« oder »Vogländere nich!« Solche negativ bewerteten Lautungen waren *dis* ›das‹, *j* (mit leichtem *e-* oder *i-*Vorschlag) für zwischenvokalisches *h* in bestimmten Wörtern: *hejer* ›höher‹, *nejer* ›näher‹. Dieser Gebrauch von *-j-* war um 1880 in den Vororten im Berlinischen und in der Mundart noch weithin üblich. Noch 1929 hörte man als Antwort auf eine Anrede mit ›Ihr‹: *Ihr und Euch wohnen int Vochtland!*[24]

Eine Fülle lokaler Unterschiede zeigt sich beispielsweise bei den Kinderspielen noch in der Gegenwart. Sie sind vorhanden bei den Spielen, den Spielvarianten und auch bei den Bezeichnungen. Der Volkskundler Reinhard Peesch hat um 1955 umfangreiches Material für Berlin zusammengetragen, das auch die Verbreitung der Bezeichnungen von Spielen und von Spielmitteln erkennen läßt. Beim Spiel »Fangen« (*Abb. 25*) war im größten Teil Berlins *Einkriege, Einkriegezeck* üblich, in Köpenick aber *Greife, Greifzeck*, in Steglitz *Greifzeck*, in Wilmersdorf *Zeck*, in Spandau *Kriegezeck*.[25] Die lokalen Unterschiede bei den Spielbezeichnungen sind in den letzten Jahrzehnten geringer geworden, aber es sind noch einige vorhanden.

Ältere Berliner sind öfter der Meinung, daß man vor 1930 vielfach an der Sprache die städtische Herkunftsgegend des Sprechers in Berlin heraushören konnte. Das traf besonders für Bewohner des früheren Scheunenviertels zu, das einen großen Teil jüdischer Bevölkerung hatte (um 1920 ca. 170 000 Juden), in dem sich teilweise ostjüdisches Straßenleben entwickelte. In der damaligen Grenadierstraße waren beispielsweise etwa 95 % der Einwohner Juden osteuropäischer Her-

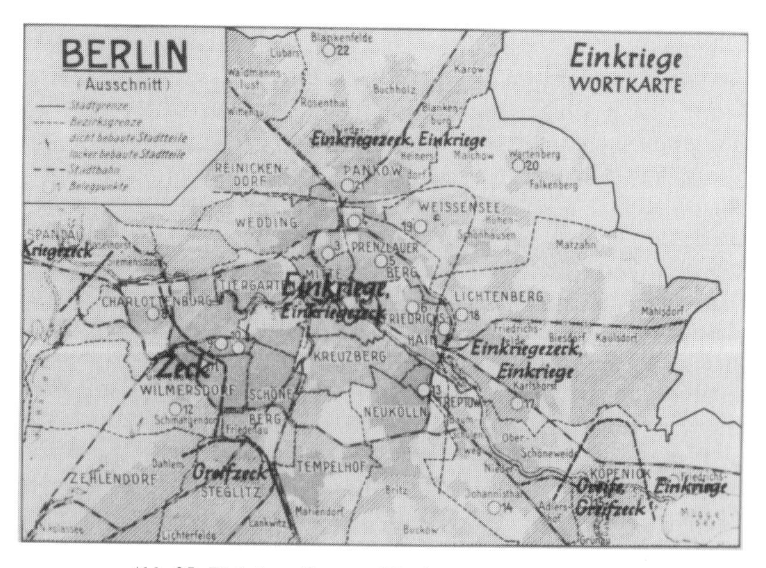

Abb. 25: Einkriege ›Fangen‹ (Kinderspiel; nach R. Peesch)

kunft. Im Amüsierviertel in der Ackerstraße und in der Kleinen Hamburger Straße war das Berlinische stärker mit Elementen des Rotwelschen durchsetzt. Berichtet wird aber auch von Unterschieden in der Sprache und im Sprachgebrauch zwischen anderen Stadtteilen und Wohnvierteln, die auf sozialen Unterschieden beruhten. Darüber wissen wir bisher jedoch noch zu wenig. Durch die Zerstörung der Stadt im Krieg, durch die spezifische gesellschaftliche Entwicklung im Ostteil der Stadt und die besondere Wohnungspolitik wurden hier tiefere soziale Unterschiede nivelliert. Eine stärkere Heterogenität der Wohngebietsbevölkerung wurde angestrebt und erreicht. Auch für den traditionellen Arbeiterbezirk Prenzlauer Berg traf das zu, und es wohnen jetzt hier zahlreiche Zugezogene aus anderen Territorien. Dadurch wurden ausgeprägte lokale Sprachunterschiede, die sozial bedingt waren, beseitigt. Innerhalb von Berlin-West sind dagegen noch in der Gegenwart starke sozial bedingte Unterschiede im Gebrauch und in der Bewertung des Berlinischen vorhanden. Sie wurden zum Beispiel zwischen den Einwohnern im traditionellen Arbeiterbezirk Wedding und der sich überwiegend aus der Mittelschicht rekrutierenden Bevölkerung in Zehlendorf beobachtet.[26] Viel stärkere sprachliche Unterschiede als zwischen den Stadtbezirken entwickelten sich aber durch die Teilung Berlins in den letzten Jahrzehnten zwischen Berlin-West und Berlin-Ost.

Soziale Unterschiede im Berlinischen

Im Berlinischen existieren nicht nur lokale Unterschiede, sondern auch sozial bestimmte. Welche Form des Berlinischen beherrscht und gebraucht wird, hängt stark von der Sprache der Eltern, Freunde und Arbeitskollegen ab, vom Alter und der beruflichen Stellung. Vor 1945 war dies geprägt von der Zugehörigkeit zu den sozialen Klassen und Schichten, vom sozialen Milieu, das beträchtliche Unterschiede aufwies. Dies bestimmte auch den Grad der Beherrschung der Schriftsprache. Deutlich bemerkbar ist das bei Glaßbrenner, wo der Kleinbürger weniger berlinert als ein Arbeiter oder ein Eckensteher, der Schuhmachermeister weniger als sein Geselle. Schon früher ist das festzustellen in den Theaterstücken von Voß, wo der Landwirt (Viehmäster) und die Fleischersfrau viel mehr mundartliche (niederdeutsche) Elemente gebrauchen als der Conditor und der Tanzmeister, wo die Fischer noch niederdeutsch sprechen und einige Personen die Schriftsprache verwenden (vgl. S. 263 f.).

Nachdem seit dem Ende des 18. Jahrhunderts von Pädagogen eindringlich darauf hingewiesen wurde, daß bestimmte Eigenheiten des Berlinischen fehlerhaft seien, wurde allmählich das Berlinische als sich von der Schriftsprache abhebende Mundart (als Dialekt) angesehen. Immer mehr Angehörige der gebildeten Schichten legten jetzt die als gröber empfundenen Eigenheiten ab. Nach Angaben von Zeitgenossen hob sich etwa seit der Mitte des 19. Jahrhunderts die Sprache der Schicht der Gebildeten spürbar durch Annäherung an die Schriftsprache vom Berlinischen weniger gebildeter Schichten, vor allem des Proletariats, ab. Dabei wurden besonders Berliner Formen in der Syntax abgelegt (*mir* statt *mich* usw.). Der Grad der Annäherung an die Schriftsprache war unterschiedlich, *j* bzw. *ch* statt *g (jekricht)*, *ür* statt *ir (Bürne)* wurden meist beibehalten, teilweise auch die Entrundung *(nei)* sowie *ooch, keen* usw. Angehörige des gehobenen Bürgertums und Geschäftsleute folgten diesen Bestrebungen, vor allem nach der Gründerzeit. Die sogenannten Millionenbauern sprachen vielfach noch das typische Berlinisch. Ihre Kinder eigneten sich jedoch meist durch eine bessere Schulbildung die Schriftsprache an. Mit der Zuwanderung zahlreicher Fremder, mit der steigenden Qualität der Schulbildung, dem wachsenden Willen zur Angleichung an die oberen sozialen Schichten kam es zu einer stärkeren Zersetzung des Berlinischen. Immer häufiger wurden neben den berlinischen auch schriftsprachliche Formen gebraucht. Doppelformen finden sich häufig am Ende des 19. Jahrhunderts, aber auch bereits bei Glaßbrenner und Voß. Infolgedessen kam es zu vielen sprachlichen Zwischenstufen bis hin zur gesprochenen Schriftsprache, die nur noch wenige Berliner Reste in der Lautung und im familiären Wortschatz enthielt. Dadurch konnten Zeitgenossen zuweilen nur ungenau angeben, ob jemand »berlinisch« sprach oder nicht. Dieses erklärt auch, daß auf Fontanes Anfrage nach Schadows Sprache 6 Korrespondenten erklärten »›er sprach berlinisch‹, zwei bestreiten es und sieben halten einen Mittelkurs«[27]. Zu diesen verschiedenartigen Einschätzungen kam es auch dadurch, weil Schadow in verschiedenen Situationen unterschiedlich gesprochen hat. Es gab viele Persönlichkeiten, von denen bekannt ist, daß sie häufig und stark berlinerten, z. B. Liebermann und Zille.

In ihrem Drang, sich sprachlich den oberen sozialen Schichten anzupassen, kam es gerade in bürgerlichen Kreisen häufig zu überkorrekten Formen, zu dem sogenannten »gebildeten Berlinisch«. Öfter charakterisiert Glaßbrenner Personen, besonders Frauen, mit solchen Lautungen, z. B. *eingal* bzw. *eenjal* statt *eejal, Apfrikose, Jrippfe, jenü-*

ßen, keune statt *keene*. Das gezierte Sprechen nannte man auch »zwikkauern«[28].

Noch bis zu Beginn des 20. Jahrhunderts gebrauchte man beim gezierten Sprechen öfter hyperkorrekte Formen, z. B. *Tambauer* statt *Tambour, Gerusalem* statt *Jerusalem*. In der ehemaligen Lothringer Straße gab es ein ›*Restaurant Lohengrün*‹.[29]

Das typische Berlinisch lebte um 1900 vor allem in der Arbeiterklasse und bei Kleinbauern. Milieu und Sprache der unteren sozialen Schichten hat Zille eindrucksvoll dargestellt. Jedoch war die berlinische Sprache selbst in diesen Kreisen nicht einheitlich, was vor allem die Angaben über die Sprache der Einwohner am Hamburger Tor (im sogenannten »Vogtland«) bezeugen (S. 273 f.). Angehörige des Kleinbürgertums bemühten sich vielfach - zumindest seit dem Ende des 19. Jahrhunderts -, als grob empfundene berlinische Eigenheiten aufzugeben.

Seit den 20er und 30er Jahren unseres Jahrhunderts verstärken sich die Anstrengungen bei Angehörigen aller sozialen Schichten - gefördert durch steigende schulische Anforderungen -, negativ bewertete berlinische Eigenheiten oder das Berlinische ganz abzulegen. Besonders eindrucksvoll zeigt sich das an den Bemühungen vieler Berliner Eltern, über die bereits am Ende des 19. Jahrhunderts berichtet wird. In den ersten Lebensjahren des Kindes gehen in der Gegenwart die Eltern meist gegen den Gebrauch des Berlinischen allgemein vor, später lediglich gegen die Verwendung innerhalb der Familie. Weil dies aber meist nicht erreicht wird, bekämpft man schließlich nur noch bestimmte Merkmale. In den letzten Jahrzehnten berichteten rund 50 % der von mir in Berlin-Ost befragten Berliner von solchen Bemühungen im Elternhaus, wobei Unterschiede nach Beruf, Bildung usw. zu erkennen sind. Meist vermitteln Eltern ihren Kindern - häufig mit viel Mühe - in den ersten Lebensjahren die Schriftsprache. Im Kindergarten, von Geschwistern und Freunden sowie teilweise doch im Elternhaus eignen sich dann fast alle Kinder das Berlinische an, unabhängig von der sozialen Stellung der Eltern. Das erfolgt schrittweise, meist über betimmte Artikulationsweisen (*-a* statt *-er*), über berlinische Lauterscheinungen in einzelnen Wörtern *(wat, det, ick)* zu Berliner Wörtern und schließlich zu Lautregeln. Dabei kommt es öfter auch zu »falschen« Formen, die von der Regel abweichen (*jleech* statt *jleich, Onge* statt *Omme* ›Kopf‹), die aber später korrigiert werden. Durch diese Entwicklung beherrschen heute fast alle Angehörigen der jungen Generation im Ostteil der Stadt, wenn sie in Berlin aufgewachsen sind, das

Berlinische. Sprachliche Verschiedenheiten, die durch die soziale Stellung bestimmt sind, finden sich hier nur in geringer Zahl.

Deutliche Unterschiede bei der Beherrschung und Verwendung des Berlinischen bestehen dagegen im Ostteil Berlins zwischen älteren und jungen Berlinern. Daran lassen sich auch Entwicklungstendenzen im Berlinischen erkennen. Nur die älteren Berliner gebrauchen noch häufig, allerdings in unterschiedlichem Umfang, entrundete Vokale und sagen: *Eire Heiser ha'm scheene Diern un hibsche Beeme.* Bei der jüngeren und mittleren Generation lautet dies: *Eure Häuser ha'm schöne Türn un hübsche Bäume.* Auch sind bei letzteren oft schon üblich: *glob ick, groß, folgen, zu, einkoofen* usw. statt der von älteren Berlinern gebrauchten Formen *jloob ick, jroß, foljen, ßu, inkoofen.* Vor allem ältere Berliner gebrauchen öfter noch den Akkusativ statt des Dativs beim Substantiv: *die licht ins Bette, mit die Bahn* usw. Auch im Wortschatz zeigen sich deutliche Abweichungen. Viele früher für das Berlinische typische Wörter sind heute veraltet und werden nur selten verwendet, z. B. *Embiedel, Emton.* Nur alte Berliner stehen mit *Pampuschen* auf dem *Trittewar* und warten auf eine *Droschke.* Jugendliche gebrauchen zwar die Redensart *Der sitzt da wie ne Padde*, wissen aber meist nicht mehr, daß *Padde* ›Frosch‹ bedeutet.

In sozialen Gruppen, deren Angehörige durch gemeinsame Lebensbedingungen, Lebensweise oder Interessen miteinander verbunden sind, bilden sich häufig spezifische sprachliche Besonderheiten heraus, vor allem im Wortschatz. Das kann einzelne oder zahlreiche Wörter betreffen. Es kann zur Ausbildung eines Gruppenwortschatzes (einer Gruppensprache) oder eines Fachwortschatzes führen. Ein Teil dieser Wörter wird dann oft auch von anderen Berlinern übernommen.

Selbst der Wortschatz der Kinder hat seine Besonderheiten, wo er sich nämlich auf Sachverhalte bezieht, die für das kindliche Leben von Bedeutung sind. Beim Kleinkind sind es oft lautmalende Wörter, die vom Kind leichter aufzunehmen sind: *Bába* ›Bett‹, *Babá* ›Schmutz‹, *Baubau* ›Hund‹ (veraltet). Das größere Kind benutzt besondere Bezeichnungen für Spielzeug, Kinderspiele, Kleintiere usw., z. B. *Bucker* ›große Murmel‹, *Katschi* ›Katapult‹. Sie werden immer wieder ergänzt: *Mondhopse, Jummihopse, Jummitwist* für bestimmte Hüpfspiele. Beim Spielen der Kinder entstanden neue Wörter, Bedeutungen, Redewendungen sowie Reime, teilweise durch Spiel mit der Sprache, durch Verdrehen, Verlängerung usw. Sie werden von anderen Kindern übernommen und ergänzt, z. B. *Bahne frei! – 'n Sechser 't Ei.*[30]

Die Schüler hatten bereits im 19. Jahrhundert für schulische Sachverhalte einen besonderen Wortschatz. Einige Wörter werden von Trachsel (1873) und im »Richtigen Berliner« (1878) angeführt, z. B. *Stall* ›Schule‹, *Klatsche* und *Schmook* ›im Fremdsprachenunterricht unerlaubt benutzte Übersetzung‹, *im Tee sein* ›beim Lehrer beliebt sein‹. Eine ganze Reihe solcher Wörter stellte Brendicke 1895 zusammen, z. B. *exen, exschieben, schampeln* ›hinter die Schule gehen‹.[31] Heute sagt man dafür *schwänzen*. Selbstverständlich gebrauchen auch die Berliner Kinder der Gegenwart spezifische (schülersprachliche) Wörter. Sie decken sich teilweise mit den um 1870, 1900 und 1928 verwendeten (z. B. *Petze*), weichen aber auch davon ab, denn sie werden laufend ergänzt und ersetzt. Im 19. und zu Beginn des 20. Jahrhunderts wurden vielfach Bezeichnungen aus dem Rotwelsch und aus der Studentensprache übernommen.

Die Berliner Kinder und Jugendlichen sind heute weithin Träger der Berliner Umgangssprache, und sie waren es auch im 19. Jahrhundert. Sie gebrauchen also häufig und ausgeprägt das Berlinische, und zwar die schriftsprachferne Schicht. Darüber hinaus haben sie auch wesentlichen Anteil an der Schaffung und Verbreitung von neuen Bezeichnungen, Wörtern und Redewendungen, die teilweise auch zur Steigerung des Ausdrucks dienen. Dies wird für den Anfang unseres Jahrhunderts angegeben, aber vereinzelt auch für das 19. Jahrhundert berichtet, dabei spielte die Berliner Straßenjugend, die auch bei der Ausprägung des Berliner Witzes wesentlich mitwirkte, eine besondere Rolle.[32] Fortwährend wurden - auch durch Jugendliche - neue Bezeichnungen zur Steigerung geschaffen bzw. vorhandene mit neuen Bedeutungen versehen, z. B. *ochsig, lausig* ›ausgezeichnet‹. Das setzte sich bis zur Gegenwart fort, z. B. *fetzig, geil*. Seit der Mitte des 20. Jahrhunderts ist zu beobachten, daß Jugendliche im Gespräch - vor allem zwischen Jugendlichen - ausgeprägt berlinisch sprechen und außerdem eine Fülle sprachlicher Mittel (Wörter und Redewendungen) verwenden, die vom Sprachgebrauch der Erwachsenen abweichen und von diesen oft nicht verstanden werden. Wenn ein Junge aus Berlin-Ost sich bei seinem Bruder wegen einer Verspätung entschuldigt, so kann dies etwa folgendermaßen geschehen (wobei allerdings der jugendsprachliche Wortschatz gewöhnlich nicht so konzentriert verwendet wird wie im folgenden Text):

In 'e Penne (Schule) *ha' ick ma ne Dicke* (oder *ne Volle* = Note 5) *jefang', weil ick nich aus de Asche* (voran) *jekomm' wa. Denn bin ick noch mit Hotte* (Horst) *uf de Bude* (Zimmer) *von seine Klunte* (Freundin) *jejang'. Da war ick no ni jewesen. Die Käthe* (Mädchen) *hat 'n Zappen*

(Pech) *jehabbt. Ick dachte meen Schwein feift un hab de Ooren ausjefahrn* (erstaunt geguckt). *Ihre Glotze* (Fernseher) *hat de Hufe hochjerissen* (war entzwei). *Aber da ha' ick ma keene Eule* (Sorgen) *jemacht. Ick war Kumpel wie Sau, un dit wurde juckich jemacht* (in Ordnung gebracht). *Denn war dit urst Sahne* (ausgezeichnet). *Denn ha' ick ma 'n Hund* (Taxe) *jenomm' un bin von Hof jeritten.*

In Berlin ist diese Sprache der Jugendlichen besonders ausgeprägt. Sie weist Merkmale auf, die überregional sind, aber auch viele Berliner Eigenheiten. Verwendet werden Modewörter *(schau, urst),* saloppe Wörter statt der normalsprachlichen *(Bonje* statt *Kopf),* schriftsprachliche Wörter mit übertragener Bedeutung (*Weib* ›Freundin‹). Ältere Berliner Wörter werden aufgegriffen (*Atze* und *Keule* ›Bruder‹, *Ische* ›Mädchen‹). Man benutzt bildhafte Vergleiche (*Balett(i) machen* ›sich beeilen‹ neben *allet paletti* ›alles in Ordnung‹) und gebraucht eigenwillig bestimmte Arten der Wortbildung, z. B. die Endung *-i* (*Hirni* ›Dummkopf‹). Viele Berliner Jugendliche verwenden fast nach jedem Satz verstärkendes *eej,* z. B. *wat willste, eej?* oder *Piepel eej, wat willste?* Statt der Vollformen benutzt man sehr häufig Abschwächungen: *ick ma anjestellt* ›ich habe mich dann angestellt‹. Satzabbrüche und schnelles Sprechen sind in so starkem Maße üblich, daß ein Nichtjugendlicher oder Nichtberliner das Gespräch oft kaum oder nicht versteht. Häufig werden Wörter und Wendungen der Jugendlichen auch in die Sprache der Erwachsenen sowie in die Jugendsprache anderer Regionen übernommen.[33]

In vielen Berufsgruppen verwendet man häufig auch Fachwörter, die sich auf den Arbeitsbereich beziehen und anderen Bevölkerungsgruppen nicht oder nur zum Teil bekannt sind. Teilweise haben sich ältere Wörter als Fachbezeichnungen bis heute bewahrt. Die einheimischen Fischer in Köpenick sprechen gewöhnlich berlinisch. In ihrer Berufssprache verwenden sie jedoch untereinander zahlreiche Wörter der niederdeutschen Mundart und niederdeutsche Lautungen.[34] Einige Wörter ihrer Fachsprache stammen wahrscheinlich von den früher hier ansässigen Slawen, z. B. *Peetschel* ›Ruder‹, *peetscheln* ›rudern‹, *Flock* ›kleines Zugnetz‹, *Pieze* ›Peizker‹ (Fischart), *Kaupe* ›auf dem Wasser schwimmende kleine Wurzeldecke‹. – Häufig werden in Berufs- und Interessengruppen für bereits vorhandene Bezeichnungen, die in der Fachsprache oder Schriftsprache üblich sind, neue gebildet, oder Wörter erhalten neue Bedeutungen. Das hat verschiedene Gründe. Es geschieht, um Expressivität und Emotionalität auszudrücken, aber auch um Zeit zu sparen (Sprachökonomie). Andere Gruppenangehörige übernehmen diese Bezeichnungen, die auch Fachjargonismen genannt werden, um sich in die Gruppe zu integrieren. Damit grenzt man sich von anderen, die diese Bezeichnungen nicht verstehen, ab. Das ist öfter zu beobachten im Gaststättengewerbe, bei der Reichsbahn, bei der Post, in Industriebetrieben usw. Beispielsweise ist im Berliner Gaststättengewerbe eine *Schwarze* ein Stück Schwarzwälder Kirschtorte. In den Reichsbahnzügen mitfahrende Kellner sagten in den 80er Jahren *Konfi* ›Konfitüre‹, *Kotti* ›Kotelett‹, *Anna* ›eine Tasse Kaffee‹, *Berta* ›ein Kännchen Kaffee‹, *Putzi* ›Hilfskellner‹, *Pinne* ›eine Mark‹, *Kaffee an 'e Wand* ›Kaffee wird nicht mehr verkauft‹. – S-Bahnzüge einer Strecke führen intern jeweils einen Frauen- oder Männernamen (z. B. *Konrad, Paula*), einen Funknamen. Bestimmte S-Bahnzüge jeweils einer Strecke bezeichnet man z. B. als *Sputnik, Blauer Bock, Schweinetaxe, Eule.* Den U-Bahnwagentyp GI nennt man *Gustav I,* eine Diesellok sowjetischer Bauart *Taigatrommel* und einen S-Bahnwagen mit Außenwarnleuchten *Warzenschwein.*

Solche berlinischen Fachwörter sind gewöhnlich nur in bestimmten Gruppen üblich. Aber auch andere in Wörterbüchern und Wortverzeichnissen als typisch berlinisch angegebene Wörter kennt öfter nur ein Teil der in Berlin Aufgewachsenen. Befragungen in Berlin zu 35 Wörtern ergaben, daß im gesamten Berlin *Sechser, Schrippe, Bulette, Stulle, Molle* ›Glas Bier‹, *Gören* und im östlichen Stadtteil *Schusterjunge* ›Roggenbrötchen‹, *Knüppel* ›Brötchenart‹, *Strippe* ›Bindfaden‹, *Eierpampe, Zuckersand* den Einheimischen allgemein bekannt sind.[35] Sehr häufig kennt man in Berlin-Ost auch *Omme* und *Bonje* für ›Kopf‹, *Keule* und *Atze* für ›Bruder‹. *Schwelle* für ›Schwester‹. Seltener weiß man in diesem Stadtteil die Bedeutung von *sich bekoofen, Pede* ›Quecke‹, *Triesel.* Einem Teil der Berliner ist für einige Sachverhalte nur die Berliner Variante geläufig, nicht aber die schriftsprachliche Entsprechung, z. B. *Kramme* und *Pede.* Das betrifft sogar Hochschulabsolventen. Einige Berliner Wörter haben mehrere Bedeutungen, die öfter in den Wörterbüchern noch nicht verzeichnet sind, zum Beispiel *Bucker* neben ›Glasmurmel‹, ›Murmel‹ auch ›großes Stück‹ (großes Schmuckstück, Problem, schlechte Zensur), *Peden* neben ›Quecken‹ auch ›Haare‹, *Kramme* neben ›Krampe‹ auch ›Katapultgeschoß‹.

Die Zugezogenen und das Berlinische

Seit der Mitte des 19. Jahrhunderts sind Hunderttausende von Menschen nach Berlin zugezogen, früher hauptsächlich aus dem brandenburgischen Raum, vor allem nach 1870 auch aus anderen Regionen, besonders aus mitteldeutsch sprechenden Gebieten. Die *Rucksackberliner, Rinjekiekten* oder *jelernten Berliner* wurden mit der berlinischen Sprache konfrontiert. Art, Grad und Schnelligkeit der Aneignung des Berlinischen durch Zugezogene hängen von verschiedenen Faktoren ab. Hierbei spielen der Anpassungswille und die Erfordernisse, die Art der Berufstätigkeit und sprachliche Gewohnheiten der Arbeitskollegen eine besondere Rolle. Meine Untersuchungen in den letzten Jahrzehnten im Ostteil der Stadt haben gezeigt, daß sich Frauen und Kinder gewöhnlich sehr schnell die berlinischen Wörter für Eßwaren aneigneten, die beim Einkauf nötig sind, z. B. *Knüppel, Schusterjunge, Käsekuchen, Bulette.* Aus Sachsen zugezogene Frauen verdrängten vielfach auffallende sächsische Wörter, die sie nun meist nur noch im Gespräch mit sächsischen Bekannten gebrauchen, und übernahmen Berliner Bezeichnungen, z. B. berlinisches *Schrippe* (sächsisches *Semmel*), *Schmalz (Fett), Scheuerlappen (Hader), Stulle (Bemme).* Das geschieht oft innerhalb weniger Monate. Die Übernahme berlinischer Wörter hängt auch von der Häufigkeit ihrer Verwendung im Kreis der Gesprächspartner und von der Aufenthaltsdauer in Berlin ab. Außerdem spielt bei Erwachsenen eine Rolle, ob Kinder vorhanden sind; sie nehmen meist eine Fülle Berliner Wörter aus dem Freundeskreis auf und vermitteln sie teilweise an die Eltern weiter, z. B. *Bonje* ›Kopf‹, *schmulen* ›abgucken‹. Während sich Schulkinder und Jugendliche den emotionalen Berliner Wortschatz meist schnell aneignen, geschieht das bei zugezogenen Erwachsenen gewöhnlich sehr differenziert. Mehrere Berliner Varianten waren fast allen befragten Zugewanderten bekannt, andere nur wenigen. Selbst bei saloppen Synonymen zeigten sich deutliche Unterschiede. Für ›Kopf‹ kannten beispielsweise 78 % der Befragten *Omme,* aber nur 40 % *Bonje.* Diese Vorgänge bestimmen auch die Übernahme der Berliner Lautung. Die genaue Reihenfolge der Übernahme ist schwer festzustellen, weil die meisten Zuziehenden schon sprachliche Eigenheiten aus dem vorherigen Wohngebiet mitbringen, die auch im Berlinischen üblich sind, z. B. *ooch, keen* oder *jut.* Auch zeigen sich Unterschiede zwischen Kleinkindern, Schulkindern, Jugendlichen und Erwachsenen. Bei unseren bisherigen Beobachtungen stellten wir fest, daß die Aneignung etwa in folgender

Reihenfolge verläuft: *k* statt *ch (ick), -t* statt *-s (dit, wat, schönet), oo* statt *au (ooch), ee* statt *ei (keen), j* statt *g (jut), -a* statt *-er (Bruda).* Besonders Schüler und Jugendliche übernehmen oft noch weitere Besonderheiten, z. B. *ü* statt *i (Bürne),* Dativ statt Akkusativ (*ma* ›mich‹). Die Lautungen werden im einzelnen Wort erlernt, deshalb kommt es auch zu »Fehlern«, z. B. *sajen* statt *saĝen.* Welche sprachlichen Merkmale vom Einzelsprecher tatsächlich zuerst übernommen und dann – unterschiedlich häufig – verwendet werden, hängt stark vom individuellen Sprachverhalten, vom Sprachgebrauch in den betreffenden Gruppen und teilweise von Sanktionen, z. B. durch die Eltern, ab. Diejenigen, die berlinern wollen, gebrauchen meist die auffallenden Lautungen, die Signalwirkung haben *(ick, det, wat).* Es wurde beobachtet, daß sprachliche Eigenheiten von Lehrern (z. B. *ü* statt *i, Bürne*) von einigen Schülern schon nach wenigen Wochen übernommen wurden. Kleinere Kinder (ca. 3 Jahre), mit denen die Eltern schriftsprachlich redeten, eigneten sich oft in Kinderkrippe und Kindergarten zuerst *-a* statt *-er* an (Pieka ›Stecher‹). Die Anzahl der Berliner Wörter und Lautungen steigt bei den Kindern – vor allem in den ersten Jahren – deutlich mit der Dauer ihres Aufenthaltes. Die meisten zugezogenen Eltern begrüßen es zwar nicht, sehen es aber doch als selbstverständlich an, daß ihre Kinder das Berlinische übernehmen. Sie achten aber häufig darauf, daß bestimmte Wörter (sogenannte »Ausdrücke«) vermieden werden, z. B. *Spasti* ›Dummkopf‹, *Piepel* ›Junge‹, *wa* ›nicht wahr‹, *eej* ›eh‹.

Viele zugezogene Erwachsene eignen sich die typischen berlinischen Lauteigentümlichkeiten (*ick, det, wat* usw.) nicht an. Manche sträuben sich auch bewußt dagegen. Ihre regionalen Merkmale beschränken sich auf vereinzelte *oo* statt *au (ooch)* und *ee* statt *ei (keen)* sowie den Reibelaut *j* bzw. *ch* statt *g* in bestimmter Stellung und *a* statt *r* bzw. *er* (*imma, Wōat* ›Wort‹). Bei den zugezogenen Schulkindern und Jugendlichen ist nur vereinzelt ein Widerstand gegen das Berlinische zu spüren. Lautliche Feinheiten und ein großer Teil des berlinischen Wortschatzes sowie der Berliner Witz bleiben den Erwachsenen und den später zugezogenen Jugendlichen unbekannt. – Die Übernahme des Berlinischen durch Zugezogene verlief im 19. Jahrhundert sicher ähnlich, allerdings wohl umfassender und schneller, weil auch mehr Berliner der mittleren und älteren Generation das typische Berlinisch, das schriftsprachferne Berlinisch, noch häufig verwendeten.

Wann spricht man berlinisch?

Im 19. Jahrhundert verwendeten die Berliner, die neben der berlinischen Sprache noch andere Sprachformen beherrschten, beispielsweise die Schriftsprache, diese dann je nach dem Gesprächspartner und nach der Situation. Dasselbe traf auch für die verschiedenen Abstufungen des Berlinischen zu. Innerhalb der damaligen Stadt Berlin sprachen bereits in der Mitte des 19. Jahrhunderts wohl nur noch die Besucher aus der Umgebung selbst in offiziellen Situationen die niederdeutsche Mundart. Jedenfalls schreibt der als Jurist im Stadtgericht tätige Felix Eberty für die Zeit nach 1835: »[. . .] doch fehlte es nicht an heiteren und lächerlichen Scenen (am Gericht, H. Sch.), namentlich wenn die Bauern aus der Umgegend der Stadt kamen, damals noch vielfach in ihrer hübschen ländlichen Tracht, [. . .] Ansprechend war auch der eigenthümliche märkische Dialekt, der sich wesentlich von dem gemeinen Berliner Jargon unterscheidet, und ein förmliches gutes Plattdeutsch ist, [. . .].«[36] Gewöhnlich verwendete man in Berlin sprachliche Abstufungen vom ausgeprägten Berlinisch bis zur mündlichen Schriftsprache, die nur noch wenige Berliner Eigenheiten enthielt. Gegenüber Angehörigen »oberer sozialer Schichten« oder in offiziellen Situationen bemühte man sich meist darum, der Schriftsprache nähere Sprechformen zu gebrauchen, soweit man sie beherrschte. Das geht auch aus dem Sprachverhalten der Personen in den Theaterstücken von Voß, in den Erzählungen von Glaßbrenner sowie in späterer Lokalliteratur hervor. Zeitgenossen berichteten dies auch für das Ende des 19. Jahrhunderts. In der Einleitung zu einer Sammlung des Berliner Wortschatzes (1897) zitiert Brendicke seinen Mitarbeiter, den Oberprediger Kollatz: »Bei den Behörden der Stadt und des Staates ist das Berlinische niemals Amtssprache gewesen, weder Inschriften noch Aktenstücke haben den Dialekt verwendet, aber gescholten und gezankt haben viele Würdenträger im reinen Berlinisch bis auf den heutigen Tag. In Gesellschaften hat man über die Personen die Nase gerümpft, die sich des berlinischen Dialektes bedienten. Selbst im Familienleben bemühen sich die Eltern gewissenhaft, ihre Kinder zum reinen und richtigen Hochdeutschsprechen zu gewöhnen, damit sie in den Schulen, in Gesellschaften und im Leben keinen Anstoß gäben. Dessen ungeachtet blüht der Dialekt im Hause und auf der Straße.«[37] Auch Trachsel beobachtete um 1873 eine wechselnde Verwendung Berliner Wörter, abhängig von der Situation: »In Bezug auf den Gebrauch der Berlinismen darf man nicht glauben, daß dieselben immer von einer besonderen Klasse ausschließlich angewendet werden und nur bei den untersten und ungebildeten Schichten der Gesellschaft heimisch sind. Im Gegenteil brauchen die unteren Klassen, nach Bedürfniß, bald einen Berlinismus, bald ein hochdeutsches Wort, je nachdem das eine oder das andere ihnen zum Ausdrucke ihres Gedankens passender erscheint oder je nach dem Range oder der Bildung der Person, mit welcher sie sich unterhalten.«[38] Dabei ist jedoch zu beachten, daß die Angehörigen der verschiedenen sozialen Gruppen, beispielsweise nach Klassenzugehörigkeit, Bildung und Beruf, im 19. Jahrhundert unterschiedliche Formen des Berlinischen beherrschten und normalerweise verwendeten (vgl. S. 275 f.). Eberty berichtete 1878, daß der »ächte Berliner Dialekt, [. . .] seit der Verbesserung der Schulen leider immer mehr verschwindet, und gegenwärtig unter den Gebildeten schon sehr viel von seiner Eigentümlichkeit verloren hat, [. . .]«.[39] In der Sprache eines Abteilungsvorsitzenden des Kammergerichts, eines Grafen Schwerin, findet sich in einem von Eberty wiedergegebenen Gespräch an Besonderheiten fast nur *j* statt *g*: »Meine Herrn, wer von Ihnen ist jestern in der Oper jewesen. Hat die Primadonna nich jöttlich jesungen.« Sicher sprachen manche der Gebildeten auch ein ausgeprägteres Berlinisch. Auf jeden Fall traf das für die sozialen Schichten zu, denen eine bessere Schulbildung verwehrt war, besonders für das Proletariat.

Über den Gebrauch des Berlinischen seit der Jahrhundertwende liegen Berichte von Berlinern aus der jüngeren Zeit vor. Darin kommt immer wieder zum Ausdruck, daß in den ersten Jahrzehnten des 20. Jahrhunderts die Angehörigen einiger sozialer Schichten sich sehr bemühten, das Berlinische überhaupt oder zumindest in bestimmten Situationen zu vermeiden und die Schriftsprache zu gebrauchen, z. B. Gebildete, Gelehrte, Beamte. Die Verwendung des Berlinischen in öffentlichen, offiziellen Situationen war verpönt, z. B. in Schulen und Universitäten. Allerdings gab es auch unter den Gebildeten Berliner, die sich nicht daran hielten und das Berlinische in der Öffentlichkeit verwendeten. Sie wurden häufig als Originale angesehen. Mit dem Sprachgebrauch war auch eine soziale Bewertung des Sprechers verbunden. Selbst Angehörige des Kleinbürgertums bemühten sich deshalb allgemein um den Gebrauch der Schriftsprache. Dabei ergaben sich Unterschiede im Sprachgebrauch der Stadtbezirke. Beispielsweise soll man in dem mehr kleinbürgerlichen Charlottenburg weniger ausgeprägt berlinisch gesprochen haben.

In den letzten Jahrzehnten (bis 1989) war im Ostteil Berlins ein

Wandel im Gebrauch des Berlinischen zu beobachten. Mehr Angehörige aller sozialen Schichten begannen häufiger wieder berlinisch zu sprechen. Das wurde immer weniger negativ bewertet. Meist verwendet man jetzt das Berlinische hier im privaten Bereich mit Verwandten und Bekannten, nur selten allerdings gegenüber Kleinkindern. Auch am Arbeitsplatz wird das Berlinische häufig gebraucht, sogar in Einrichtungen der Dienstleistung, des Gesundheitswesens und selbst des Bildungswesens, auch gegenüber Fremden. Öfter geschieht das sogar im Unterricht und in Seminaren, vereinzelt in Vorlesungen, und zwar meist aus Gewohnheiten des Sprechers. Dabei spielt das Selbstbewußtsein eine Rolle. Beobachter des Berliners haben bei ihm oft die durch nichts zu beirrende Sicherheit bewundert, mit der er meint, er spreche richtig, die anderen falsch. Angehörige der mittleren Generation und Leiter bemühen sich allerdings öfter stärker um den Gebrauch der Schriftsprache. Ein Teil der Berliner unterscheidet deutlich zwischen Schriftsprache und berlinischer Sprache und verwendet das Berlinische ganz bewußt nur in bestimmten Situationen, z. B. gegenüber Handwerkern, Produktionsarbeitern, Jugendlichen bzw. in mehr vertraulichen Gesprächen, um leichter Kontakt zu bekommen.[40]

Untersuchungen in zwei Stadtbezirken von Berlin-West ergaben in den 80er Jahren, daß hier in der sozialen Unterschicht mehr Berlinisch gesprochen wird als in der Oberschicht, im Arbeiterbezirk Wedding mehr (60 %) als in Zehlendorf (24 %), von der jüngeren und älteren Generation häufiger als von der mittleren. Für bestimmte Situationen wird Berlinisch als unpassend empfunden, vor allem in offiziellen Situationen und Institutionen.[41]

Das Berlinische wurde und wird nicht nur im Gespräch verwendet. Am Anfang des 19. Jahrhunderts gelangte mit der Nachahmung der Wiener Lokalposse auch in Berlin die Berliner Umgangssprache auf die Bühne, zuerst hauptsächlich in den Theaterstücken von Voß (ca. ab 1820). Das 1824 eröffnete Königstädtische Theater benutzte sie – und den Berliner Witz – in Berliner Volksstücken und über die neu geschaffene Gestalt des »Eckenstehers Nante« mehrere Jahrzehnte mit großem Erfolg. Man verwendete das Berlinische auch in Possen und Singspielen (ca. ab 1830), aus denen viele Lieder sehr populär wurden. Gleichzeitig übernahm man die berlinische Sprache in die Lokalliteratur. In der Mitte des 19. Jahrhunderts stand das »Berlinertum« in kräftiger Blüte, das Interesse des Bürgertums am Berlinischen war groß. Glaßbrenner machte seit 1832 das Berlinische im Zusammenhang mit dem Berliner Witz über die Stadt hinaus bekannt. Die Berliner Umgangssprache wurde in den politischen Diskussionen der Vormärzzeit verwendet, auch in Flugschriften und Zeitschriften. Mit der Literaturbewegung des Naturalismus am Ende des 19. Jahrhunderts gelangte sie auch in die überregionale Literatur. Verstärkt wurde die Verwendung des Berlinischen in der Literatur durch die Heimatbewegung. Im 20. Jahrhundert hörte man das Berlinische auch in Rundfunk, Filmen, Fernsehen und kulturellen Einrichtungen (z. B. im Kabarett), und zwar in jüngerer Zeit zunehmend.

Das Berlinische hat auch Eingang in das Gaststättengewerbe gefunden. In mehreren Gaststätten Berlins stehen in jüngerer Zeit Berliner Bezeichnungen für Speisen und Getränke auf den Speisekarten, z. B. *Hoppelpoppel* ›Gemisch aus Fleisch, Rühreiern und Kartoffeln‹, *Plumpse* ›frische Blutwurst‹, *Droschkenkutscher* ›Molle mit Korn‹, *Doktorchen* ›Eierlikör mit Kirsch‹. (Siehe Abb. S. 288 f.). Einige solcher Speise- und Getränkebezeichnungen sind aus dem 19. Jahrhundert überliefert und wurden auch damals in den Gaststätten verwendet.

Ist das Berlinische sympathisch?

Diese Frage wurde und wird sehr unterschiedlich beantwortet. Auch beziehen sich die Antworten auf unterschiedliche Gegebenheiten, nämlich auf die Sprache als Ganzes, auf einzelne Bestandteile, auf die Verwendung des Berlinischen in bestimmten Situationen, auf den Berliner Witz oder auf den Berliner und sein Verhalten. Es gibt eine Fülle von – lobenden und tadelnden – Äußerungen über das Berlinische. Gleichsam den Berliner charakterisierend, sagte Goethe 1823 über seinen Freund, den Berliner Maurermeister und Direktor der Singakademie, Karl Friedrich Zelter: »Er kann bei der ersten Bekanntschaft etwas sehr derbe, ja mitunter sogar etwas roh erscheinen. Allein, das ist nur äußerlich. Ich kenne kaum jemanden, der zugleich so zart wäre wie Zelter. Und dabei muß man nicht vergessen, daß er über ein halbes Jahrhundert in Berlin zugebracht hat. Es lebt aber, wie ich an allem merke, dort ein so verwegener Menschenschlag beisammen, daß man mit der Delikatesse nicht weit reicht, sondern daß man Haare auf den Zähnen haben und mitunter etwas grob sein muß, um sich über Wasser zu halten« (Gespräche mit Eckermann 4. 12. 1823). »Der scheußlichste aller Dialekte« war das Berlinische für den aus Berlin stammenden Schriftsteller Karl Gutzkow (1811–1876). Auch Willibald Alexis (1798–1871), der Verfasser historischer Romane aus der Mark Branden-

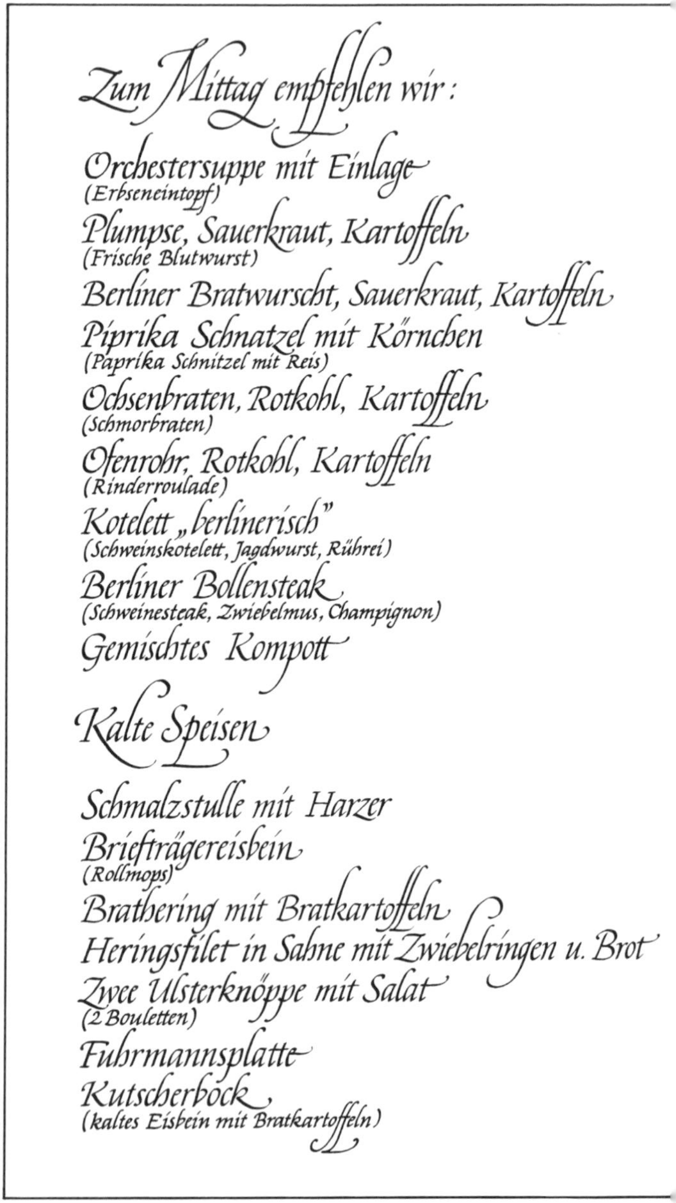

Zum Mittag empfehlen wir:

Orchestersuppe mit Einlage
(Erbseneintopf)

Plumpse, Sauerkraut, Kartoffeln
(Frische Blutwurst)

Berliner Bratwurscht, Sauerkraut, Kartoffeln

Piprika Schnatzel mit Körnchen
(Paprika Schnitzel mit Reis)

Ochsenbraten, Rotkohl, Kartoffeln
(Schmorbraten)

Ofenrohr, Rotkohl, Kartoffeln
(Rinderroulade)

Kotelett „berlinerisch"
(Schweinskotelett, Jagdwurst, Rührei)

Berliner Bollensteak
(Schweinesteak, Zwiebelmus, Champignon)

Gemischtes Kompott

Kalte Speisen

Schmalzstulle mit Harzer

Briefträgereisbein
(Rollmops)

Brathering mit Bratkartoffeln

Heringsfilet in Sahne mit Zwiebelringen u. Brot

Zwee Ulsterknöppe mit Salat
(2 Bouletten)

Fuhrmannsplatte

Kutscherbock
(kaltes Eisbein mit Bratkartoffeln)

Abb. 26: Speisekarte der »Altberl

Altberliner Spezialitäten

Droschkenkutscher
(Molle mit Korn)

Kavalierslage
(Pils, Weinbrand, Zigarre)

Blaue Pflaume
(Korn mit Kirsch)

Rasenlatscher
(Korn mit Pfefferminz)

Doktorchen
(Eierlikör mit Kirsch)

Maurertod
(Boonekamp mit Pfefferminz)

Weiße mit Schuß
(Weiße mit Kirschsaft)

Weiße mit Kirsch-Whisky

D

stuben« 1985

burg, sah hier einen »Jargon, aus dem verdorbenen Plattdeutsch und allem Kehricht und Abwurf der höhern Gesellschaftssprache auf eine so widerwärtige Weise componirt, daß er nur im ersten Moment Lächeln erregt, auf die Dauer aber das Ohr beleidigt«.[42] Selbst der Schriftsteller Theodor Fontane (1819–1898), ein Kenner berlinischer Lebensweise, äußerte mehrmals, daß ihm die Berliner Sprache unsympathisch klang. Er schrieb beispielsweise in einem Brief über das Buch »Der Richtige Berliner in Wörtern und Redensarten« (1878): »Den ›richtigen‹ Berliner kenn ich noch nicht. Vielleicht, daß er, literarisch verputzt, unterhaltend wirkt. Sein Original ist aber eigentlich furchtbar, weil ich indessen einräume, daß der Königsberger und Cölner noch schrecklicher ist.«[43] Friedrich Engels schrieb 1885: »Apropos Berlin. Ich freue mich, daß es diesem Unglücksnest endlich gelingt, Weltstadt zu werden. Aber schon Rahel Varnhagen sagte vor 70 Jahren: In Berlin wird alles ruppig, und so scheint Berlin der Welt zeigen zu wollen, wie *ruppig* eine Weltstadt sein kann. Vergiften Sie alle jebildeten Berliner und zaubern Sie eine wenigstens erträgliche Umgebung dorthin und bauen Sie das ganze Nest von oben bis unten um, dann kann vielleicht noch was Anständiges draus werden. Solange aber *der* Dialekt da gesprochen wird, schwerlich.«[44] – Der Witz sowie die Schlagfertigkeit, die besserwissende Schnodderigkeit und derbe Grobheit des Berliners, also die Denkweise und das Verhalten in seinen sprachlichen Äußerungen, wird häufig negativ bewertet, vor allem von Fremden, die ihm hilflos gegenüberstehen. Beispielsweise berichtet Eberty für die Zeit um 1833, daß die Hefte von Glaßbrenner für ihn und viele Berliner eine unerschöpfliche Quelle der Heiterkeit bildeten, während seinen Bonner Freunden die Späße auf das Äußerste zuwider waren. Sie fanden diese trivial und gemein.[45] Andererseits war G. W. F. Hegel (1830) der Ansicht: »Ein Berliner Witz ist mehr wert als eine schöne Gegend.«

Negative Urteile über das Berlinische gab es im 19. Jahrhundert in großer Zahl, ebenfalls im 20. Jahrhundert. Sie drücken sich auch im Verhalten gegenüber dem Berlinischen aus, besonders im Kampf gegen das Berlinische durch Pädagogen und Eltern. Aber es gab natürlich auch zahlreiche positive Urteile, vor allem von Berlinern selbst. Die negative Haltung hat verschiedene Gründe: Das Berlinische steht sprachlich der Schriftsprache so nahe, daß eine Abgrenzung nicht immer leicht möglich ist, wie beispielsweise zwischen niederdeutscher Mundart und hochdeutscher Schriftsprache. Deshalb wird das Berlinische vielfach als nachlässig gesprochene Schriftsprache, als verderbtes Hochdeutsch aufgefaßt. Dazu kam ein sozialer Faktor. Seit dem Beginn des 19. Jahrhunderts wurde das Berlinische in seiner ausgeprägten Form von den gebildeten Schichten und vom Bürgertum zunehmend aufgegeben. Es beschränkte sich mehr und mehr auf die Arbeiterklasse. Sein Gebrauch wurde als falsch empfunden, die Sprecher des Berlinischen wurden als ungebildet angesehen. Vor allem aus diesen Gründen wurden im 19. und Anfang des 20. Jahrhunderts im allgemeinen städtische Umgangssprachen als unsympathisch empfunden, wenn sie Mischsprachen waren, die der Mundart ferner und der Schriftsprache näher standen. Im Kampf gegen das Berlinische wendete man sich besonders gegen Abweichungen von der Schriftsprache in der Lautung und in der Syntax, weniger gegen den regionalen Wortschatz.

Zwischen 1970 und 1989 äußerte sich eine überwiegende Mehrheit von befragten gebürtigen Berlinern aus dem Ostteil der Stadt positiv über das Berlinische, vor allem Angehörige der älteren und der jüngeren Generation, und zwar aus allen Berufsgruppen. Es ist ihnen sympathisch und gefällt ihnen. Sie haben eine emotionelle Bindung zur Berliner Sprache, denn sie wird in der Familie und in den Freizeitgruppen gesprochen. Dadurch spricht sie ihr Heimatgefühl an. Die meisten Berliner fühlen sich wohl beim Gebrauch des Berlinischen und erwarten es im Gespräch von ihren in Berlin aufgewachsenen Bekannten. Viele bevorzugen das Berlinische auch, weil ihnen sein Gebrauch leichter fällt als der der Schriftsprache. Oft treten für die Verwendung des Berlinischen in bestimmten Situationen auch die Berliner ein, die sowohl das Berlinische als auch die Schriftsprache gut beherrschen. Mütter betrachten häufig besonders den Gebrauch des Berlinischen im Beisein von Kleinkindern und jüngeren schulpflichtigen Kindern skeptisch. Die Stellung zum Berlinischen hängt also auch ab vom Alter, vom Traditionsbewußtsein, von der Beherrschung der Schriftsprache usw. Die meisten Berliner wissen aus Erfahrung, daß gegenüber bestimmten Personengruppen durch die Verwendung des Berlinischen viel leichter und schneller Kontakt aufzunehmen ist. Deshalb eignen sich auch viele Zugezogene zumindest Teile des Berlinischen an. *Oller Dower* oder *die Olle macht ne Schnute* wirken nicht so verletzend wie *dummer Alter* oder *die Alte zieht eine Fresse.* Zahlreiche Berliner sehen in vielen Alltagssituationen den Gebrauch der Schriftsprache als »unpassend und gekünstelt« an. Manche beurteilen jedoch einzelne Bestandteile des Berlinischen negativ, besonders den von der Schriftsprache abweichenden Fallgebrauch *(mir* statt *mich, mit die Bahn).* Jüngere Berliner empfinden außerdem einige veraltete Lautungen und Wörter als unpassend und meiden sie deshalb, z. B. *j*-Anlaut statt *g*- vor Konsonant *(jrün, jlatt), Droschke, Fenstern, geschumfen* ›geschimpft‹, *eß* ›iß‹, *det looft* ›das läuft‹.

Studenten aus mehreren Territorien Ostdeutschlands stuften das Berlinische um 1978 in der Bewertung zwischen neutral und sympathisch ein. Mit dem Berlinischen verband man »salopp, schnodderig, schlagfertig, schnell, bequem«, was je nach der Mentalität des Beurteilenden positiv als »humorvoll, lebenslustig, dynamisch, kontaktfördernd« oder negativ als »aufdringlich, überheblich, deprimierend« ausgelegt wurde. Vielfach wurde das ausgeprägte Berlinisch wegen der Fallverwechslungen, des häufigen *wa* ›nicht wahr‹, *eij* ›eh‹ usw. abgelehnt.[46] Vor allem bei den Jugendlichen anderer Territorien ist das Berlinische beliebt, während hauptsächlich bei Angehörigen der mittleren und älteren Generation in den obersächsischen und thüringischen Gebieten das Berlinische wegen der »nachlässigen Aussprache und der Fallverwechslungen« vielfach verpönt ist.

Im Westteil der Stadt ergaben Befragungen, daß die soziale Unterschicht und die Bewohner bestimmter Stadtbezirke (z. B. Wedding) das Berlinische positiver bewerten als die Oberschicht und die Berliner anderer Wohnviertel (z. B. Zehlendorf).[47]

Wo spricht man berlinisch?

Öfter wird gefragt, ob das Berlinische nur in Berlin üblich sei oder auch außerhalb. Diese Frage nach der regionalen Verbreitung des Berlinischen ist gar nicht so unberechtigt, denn sehr viele Bestandteile des Berlinischen hört man auch in den Regionen um Potsdam und Frankfurt, z. B. *ick, dett, Oĝen* und *Fleesch*. Das Berlinische entstand in der Stadt Berlin aus einer Mischung von niederdeutscher Mundart, obersächsischer Umgangssprache, der Schriftsprache, Berliner Witz und Schlagfertigkeit usw. Es ist eine Schöpfung der Berliner und wurde anfangs nur von ihnen gesprochen. Ein Teil des Berlinischen stimmt durch seinen Ursprung aus der Mundart mit der Sprache der die Stadt umgebenden Region überein. Besonderheiten des Berlinischen wurden jedoch in andere Territorien übernommen. Es bekam bald ein so hohes Ansehen, daß die Bewohner der Umgebung, Besucher und zeitweilig hier Arbeitende bei ihrem Aufenthalt in Berlin sich Bestandteile des Berlinischen aneigneten und in ihre Heimatorte mitnahmen, beispielsweise Arbeiter, Bauern, Schüler und Soldaten. Dieses Prestige nahm zu, nachdem Berlin 1871 Hauptstadt des Deutschen Reiches und 1949 Ostberlin Hauptstadt der DDR geworden war. Zwischen 1949 und 1990 beschränkte sich das jedoch nur auf Ostdeutschland.

Wie bei einem Stein, der ins Wasser geworden wird, nimmt mit wachsender Entfernung die Stärke der Wellen ab. So ist es auch mit der Ausbreitung des Berlinischen. Die berlinische Umgangssprache wurde mit ihren wesentlichen Bestandteilen seit dem 17. Jahrhundert zunehmend von einem Teil der Bevölkerung der benachbarten Dörfer und der umliegenden Städte übernommen und anfangs in diesen Orten in bestimmten Situationen neben der brandenburgischen Mundart verwendet. Örtliche Verwaltungsaufgaben sowie wirtschaftliche und familiäre Beziehungen zur Stadt Berlin förderten dies bei den Einzelpersonen, z. B. bei wohlhabenden Bauern und Händlern. Öfter fanden solche berlinischen Besonderheiten hier auch Aufnahme in die geschriebene hochdeutsche Sprache. In einem Bauerntagebuch vom Ende des 18. Jahrhunderts aus Neuholland (nördlich von Oranienburg) stehen beispielsweise neben vereinzelten Wörtern aus der niederdeutschen Mundart (*seissen* ›Sensen‹, *geqwerdelt* ›gequirlt‹, *Knudeln* ›Kartoffeln‹) auch Lautformen, die von der Berliner Umgangssprache stammen dürften (z. B. *leffel* ›Löffel‹, *nei* ›neu‹, *gekooft* ›gekauft‹, *vor* ›für‹.[48] In mehreren Städten der Umgebung verdrängte das Berlinische bereits im 19. Jahrhundert die niederdeutsche Mundart. In der Stadt Brandenburg hatten die Bewohner, abgesehen von einigen älteren Vorstädten, um 1878 das Niederdeutsche abgelegt und verwendeten eine städtische Umgangssprache, die dem Berlinischen sehr ähnlich war, was der folgende Text deutlich zeigt.[49]

Ich habe uff'n Salzhof jekrieselt un jeknudelt. Ha'k mi do ooch ant Wasser Schelbern jesucht un mi in Plötzenschießen jeibt; eenmal ha'k bis bei Spittal's rüber jetroffen. Ick habe ufjepaßt, ob die Suppenuhr ölben oder schonst zwölben schlagen duht – dunne jung et fix zu Haus; ick bin bei olle Vater Hecheln in de Schule jejangen un dunne bei Prettwinkeln, habe mi mänchmal von'n Äppelkahn vorn Sechser Angestoßenen jeholt oder ooch von Ponatten Reggeliese, die sehr scheen schmecken daht ... Scheene hat et mi ooch immer jefallen an de krumme Hagel (Havel), *bis mal da eener sich verseeft hadde oder ob er verdrunken war, ick weeßt nich mehr, wie't war – dunne ha'k mi jejrauelt un bin nich enns widder hinjeloofen.*

In der Lautung zeigen sich zwischen dem Berlinischen und der in der Stadt Brandenburg üblichen Sprache u. a. folgende – von der Schriftsprache abweichende – Übereinstimmungen:

1. wie in der niederdeutschen Mundart: *ee* und *oo* statt schriftsprachlichem *ei* und *au (een, ooch), d-* statt t- (*dun* ›tun‹), in- und auslautend *p* statt *pf (Appel), t* statt *s (wat, det, -et), k* statt *ch (ick, -ken),* Reibelaut *j* bzw. *ch* statt *g (jejangen).* Teilweise folgt die *r*-Aussprache den Regelungen in der Mundart, nämlich als Gaumen- *r,* als *ach*-Laut (*docht* ›dort‹) oder Schwund *(Katoffeln);*
2. abweichend von der niederdeutschen Mundart: *ü, ö, eu* bzw. *äu* werden entrundet zu *i, e, ei (ibel, scheene, Hei), ē* statt des langen *ä (Keese, Meechen, Jeeger), rscht* statt *rst (Durscht), ß* statt *z(ßu), f-* statt *pf- (Fund).*

Die Stadtsprache von Brandenburg wies in der Lautung noch zahlreiche weitere Übereinstimmungen mit dem Berlinischen auf. Teilweise wurden die in Berlin zu der Zeit bereits veralteten Formen, die öfter aus der niederdeutschen Mundart stammten, in Brandenburg noch häufig verwendet, z. B. *nd* statt *n (Genderal), raußer* ›hinaus‹, *do* ›doch‹ usw. Das traf auch für Flexion, Wortbildung, Syntax und den Wortschatz zu, z. B. *mi* für ›mir, mich‹. – Brandenburg hatte allerdings das Berlinische noch nicht vollständig übernommen, sondern Eigenheiten aus der Mundart bewahrt, die vom Berlinischen abwichen. Das ist vor allem in der Lautung und im Wortschatz festzustellen, z. B. langes *ä* für schriftsprachlich langes *e (Bäsen, sähen, är, Täär), är* statt *ar (Härke), ar* statt *er (Harbst), ur* statt *ir (Schurm).* – Die mit dem Berlinischen übereinstimmenden und von der regionalen Mundart sowie der Schriftsprache abweichenden Sprachmerkmale zeigen deutlich den Einfluß des Berlinischen auf die Sprache der Bewohner der Stadt Brandenburg. Auf ähnliche Weise werden auch andere Städte in der Umgebung Berlins die berlinische Umgangssprache übernommen haben.

Im 20. Jahrhundert setzte sich allmählich das Berlinische großflächig in den Dörfern der Mark Brandenburg und – westlich und südlich – etwas darüber hinaus vollständig durch, in den von Berlin entfernteren Regionen hauptsächlich nach 1945. Über längere Zeit verwendete man in zahlreichen Dörfern niederdeutsche Mundart und Berlinisch nebeneinander, teilweise noch heute. Die Berliner Umgangssprache wurde damit zur regionalen Umgangssprache, die wir als berlinisch-brandenburgische Umgangssprache bezeichnen. Dabei bildete sich wie in Berlin eine schriftsprachnahe und eine schriftsprachferne Schicht der Umgangssprache heraus. Bei der Übernahme des Berlinischen in die umgebenden Territorien wurden allerdings einige berlinische Eigenheiten durch schriftsprachliche und heimische Elemente ersetzt, z. B. die Entrundung und der *d*-Anlaut statt *t*-. Einen

Teil der heimischen Merkmale gab man allmählich auf. Deutlich werden die Eigenheiten und der Wandel noch bei der um 1900 im Gebiet von Teltow verwendeten berlinisch-brandenburgischen Umgangssprache, die hier die niederdeutsche Mundart inzwischen vollständig verdrängt hat.

Ene Frau verzählt von Sauferkeln. Det jippt jlatte Fälle un schwern, mesndels jeht alles jlatt ap, aber nich ümmer. Manchmal is die Sau bösatich un freßt alle Ferkel uf, weil in Fremder jekomm is un si sich denn ufreecht. Man hat ihr dadrum och 'n olln Stiblschaft uffe Schnauze ufjezoĝen. Kommt och vor, det si denn so rumwüttschaft un 'n paa dottrampelt. Det müssn bloß Bekanntn sinn, di denn in 'n Stall komm, denn bleim si ruhich. Ik habe die olle Sau di Daĝe vorher ümmer so anjefaßt un ihr jekloppt un jestrechelt un zu ihr jesacht: Na, Olleken, sei man atich, du komms ja nu och balle ran, un denn wüschte zufridn sinn, wenn det wüscht überstandn habm. So jewöhnt ße sich an de Stimme.[50]

Bestimmte sprachliche Elemente der berlinisch-brandenburgischen Umgangssprache sind noch heute großflächig über ihr Gebiet hinaus im Vordringen, z. B. anlautendes *j* statt *g (jut jebratne Jans)* in den Süden Mecklenburgs, *det* statt *dat* ›das‹ in die Altmark usw.

Auch viele typische Wörter, Wortschöpfungen und Redensarten des Berlinischen wurden in die nähere Umgebung übernommen, z. B. *Einkriegezeck, Molle* und *Stampe.* Andere drangen etwas weiter vor, u. a. *Schrippe, er geht gleich auf den Baum* ›er ist leicht erregt‹ (vgl. Abb. 27, Stand 1935[51]), *Bonje* ›Kopf‹ (vgl. Abb. 28, Stand 1955[52]). Einige dieser Wörter waren bereits in den dreißiger Jahren östlich der Elbe im Brandenburgischen und etwas darüber hinaus verbreitet, beispielsweise *Bulette, Strippe* und *Schrippenarchitekt* ›Bäcker‹. Mehrere gelangten sogar bis in das Rheinland *(treulose Tomate)* und nach Bayern (*Heringsbändiger* ›Gehilfe im Lebensmittelgeschäft‹). Die modernen Wörter und Redewendungen breiteten sich meist nicht in konzentrischen Kreisen aus, sondern – oft sehr schnell – in bestimmten Richtungen und Kanälen. Bis 1935 – teilweise bereits im 19. Jahrhundert – drangen sie vor allem und gewöhnlich zuerst ins Brandenburgische vor, und zwar in Richtung auf Magdeburg, Ostbrandenburg und das damalige Schlesien, dann auch oderabwärts. Später wurden dann auch die mitteldeutsche Industrielandschaft sowie Westdeutschland nördlich der Mainlinie und vereinzelt Süddeutschland erfaßt.[53] Viele dieser saloppen Wörter und Wendungen sind in der Gegenwart in weiten Teilen des deutschsprachigen Gebietes allgemein üblich. Ihre Entste-

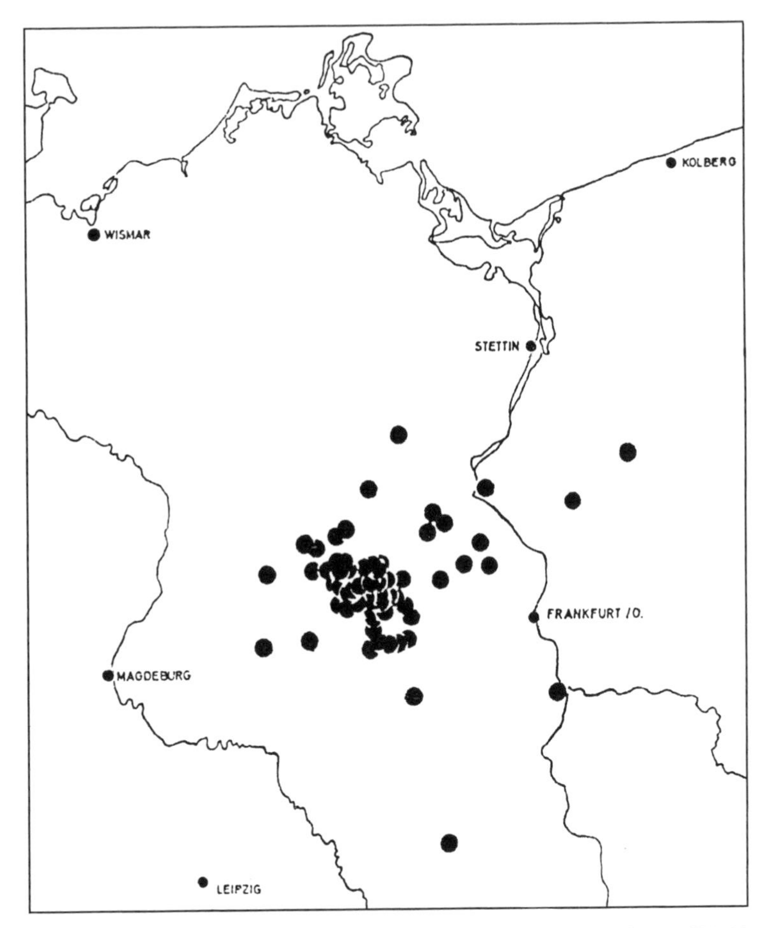

Abb. 27: er geht gleich auf den Baum ›er ist leicht erregt‹ (nach G. Grober-Glück)

hung in Berlin sowie die spätere Ausstrahlung von dort wird daher oft nicht vermutet. Durch die Ermittlung des ersten Vorkommens und mit Hilfe von Verbreitungskarten sowie des Motivs konnte das jedoch in zahlreichen Fällen eindeutig festgestellt werden.

Auch in jüngerer Zeit nehmen Besucher aus Berlin nicht nur Souvenirs mit, sondern vielfach auch Berliner Spracheigentümlichkeiten. Vor allem von Jugendlichen ist das zu hören. Verstärkt wurde dies zwischen 1949 und 1990 für die Bewohner Ostdeutschlands durch das Prestige Ostberlins als Hauptstadt der DDR sowie durch die Massenmedien. Wenn Jugendliche und Kinder verschiedener Regionen einige Zeit mit Berlinern zusammen verbringen, eignen sich erstere meist Sprachbesonderheiten des Berlinischen an und verwenden sie öfter auch in ihren Heimatorten. Durch solche Ausstrahlung trug Berlin wesentlich - vor allem im Wortschatz und in Redewendungen - auch zur Ausprägung der überregionalen deutschen Umgangssprache bei, mehr als irgendeine andere Stadt.

Aber nicht einzelne sprachliche Bestandteile - auch nicht die Lautung allein - machen das eigentliche Berlinisch aus, sondern die Gesamtheit der wesentlichen Merkmale in Lautung, Syntax, Wortschatz und Redewendungen mit dem Berliner Witz und der Schlagfertigkeit sowie der sprachlichen Wendigkeit und der sprachschöpferischen Fähigkeit.

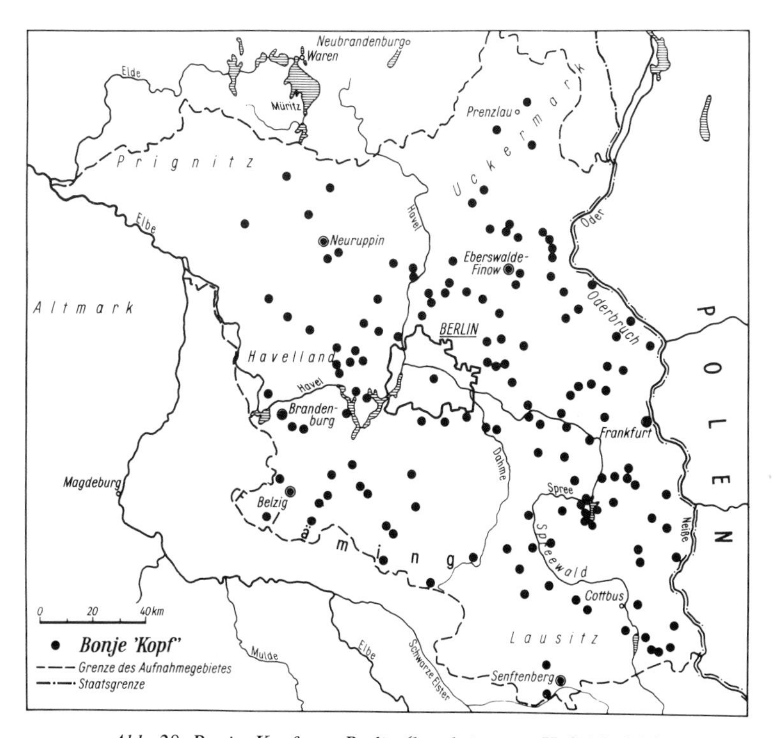

Abb. 28: Bonje ›Kopf‹ um Berlin (bearbeitet von H. Schönfeld)

Sprache in der zusammenwachsenden Stadt

In den Jahrzehnten der Teilung Deutschlands entwickelten sich in den beiden Teilen des Landes unterschiedliche Wirtschafts- und Gesellschaftssysteme mit unterschiedlichen Ideologien und Wertorientierungen. Es bildeten sich - zumindest im Bereich der öffentlichen Rede - zwei Kommunikationssysteme mit unterschiedlichen internationalen Bindungen heraus. Die direkte Kommunikation zwischen Bewohnern der beiden Teile Deutschlands war auf Familienangehörige, Freunde und kleine, ausgewählte Gruppen beschränkt. Dies hatte Auswirkungen auf die Sprache, den Sprachgebrauch und deren Bewertung. Die Bevölkerung machte jeweils unterschiedliche sprachliche Erfahrungen. Zahlreiche Veröffentlichungen beschäftigten sich bis 1989 mit dieser getrennten sprachlichen Entwicklung. Diese Untersuchungen beschränkten sich allerdings fast immer auf die Lexik.

Die Bevölkerung der beiden Teile Deutschlands lernte die sprachlichen Besonderheiten des jeweils anderen Territoriums in dieser Zeit in unterschiedlichem Umfang kennen, vor allem über Rundfunk und Fernsehen, teilweise auch durch familiäre Kontakte. Nach der Wende im Herbst 1989 kam es sehr plötzlich zu einer umfangreichen direkten Kommunikation zwischen Menschen aus beiden Teilen Deutschlands. Am stärksten betraf dies die Bevölkerung in der bis dahin geteilten Stadt Berlin und in den ehemaligen Grenzgebieten und Grenzorten wie z. B. dem fränkisch/thüringischen Mödlareuth. Von diesem Zeitpunkt an wurden und werden die Berliner nicht nur mit den ökonomischen und sozialen Verschiedenheiten täglich konfrontiert, sondern auch mit den sprachlichen. In Berlin entstand eine einmalige sprachliche Situation, die der Bevölkerung auch die sprachlichen Differenzen sehr bewußt machte. Für die Sprachwissenschaftler und die Berlinforschung ergeben sich daraus zahlreiche Probleme und Fragen, die erforscht bzw. beantwortet werden müßten. Sie betreffen die Sprache, ihre Verwendung und Bewertung sowie die Identifikation mit der Sprache. Die Unterschiede auf allen Sprachebenen, in der Sprachvariation, im Argumentieren und auch im sprachlichen Witz sind zu ermitteln. Für welche Personengruppen und Situationen, mit welchen Wirkungen und im Zusammenhang mit welchen abweichenden Verhaltensweisen sind sprachliche Unterschiede von Bedeutung? Zu untersuchen ist, welche neuen sprachlichen Merkmale den Berlinern auffallen, wie man diese und die Sprecher bewertet. Ist ein abweichender Sprachgebrauch in bestimmten Gruppen und Situationen bei Ostberlinern zu beobachten? Erkennt man beispielsweise den Ostberliner an seiner Sprache oder an seinem Sprachverhalten in einzelnen Situationen (beim Einkauf, in Verwaltungsstellen)? Von besonderer Bedeutung beim Zusammenwachsen der Stadtteile sind Verständnisschwierigkeiten, Mißverständnisse und soziale Probleme, die sich aus dem unterschiedlichen Sprachgebrauch ergeben. Wieweit sind die Berliner willens und in der Lage, sprachlich-kommunikative Unterschiede zu überwinden bzw. sich einem ›westlichen‹ Sprachgebrauch anzupassen? Das Reflektieren der Unterschiede und die Identifizierung mit bestimmten sprachlichen Verhaltensweisen sind zu erforschen. Solche Untersuchungen müßten bald erfolgen, bevor eine Nivellierung stattfindet, um die jetzige Sprachsituation und die sprachliche Entwicklung beim Zusammenwachsen beobachten zu können.

Die Bevölkerung von Ostberlin steht jetzt einer Fülle von neuen Sachverhalten und auch von neuen Begriffen, Wörtern und Namen gegenüber, die bewältigt werden müssen. Von manchen Einwohnern im Ostteil der Stadt wird diese Situation als »sprachliche Mauer« empfunden, »man habe die Sprache verloren«. Hervorgerufen wird das meist durch die Konfrontation mit Wörtern, die bisher entweder allgemein in den alten Bundesländern oder nur in Berlin-West üblich waren. Dieser durch die Wiedervereinigung ausgelöste lexikalische Schub betrifft in erster Linie die Standardsprache und schlägt bisher nur sehr verhalten auf das Berlinische durch. Teilweise werden alle Berliner davon betroffen *(Abwicklung, Treuhand)*. Andere Wörter sind nur für die Ostberliner neu *(Streetworker, Hooligans)*. Sie betreffen oft direkt das berufliche und private Leben, den Sprachgebrauch in Institutionen, also die Amtssprache. Oft verschwindet mit alten Sachen auch deren Bezeichnung *(Hausbuch)*. Häufig verändert sich der Sachverhalt mehr oder weniger, und ein neues Wort wird üblich *(Personalratschef* statt *Kaderleiter, Team* statt *Kollektiv, KFZ*-Schein statt *Zulassung, Hamburger* statt *Grilletta)*. Das trifft auch für Abkürzungen zu: statt *ABV (= Abschnittsbevollmächtigter)* jetzt *KBB*, statt *KWV (= Kommunale Wohnungsverwaltung)* jetzt *WBG, BVG* und *BVB* für die beiden Verkehrsbetriebe. Modewörter aus den alten Bundesländern sind häufig zu lesen oder zu hören *(Feeling, Outfit)*. Für dieselbe Sache tritt neben die ostdeutsche eine westdeutsche Variante (*Flieger* statt *Flugzeug, Plastik* statt *Plaste, Hähnchen* statt *Broiler,* sogar schon vereinzelt *Metzger* statt *Fleischer* oder *Schlachter* an Geschäftsschildern).

Im Berlinischen, in der lokalen Berliner Umgangssprache, und in der regionalen Standardsprache hatten sich in den Jahren vor der Wende natürlich zahlreiche Unterschiede zwischen den beiden Stadtteilen ausgebildet. Sie betreffen vor allem den Wortschatz und Namen. Bei einem Vergleich der beiden Wörterbücher für Ostberlin (von J. Wiese) und für Westberlin (von P. Schlobinski) sind solche Verschiedenheiten zu erkennen, auch wenn das nicht immer ganz eindeutig ist. Öfter sind Bezeichnungen und Wörter begrenzt für spezifische Gegebenheiten üblich, die vor 1989 im anderen Stadtteil nicht oder kaum bekannt waren (Westberlin: *Großer Gelber* ›Doppeldeckbus‹, *Türkenkoffer* ›Plastetüte‹, *Bonnies Ranch* ›Karl-Bonhoeffer-Nervenklinik‹; Ostberlin: *Schlenki* ›Gelenkbus‹, *Freß-Ex* ›Exquisitgeschäft für Nahrungsmittel‹, *Blutblase* ›rote Mütze der Bahnsteigaufsicht‹, *Nuttenbrosche* ›Brunnen auf dem Alexanderplatz‹, *Asphaltblase* ›Auto Trabant‹). Schlobinski verzeichnet allein für Bulette in Westberlin 26 Varianten, die ich in Ostberlin nicht ermitteln konnte. Von den saloppen Wörtern, die sich erst in jüngerer Zeit in Westberlin ausbreiteten, wurden einige bereits vor 1989 nach Ostberlin übernommen (z. B. *Eumel* ›Junge, Mann‹, abwertend). Meistens blieben sie aber auf den Westteil bzw. den Ostteil beschränkt, wie die Untersuchungen von Schlobinski und von mir erkennen lassen. Beispielsweise ist *Pinte* ›Trinklokal‹ nur in Westberlin üblich, *schau* und *urst* ›chic, großartig‹ nur in Ostberlin. Öfter ist eine unterschiedliche Häufigkeit des Gebrauchs zu beobachten, beispielsweise verwendet man in Westberlin häufig *schnieke* ›chic‹, in Ostberlin häufig *Piepel* ›Junge, Mann‹, was im jeweils anderen Stadtteil nur vereinzelt der Fall ist. Manche der Wörter und Abkürzungen aus Westberlin sind zum schnellen Verständnis nötig und müssen sofort übernommen werden. Gegenüber anderen Wörtern ist ein unterschiedliches Verhalten zu beobachten. Sie werden entweder schnell übernommen (*Pommes* statt *Pomm frits* ›Pommes frites‹) oder aber - zur Zeit noch - mit starkem Protest abgelehnt, z. B. *Kita* ›Kindertagesstätte‹, *Tram* statt *Straßenbahn* für die ›Straßenbahn‹, die nur noch in Ostberlin fährt. Bestimmte aus Westberlin oder aus Westdeutschland kommende Varianten werden zwar von den Ostberlinern verstanden, rufen aber trotzdem bei manchen - zur Zeit - eine Antipathie hervor, z. B. *Flieger* ›Flugzeug‹, *lecker* ›wohlschmeckend‹. - Öfter sind Westberliner auch der Meinung, sie könnten den Berlinern aus der Osthälfte an der Aussprache bestimmter Laute erkennen. Das muß aber erst noch mit verfeinerten Methoden überprüft werden.[54] In den Jahren 1990 und 1991 durchgeführte Befragungen ergaben, daß das Berlinische der Ostberliner von Westberlinern öfter als altertümlich angesehen wurde. Nach dem Kennenlernen der Sprachsituation in Westberlin änderten jüngere Ostberliner ihre Einstellung zum Berlinischen und zur Schriftsprache. Viele von ihnen beginnen, die Schriftsprache auch im mündlichen Gebrauch positiver als das Berlinische zu bewerten und auch durch höhere sprachliche Anforderungen in zahlreichen Berufen verstärkt die gute Beherrschung und die Verwendung der mündlichen Schriftsprache anzustreben. Bisher wissen wir nur wenig über die genannten Probleme und Entwicklungen. Die ablaufenden Prozesse müssen systematisch erfaßt werden. Nur dann wird es möglich sein, den neuen Zustand angemessen zu beschreiben und den betroffenen Bevölkerungsgruppen mit Rat und Erklärungen zu helfen.

Anmerkungen

1 Vgl. Heinz Gebhardt, Glaßbrenners Berlinisch. Berlin 1933, S. 43.
2 Felix Eberty, Jugenderinnerungen eines alten Berliners. Berlin 1878, S. 86.
3 Adolf Glaßbrenner (Ad. Brennglas), Berlin, wie es ist und trinkt. Hefte 1-30. Berlin bzw. Leipzig 1832-1850. Heft 5, S. 28 ff.
4 Erdmann Graeser, Koblanks Kinder. Berlin 1922, S. 13 f.
5 Vgl. dazu Gebhardt, Glaßbrenners Berlinisch, S. 45; Agathe Lasch, Berlinisch. Eine berlinische Sprachgeschichte. Berlin 1928, S. 257, 342.
6 Vgl. Der richtige Berliner in Wörtern und Redensarten. 9. Aufl. von Siegfried Mauermann, 1925, S. 6; Hans Brendicke, Der Berliner Volksdialekt. In: Schriften des Vereins für die Geschichte Berlins. Heft 29. Berlin 1892, S. 125.
7 Vgl. Lasch, Berlinisch, S. 262 f.
8 Eberty, Jugenderinnerungen, S. 86 f.
9 Vgl. Richtiger Berliner, 1925, S. 11.
10 Vgl. ebenda, S. 5.
11 Vgl. z. B. Brendicke, Der Berliner Volksdialekt, 1892, S. 130 ff.
12 Paul Lindenberg, Berliner Polizei und Verbrechertum. Leipzig 1892, S. 126.
13 Ebenda, S. 107 f.
14 Vgl. Hans Ostwald, Das Berliner Dirnentum. Bd. 1, Berlin 1905, S. 86.
15 Vgl. Lindenberg, Berliner Polizei, S. 126.
16 Vgl. dazu Heinz Rosenkranz, Veränderungen der sprachlichen Kommunikation im Bereich der industriellen Produktion und ihre Folgen für die Sprachentwicklung in der Deutschen Demokratischen Republik. In: Aktuelle Probleme der sprachlichen Kommunikation. Berlin 1974, S. 111 ff.
17 Vgl. dazu auch Dittmar, Schlobinski, Wachs, Berlinisch, 1986, S. 1-68.
18 Umfassend untersucht wurden diese sprachlichen Erscheinungen von Gerda Grober-Glück in ihrem Beitrag »Berlin als Innovationszentrum von metaphorischen Wendungen der Umgangssprache«. Sie hat dafür 73 Teil-

fragen aus einem 1935 ausgesandten Fragebogen des Atlas der deutschen Volkskunde bearbeitet. Die Ergebnisse werden auch auf Verbreitungskarten dargestellt.

19 Die Redewendung *Ja, Kuchen, nich London* ist belegt bei Julius von Voß 1818, Glaßbrenner 1842, Trachsel 1872. Zur Erklärung vgl. Siegmund A. Wolf, Wörterbuch des Rotwelschen. Mannheim 1956, S. 187; Brandenburg-Berlinisches Wörterbuch II, 1985, S. 1226 f.

20 Julius von Voß, Die Damenschuhe im Theater. Berlin 1822, S. 113 f., 125 f.

21 Das »Forschungsinstitut für deutsche Sprache. Deutscher Sprachatlas« in Marburg stellte mir die Kopien der Sprachatlasfragebögen (aus der Zeit um 1880) von 54 Orten bzw. Ortsteilen des Stadtgebietes Berlin zur Verfügung. Dafür habe ich dem Direktor des »Deutschen Sprachatlas« zu danken.

22 Vgl. dazu auch Schönfeld, Prozesse bei der Herausbildung regionaler Umgangssprachen, S. 162 ff.; Schönfeld, Regional und sozial bedingte Differenzierungen, S. 65 ff.; Schönfeld, Sprache und Sprachvariation, S. 147 ff.

23 Vgl. dazu Reinhard Peesch, Der Wortschatz der Fischer im Kietz von Berlin-Köpenick, Berlin 1955, S. 17 ff.

24 Vgl. dazu Richtiger Berliner, 1925, S. 190; Gebhardt, Glaßbrenners Berlinisch, S. 107; Erich Schüchner, Vogtländer als Kolonisten in Berlin. In: Sächsische Heimatblätter 5, 1980, S. 228–233.

25 Nach Reinhard Peesch, Das Berliner Kinderspiel der Gegenwart. Berlin 1957, S. 33 f., Karte 1.

26 Vgl. dazu Dittmar, Schlobinski, Wachs, Berlinisch, 1986, S. 69 ff.

27 Theodor Fontane, Wanderungen durch die Mark Brandenburg. Teil 4. Spreeland. 6. Aufl., Berlin 1905, S. 343 f.

28 Nach Gebhardt, Glaßbrenners Berlinisch, S. 35.

29 Richtiger Berliner, 1925, S. 4 f.

30 Vgl. dazu Richtiger Berliner, 1925, S. 201 ff.; Peesch, Das Berliner Kinderspiel, S. 14 ff.; Peesch, Von der Sprache der Berliner Kinder. In: Muttersprache 1957, S. 216 ff.

31 Brendicke, Berliner Volksdialekt, 1895, S. 136.

32 Vgl. dazu Lasch, Berlinisch, S. 22 f., 191 f.; Peesch, Von der Sprache, S. 216 ff.

33 Vgl. dazu auch Jürgen Beneke, Untersuchungen zu ausgewählten Aspekten der sprachlich-kommunikativen Tätigkeit Jugendlicher. (Untersucht an Probanden aus der Hauptstadt der DDR, Berlin, und dem mecklenburgischen Dorf Mirow, Bez. Neubrandenburg.) Dissertation, Akademie der Wissenschaften der DDR, Berlin 1982.

34 Vgl. Peesch, Der Wortschatz der Fischer, S. 17 ff.

35 Vgl. dazu Schönfeld, Sprache und Sprachvariation, S. 176 ff.; Dittmar. Schlobinski, Wachs, Berlinisch, 1986, S. 69 ff.

36 Eberty, Jugenderinnerungen, S. 86.

37 Brendicke, Berliner Wortschatz, S. 71.

38 C. F. Trachsel, Glossarium der Berliner Wörter und Redensarten. Berlin 1873, S. VI.

39 Eberty, Jugenderinnerungen, S. 86.

40 Vgl. zur Verwendung und Bewertung des Berlinischen Helmut Schönfeld, Zur Rolle der sprachlichen Existenzformen in der sprachlichen Kommunikation. In: Normen in der sprachlichen Kommunikation. Berlin 1977, S. 182–208 und Helmut Schönfeld, Bewertung der sprachlichen Differenzierungen und ihrer Verwendung durch den Sprecher. In: Kommunikation und Sprachvariation. Von einem Autorenkollektiv unter der Leitung von Wolfdietrich Hartung und Helmut Schönfeld. Berlin 1981, S. 164 f., 227–258.

41 Vgl. dazu Dittmar, Schlobinski, Wachs, Berlinisch, 1986, S. 98 ff.

42 Willibald Alexis, Erinnerungen. Hg. von Max Ewert. Neue Ausgabe, Berlin 1905, S. 368.

43 Zitiert nach: Heinz Gebhardt, Berlinisches. Hg. von der »Interessengemeinschaft für Denkmalpflege, Kultur und Geschichte der Hauptstadt Berlin« im Kulturbund der DDR. Berlin 1979, S. 22.

44 Zitiert nach: Karl Marx/Friedrich Engels, Werke. Bd. 36, Berlin 1967, S. 393.

45 Eberty, Jugenderinnerungen, S. 314, 317.

46 Vgl. dazu Schönfeld, Bewertung der sprachlichen Differenzierungen, S. 242 ff.

47 Vgl. dazu Dittmar, Schlobinski, Wachs, Berlinisch, S. 89 ff., 115 ff.; Schlobinski, Stadtsprache, S. 185 ff.

48 Peters, Harnisch, Enders, Märkische Bauerntagebücher, S. 89 ff.

49 Nach Maaß, Wie man in Brandenburg spricht. In: Jahrbuch des Vereins für niederdeutsche Sprachforschung, Heft 4, 1878, S. 29.

50 Nach Willy Lademann, Wörterbuch der Teltower Volkssprache. Berlin 1956, S. 355.

51 Die Abb. 27 wurde übernommen aus Grober-Glück, Berlin als Innovationszentrum von metaphorischen Wendungen der Umgangssprache, S. 341.

52 Der Abb. 28 liegen Fragebogenantworten des Brandenburg-Berlinischen Wörterbuches von 1955 zugrunde. Sie umfaßt daher nur das Aufnahmegebiet dieses Wörterbuches.

53 Vgl. dazu Grober-Glück, Berlin als Innovationszentrum sowie Anneliese Bretschneider, Berlin und Berlinisch in der märkischen Sprachlandschaft. In: Jahrbuch für brandenburgische Landesgeschichte 24, Berlin 1973.

54 Vgl. dazu Olaf Eckert, Geteilte Stadt – geteilte Sprache? In: N. Dittmar, P. Schlobinski, Wandlungen einer Stadtsprache, Berlin 1988, S. 171–182.

Die Geschichte Berlins im Spiegel seiner Namen

Gerhard Schlimpert †

Namen sind in der Regel die ältesten überlieferten Denkmäler einer Sprache, für manche Sprachen sogar die einzigen. So z. B. lebten vor Jahrhunderten im Nordosten und Osten Deutschlands die slawischen Polaben, deren Sprache ausgestorben ist und – abgesehen von einigen literarischen Denkmälern der bis ins 18. Jahrhundert im Lüneburger Wendland lebenden Drawehnopolaben und einigen in historischen Urkunden bezeugten Reliktwörtern – sich nur in einer riesigen Menge von Eigennamen bewahrt hat. Vor allem Landschafts-, Orts-, Flur- und Gewässernamen sind immer an bestimmte geographische Räume gebunden. Nicht zuletzt auf Grund dieser ihrer räumlichen Gebundenheit sind sie nicht nur eine wertvolle sprachgeschichtliche, sondern auch eine sehr wesentliche historische Quelle. Dadurch ergeben sich für die Namenforschung vielfältige Beziehungen zu Nachbardisziplinen von der Archäologie, Mediävistik, Siedlungs- und Regionalgeschichte bis hin zur historischen Geographie, Rechtsgeschichte und sogar zur Biologie und Zoologie.

Die im Berliner Raum überlieferten Namen gehören – entsprechend den historischen Siedlungsabläufen generell drei Schichten an: 1. der vorslawischen, 2. der slawischen und 3. der deutschen. Dabei ist jede der genannten Schichten nicht einheitlich zu fassen, d. h. in jeder von ihnen gibt es ältere und jüngere Namen. Die als vorslawisch bezeichneten Namen stammen aus der Zeit vor der slawischen Einwanderung, d. h. aus der Zeit vor dem 6. Jahrhundert. Der Terminus vorslawisch kennzeichnet also keine Sprache, sondern er ist nur chronologisch zu verstehen. Er besagt lediglich, daß die entsprechenden Namen sich weder aus dem Slawischen noch aus der Sprache der deutschen Siedler während der mittelalterlichen deutschen Besiedlung – dem Mittelniederdeutschen – erklären lassen. Diese Namen – es handelt sich um

Gewässernamen - sind entweder germanischen Ursprungs, oder sie gehören einer noch älteren, der sogenannten alteuropäischen Gewässernamenschicht an. Damit sind Gewässernamen gemeint, die in der Zeit vor der Herausbildung der indogermanischen Einzelsprachen (germanisch, slawisch, baltisch, keltisch, romanisch usw.) entstanden sind. Daß solche alte Namen bis in die Gegenwart überliefert wurden, muß unter anderem auch damit zusammenhängen, daß sie von einer germanischen, in der Völkerwanderungszeit nicht mit abgewanderten Restbevölkerung an die eingewanderten Slawen weitervermittelt worden sind. Insbesondere muß dies für Namen von kleineren Gewässern gelten, während die Namen für größere oder sehr große wie etwa *Elbe* oder auch *Havel* wegen deren großer Bedeutung als Handelswege allenthalben bekannt blieben.

Vorslawische Namen

Germanischer Herkunft sind die Namen der *Havel, Spree, Dahme, Nuthe, Notte* und sicherlich auch der *Finow*. Der Name der *Havel*, (789 *Habola*, 981 *Hauela*) gehört zur germanischen (germ.) Wurzel **haƀ-*, die auch in neuhochdeutsch *Haff* und *Hafen* enthalten ist. Nach allgemeiner Auffassung sind die vielen Seen der *Havel* das Motiv für die Namengebung gewesen. Der Gewässername *Spree* (965 *Sprewa*) wird zur germ. Wurzel **sprew-* gestellt, auf die mittelhochdeutsch *sprœwen*, mittelniederländisch *spraeien* ›stieben‹ zurückgehen, während der Name der *Dahme* (1336 des wazzers tzu der *dame*) mit großer Wahrscheinlichkeit zur indogermanischen Wurzel **dhēmo-* gehört, mit der norwegisch *daam* ›dunkel‹; ›Geschmack, Geruch‹, *daame* ›Wolkenschleier‹ verbunden werden. Zu germ. **nati* ›naß‹ dürfte der Name der *Notte* (1772 *Notte*), eines Nebenflusses der *Dahme*, zu stellen sein, wogegen der Gewässername *Nuthe* (1228 aqua(m) *nute*) auf einen germ. Stamm **hnōđ-* zurückgeht, wozu althochdeutsch *nuot* ›Fuge, Nut‹, altniederländisch *hnōd* ›Tal, Graben‹ gehören. Der Name der *Finow* (1294 aqua(m) *Vino*) ist am ehesten mit der indogermanischen Wurzel **pen-* zu verbinden, die in angelsächsisch *fyne* ›Feuchtigkeit‹ und auch in neuhochdeutsch *Fenn* vertreten ist. Vorslawischer, d. h. germanischer oder alteuropäischer Herkunft ist auch der Name des *Müggelsees* (1397 in der *Miggel*, 1591 *die Miggel*), der auf die indogermanische Wurzel **migh-* in altslawisch *mьgla*, litauisch *miglà* ›Nebel‹, niederländisch *miggelen* ›staubregnen‹ zurückgeht.

Die urkundliche Überlieferung des Namens zeigt, daß er nicht – wie in der heimatkundlichen Literatur oft behauptet wird – mit slawisch *mogyla* ›Grab, Grabhügel‹ verbunden werden kann. Wenn die genannten Namen über slawische Vermittlung überliefert wurden, dann müssen sie auch slawische Formen besessen haben. Letztere sind jedoch nur in seltenen Fällen urkundlich belegt. So wissen wir auf Grund zweier Belege aus dem Anfang des 13. Jahrhunderts, die Kanzleiformen des 10. Jahrhunderts darstellen (1204 *Obula,* 1205 *obule*), daß der Name der *Havel* in slawischem Munde **Obъla* lautete. Den Beweis dafür liefern auch die Namen *Woblitz* und *Wublitz* für Nebenarme der *Havel*, die auf eine altpolabische (altplb.) Grundform **Voblica* zurückgehen.

Slawische Namen

Seit dem 6. Jahrhundert wurde der Berliner Raum von Slawen besiedelt. Diese gehörten dem altpolabischen Stamm der *Sprewanen* an, deren Siedlungsgebiet sich an beiden Ufern der *Spree* sowie in den Niederungen von *Dahme* und *Notte* befand und dessen Mittelpunkt *Köpenick* war. Der Name der *Sprewanen* ist ein altpolabischer Stammesname mit der Grundform **Sprev̌'ane* ›Anwohner der Spree‹, eine altplb. Bildung auf der Grundlage des germanischen Gewässernamens *Spree.* Aus dem überlieferten Namenmaterial wissen wir jedoch, daß im Raum von Berlin nicht nur polabisch, sondern auch sorbisch gesprochen wurde. Die sorbisch-polabische Sprachgrenze verlief südlich Berlins. Die slawischen Ortsnamen südlich von Königs Wusterhausen und südöstlich Zossens sind sorbischer Herkunft. Aus Flurnamen, die in zahlreichen Orten dieses Gebietes überliefert sind, wissen wir darüber hinaus, daß das Sorbische – und zwar hier das Niedersorbische – bis ins 18. Jahrhundert lebendig war. Das wichtigste Unterscheidungsmerkmal zwischen dem Altpolabischen und dem Altsorbischen besteht darin, daß das Altpolabische wie das Polnische die urslawischen Nasalvokale **ǫ* (wie *-on* in Ballon) und *ę* (wie in *-in* in Bulletin) bewahrt hat, während diese im Sorbischen zu *u* bzw. *ě/'a* entnasaliert wurden. Diese Entnasalierung spiegelt sich z. B. im Namen des südöstlich von Berlin gelegenen Waldgebietes *die Dubrow* wider, der zu niedersorbisch *dubrawa* ›Eichenwald‹, urslawisch (urslaw.) **dǫbrava,* gehört, wogegen der entsprechende altplb. Name **Dąbrava* lautete. Auf diese Grundform geht z. B. der Ortsname *Damerow* im Kreis Waren zurück.

In einer anderen Bildung ist urslaw. **dobrъ* ›Eiche‹ in Namen des *Dämeritzsees* bei Erkner enthalten.

Die zum heutigen Territorium von Berlin gehörenden Orte waren in ihrer Mehrzahl ehemals Bestandteil der historisch gewachsenen Landschaften *Barnim* und *Teltow*, die später auch Kreise bildeten, und zwar die Kreise *Teltow, Nieder-* und *Oberbarnim.* Im Jahre 1920 wurden zahlreiche Orte der Kreise *Teltow* und *Niederbarnim* sowie einige wenige Ortschaften des ehemaligen Kreises *Osthavelland* in *Berlin* eingemeindet.

Der Landschaftsname *Teltow*, in seinem ältesten Beleg 1232 als Terra *Teltowe* genannt, war in der Vergangenheit wiederholt Gegenstand von Erörterungen. Es darf als gesichert gelten, daß dieser Name ursprünglich nur das Gebiet an der *Bäke* (zu brandenburgisch *bäke* ›Bach‹, mittelniederdeutsch *beke*), einem Fließ im Norden des späteren *Teltow*, bezeichnete. Die *Bäke* entsprang auf dem *Fichtenberg* in Steglitz, floß in südwestlicher Richtung durch *Lichterfelde, Giesendorf,* den *Hegesee* und *Stavelsee* bei Teltow, durch *Kleinmachnow* und *Stahnsdorf* und mündete in den *Griebnitzsee.* Der Lauf dieses Fließes stimmt im wesentlichen mit dem des späteren *Teltowkanals* überein, der in den Jahren 1900 bis 1906 angelegt wurde. Die *Bäke* heißt 1772 *Telte,* und 1779 wird die Stadt *Teltow,* deren Name auf den Landschaftsnamen zurückgeht, als »Mediatstadt an der Telte« bezeichnet. Es bestehen kaum Zweifel, daß der Name *Telte* alt und die ursprüngliche Bezeichnung des Fließes gewesen ist, denn auch die hierhergehörenden Vergleichsnamen bezeichnen entweder Gewässer oder sumpfiges Gelände, z. B. *Teldau* Kr. Hagenow, 1209 in prato dicitur *Teltow*, oder 1378 ein See *Teltow* im Kreis Eilenburg. Eine sichere Erklärung des Namens *Telte* aus dem Slawischen bietet sich nicht an. Außerdem kommt er auch in Gebieten vor, in denen Slawen nie gesiedelt haben. Er ist daher zweifellos vorslawischer Herkunft, wobei jedoch vorläufig unklar bleibt, mit welcher indogermanischen Wurzel er zu verbinden ist. In Betracht kommen indogermanisch **del-* ›wackeln, schwanken‹ oder **tī̯-* ›schmelzen, fließen‹. Auf eine Erörterung der damit verbundenen Probleme muß hier jedoch verzichtet werden. *Teltow* bedeutet demnach soviel wie ›Land an der ›Telte‹. Unsicher bleibt aber, ob eine altplb. Grundform **Teltov-* vorliegt oder ob von einer mittelniederdeutschen (mnd.) Grundform **Teltowe* (zu mnd. *owe* ›Aue, von Wasser umflossenes Land‹) auszugehen ist.

Der Landschaftsname *Barnim,* für den die ältesten Belege 1232 nova terra nostra *Barnem* und 1278 A domino *Barnem* terras *Barnonem,*

Teltowe et alias plures obtinuerunt lauten, ist ebenso wie die Ortsnamen *Groß*- und *Kleinbarnim* im Kreis Seelow (1412 *majori barnim* bzw. 1300 *parue Barne*) bisher als Ableitung von einem altplb. Personennamen *Barnim* mit der Grundform **Barnim'* ›Land bzw. Ort des Barnim‹ erklärt worden. Für die Ortsnamen *Groß*- und *Kleinbarnim* kann diese Erklärung auf Grund deren urkundlicher Überlieferung jedoch nicht zutreffen. Auch für den Landschaftsnamen ist eine solche Erklärung wenig wahrscheinlich, obwohl nach der Markgrafenchronik die Markgrafen Johann I. und Otto III. das Land *Barnim* von einem dominus *Barnim* erworben haben, womit der Pommernherzog *Barnim I.* gemeint ist. (vgl. oben den Beleg von 1278). Zu beachten ist auch die eindeutige Unterscheidung zwischen dem dominus *Barnem* und der terra *Barnonem* in der Markgrafenchronik von 1278. Am wahrscheinlichsten ist, daß dem Landschaftsnamen *Barnim* das gleiche Wort zugrunde liegt wie den Ortsnamen *Groß*- und *Kleinbarnim,* nämlich altplb. **bara* ›Sumpf‹ bzw. **bar'n-* ›sumpfig‹. Der Name, in den später der Name des Pommernherzogs *Barnim* eingedeutet wurde, bezeichnete demnach ›sumpfiges, morastiges Gelände‹. Welcher Teil des späteren Barnim damit ursprünglich gemeint war, ist noch nicht völlig geklärt. In Betracht kommen die Gegenden um *Groß*- und *Kleinbarnim* an der Oder und um *Biesenthal.*

Die slawischen Ortsnamen wurden - wie die deutschen auch - auf der Grundlage von Personennamen und Gattungsnamen (Appellativen) gebildet. Hinsichtlich ihrer ursprünglichen Bedeutung erfolgt ihre Gliederung gewöhnlich in Natur-, Kultur- und possessivische (den Besitzer nennende) Namen. Daneben gab es auch Namen, die zuerst nur Menschengruppen bezeichneten und die erst später auf den Ort übertragen wurden. Während die Naturnamen sich auf die natürlichen Gegebenheiten der Landschaft (Charakterisierung des Geländes, Tier- und Pflanzenwelt) beziehen, nehmen die Kulturnamen auf die körperliche und geistige Tätigkeit der Menschen Bezug. Der in diesen Namen enthaltene Wortschatz ist damit auch eine wichtige historische Quelle unserer Kenntnisse über die materielle und geistige Kultur der ehemals in einem bestimmten Territorium siedelnden Slawen. In unserem Raum ist er darüber hinaus auch deshalb besonders wertvoll, weil er - neben den historisch überlieferten Personennamen - nahezu die einzige sprachliche Hinterlassenschaft der ehemals hier siedelnden Slawen darstellt. Außerdem kann das in den Namen enthaltene Wortmaterial wichtige wortgeographische Aufschlüsse vermitteln. Die Namen enthalten teilweise Wörter, die heute in keiner slawischen Sprache oder nur in einer von ihnen vorhanden sind, was wiederum Hinweise auf alte slawische Siedlungsverhältnisse bzw. Siedlungsbewegungen gestattet. Bei der Herausarbeitung der alten Grundformen, d. h. der Formen zur Zeit ihrer Bildung, spielen auch namentypologische Gesichtspunkte eine wichtige Rolle. So wie es unter den deutschen Namen ältere und jüngere Typen gibt, so lassen sich auch die slawischen Namen in ältere und jüngere Ortsnamen gliedern.

Die meisten der im Berliner Raum überlieferten slawischen Namen (Orts-, Gewässer- und Flurnamen) sind Naturnamen. Zu diesen gehört mit sehr großer Wahrscheinlichkeit auch der Name der Stadt *Berlin,* der in der Vergangenheit wiederholt Gegenstand wissenschaftlicher Erörterungen war und der u. a. aus dem Slawischen, dem Deutschen, dem Baltischen, dem Niederländischen, ja sogar aus dem Keltischen erklärt wurde. Mit Sicherheit hat der Name nichts mit dem *Bären* zu tun, obwohl dieser bereits seit 1280 im Stadtwappen von *Berlin* enthalten ist. Aus dieser Tatsache läßt sich jedoch schließen, daß von den deutschen Siedlern in den vorgefundenen fremden Namen schon früh das Wort *Bär* eingedeutet wurde (mnd. **ber(e)lin* ›Bärlein, kleiner Bär‹). Nicht zuletzt wegen zahlreicher Vergleichsnamen, die meist Gewässer, feuchtes Gelände oder auch Objekte im Wasser bezeichnen, ist es am wahrscheinlichsten, daß der Name der Stadt *Berlin* ein ursprünglicher slawischer (altpolabischer) Gewässer- oder Flurname ist, der sumpfiges, feuchtes Gelände bezeichnete. Er läßt sich mit einer im Slawischen gut bezeugten Wurzel **brl-* verbinden, die soviel wie ›Sumpf, Morast‹ bedeuten konnte. Dafür, daß der Name *Berlin,* der ursprünglich vermutlich *Birlin- gelautet hat, eine altpolabische Stellenbezeichnung war, spricht auch die Tatsache, daß er über viele Jahrhunderte mit Artikel verwendet wurde, vgl. z. B. 1349 *tu dem Berlin,* 1363 den gemeinen Bürgern *zum Berlin,* 1402 den rad *von dem Berline,* 1652 *Zum Berlin.* Ortsnamen aber, die mit Artikel verwendet wurden, sind vielfach ursprüngliche Flur- oder Gewässernamen. Als Vergleichsnamen für den Namen der Stadt *Berlin* seien hier angeführt: *Berlinchen* Kr. Wittstock (1274 uille *minoris Berlin*) und die Wüstung *Groß Berlin* ebd. (1229/1277 *Berlin*), die beide nach den dabei gelegenen Seen benannt wurden (1430 de zee tu *groten berlin,* 1574 *Der große Berlin, Der Kleine Berlin*); Ende des 14. Jahrhunderts wird ein Fischwehr *Berlyneken* (»dat het Berlyneke«) in der Havel bei Zachow im Kreis Nauen erwähnt, und in Schünow Kr. Zossen ist der Flurname *Berlinikin* überliefert, der früher eine sumpfige Wiese bezeichnete. Hierher gehören mit großer Wahrscheinlichkeit auch die 1840 und 1844 genannten Flur- und Gewässernamen *der Börl* und *Börl Pfühle* am Schnittpunkt der Grenzen von Lindenberg, Ahrensfelde, Falkenberg und Wartenberg, wobei der Name *Börl-Pfühle* bereits 1767 auf einer Karte der Feldmark Falkenberg als *Der Berl-Puhl* erscheint. Diese Namen sind deshalb von besonderem Interesse, weil sie möglicherweise unmittelbar auf das oben genannte Wort *brl-* ›Sumpf, Morast‹ zurückgehen.

Von den Berlinern, und nicht nur von diesen, wird *Berlin* liebevoll *Spreeathen* genannt. Der Name *Spreeathen* – ein ursprünglicher Ehrenname – ist von Erdmann Wircker in einem Lobgedicht auf Friedrich I. von Preußen im Jahre 1706 geprägt worden. Mit diesem Namen sollte nach der griechischen Hauptstadt *Berlin* als Stadt der Wissenschaften und Künste geehrt werden. *Athen* bekam seinen Namen nach der griechischen Göttin der Weisheit und Kunstfertigkeit *Pallas Athene.* Bereits um 1660 und 1674 erhielten die Universitätsstädte *Leipzig* (an der *Pleiße*) bzw. *Jena* (an der *Saale*) die entsprechenden Beinamen *Pleißathen* und *Saalathen*, die sich aber nicht durchsetzten.

Fraglich bleibt dagegen, ob sich auch der Name der alten und südlich der Spree gelegenen Nachbarstadt von *Berlin, Cölln*, in die Reihe der aus dem Slawischen zu erklärenden Namen einordnen läßt. Der Name dieser Stadt wird 1237 als *Colonia* (Symeon, plebanus de *Colonia*) zum ersten Mal erwähnt und lautet später *Coln, Colne* u. ä. Er ließe sich ohne Schwierigkeiten mit einem in sehr vielen Orts-, Flur- und Gewässernamen enthaltenen slawischen Wort **kol* ›Pfahl, Pflock‹ verbinden, von dem z. B. die Ortsnamen *Kölln* Kr. Güstrow und Kr. Altentreptow abgeleitet sind. Die Tatsache aber, daß dieser Name ebenso wie der der Stadt *Köln* am Rhein zuerst in der Form *Colonia* erscheint und vor allem slawische Funde bisher auf dem Territorium der alten Stadt *Cölln* nicht gemacht wurden, hat dazu geführt, in erster Linie Namenübertragung von *Köln* am Rhein anzunehmen. Eine letzte Entscheidung wird man kaum fällen können. Daß der Name der Stadt *Cölln* urkundlich zuerst als *Colonia* belegt ist, muß nicht unbedingt für Namenübertragung sprechen. Es wäre durchaus denkbar, daß ein von den mittelalterlichen deutschen Siedlern vorgefundener slawischer Name mit der Grundform **Kol'n-* mit dem Namen der im Mittelalter sehr bekannten Handelsstadt in Verbindung gebracht wurde. Der Name von *Köln* am Rhein geht auf lateinisch *colonia* ›Kolonie, Siedlung in erobertem Lande‹ zurück.

Außer *Berlin* gehören zu den slawischen Naturnamen im Berliner Raum auch die folgenden Namen: *Britz* (1305 de *Bryzk,* 1375 *Brisk, Britzig*) ist der ›Birkenort‹ und enthält das altplb. Wort **breza* ›Birke‹, während die Namen *Buch* (1289 Johannes *Buch,* 1375 *Buch slavica, Wentzschenbuk*) und *Buckow* (1373 bie dem dorfe ... *Buckow*) das altplb. Wort **buk* ›Buche‹ enthalten. Der Name *Buch* wird noch im Jahre 1527 als *Wendische marcke* und *Boeck slauica* genannt. Das Landbuch der Mark Brandenburg nennt außerdem in diesem Ort einen »ager qui dicitur Wendestucke«. Offenbar fand jedoch in diesem Namen schon früh eine Vermischung mit mnd. *bȫke* ›Buche‹ statt. Auch der Ortsname *Behnitz,* der ursprünglich ein suburbium der Stadt *Spandau* bezeichnete und heute noch als Straßenname lebendig ist (1240 locum, qui dicitur *Bens*, 1584 der Ort, *die Benitz* genannt), kann hier angeführt werden. Er gehört zu altplb. **ban'a* ›Vertiefung, Loch, Grube, Höhle‹, das in einzelnen slawischen Sprachen wie im Niedersorbischen auch die Bedeutung ›bauchiges Gefäß, Krug‹ hat (vgl. unten die Bedeutung des Ortsnamens *Spandau* sowie des Gewässerflurnamens *Krienicke*). Die Ortsnamen *Altglienicke* wie auch *Groß* und *Klein Glienicke* im Kreis Potsdam (1375 *Glinik, Glyneke* bzw. 1267 *Glinicke,* 1300 *major Glynecke* bzw. 1375 *Parva Glinik*) bedeuten jeweils ›Ort, wo es Lehm gibt‹ und stellen eine Ableitung von altplb. **glina* ›Lehm‹ dar. *Kladow* (1257 *Clodow*) geht auf eine altplb. Grundform **Klodov-* zurück und ist mit altplb. **klod* ›Baumstamm, Klotz‹ zu verbinden. Im Niedersorbischen bedeutet *klod* ›Holzwerk‹, speziell das Brückenholz, ein im Wasser gelegener oder aus dem Moore ausgegrabener Holzstamm‹. Die niedersorbische Bedeutung von *klod* paßt gut zur Lage *Kladows* an der Havel. Der Ortsname *Köpenick* (Mitte des 12. Jahrhunderts auf zwei von insgesamt vier Typen der Köpenicker Jaksa-Brakteaten (einseitig hohlgeprägte Münzen) *COPNIC,* 1209 *Copnic*) ist der im Berliner Raum am ältesten überlieferte Ortsname. Er geht auf eine altplb. Grundform **Kop'nik* zurück, die das altplb. Wort **kopa* ›Erdhügel, Grenzhügel‹ enthält und die soviel wie ›Ansiedlung auf einem Erd- oder Grenzhügel‹ bedeutet, womit vielleicht die in der mittelslawischen Periode entstandene Burganlage gemeint ist. *Köpenick* war Mittelpunkt des Sprewanengaues und vermutlich Sitz des slawischen Fürsten *Jaksa. Lankwitz* (1239 *Languitz,* 1371 *Lanckewitz*) ist der ›in einer (sumpfigen) Wiesenniederung gelegene Ort‹ und enthält das altplb. Wort **łąka* ›Krümmung, Wiese, Bucht‹. Der Name des mittelalterlichen Dorfes *Lützow* (1239 das Dorf *Lucene,* 1375 *Lutze,* 1717 *Lütze,* 1775 *Lützen* oder *Lützow*), das in *Charlottenburg* aufgegangen war und im Jahre 1861 mit dieser Stadt mit Berlin vereinigt wurde, läßt sich nicht eindeutig erklären. Vielleicht liegt ein alter Gewässername vor, den man mit slawisch **luk* ›Bogen‹ verbinden könnte, da der

Ort an einem Spreebogen lag. In Betracht kommt aber auch das in slawischen Orts- und Gewässernamen bezeugte Wort **luč-* ›Licht‹. Unsicher bleibt auch die Erklärung des Ortsnamens *Marzahn* (1300 in villa *Morczane*), der vielleicht ein in keiner slawischen Sprache mehr vorhandenes altplb. Wort **marčana* ›Sumpf‹ enthält, sich möglicherweise aber auch zu einem von den Slawen aus dem Altsächsischen entlehnten Appellativum **mark* ›Grenze, Mark‹ stellen läßt. Das mittelalterliche Dorf *Pankow* (1311 *Pankow*) wurde offenbar nach dem Flüßchen *Panke* benannt, das bereits 1251 bezeugt ist (in riuo, qui *Pankowe* dicitur). Der Gewässername *Panke* ist mit altplb. **pąk* ›Büschel, Knospe‹ zu verbinden. Vielleicht erhielt das Gewässer seinen Namen nach einer auffallenden Pflanze. Auch der Ortsname *Schmöckwitz* (1375 Smekewitz) ist mit hoher Wahrscheinlichkeit ein ursprünglicher Gewässername, der zu dem slawischen Wort **smekati* ›gleiten‹ gehört. *Steglitz* (1375 *Stegelitz*) ist der ›Ort wo es Stieglitze gibt‹. Der Name enthält das altplb. Wort **ščeg(e)l* ›Stieglitz‹. Unser heutiges Wort *Stieglitz* ist aus dem Slawischen entlehnt.

Bei den folgenden Namen können wieder ursprüngliche Gewässernamen vorliegen. *Stralau* (1240 Thidericus de *Stralow,* 1375 *Stralow, Stralo*) ist mit dem altplb. Wort **strěla* ›Pfeil‹ zu verbinden, das in der slawischen geographischen Terminologie auch die Bedeutung ›Flußarm‹ (polnisch *strzała*) und ›Landzunge beim Ausfluß zweier Flüsse‹, ›Ecke beim Ausfluß zweier Flüsse‹ (ukrainisch *strjelka, strilka*) hat. *Stralau* liegt auf einer Halbinsel zwischen Spree und Rummelburger See. *Treptow* (1568 *Der Trebow, Trebkow,* 1591 *Am Trebkow,* 1707 *den Trepkow,* 1771 des Vorwerks *Treptow,* das Rathäusliche Vorwerk *Trepkow*) ist vermutlich der Name einer wüst gewordenen mittelalterlichen (slawischen) Siedlung. Hier wurden im Jahre 1707 ein Haus, eine Scheune und ein Stall errichtet, die ersten Kolonistenstellen im Jahre 1779 angelegt. Der Name ist auch als Gewässername bezeugt, denn 1681 heißt es, daß »Ohnweit Strahlo ein Wasser (lieget), *die Treptau* genannt«. Der Name gehört zu einem im Slawischen weit verbreiteten Stamm **treb-,* z. B. in **trebiti* ›reinigen, roden‹, der u. a. in zahlreichen Pflanzenbezeichnungen, aber auch in vielen Gewässernamen enthalten ist. Ein Naturname ist auch der Ortsname *Spandau* (1197 *Spandow*), der am ehesten zu einem altplb. Wort **spąd* zu stellen ist, das soviel wie ›Scheffel, Eimer‹ bedeutet. Es handelt sich offenbar um einen metaphorischen Namen nach einer Ausbuchtung der Havel. Zu vergleichen ist der Gewässerflurname *Krienicke* in der Oberhavel bei Spandau, der zu obersorbisch *křina* ›Mulde‹, bulgarisch *krina* ›Getreidemaß‹ gehört, sowie der oben genannte Name der ehemaligen Spandauer Vorstadt *Behnitz*. Mehrdeutig ist auch der Name des *Wannsees* (1382 stagnum *Wansa*), der eine Bildung auf der Grundlage der altplb. Wörter **vęz* ›Ulme, Rüster‹, **vąž* ›Natter‹ oder **vąz(k-)* ›eng‹ sein kann. Schließlich sei hier noch der Name der ehemaligen südöstlichen Vorstadt von *Spandau, Stresow,* angeführt (1354 vna curia et orta in aria *Strezow* prope Spandow sita, 1540 vff *dem streso,* 1745 Vorstadt *Stresow*), der ebenso wie *Behnitz* im Namen des *Stresowplatzes* und der *Stresowstraße* fortlebt. Der Name *Stresow* gehört zu altplb. **strěž,* das mit russisch *striž* ›Uferschwalbe‹, altpolnisch *strzeż, obersorbisch střěž* ›Zaunkönig‹ zu vergleichen ist.

Wie bereits erwähnt, sind die Kulturnamen im Vergleich zu den Naturnamen seltener. Ein solcher Kulturname ist der Name des ehemaligen Dorfes *Stolpe* (1299 *Slauicum Stolp*), das im Jahre 1898 mit der Kolonie *Wannsee* unter dem Namen *Wannsee* vereinigt wurde. Der Ortsname *Stolpe* enthält das altplb. Wort **stolp,* das hier die Bedeutung ›Vorrichtung im Wasser zum Fischfang‹ hat. Ein möglicher Kulturname ist auch *Rudow* (1373 die dem dorfe *Rudow*), der zu altplb. **ruda* ›(Rasen)-eisenstein, rote Erde‹ gehört und auf Erzgewinnung hinweisen kann.

Einige altpolabische Ortsnamen sind von Personennamen abgeleitet worden. Es handelt sich dabei um Namen, die mit den besitzanzeigenden Suffixen *-ov-* und *-jb-* gebildet wurden. Diese Namen drücken den Besitz einer Person aus, deren Name im Ortsname enthalten ist. Hierher gehören die Ortsnamen *Gatow* (1258 *Gatow,* 1351 *Gotowe*), *Malchow* (1344 in *Malchowe*) und *Lübars* (1247 *Lubars,* 1358 *lubas*), die den ›Ort des Chot‹ bzw. den ›Ort des Malach, Malech u. ä.‹ und den ›Ort des L'buaš‹ bezeichnen. Einen Personennamen enthält auch die im Jahre 1375 im Landbuch Kaiser Karls IV. genannte curia(m) in Ripa Sprewa que dicitur *Casow.* Der Name *Kasow* bezeichnet mit hoher Wahrscheinlichkeit die Stelle des mittelalterlichen Dorfes *Kasemerswisch* (siehe unten) und enthält eine Kurzform **Kaz* oder **Kaš* des in *Kasmerswisch* enthaltenen Vollnamens **Kazimir.* Dagegen ist es nach neuesten Erkenntnissen nicht mehr sicher, ob auch der Ortsname *Karow* (1375 *Kare,* 1450 *Care,* 1459 *Caro,* 1608 *Carow*) hier angeführt werden kann. Der Name wurde bisher als Bildung von einem Personennamen **Char* oder *Chara* im Plural mit der altplb. Grundform **Chary* erklärt, also als eine ursprüngliche Bezeichnung für eine Menschengruppe. Er läßt sich jedoch auch mit mittelniederdeutsch *kar(e)* ›Gefäß‹ (dazu gehört auch das süddeutsche Wort *Kar* ›Gebirgskessel‹) verbinden und ist vielleicht ein metaphorischer Name.

Von den angeführten Namen ist der Ortsname *Lübars* ein sehr alter Namentyp. Ein sehr alter Name ist auch der Name des *Orankesees* in Weißensee, der 1772 *Die Rothe Rancke* lautet und der mit dem Namen des *Großen* und *Kleinen Rarangsees* (1589 *Drey Raderancken)* in Groß-schönebeck Kr. Bernau wie auch mit dem Gewässernamen *Rederang-see* (1274 aqua *Roderanke*), der eine Bucht in der Müritz bezeichnet, identisch ist. Die altpolabischen Namen sind wenig durchsichtig und beruhen vielleicht auf vorslawischen Namen.

Aus der Tatsache, daß die deutschen Siedler während der mittelalterlichen Besiedlung in den meisten Fällen die slawischen Ortsnamen übernommen haben, kann geschlossen werden, daß sich die deutsche Besiedlung in relativ friedlichen Bahnen bewegte. Dies äußert sich auch in slawischen und deutschen Namen für benachbart liegende Orte, die mit den unterscheidenden Zusätzen *deutsch* – *wendisch/ slawisch* versehen sind, vgl. Ortsnamen wie *Deutsch Wusterhausen* (1375 *Dudeschen Wusterhausen, Wusterhuse theutonica)* und *Wendisch Wusterhausen,* seit dem 18. Jahrhundert *Königs Wusterhausen* (1375 *Wusterhuse slavica,* 1444 *zcur wendeschen wusterhawsen*). Der Name *Wusterhausen* gehört zu altplb. **vostrog* ›Mit Palisaden befestigter Platz‹ und bezeichnet eine befestigte Siedlung. Auch die sogenannten Mischnamen sind in diesem Zusammenhang zu nennen. Es handelt sich dabei um Namen, die entweder aus einem deutschen Grundwort (z. B. *-dorf*) und einem slawischen Personennamen zusammengesetzt sind oder die aus einem deutschen Personennamen und einem slawischen Ableitungselement bestehen. So z. B. geht der Ortsname *Arntitz* Kr. Meißen auf eine altsorbische Grundform **Arnoltici* zurück, die soviel wie ›Leute eines Arnold‹ bedeutet. Im Berliner Raum kommen nur Mischnamen vom Typ slawischer Personenname + deutsches Grundwort vor. Hierher gehört der Ortsname *Rahnsdorf* (1375 *Radenstorf,* 1450 *Radenstorff,* 1487 *Ranstorff*), der den altplb. Personennamen **Radan* o. ä. enthält, und der eine Kurzform von den slawischen Vollnamen **Radoslav* oder **Radomir* (zu altplb. *rad* ›froh‹) darstellt. Auf den slawischen Charakter dieses ehemaligen Fischerdorfes deutet auch ein 1487 erwähnter *Pristabel (der Pritzstabel)* ›Vorsteher einer Vereinigung von Fischern‹ (aus slawisch **pristav*) hin. Ein slawisch-deutscher Mischname ist auch der nur 1239 zusammen mit *Lützow* (später *Charlottenburg*) genannte Name des Dorfes *Kasemerswisch* (des dorffs *Kasemerswisch* mit 50 hueffen). Das bei *Lützow* gelegene und früh wüst gewordene mittelalterliche Dorf lag vermutlich etwa an der Stelle, an der sich später die Kaiserin- Augusta-Stiftung befand. Der

Name enthält den altplb. Personennamen **Kazimir* und das mittelniederdeutsche Grundwort *wisch(e)* ›Wiese‹ (vgl. auch den oben genannten Ortsnamen *Kasow*). Auch die Ortsnamen *Zehlendorf* (1241 *Cedelendorp*) und *Pichelsdorf* (1375 *Pychelstorp*) können hier angeführt werden. Während der Ortsname Zehlendorf eine Bildung mit dem slawischen Personennamen **Sedla* darstellt, dürfte der Ortsname *Pichelsdorf* den slawischen Personennamen **Pychel* o. ä. enthalten. Allerdings muß stark damit gerechnet werden, daß der Ortsname *Zehlendorf* von *Zellendorf* im Kr. Jüterbog übertragen wurde.

Über das Schicksal der im Berliner Raum siedelnden Slawen wissen wir wenig. Man kann annehmen, daß sie etwa im Verlaufe des 15. Jahrhunderts - abgesehen von den südlich Königs Wusterhausen ansässigen Sorben - in der deutschen Bevölkerung aufgegangen sind. Namentlich genannt werden Slawen (Wenden) im Jahre 1387 im *Kietz* von *Köpenick (die wende uf dem kitze)* und im Jahre 1393 im *Spandauer Kietz (wenden vf dem Kieze* daßelsbst vor *Spandow* . . . so sullen *dieselben wende* den See zur Lueze ziehen mit Irem großen garne). Die Tatsache, daß in den alten oder echten *Kietzen,* die in der Regel Dienstsiedlungen waren und im Schutze einer Burg lagen, Slawen siedelten, die meist als Fischer tätig waren, hatte dazu beigetragen, den Namen *Kie(t)z* aus dem Slawischen zu erklären. Man führte diesen Namen auf eine slawische Grundform **Chyče* ›Hütten (der Fischer)‹ zurück und verwies dabei auch auf polnisch *chyża* ›armselige Hütte‹. Durch archäologische Untersuchungen ist man jedoch zu dem eindeutigen Ergebnis gelangt, daß die alten *Kietze* nicht in slawischer, sondern erst in deutscher Zeit entstanden sind. Es ist außerdem bemerkenswert, daß der Name *Kietz* im wesentlichen auf das Gebiet des askanischen Einflußbereiches beschränkt blieb, in anderen Gegenden des deutsch-slawischen Kontaktraumes also fehlt. Aus sprachlicher Sicht ist darüber hinaus auffällig, daß dieser Name ausschließlich mit *k-* überliefert ist, während sonst in der Regel anlautendes altplb. *ch-* mit mittelniederdeutsch *g-* wiedergegeben wurde. Infolgedessen ist in starkem Maße mit deutscher Herkunft des Namens *Kietz* zu rechnen. Letzterer gehört wahrscheinlich zu *Kietz* ›Tragkorb‹, das ebenso wie *Kober* in der Bedeutung ›Korb‹ (verächtlich) zum Namen für kleine Nebensiedlungen werden konnte. Mit *kietz(e)* ›Tragkorb‹ sind etymologisch verwandt altnordisch *kytja* ›kleine Hütte‹ und mittelniederdeutsch *ketze* ›kleiner Anbau an der Stube, Alkoven‹, *kitzen* ›kleine Wohnung‹. Das Wort *Kietz* ist vermutlich während der askanischen Besiedlung mitgebracht worden. Die alten oder sogenannten echten *Kietze* sind von den in späterer Zeit entstandenen *Kietzen* zu trennen. Letztere sind im allgemeinen Ausbauten und Nebensiedlungen eines größeren Ortes. Heute ist *Kie(t)z* in der Berliner Umgangssprache gleichbedeutend mit ›Wohnviertel‹, vgl. Wendungen wie »bei uns im Kie(t)z«.

Deutsche Namen

Die Ortsnamengebung in der Zeit der mittelalterlichen deutschen Ostkolonisation, in die auch die Entstehung der deutschen Ortsnamen im Berliner Raum fällt, weist bestimmte Züge auf, die sie bis zu einem gewissen Grade von der in den westlichen Altsiedellandschaften unterscheidet. Bei einer Betrachtung dieser Namen fallen nicht nur die beherrschenden Grundwörter *-dorf, -feld(e), -berg, -thal* oder auch *-ow/-au* auf, sondern auch Namen wie *Blumberg, Rosenthal* oder auch *Rosenfelde.* Nach allgemeiner Auffassung ist die Wahl der zuletzt genannten Namen entweder in der Absicht erfolgt, Siedler anzulocken, oder aber sie war von dem Wunsche begleitet, die neue Heimat möge dem gewählten Namen entsprechen. Charakteristisch sind in gewisser Weise auch Namen wie *Falkenberg* oder *Wartenberg,* die in manchen Fällen heraldische Namen von Rittersitzen oder Burgennamen darstellen können, in anderen wiederum, einer allgemeinen Namenmode folgend, neu gegeben wurden. Unter den heute zu Berlin gehörenden mittelalterlichen deutschen Ortsnamen sind die mit dem Grundwort *-dorf* (mittelniederdeutsch *-dörp, dorp*) gebildeten Namen am häufigsten vertreten. Diese Namen enthalten bis auf ganz wenige Ausnahmen einen Personennamen im Bestimmungswort, der in den meisten Fällen der Name des Ortsgründers sein dürfte. So bezeichnen die Ortsnamen *Biesdorf* (1375 *Bysterstorff, Bissterstorff), Bohnsdorf* (1373 *Bonenstorff*) und *Giesensdorf* (1299 *Ghiselbrechtstorpp*), das 1877 mit *Lichterfelde* vereinigt wurde, das ›Dorf eines Bister, eines Bon- bzw. eines Giselbrecht‹. Der Personenname *Bister,* der zu mittelniederdeutsch *bister* ›verwirrt, verworren‹ gehört, ist belegt. Im Bestimmungswort des Ortsnamens *Bohnsdorf* kann allerdings auch ein slawischer Personenname enthalten sein, so daß dann ein slawisch-deutscher Mischname vorläge. *Heinersdorf* (1319 *Hinrickstorppe,* 1375 *Hinrichstorff,* 1608 *Heinerstorff*) ist das ›Dorf eines Hinrik‹ (Heinrich), *Hellersdorf* (1375 *Helwichstorf,* 1624 *Helmsdorf,* 1775 *Hellersdorf*) das ›Dorf eines Helwig‹ und *Hermsdorf* (1349 *hermanstorp,* 1375 *Hermanstorf,* 1541 *Hermsdorff*) das ›Dorf eines Hermann‹. Im Bestimmungswort des Ortsnamens *Mahlsdorf* (1345 villam *malterstorp,* 1480 *Malstorpp)* ist der Personenname *Malter* enthalten, der zu mittelhochdeutsch *malter,* mnd. *malder* ›Getreidemaß‹ gehört und früh bezeugt ist. Der Ortsname *Reinickendorf* (1344 villa *Renekendorf,* 1459 *Reinekendorpe)* enthält im Bestimmungswort den zu altsächsisch *ragin* ›Schicksal‹ gehörenden mnd. Personennamen *Reineke,* und *Rixdorf* (1366 *Richarsdorf,* 1525 *Rickstorf),* das 1912 in *Neukölln* umbenannt wurde, ist das ›Dorf eines Richard‹. Das mittelalterliche Dorf, das eine Gründung des Templerordens darstellt, ist vielleicht nach einem Ordenspatron benannt worden. Schließlich enthält der Ortsname *Wilmersdorf* (1293 *Willmerstorff)* im Bestimmungswort den Personennamen *Wilhelm* oder *Wilmar,* die sich in den historischen Belegen nicht immer eindeutig trennen lassen.

Im Vergleich zu Personennamen sind andere Bestimmungswörter in den Ortsnamen mit dem Grundwort *-dorf* seltener. In *Mariendorf* (1373 *Mariendorff),* das ebenso wie *Marienfelde* (1344 *merghenvelde,* 1450 *Margenfelde,* 1624 *Marienfelde)* und *Rixdorf* vom Templerorden gegründet wurde, ist das Bestimmungswort der Name der Jungfrau *Maria.* Der Ortsname *Schmargendorf* (1275 *Margrevendorp,* 1450 *Smargendorff)* bezeichnet das ›Dorf des Markgrafen‹. Das im 15. Jahrhundert aufkommende vorgesetzte *S-,* das in der Verbindung *Sm-* zu *Schm-* wurde, erklärt sich durch niederländischen Einfluß. Der Name ist aus mittelniederdeutsch *(de)s Markgreven dörp* entstanden. Der Name des Dorfes *Dalldorf* (1322 *Dalldorff),* das im Jahre 1905 in *Wittenau* (nach dem Gemeindevorsteher *Peter Witte)* umbenannt wurde, enthält das unflektierte mnd. Wort *dal* ›Tal‹, doch ist dieser Name mit großer Wahrscheinlichkeit von *Dalldorf* bei Oschersleben übertragen worden. Ein unflektiertes Appellativum ist auch im Namen der im Jahre 1242 als villa Slauvicali (slawisches Dorf) zusammen mit dem *Slatsee (Schlachtensee)* genannten Wüstung *Slatdorp* enthalten. In beiden Namen ist das Bestimmungswort mnd. *slāt, slacht* ›Pfahlwerk als Uferbefestigung; quer durch das Flußbett als Fisch- oder Mühlenwehr aufgeführtes Stauwerk aus Holz und Steinen‹ oder mnd. *slāt* ›moorige Vertiefung, sumpfiger Ort‹. Es ist jedoch nicht auszuschließen – *Slatdorp* wird immerhin als slawisches Dorf bezeichnet –, daß ein ursprünglicher altpolabischer, zu einem Appellativum **slot-* gehörender und mit russisch *solot'* ›Morast, Sumpf‹, tschechisch *slatina* ›Moor‹ zu vergleichender Name vorlag, der an das mittelniederdeutsche Wort angeglichen wurde. Außer *- dorf* kommen als Grundwörter *-feld(e)* (zu mnd. *velt* ›freies, offenes Feld, Gelände‹, *-berg* (zu mnd. *berch* ›Berg‹), *-ow* (zu mnd. *o(u)w(e)* ›vom Wasser umflossenes Land, Aue‹), *-rode* (zu mnd. *rot*, *rode* ›Stück Landes, das durch Roden urbar gemacht worden ist‹) und *-tal* (zu mnd. *dal* neben *dāl* ›Tal‹) vor. Hierher gehören die Ortsnamen *Blankenfelde* (1284 Johannes de *Blankenfelte*), *Rosenfelde* (1265 Lodewicus de *Rosenfelde*), *Lichtenberg* (1288 *Lichtenberge*), *Schöneberg* (1264 villa *Sconenberch*), *Wartenberg* (1270 Bernardus de *Wardenberge*), *Schönow* (1299 *Schonow*), *Lichtenrade* (1375, 1450 *Lichtenrode*, 1624 *Lichtenrade*) und *Rosenthal* (1356 in *Rosendalle,* 1375 *Rosendal, Rosental*, zu den Ortsnamen *Rosenfelde* und *Rosenthal* siehe oben). Der Ortsname *Blankenfelde* bezeichnet die ›Ansiedlung an oder auf einem freien, lichten Gelände‹ (zu mnd. *blank* ›blank, glänzend, hell, licht‹), *Lichtenberg* und *Schöneberg* die ›Siedlungen an einem schönen bzw. lichten Berg‹ (zu mnd. *licht* ›leuchtend, hell‹ bzw. *schōne* ›schön, hell klar‹), während der Ortsname *Lichtenrade* den Ort meint, der in einer hellen und lichten Rodung angelegt wurde. *Wartenberg* ist die ›Siedlung am oder beim Wachberg‹ (zu mnd. *warde* ›Lauer, Hut, Wache, Gebäude zum Ausspähen‹) und *Schönow* der ›Ort in der schönen Aue‹. Das mittelalterliche Dorf, das in der Niederung der *Telte-Bäke* lag, wurde im Jahre 1894 mit *Zehlendorf* vereinigt. Angeschlossen sei der Name *Blankenburg* (1375 *Blankenburg*), der die Bedeutung ›Ansiedlung bei einer hellen Burg‹ hat. Es ist jedoch fraglich, ob mit der blanken und hellen Burg (das Grundwort *-burg* wechselt in den Namen häufig mit *-berg,* die beide etymologisch zusammengehören) der 750 m nördlich von *Blankenburg* und östlich der Panke gelegene älterslawische Burgwall (Ringwall) von 51 m Durchmesser gemeint ist, dessen alter (slawischer) Name nicht überliefert ist. Ein wichtiger mittelalterlicher deutscher Name im Berliner Raum ist der Ortsname *Tempelhof* (1247 Hermanus de *Templo,* 1271 inter *Tempelhove* et berlin). Der Name *Tempelhof* bezeichnet den ›Hof des Templerordens‹ (zu mnd. *hof* ›Gebäude oder Gebäudeanlage, die den Zwecken einer Gemeinschaft dienen, z. B. Ordenskumturei‹). Die Gebäude des *Templerordens* sind spätestens 1210 errichtet worden. Der *Templerorden* wurde im Jahre 1312 vom Papst aufgehoben und sein Besitz dem *Johanniterorden* übereignet. Der Historiker Johannes Schultze nahm wohl mit Recht an, daß *Tempelfelde* der ursprüngliche Name von *Tempelhof* war, da es einen Ort *Tempelfelde* im Kreis Bernau gibt, dessen Name mit hoher Wahrscheinlichkeit dorthin übertragen wurde. Der Name *Tempelfelde* sei aber infolge der Identifizierung des Dorfes mit dem Hof bald außer Gebrauch gekommen.

Die mittelalterlichen Dörfer *Weißensee* (1242 Conradus de *Widense,,*

1313 *Wittense*) und *Heiligensee* (1308 hyelegense) mit den mittelniederdeutschen Grundformen **Witensē* (zu mnd. *wit* ›weiß‹) ›Ansiedlung beim weißen See‹ bzw. **Hil(l)igensē* (zu mnd. *hillich* ›heilig‹) ›Ansiedlung am heiligen See‹ erzielten ihre Namen nach den dabeigelegenen Seen. Im Unterschied zu *Nikolassee* (vgl. unten) ist der alte Name des *Heiligen Sees* nicht überliefert. Ein ursprünglicher Gewässername liegt auch im Namen des vermutlich schon im 13. Jahrhundert wüst gewordenen Dorfes *Krummensee* (1249 villa *Crumense*) vor, das an der *Krummen Lanke* im Grunewald am Westrand Zehlendorfs lag. *Die Krumme Lanke,* ein langgestreckter und gekrümmter See, hieß noch im 16. Jahrhundert *Krummer See* (1543 *den Krumensehe,* 1591 *der Krummensee*). Für den Namen *Krummer See,* nach dem das mittelalterliche Dorf benannt worden war, kam offenbar erst im Verlaufe des 17. Jahrhunderts der Name *Krumme Lanke* auf (1652 *Crumme Lancke,* 1679 *Krummenlank*). Das Wort *Lanke* ist – wie wir bereits beim Ortsnamen *Lankwitz* gesehen haben – slawischer (altpolabischer) Herkunft (altplb. **łąka*) und bedeutet soviel wie ›Krümmung, Bucht, Wiese‹. Dieses Wort ist aus dem Slawischen in deutsche Mundarten, darunter in die brandenburgischen, übernommen worden und hat hier u. a. auch die Bedeutung ›Ausbuchtung am Flußufer‹, ›stilles Seitengewässer‹ angenommen. Auf diese Weise erklärt sich vielleicht die Änderung des Namens *Krummer See* in *Krumme Lanke.* Möglicherweise ist die Namenänderung aber auch darauf zurückzuführen, daß der Name des Sees im Slawischen (Altpolabischen) **Łąka* (Lanke) lautete und im Volke lebendig blieb. Ein Naturname ist *Buchholz* (1242 *Buckholtz*), der zu mnd. *bōkholt* ›Buchenwald‹ gehört. *Staaken* (1273 in villa *stakene,* 1295 *Staken*) mit der mittelniederdeutschen Grundform **(to den) Staken* ist der ›Ort zu den Pfählen, Stöcken‹, zu mnd. *stake* ›Knüppel, dicker Stock, Pfahl‹, wobei das Motiv der Namengebung unklar bleibt. Man hat bei diesem Namen auch an Namenübertragung von *Stekene* (1296 *Stekene*) in Belgien gedacht, doch spricht das *-a-* in *Staaken* gegen diese Namenübertragung, da der flandrische Name Umlaut zeigt. Ähnliches gilt auch für den Ortsnamen *Tegel* (1322 *Tygel,* 1375 *Tigel*), der eine gewisse Sonderstellung einnimmt, da hier das bloße mittelniederdeutsche Wort *tegel* ›Ziegel, Mauerstein, Dachziegel; Ziegelbau‹ zum Namen wurde. Möglicherweise ist das mittelalterliche Dorf nach einem auffallenden, aus Ziegeln errichteten Gebäude benannt worden. Es kann aber auch nicht ausgeschlossen werden, daß der Name von *Tegelen* (1196 *Tigele*) in der Provinz Limburg (Niederlande) übertragen wurde. Namenübertragung muß auch bei anderen bisher nicht genannten mittelalterlichen Ortsnamen angenommen bzw. mit einer solchen in hohem Maße gerechnet werden. Von Namenübertragung war auch bereits oben bei der Erörterung der Ortsnamen *Cölln, Dalldorf (Wittenau)* und *Zehlendorf* die Rede. In alle brandenburgischen Landschaften sind während der mittelalterlichen deutschen Kolonisation Ortsnamen aus anderen Gebieten übertragen worden. In manchen Fällen konnte ein Ortsname auch über mehrere Stationen wandern. Wenn eine solche Namenwanderung oder auch die direkte Übertragung eines Namens von einem anderen Ort nachgewiesen werden kann, dann sind damit wichtige Erkenntnisse für mittelalterliche Siedlungsbewegungen gewonnen. Ein markanter Name für eine solche Wanderung ist der Ortsname *Lichterfelde* (1316 villa *Lichterfelde*), der mit sehr großer Wahrscheinlichkeit von *Lichterfelde* Kr. Osterburg in den Kreis Jüterbog und von da in den Teltow übertragen wurde und danach weiter in den Barnim wanderte (*Lichterfelde* Kr. Eberswalde). Ursprungsname der *Lichterfelde*-Namen ist *Lichtervelde* in Westflandern. Der Ortsname *Lichterfelde* ist einer von zahlreichen, aus den Niederlanden in die Mark Brandenburg übertragenen Ortsnamen, die - neben vielen überlieferten Flurnamen niederländischer Herkunft - die Beteiligung von Niederländern an der Besiedlung der Mark Brandenburg bezeugen. Es gibt verschiedene Kriterien, die für die Übertragung eines Namens sprechen können. Ein sprachliches Kriterium ist z. B. die Bildungsweise eines Namens. Weicht ein Name in seiner Bildungsweise von der sonst in einem bestimmten Gebiet üblichen ab, dann kann man damit rechnen, daß er aus einer anderen Landschaft übertragen wurde. Ein solcher Name ist *Hohen-* und *Niederschönhausen* (1284 Conradus de *Schonenhusen,* 1356 *alte Schonehusen;* 1375 *Schonenhusen inferior, Nydderen Schonhusen*). Namen mit dem Grundwort *-hausen* (zu altsächsisch *hūs* ›Haus‹) gehören zu den alten Ortsnamentypen und sind während der mittelalterlichen deutschen Besiedlung Ende 12. und Anfang des 13. Jahrhunderts nicht mehr gebildet worden, so daß man Namenübertragung annehmen muß. In Betracht dafür kommt *Schönhausen* Kr. Havelberg. Gleiches gilt auch für den Ortsnamen *Dahlem* (1375 *Dalm,* 1450 *Dalem*), der nicht, wie bisher angenommen wurde, slawischer Herkunft, sondern ebenfalls ein archaischer deutscher Ortsname mit dem Grundwort *-heim* ist, der ebenso wie *Schönhausen* im 12. und 13. Jahrhundert nicht mehr gebildet wurde. Der Name wurde von der Wüstung *Dalem* bei Fröhden im Kreis Jüterbog (1447 vf der marcke *zu dalem*) in den Teltow übertragen. Als Ausgangsname kommt vor allem *Dahlen* Kr. Stendal

(1282 *Dalem*) in Betracht. Zu beachten sind aber auch *Dahlem* bei Aachen (867 *Dalaheim*) und *Dalhem* bei Lüttich (1152 de *Dalem*). Die Namen enthalten altsächsisch, mittelniederdeutsch *dal* ›Tal‹ und altsächsisch *hēm* ›Wohnort, Heimat‹, mittelniederdeutsch *hē(i)m* ›Wohnstätte, Hausgrundstück, Haus‹. Ein übertragener Name ist auch *Wedding* (1251 in terminis ville, que *Weddinge* vocatur), der ein alter Namen auf *-ingen* ist. Ortsnamen auf *-ingen* gehören zu den ältesten Namen überhaupt und reichen in die germanische Zeit zurück. Es muß daher auch bei diesem Namen Namenübertragung angenommen werden, wobei mehrere *Weddingen (Alten, Immen-, Langen, Oster-)* im Kreis Wanzleben in Betracht kommen. Nicht auszuschließen ist jedoch, daß der Ort nach dem Ritter *Rudolf von Wedding* (1194 *Rodolphus de Wedinge*) benannt wurde, der im Dienste des Bischofs Norbert von Brandenburg stand. Anzuführen ist hier auch der Ortsname *Kaulsdorf* (1285 Nicolao de *Caulestorp,* 1347 in *caulstorp*) wegen seiner durchgängigen Überlieferung mit dem Diphthong *-au-,* der aus der Mundart der Mittelmark nicht erklärt werden kann. Mit Übertragung bzw. Teilübertragung ist deshalb bei diesem Namen ebenfalls zu rechnen. Es ist denkbar und wahrscheinlich, daß der Ortsname *Kahla* Kr. Liebenwerda (1406 *Kauwel,* 1500 *Kawle,* 1540 *Kaul(l),* 1550 *Kaule*), dem eine altsorbische Grundform **Kovali* ›Schmiede‹ (zu **koval'* ›Schmied‹) zugrunde liegt, als **Kauwel(e)sdörp* o. ä. in den Barnim übertragen wurde.

Namen seit dem 17. Jahrhundert

Berlin nahm nach dem Dreißigjährigen Krieg eine rasche Entwicklung, und seine Bevölkerungszahl wuchs schnell an. Die Voraussetzungen für dieses rasche Wachstum waren auch durch die Anlage einer Reihe von Städten und Vorstädten geschaffen worden. Die nach dem Großen Kurfürsten *Friedrich Wilhelm* benannte und von der Spree und einem Spreearm umgebene Stadt *Friedrichswerder* (zu niederdeutsch *werder* ›Flußinsel‹) wurde als Neustadt seit 1662 angelegt. Die Anlage der südlich der Straße Unter den Linden gelegenen *Friedrichstadt,* die ihren Namen nach dem ersten preußischen König, *Friedrich I.,* erhielt, und die der nördlich dieser Straße gelegene und nach der Gemahlin des Kurfürsten Friedrich Wilhelm, *Dorothea von Holstein-Glücksburg,* benannte *Dorotheenstadt* entstand seit 1668. Daneben hatten sich in der zweiten Hälfte des 17. Jahrhunderts eine Reihe von Vorstädten –

Spandauer, Stralauer, Köpenicker Vorstadt, Georgen- oder *Königsstadt* – entwickelt. Im Jahre 1709 wurden *Berlin, Cölln, Friedrichswerder, Friedrichstadt, Dorotheenstadt* sowie die genannten Vorstädte zu einer Stadt vereinigt. Seit 1827 kam die *Friedrich-Wilhelm-Stadt* (nördlich der *Dorotheenstadt* und westlich der *Spandauer Vorstadt*) hinzu. Die angeführten Namen *Friedrichswerder, Friedrichstadt, Dorotheenstadt, Königsstadt,* auch *Luisenstadt* (nach der preußischen Königin *Luise*) sind typische Gedenk- bzw. Ergebenheitsnamen. Hierher gehören auch *Friedrichsfelde* und *Charlottenburg.* Das mittelalterliche Dorf *Rosenfelde* war 1698 in den Besitz des Kurfürsten *Friedrich III.* (seit 1701 König *Friedrich I.* von Preußen) übergegangen und trägt seitdem den Namen *Friedrichsfelde* (1698 Das Dorff *Friedrichsfelde*/olim *Rosenfelde*). Das in den Jahren 1695–1697 im Auftrag der Kurfürstin *Sophie Charlotte* angelegte Schloß *Lützenburg* (im Bestimmungswort ist der Ortsname *Lützow* enthalten, vgl. oben), bei dem eine neue Stadt entstand (1704 das Königliche Schloß »*Lützenburg* nebst der New angelegten Stadt«, wurde im Jahre 1705 nach dem Tod der Kurfürstin in *Charlottenburg* umbenannt und gleichzeitig zur Stadt erklärt: »die *Charlottenburg* zum Andencken Weyland Unserer Hoch- und Hertzgeliebtesten Gemahlin . . . mit der Stadtgerechtigkeit zu begnadigen und einen Besonderen Magistrat daselbst zu setzen.« *Charlottenburg* schied im Jahre 1876 aus dem Kreis Teltow aus und bildete bis zur Vereinigung mit Berlin im Jahre 1920 einen eigenen Stadtkreis. Ein Gedenkname ist auch der Name der zu Wannsee gehörenden und auf einen Schankkrug und einen Teerofen (später *Albrechts Teerofen*) zurückgehenden Kolonie *Kohlhasenbrück.* Die Kolonie wurde nach der bereits 1599 erwähnten *Kohlhasen Brücke* benannt, die ihren Namen nach *Hans (Johannes) Kohlhase* erhielt. *Kohlhase* wurde wegen erlittener Ungerechtigkeiten im kurfürstlichen Brandenburg zum individualistischen Empörer. In der Chronik des M. Peter Hafftiz aus dem Jahre 1599 heißt es, daß er »eine Anzahl Silber Kuchen . . . eine halbe Meile disseit Potsdam unter einer Brücken, die noch heutigen Tages *Kohlhasen Brücke* heisst, in das Wasser versenkt«, haben soll. Heinrich von Kleist setzte ihm mit seiner Novelle »Michael Kohlhaas« (1810) ein unvergängliches Denkmal.

Am 1. Januar 1861 wurden die im 19. Jahrhundert entstandenen *Weddingbezirke* (zum Ortsnamen Wedding vgl. oben) mit *Gesundbrunnen* und *Alt-* und *Neumoabit* in Berlin eingemeindet. *Moabit* (1805 *Moabit, Moabiter Land*) entstand am Anfang des 18. Jahrhunderts als Ansiedlung französischer Flüchtlinge (Hugenotten), von denen auch der Name für diese Siedlung stammt. Auszugehen ist von einer französischen Form (*la terre) Moabite* ›Moabiter Land‹. Französisch *moabite* ist Eigenschaftswort des alttestamentarischen Namens *Moab*. Das Volk *Moab* oder die *Moabiter* waren ursprünglich Nomaden, die sich im Westjordanland angesiedelt hatten. Die Wahl des Namens *Moabit(e)* hängt damit zusammen, daß die Hugenotten die calvinistische Richtung in Frankreich repräsentierten, die sich in ihrer Lehre stark auf das Alte Testament stützte. Von französischen Flüchtlingen im Berliner Raum zeugt auch der bis 1920 im Ortsnamen *Buchholz* verwendete Zusatz *Französisch* (1861 *Französisch Buchholz*). In diesem Dorf waren im Jahre 1750 17 französische Bauern und Kossäten angesiedelt worden. Der Ortsname *Gesundbrunnen* geht auf einen in der Mitte des 18. Jahrhunderts entdeckten *Gesundbrunnen* zurück. *Gesundbrunnen* im Sinne von ›Heilquelle‹ und ›Heilbad‹ ist seit dem 16. Jahrhundert bezeugt. Es enthält das Substantiv *gesunde* (mittelhochdeutsch *gesunde, gesunt,* mittelniederdeutsch *gesunde* › Gesundheit‹), ist aber im 19. Jahrhundert bereits weitgehend durch *Heilquelle* verdrängt worden.

Seine bis dahin größte territoriale Ausdehnung erfuhr *Berlin* im Jahre 1920. In diesem Jahr wurden – wie bereits an anderer Stelle vermerkt – zahlreiche Orte der ehemaligen Kreise *Teltow, Niederbarnim* und *Osthavelland* in Berlin eingemeindet. Gleichzeitig kam es zur Bildung von mehreren Verwaltungsbezirken (Stadtbezirken), zu denen u. a. *Mitte, Friedrichshain, Prenzlauer Berg, Kreuzberg* und *Tiergarten* gehörten. Der heutige Stadtbezirk *Mitte* umfaßt im wesentlichen das ehemalige Territorium von *Alt-Berlin* und *Alt-Cölln*. Der Stadtbezirk *Friedrichshain* ist eine Neubildung mit dem Grundwort *-hain,* das als poetische Bezeichnung für einen anmutigen Wald seit Klopstock gebräuchlich wurde. Im Bestimmungswort ist der Name *Friedrichs des Großen* enthalten. Die Berliner Stadtverordnetenversammlung hatte anläßlich des 100. Jahrestages seiner Thronbesteigung (1840) beschlossen, diesen Park anlegen zu lassen. Der Stadtbezirk *Prenzlauer Berg* hieß zunächst *Prenzlauer Tor,* wurde aber bereits im Jahre 1921 in *Prenzlauer Berg* umbenannt, u. a. auch deshalb, weil das Gebiet im Volksmund *Windmühlenberg* hieß. Friedrich der Große hatte 1748 befohlen, auf einem Berg außerhalb der Stadt fünf Windmühlen zu errichten, um den steigenden Bedarf von Mehl für die Bevölkerung zu sichern. Seit 1826 bürgerte sich allmählich der Name *Prenzlauer Berg* ein. Das Gebiet des *Prenzlauer Berges* befand sich an der Straße nach *Prenzlau (Prenzlauer Allee)*. Der Verwaltungsbezirk *Kreuzberg* erhielt seinen Namen nach einem im Jahre 1821 auf dem 66 m hohen *Tempelhofer Berg* – einem alten Weinberg – eingeweihten Denkmal, das zur

Erinnerung an die Befreiungskriege 1813–1815 gebaut wurde und dessen Spitze ein *Eisernes Kreuz* krönt. Der Entwurf für dieses Denkmal stammt von Karl Friedrich Schinkel. Schließlich geht der Name *Tiergarten* (1540 *der alte Thiergarten*) auf Wildgehege der brandenburgischen Kurfürsten zurück, die hier seit dem 16. Jahrhundert Jagden abhielten. Der Tiergarten wurde zu Beginn des 18. Jahrhunderts in einen Park umgewandelt, an dessen Gestaltung Georg Wenzeslaus von Knobelsdorff hervorragenden Anteil hatte.

Im 18. Jahrhundert entstanden durch die Kolonisationspolitik Friedrichs des Großen in Brandenburg zahlreiche neue Siedlungen, darunter auch im Berliner Raum. Zu diesen Siedlungen oder Kolonien, wie sie genannt wurden, zählen *Adlershof, Friedrichshagen, Grünau, Johannisthal, Müggelheim* und ehemalig *Böhmisch Rixdorf.* Wie schon der Name *Böhmisch Rixdorf* besagt, wurden in diesen Kolonien vielfach Kolonisten aus anderen Ländern angesiedelt, die aus unterschiedlichen Gründen ihre alte Heimat verlassen hatten. So sind im Jahre 1737 »zu *Ricksdorff*« »Achtzehen Böhmische Familien . . . angesetzt« worden, und 1747 heißt es, »daß auf dem Coepenickschen Werder ein Dorf von zwantzig Pfältzer Familien angelegt . . . und *Müggelheim* benahmt werden« soll. Auch die Kolonie *Friedrichshagen*, deren Name im Bestimmungswort den Namen *Friedrichs des Großen* enthält, ist im Jahre 1753 für 100 Familien böhmischer und sächsischer Feinwollspinner angelegt worden. Bei einer Betrachtung der Namen dieser Kolonien kann man leicht feststellen, daß es sich dabei um offizielle und amtlich festgelegte Namen handelt, die also nicht von den Siedlern gegeben wurden. Der Name *Müggelheim* stellt eine Neubildung mit dem Grundwort *-heim* dar, das ebenso wie das Grundwort *-hagen* in *Friedrichshagen* oder später auch in *Wilhelmshagen* nur die Funktion eines namenbildenden Elementes, also keine eigentliche Bedeutung mehr hatte (mnd. *hagen* bedeutete ›Hag, Grenzhecke‹ und ist insbesondere in mittelalterlichen Walrodungsnamen enthalten). Im Bestimmungswort des Ortsnamens *Müggelheim* ist der Name des *Müggelsees* enthalten, der aber seit seiner Ersterwähnung im Jahre 1394 als *die Miggel* (vgl. oben) überliefert ist und der auch mundartlich *die Miggel* lautete. Die Form *Müggel* für *Miggel* ist demnach amtlich eingeführt worden. *Johannisthal,* im Jahre 1759 als »den bey Rudow belegenen so benahmten *Johannis-Thal*« erwähnt, wurde nach dem Kammerrat *Johannes Werner* benannt, der 1753 ein größeres Gut errichtet hatte, um 10 Familien aus Böhmen und Sachsen anzusiedeln. Für die Wahl des Grundwortes *-tal* war vielleicht die Lage des Vorwerkes in leicht hügligem

Gelände ausschlaggebend. Das Vorwerk *Adlershof*, das in den Jahren 1753 bis 1754 angelegt worden war, soll seinen Namen von *Friedrich dem Großen* selbst nach dem dabeigelegenen *Adlergestell* bekommen haben. Die Belege aus den fünfziger Jahren des 18. Jahrhunderts wie 1754 »auf der sogenannten, bey Cöpenick belegene *Süße Grund* jetzt *Adlershoff* benahmet« oder ». . . Etablissements *Adlershoff* sonst *der süße Grund* genandt« zeigen, daß das Vorwerk auch *der süße Grund* hieß. Der Flurname *Süßer Grund* bezeichnete ein Gelände im Spreetal, das auch bei hohem Wasserstand von Überschwemmungen verschont blieb, so daß der Boden nicht sauer wurde. Der Name *Süße(n)grund* blieb jedoch erhalten und war bis 1879 der Name einer südlich des Vorwerkes Adlershof gelegenen und vor 1800 gegründeten Kolonie. *Adlershof* ist eine aus **Adlerstel(l)hof* entstandene Klammerform, die zu brandenburgisch *stel(l), gestell* ›Schneise, Weg, der die einzelnen Jagen voneinander trennt‹ gehört. Am Anfang des 18. Jahrhunderts war das »*Adler Stell* just 1/2 meil lang«. Das Bestimmungswort *Adler-* in *Adlergestell* wird mit dem königlichen Adler als Wappentier in Verbindung gebracht, womit möglicherweise Jagdrechte oder auch ein Besitzverhältnis dokumentiert werden sollten. Eine Neubildung ist auch der Name der im Jahre 1749 angelegten Kolonie *Grünau.* Im Juni 1749 wird von der »Errichtung des Etablissements der 4 Colonisten Familien« berichtet, »welcher Ort in Zukunft *Grüne Aue* genannt werden soll«, und noch im gleichen Jahr werden »die 4 Colonisten *von der grünen Aue*« namentlich genannt. Die Wahl des Namens *Grüne Aue,* der später über *Grünaue* zu *Grünau* wurde, erklärt sich durch die Lage der Kolonie am linken Dahmeufer. *Aue* bedeutet ursprünglich ›an einem Flusse gelegene Niederung‹. Das Gelände, auf dem die Kolonie angelegt worden war, hieß im Volksmund *Steinbinde*, doch hat sich dieser Name für die Kolonie nicht durchgesetzt. Der Name *Steinbinde* ist vermutlich ein ursprünglicher Gewässername, wobei mit *Binde* wohl ein ›Verbindungsstück innerhalb eines Gewässersystems‹ gemeint ist.

Im Unterschied zu den Namen der friderizianischen Kolonien beruhen die Namen vieler anderer Neugründungen des 18., 19. und 20. Jahrhunderts häufig auf alten Flur- und Gewässernamen. Die Anfänge der heutigen Ortsteile von Köpenick bzw. Treptow *Ober-* und *Niederschönenweide* gehen auf einen im Jahre 1702 erwähnten »Theerofen *bey der schönen Weyde*« zurück. Die *schöne Weide*, nach der der Teerofen und eine kleine, in der Mitte des 19. Jahrhunderts entstehende Kolonie ihren Namen erhielten, wird bereits 1598 genannt:

»eine wiese an der Sprew, *neben der schönen Weide* gelegen«. Mit *Weide* ist hier wohl ›Weise als Busch und Baum‹ gemeint. Im Jahre 1871 bekam der rechts der Spree gelegene Teil der Kolonie *Schöneweide* den Namen *Oberschöneweide,* während ihr auf dem linken Spreeufer gelegener Teil seitdem *Niederschöneweide* heißt. Den Namen der im 19. bzw. am Anfang des 20. Jahrhunderts entstandenen Kolonien *Halensee, Nikolassee* und *Plötzensee* liegen alte Gewässernamen zugrunde. Der Name des *Halensees* (1540 *der halensehe*), der in einer Talsenke liegt, gehört zu mnd. *hol* ›hohl; vertieft, muldenförmig‹, während im Gewässernamen *Plötzensee* (1436 den *Plotczensehe*) die Fischbezeichnung *Plötze* enthalten ist. Das Wort *Plötze* ist ein Lehnwort aus dem Slawischen. Am *Plötzensee* wurde 1868 ein großes Strafgefängnis errichtet, bei dem sich eine Kolonie entwickelte. Während der nationalsozialistischen Gewaltherrschaft wurden in der Strafanstalt *Plötzensee* viele Widerstandskämpfer hingerichtet. Der alte Name des *Nikolassees* ist der im Jahre 1242 erwähnte Gewässername *Tusen*, der slawisch ist und zu altplb. **tuch-* ›angefault, faul, verdorben‹ gehört. Nachdem im Jahre 1242 Zehlendorf in den Besitz des Klosters Lehnin übergegangen war, wurde der See in *Nikolassee* umbenannt (1591 *St. Clawes See,* 1652 *Niclas See*). Zugrunde liegt der Heiligenname *Nikolaus,* mittelniederdeutsch *Klawes.* Kein mittelalterlicher Name ist dagegen *Grunewald,* der eine Neubildung des 16. Jahrhunderts darstellt. In älteren urkundlichen Belegen heißt der Wald die *Teltowsche Heide* (1455 *Teltoische heide*). Der Name *Grunewald* bezog sich ursprünglich nur auf das Schloß, mit dessen Bau im Jahre 1542 begonnen wurde: »dis hus zu Baven angefangen vnd den VII Maerz den ersten Stein gelegt vnd *Grunewald* genennt.« Dieser Name, der in einzelnen Belegen auch *der grüne Wald* lautet (1598 *nach dem grünen Walde,* 1704 Jagdt Hauß *Grünewaldt*), wurde danach auf den das Schloß umgebenden Wald übertragen, nach dem auch die Kolonie *Grunewald* ihren Namen erhielt. Letztere erhob man im Jahre 1898 zu einer selbständigen Gemeinde. Die heutige nichtumgelautete Form *Grunewald* statt *Grünewald* erklärt sich durch die von Kanzleibeamten im 16. und 17. Jahrhundert häufig unterlassene Umlautbezeichnung. Auch in der *Hasenheide* (1718 *Haasen Heyde*) war im 19. Jahrhundert eine Kolonie entstanden, die im Jahre 1901 mit *Rixdorf* vereinigt wurde. Auf Karten des 18. Jahrhunderts heißt die *Hasenheide* auch *Hasengehege* und *Hasengarten.* Das *Hasengehege* (zu mnd. *gehege* ›Forstgehege‹, ›gehegtes Gehölz‹) wurde 1678 für den Kurfürsten zur Jagd angelegt. Möglicherweise ist *Hasengehege* daher der ursprüngliche Name der heutigen

Hasenheide. Auch der Name *Hasengarten* hat im Sinne von *Tiergarten* die Bedeutung ›eingehegte (mit Wald bestandene) Flur, in der Hasen zur Jagd gehalten wurden‹. Das Grundwort *-heide* bedeutet im Brandenburgischen ›Wald, vor allem Kiefernwald, auf grundwasserfernen Böden‹. Das Wort *Heide* ist auch im Namen der *Wuhlheide* – einem alten Flurnamen – enthalten (1577 *uff der wolowische Heide*, 1704 Die sogenannte *Wuhlheyde* . . . hebet sich an Von Köpenick und erstrecket sich biß an Friederichsfelde und biesdorff, à 1 Meile lang, 1/2 M. breit), nach der im Jahre 1906 ein Forsthaus benannt wurde. Das Bestimmungswort des Namens ist der Gewässername *die Wuhle* (1704 *die Wuhle*), der zu mnd. *wolen* ›wühlen‹ und auch mit mittelhochdeutsch *wuollache* ›Wälzplatz für Schweine‹ zu vergleichen ist. Ein alter Flurname ist auch der Name *Hessenwinkel.* Der heutige Ortsteil von Köpenick geht auf ein kleines Vorwerk zurück, das im Jahre 1742 angelegt wurde. Letzteres erhielt seinen Namen nach dem erstmals im Jahre 1704 genannten *Haßelwinkel.* Der Name *Hasselwinkel* enthält das mnd. Wort *has(s)el* ›Haselstrauch‹, das noch in der 1. Hälfte des 18. Jahrhunderts – möglicherweise im Zusammenhang mit hessischen Kolonisten – zu *Hessen* umgedeutet wurde. Das Grundwort *-winkel* kommt insbesondere in Flurnamen häufig vor und hat hier die Bedeutung ›abgelegene Gegend‹. Mnd. *has(s)el* ›Haselstrauch‹ ist auch im Namen des Spandauer Ortsteils *Haselhorst* enthalten, der als Flurname schon 1567 und 1590 als *die Haselhorst* bzw. *die Hasel Horst* bezeugt ist. Das Grundwort *-horst* gehört zu mnd. *horst* ›Gestrüpp, Buschwerk‹, das im Brandenburgischen die Bedeutung ›trockene Erhebung im Wiesen- oder Luchgelände‹ hat. Hier entstand schon im 16. Jahrhundert ein Vorwerk, das aber zunächst – ebenfalls nach einem Flurnamen – *der Plan* oder *auf dem Plan* hieß: 1567 (Flurname) auf dem Felde *der Plan* genannt, 1658 Kirchenmeierei *auf dem Plan,* 1728 Kirchen Meyerey *aufm Plan.* Der Name *Plan* ist mit mnd. *plan* ›freier, ebener Platz‹, brandenburgisch *plan* ›Acker, Ackergrundstück‹ zu verbinden. Im Jahre 1848 wird das Vorwerk in *Haselhorst* umbenannt. Auch der Name der ehemaligen, im Jahre 1912 in *Lichtenberg* aufgegangenen Landgemeinde *Boxhagen (Boxhagen-Rummelsburg)* geht auf einen alten Flurnamen zurück, der 1391 als *Buchshagen* und 1691 als *Buckshagen* bezeugt ist. Dieser Name gehört zu mnd. *bok* ›Bock, Schaf-, Ziegenbock‹, hier wohl in der Bedeutung ›Rehbock‹, und mnd. *hagen* ›Hecke, Buschwerk, Gehölz‹. Bereits im 16. Jh. befand sich hier eine Magistratsmeierei. In der 1. Hälfte des 19. Jahrhunderts entstand dann eine Kolonie. Andere, teilweise sehr alte Flurnamen tragen eine Reihe größerer und kleinerer Ansiedlungen, unter denen sich auch beliebte Berliner Ausflugsziele befinden. Zu diesen zählen u. a. *Eichkamp, Eiswerder, Hundekehle, Klosterfelde, die Pfaueninsel, der Plänterwald, Rauchfangswerder, Schildhorn* und *Schwanenwerder.* Im Jahre 1879 erhielt ein im Grunewald errichtetes Forsthaus den Namen *Eichkamp,* auf das die Anfänge der heutigen Siedlung *Eichkamp* zurückgehen. Zugrunde liegt ein Flurname, der um 1760 *Willmersdorffischer Eichelkamp* lautet. Der Name bedeutet ›aus (jungen) Eichen bestehendes gehegtes Flurstück, Waldstück‹, zu mnd. *ēkel* ›Eichelmast, Eichel‹, eigentlich ›das Junge der Eiche‹, und *kamp,* hier in der Bedeutung ›gehegtes Waldstück‹. Auf der zu Spandau gehörenden Havelinsel *Eiswerder,* deren Name um 1560 *Eiszwerder* und 1728 *Eis-Werder* lautet, wurde im Jahre 1746 ein steiermärkischer Emigrant angesiedelt. *Eiswerder* ist die ›Eisinsel‹ (zu mnd. *werder* ›Insel‹). Das im Grunewald am *Hundekehlensee* gelegene Forsthaus *Hundekehle* wird im Jahre 1805 zum ersten Mal erwähnt. Bereits 1774 heißt *Hundekehl* ein »Einzeln Fischerhauß bei Schmargendorff«. Es liegt ein Flurname vor, der 1779 »ein Thal und See, *die Hundekehle* genannt« lautet. Das Bestimmungswort *Hunde-* wird mit der Errichtung eines Hundehauses in Verbindung gebracht, wofür es aber keine Belege gibt. Vielleicht liegt mnd. *hunt* ›Maß, Ackermaß‹ vor. Ein Flurname *Hunt* wird im Jahre 1382 in der Gegend von Kladow erwähnt: vsque ad tractum, qui dicitur *Hwnt* (»bis zu der Gegend, welche Hunt genannt wird«). Das Grundwort *kehle* bedeutet ›Schlucht‹ und gehört zu mittelniederländisch *kele, keel* ›Schlucht, Bergenge‹. Die historischen Belege für die *Pfaueninsel* lauten 1680 *Pfau Werder,* 1683 *Der Pfauen Werder,* 1704 *der Pfauen Werder,* welchen Sr. Königl. Majestät itzo mit Kaninen Besetzen laßen, 1861 *Pfaueninsel.* Das Bestimmungswort *Pfauen* ist mit hoher Wahrscheinlichkeit nicht mit neuhochdeutsch *Pfau* zu verbinden, da *Pfauen* erst seit 1797 auf der Insel heimisch gemacht wurden, nachdem unter König Friedrich Wilhelm in den Jahren 1793 bis 1794 ein Lustschloß errichtet worden war. Es wird vielmehr zu mnd. *page* ›Pferd‹ gehören, das hier in der brandenburgischen Mundart zu *pau* und danach leicht zu *Pfau* umgedeutet werden konnte. Gestützt wird diese Erklärung des Namens auch dadurch, daß eine kleine, der *Pfaueninsel* benachbarte Insel, *der Kälberwerder* heißt. Im 18. Jahrhundert trug die *Pfaueninsel* vorübergehend den Namen *Kaninchenwerder* (1775 *Kaninchenwerder*), nachdem am Anfang dieses Jahrhunderts auf der Insel *Kaninchen* ausgesetzt worden waren (vgl. oben den Beleg von 1704). Ein Haus für einen Kaninchenheger war bereits 1684 gebaut worden (»Kaninchen

Hegers Haus 1684 gebauwt«). Der Name der zu Spandau gehörenden Siedlung *Klosterfelde* geht auf das Spandauer Nonnenkloster der Benediktinerinnen zurück, das im Jahre 1239 gestiftet und 1539 aufgelöst worden war. Beim Kloster bestand ein Vorwerk (1745 *Klosterhoff*), in dessen Nähe im 19. Jahrhundert die Kolonie *Klosterfelde* (1840 *Klosterfelde*) gegründet wurde. Zugrunde liegt ein Flurname, der 1728 *Die Kloster Felder* und *zum Kloster Felde* lautet. Ein Flurname ist heute auch der Name des *Plänterwaldes* im Stadtbezirk Treptow an der Oberspree. Der Name ist ursprünglich ein Ausdruck der Forstwirtschaft, der zu *blendern (plentern)* ›lichthemmende Bäume (Blender) entfernen‹ gehört. *Plänterwald* bezeichnet einen Mischwald, in dem alte, aber auch schadhafte Bäume gefällt wurden, wodurch sich in den so entstandenen Lücken andere Bäume auf natürliche Weise verjüngen konnten. Der Name der auf der südlichen Spitze des *Schmöckwitzer Werders* gelegenen und zu Köpenick gehörenden Siedlung *Rauchfangswerder,* deren Anfänge in das 18. Jahrhundert zurückgehen, ist wie folgt überliefert: 1747 der Schmöckwitzer Werder, davon die *am Rochs Werder* an gelegener Spitze schon vor geraumer Zeit ausgehauen und wüste liegt, 1749 denen 2 bey den *Rochs-Werder* an zu setzenden Colonisten, 1780 *Rocks* oder *Rochs Werder,* 18. Jahrhundert (ohne Jahr) *Der Rauchs Werder,* 1805 *Rauchfangswerder.* Die Entstehung des Namens *Rauchfangswerder* ist bisher mit einem *Rauchfang* der Fischer in Verbindung gebracht worden, den diese neben ihren Hütten errichtet haben sollen, um sich warmes Essen bereiten zu können. Es bleibe dahingestellt, ob dies den Tatsachen entspricht. Historische Zeugnisse dafür gibt es jedenfalls nicht. Die Belege *Rochs Werder* und *Rocks-Werder* könnten dafür sprechen, daß ein ursprünglicher, zu slawisch **rog* ›Spitze, Horn, Landzunge‹ gehörender Flurname vorgelegen hat, der mundartlich zu *roch* und dann leicht zu niederdeutsch *rok* ›Rauch‹ hätte umgedeutet werden können. Das niederdeutsche Wort *werder* ›Insel‹ ist auch im Namen der zum Verwaltungsbezirk Zehlendorf gehörenden Havelinsel *Schwanenwerder* enthalten. Diese hieß im Jahre 1704 *Sandtwerder* und trug diesen Namen noch am Ende des 19. Jahrhunderts, nachdem hier in der zweiten Hälfte dieses Jahrhunderts eine Kolonie entstanden war (1897 Kolonie *Sandwerder*). Im Jahre 1901 wurde die Kolonie und damit auch die Insel in *Schwanenwerder* umbenannt – sicherlich mit Bezug auf die Havelschwäne – und erhielt damit einen ansprechenderen Namen. Auch der Name der zu Spandau gehörenden Halbinsel *Schildhorn* ist ein alter Flurname (1590 *den Schildhorn,* 1608 *den Schilthorn,* 1704 *Schildthorn*). Das Grundwort *-horn* gehört zu mnd. *horn*

›Landzunge, Landvorsprung‹, während mit dem Bestimmungswort *Schild-* wahrscheinlich (metaphorisch) die auf der Halbinsel gelegene (schildförmige) Erhöhung gemeint ist. Sehr interessant ist, daß in der Nähe des *Schildhorns* der Gewässerflurname *die Styte* (1590, 1704 *die Styte*) überliefert ist, der noch in den 30er Jahren unseres Jahrhunderts lebendig war. Letzterer ist slawischer (altpolabischer) Herkunft und mit altplb. **ščit* ›Schild, Schutz‹ zu verbinden. Entweder ist *Schild* im deutschen Namen eine Übersetzung des slawischen Namens oder es liegt parallele Namengebung vor. Nicht sicher ist dagegen, ob der Name des ehemaligen Vorwerks und der dabei entstandenen Kolonie *Kiekemal,* die im Jahre 1901 in *Mahlsdorf* eingemeindet wurde, ein alter Flurname ist. *Kiekemal* wird 1751 als wüste Feldmark bei Mahlsdorf erwähnt. Es ist daher möglich und wahrscheinlich, daß *Kiekemal* ein mittelalterlicher Siedlungsname ist. *Kiekemal* – ein Satzname – bedeutet ›Kieke mal, Schau mal‹ (zu mnd. *kīken* ›schauen‹). Solche Satznamen, zu denen auch *Kiekebusch* im Kreis Zossen gehört, sind schon früh belegt.

Zahlreiche Namen von Neugründungen seit dem 18. Jahrhundert sind jedoch Neubildungen, die häufig Personennamen im Bestimmungswort enthalten. Zu diesen Namen zählen Ortsnamen wie *Hakenfelde, Karlshorst, Möllersfelde, Schulzendorf, Späthsfelde, Spindlersfeld* und auch *Borsigwalde.* Der Ortsteil von Spandau, *Hakenfelde,* erhielt seinen Namen nach einem Kaufmann *Hake,* der hier in der Mitte des 18. Jahrhunderts eine Meierei anlegte (1774 *Hackens Meyerei*), deren Name 1805 *Hakenfeld* und 1861 *Hackenfelde,* auch *Haakenfeld* oder *Haakens Meierei,* lautete. Das Grundwort *-felde* hat ebenso wie oben *-hagen* in *Friedrichshagen* und *Wilhelmshagen* nur noch namenbildende Funktion. Dies gilt auch für dieses und andere Grundwörter in den folgenden Namen. Der heutige Ortsteil von Lichtenberg, *Karlshorst,* geht auf ein Vorwerk zurück, das von dem *»Gutsbesitzer von Treskow zu Friedrichsfelde unweit des Weges von Friedrichsfelde nach Köpenick« neu angelegt wurde und am 11. 9. 1825 den Namen Carlshorst* erhielt (die amtliche Schreibweise ist seit 1901 *Karlshorst*). Im Bestimmungswort ist der Name des Besitzers *Carl von Treskow* enthalten. Auch in diesem Namen besitzt das Grundwort *-horst* wohl nur namenbildende Funktion (brandenburgisch *horst* bedeutet ›Buschwald, bewachsene kleine Erhebung in Sumpf und Moor‹). Der Name der zu Pankow gehörenden Siedlung *Möllersfelde* lautete 1823 *Müllersfelde.* Er enthält den Familiennamen eines Gutsbesitzers *Müller,* der hier im Jahre 1823 ein Gut erworben hatte. Seit Anfang unseres Jahrhunderts hat sich die Form *Möllersfelde* eingebürgert. *Möller* ist die niederdeutsche Form von *Müller. Schulzendorf,* heute Ortsteil von Tegel, ist eine Neugründung des 18. Jahrhunderts und wird im Jahre 1754 als *Schultzendorff* zum ersten Mal erwähnt. Benannt wurde es nach einem Forstrat *Schultze.* Auch die Ortsteile von Treptow bzw. Köpenick, *Späthsfelde* und *Spindlersfeld,* enthalten in den Bestimmungswörtern Familiennamen. *Christoph Späth* hatte 1720 vor dem Halleschen Tor eine kleine Gärtnerei gegründet, die im Jahre 1760 nach Altglienicke verlegt wurde. Seit 1864 befindet sich die durch Baumschulen erweiterte Gärtnerei an ihrem heutigen Standort westlich Johannisthal. *Spindlersfeld* erhielt seinen Namen nach *Julius Wilhelm Spindler,* der im Jahre 1872 an der Oberspree vor Köpenick mit dem Aufbau einer Färberei und Wäscherei begonnen hatte. Schließlich erhielt die im Jahre 1899 benannte und zu Reinickendorf gehörende Siedlung *Borsigwalde* ihren Namen nach *August Borsig,* der 1837 die Borsigwerke für Lokomotiven und Schwerkraftmaschinen gegründet hatte. In den Ortsnamen *Borsigwalde* und *Spindlersfeld* spiegelt sich auch die industrielle Revolution im 19. Jahrhundert wider. Andere Neugründungen um die Jahrhundertwende sind die heute zu Köpenick bzw. Pankow gehörenden Ortsteile *Wilhelmshagen* und *Wilhelmsruh,* deren Namen im Bestimmungswort offenbar den Namen des preußischen Königs *Wilhelm I.,* der 1871 zum deutschen Kaiser proklamiert worden war, enthalten. Namen wie *Wilhelmsruh,* in denen als Grundwort ein Abstraktum fungiert, wurden im 18. und 19. Jahrhundert unter französischem und italienischem Einfluß sehr beliebt. Eine andere Neubildung ist auch der Name des Treptower Ortsteils *Baumschulenweg.* Im Jahre 1891 wurde hier die Eisenbahnstation *Baumschulenweg* eingeweiht, die nach dem von diesem Bahnhof zur Baumschule von Franz Späth (vgl. oben) führenden Weg benannt wurde. Der Name dieser Station ist dann auf die sich hier allmählich entwickelnde Ortschaft übertragen worden. Unter den Namen des 19. Jahrhunderts befinden sich auch einige Gedenknamen. Zu diesen zählen *Alsen, Düppel* und *Friedenau.* Die ehemalige Landhäuserkolonie *Alsen* »zwischen dem Pohlesee und dem Stolpeschen See« erhielt ihren Namen im Jahre 1872 nach der dänischen Insel *Alsen*, die 1864 von Preußen erobert wurde. Auch der Name des heutigen Ortsteils von Zehlendorf, *Düppel*, ist ein dänischer Name. Ein hier errichtetes Rittergut erhielt diesen Namen im Jahre 1865 nach der für Preußen siegreich ausgegangenen Schlacht bei dem dänischen Dorf *Düppel* (dänisch *Dybøl*). Schließlich wurde der aus einer Landhäuserkolonie hervorgegangene und zum

Verwaltungsbezirk Schöneberg gehörende Ortsteil *Friedenau* im Jahre 1872 zur Erinnerung an den 1871 zwischen Preußen und Frankreich geschlossenen Frieden *Friedenau* benannt. Andere Neubildungen sind *Ruhleben, Schönholz, Frohnau, Südende* und *Westend.* Die Anfänge des heutigen Ortsteils von Spandau, *Ruhleben*, gehen auf ein schon 1638 genanntes Vorwerk zurück. Dieses Vorwerk, das in der Mitte des 17. Jahrhunderts der Fischmeister *Frank von Saldern* kaufte, ging im Jahre 1694 in den Besitz des Kurfürsten über, der es 1695 seiner Gemahlin *Sophie Charlotte* schenkte. Wenig später ist der Name *Ruhleben* aufgekommen (1704 das Vorwerck *Ruhleben*), bei dem es sich um einen Wunschnamen handelt. Der Ortsteil von Niederschönhausen, *Schönholz,* ist aus einer in der 2. Hälfte des 18. Jahrhunderts von der preußischen Königin *Elisabeth Christine* angelegten Maulbeerplantage hervorgegangen (1757 Ihro May. *der Königin Plantage* zu Schönhausen, 1767 *der Königin Plantage*). Nachdem in den Jahren 1767/68 zwölf böhmische Siedler angesiedelt worden waren, kam der Name *Schönholz* auf, der 1791 zum ersten Mal belegt ist. Auch dieser Name ist sicherlich eine Neubildung und kein alter Flurname. Den Namen *Frohnau* erhielt im Jahre 1909 eine auf der Gemarkung *Stolpe* (Kr. Oranienburg) im Entstehen begriffene Villenkolonie, die heute zum Verwaltungsbezirk Reinickendorf gehört. *Frohnau* ist die ›Ansiedlung zur frohen Aue‹. Die Namen der Ortsteile von Steglitz bzw. Charlottenburg, *Südende* und *Westend*, sind Namen von Baugesellschaften, die hier in den siebziger Jahren des 19. Jahrhunderts eine Landhäuser- bzw. Villenkolonie errichteten. Die Namen dieser Gesellschaften wurden auf die entstandenen Kolonien übertragen (1873 *Südende,* 1876 *Westend*). Eine Sonderstellung nimmt der Name *Nikolskoe* ein. Zwischen 1819 und 1837 wurden bei Klein Glienicke ein russisches Blockhaus, die Kirche St. Peter und Paul (im russisch orthodoxen Stil) und eine Schule errichtet, von denen zunächst nur das Blockhaus den Namen *Nikolskoe* trug. *Nikolskoe* ist ein russischer (elliptischer) Ortsname, der aus *Nikolskoe (selo)* ›Nikolausdorf‹ entstanden ist. *Nikolskoe* wurde nach dem russischen Zaren *Nikolaus I.* benannt, der mit der Tochter des preußischen Königs *Wilhelm III., Charlotte,* verheiratet war. Für diese war auch das Blockhaus errichtet worden. Abschließend soll nicht unerwähnt bleiben, daß sich unter den heutigen Berliner Ortsteilnamen auch alte Wirtshausnamen befinden. Zu diesen gehören *Rummelsburg* und *Wendenschloß.* Im 18. Jahrhundert befand sich auf dem Gebiet des späteren *Rummelsburg* eine Meierei, die *Charlottenhof* hieß. Diese ging in den Besitz eines Weinhändlers *Rummel* über, der hier ein Wirtshaus errichtete und dieses zusammen mit der Meierei *Rummelsburg* benannte (1786 *Rummelburg,* ehemals *Charlottenhoff* genannt, Meyerei und Wirtshaus). Auch der Name des heutigen Ortsteils von Köpenick, *Wendenschloß,* ist ein alter Wirtshausname. Der Name dieses am Ende der 80er Jahre des 19. Jahrhunderts gebauten Restaurants hängt mit der slawischen (wendischen) Vergangenheit des Gebietes um Köpenick zusammen. Möglicherweise hat auch die Lage des ehemaligen Restaurants an dem Teil der Dahme, der auch *Wendische Spree* hieß, zur Namengebung beigetragen.

Alte Straßennamen

Mit der Anlage neuer Städte und Vorstädte im 17. und 18. Jahrhundert waren zahlreiche Straßen und Plätze entstanden, deren wichtigste und interessanteste Namen einschließlich der von Alt-Berlin und Alt-Cölln im folgenden kurz dargestellt werden sollen. Zu den ältesten Altberliner Straßen und Plätzen zählen die *Spandauer* und *Stralauer Straße,* die *Jüden-* und *Klosterstraße* sowie der *Molkenmarkt.* Die *Spandauer Straße* verband den *Molkenmarkt* mit dem *Spandauer Tor* (1391/99 *dat Spandowesche dor*). Das Berlinische Stadtbuch von 1391/99 nennt auch die *Stralauer Straße* und den *Molkenmarkt* (an der *Stralosche strate,* Up deme *mulkenmarkt*). Der *Molkenmarkt* war der Markt, wo Milch- und Milchprodukte feilgeboten wurden (mnd. *molken* ›Milch, alles was aus Milch hergestellt wird‹). Die *Klosterstraße* (1549 in der *Klosterstrasse*) erhielt ihren Namen nach dem hier gelegenen Kloster der grauen Bettelmönche des Franziskanerordens, das bis 1574 existierte. Das Ende dieser Straße, durch die Stadtmauer abgeschlossen und dadurch zur Sackgasse geworden, hieß noch im 18. Jahrhundert das *Geckhol* (1391/99 Dat hus vor *dat gekhol,* 1506 im *Jeckhole*) ›Narrenloch‹ (zu mnd. *gekhol* ›Narrenloch‹). Die *Jüdenstraße,* im Jahre 1505 als *platea judeorum* belegt (lateinisch *platea* ›Straße‹) erhielt ihren Namen nach dem in dieser Straße gelegenen und im gleichen Jahr erwähnten *Judenhof* (1505 *Jödenhoff,* zu mnd. *jöde* ›Jude‹). Auch die nach der *Heiliggeistkapelle* benannte ehemalige *Heiligegeist-Straße,* die sich in unmittelbarer Nähe der *Burgstraße* befand, die ihren Namen nach der zwischen 1443 und 1451 errichteten kurfürstlichen Burg, dem späteren Schloß, erhielt, wird schon 1486 erwähnt (zum Berlin ... *in der heil. geiststrassen*). Andere alte Straßen Alt-Berlins sind die *Poststraße,* wo 1685 das Haus Nr. 1 zum Posthaus eingerichtet worden war, und die *Rosenstraße.* Letztere hieß im 16. und 17. Jahrhundert die *Hurengasse* und wurde seit dem 17. Jahrhundert wegen ihres schlechtes Rufes ironisch *Rosenstraße* genannt.

Die heutige *Rathausstraße* hieß ursprünglich *Oderberger Straße* und später *Georgenstraße* nach dem vor der Stadtmauer gelegenen *Georgen-Hospital* und *Georgentor* (nach dem *Hl. Georg*). Zur Erinnerung an die Krönung Friedrichs zum preußischen König im Jahre 1701 erhielt sie den Namen *Königstraße*, den sie bis zum Jahre 1951 trug. Von heute nicht mehr vorhandenen Straßennamen seien noch die *Paddengasse* und *der Krögel* genannt. Die *Paddengasse*, 1504 *dat paddenstretchen*, 1507 *Paddenjetzken*, führte zur Spree und wurde 1862 in *Kleine Stralauer Straße* umbenannt. Ihr Name hängt mit den hier am Ufer der Spree zahlreich vorkommenden Fröschen zusammen (mnd. *padde* ›Frosch‹). *Der Krögel* (1594 der bader *am kröll*) befand sich gleichfalls an der Spree in der Nähe des *Molkenmarktes*. Ursprünglich war *der Krögel*, dessen Name zu mittelniederdeutsch *kröuwel* ›Gabel, Forke‹ gehört, eine Ausbuchtung an der Spree. *Kröwel* ist als Flur- und Gewässername nicht selten, vgl. 1232 in Spandau fluvium quod *Croewel* vocatur (»der Fluß, der Kröwel heißt«).

Als älteste Straße *Alt-Cöllns* gilt die *Fischerstraße* (1391/99 Tu *Kolen* ... Up deme vismarkt ... in die *vischerstrate*), die ihren Namen nach den hier wohnenden Fischern erhielt. Andere alte Straßen Cöllns sind die *Breite Straße* und die *Brüderstraße*. Die Breite Straße, so seit dem 18. Jahrhundert genannt, weil sie die breiteste Straße Berlins war, hieß davor *Große Straße* (1580 zu *Colln* inn der *grossen strassen*). Die *Brüderstraße* (1391/99 die *bruderstrate*, 1579 in der *bruderstrate*) wurde nach den Dominikanerbrüdern benannt, deren Kloster am Ende des 13. Jahrhunderts in dieser Straße errichtet wurde. Die (Neue) *Grünstraße*, älter auch *die grüne Straße*, erhielt nach Hermann Vogt ihren Namen nach den hier gelegenen Wiesen. Das Gelände um die *Grünstraße* war noch Anfang des 18. Jahrhunderts wenig bebaut. Der Name kann aber auch eine mittelalterliche Fernstraße bezeichnet haben, wie das bei so benannten Straßen – darunter auch in alten Städten – relativ häufig der Fall ist. Einer der interessantesten Namen Alt-Cöllns ist der Name der *Friedrichsgracht*, der das niederländische Wort *gracht* ›Graben‹ enthält, womit ein im Jahre 1681 abgeleiteter Spreearm gemeint ist. Der Name *Friedrichsgracht* geht auf die in dieser Straße angesiedelten niederländischen Schiffbauer zurück, die vom Großen Kurfürsten in die Stadt gerufen worden waren. Der Name des *Spittelmarktes* hängt mit dem Anfang des 15. Jahrhunderts gebauten *Gertraudenhospital* zusammen. Die *Heilige Gertraude (Gertrud)* war die Patronin von Spitälern (daher der Name *Spittelmarkt*) und galt als die Beschützerin der Armen, Witwen und Waisen. Ihr Name ist auch im Namen der *Gertraudenbrücke*, wo ihr Standbild steht, sowie im Namen der *Gertraudenstraße* enthalten. Ein Alt-Cöllner Straßenname ist auch der Name der *Scharrenstraße*, die nach den hier ehemals stehenden Brot- und Fleischscharren benannt wurde. Das Wort *Scharren* oder *Scharn* in der Bedeutung ›Bank zum Feilhalten von Brot und Fleisch‹ ist landschaftlich begrenzt. Von der *Breiten* bis zur *Brüderstraße* lautete ihr Name *Hinter den Brotscharren.*

Zur ehemaligen Stadt *Friedrichswerder* gehören der *Hausvogteiplatz*, der nach der *Hausvogtei*, dem Hofgericht, benannt wurde, sowie die *Ober-* und *Niederwallstraße*, deren Name sich auf die hier ehemals verlaufenden Stadtbefestigungen bezieht. Die *Hausvogtei* befand sich hier zusammen mit den Gefängnissen seit der Mitte des 18. Jahrhunderts. Auf dem *Hausvogteiplatz*, der vermutlich wegen seiner Form auch *Schinkenplatz* genannt wurde, stand die Bastion III der Stadtbefestigungen.

Wichtigste Straße der seit 1647 angelegten *Dorotheenstadt* ist die *Straße unter den Linden*, die im 16. Jahrhundert ein Reitweg zwischen dem Schloß und dem Tiergarten (1540 der alte Thiergarten) war, in dem sich Wildgehege des Kurfürsten befanden. Im Jahre 1680 soll die Kurfürstin Dorothea die erste Linde selbst gepflanzt haben. Die *Friedrichstraße*, die ihren Namen nach dem ersten preußischen König *Friedrich I.* erhielt, war ursprünglich nur die Straße zwischen der *Weidendammer Brücke* und der *Behrenstraße* und hieß zuerst nur *Damm* und später *Querstraße*, da sie sämtliche Straßen der neuangelegten *Dorotheenstadt* durchschnitt. Ihren heutigen Namen erhielt sie unter *Friedrich Wilhelm I.*, nachdem sie in ihrer gesamten Ausdehnung fertiggestellt worden war. Die Straße *Am Kupfergraben*, eine Uferstraße an einem in der ersten Hälfte des 17. Jahrhunderts begradigten Spreearm, hat ihren Namen nach einem früher hier in der Nähe gestandenen Gießhaus (Kupfermühle?) erhalten. Bereits 1579 wird in der Gegend vor dem *Spandauer Tor* eine Straße an einem *Kupfergraben* erwähnt (Schultze, Georgen ... *ufn kuppergraben*). Die *Behrenstraße* wurde nach *Johann Heinrich Behr* benannt, der maßgeblich an der Errichtung der *Dorotheen-* und *Friedrichstadt* beteiligt war. Die heutige *Clara-Zetkin-Straße*, die diesen Namen seit 1951 trägt, hieß ursprünglich *Hintergasse*, dann *Letzte Straße* und seit 1822 nach der Kurfürstin *Dorotheenstraße. Hintergasse* bzw. *Letzte Straße* wurde sie deshalb benannt, weil sie die letzte der drei parallel verlaufenden Straßen der

Dorotheenstadt war: *Unter den Linden, Mittelstraße* (›die in der Mitte gelegene Straße‹), *Letzte Straße.* Die *Schadowstraße* ist in der Mitte des 18. Jahrhunderts bei der Erweiterung der *Dorotheenstadt* angelegt worden und hieß zuerst nach den hier verlaufenden Befestigungsanlagen *Kleine Wallstraße* und auch *Mauerstraße.* Ihren heutigen Namen erhielt sie im Jahre 1836 nach dem Bildhauer und Schöpfer der Quadriga auf dem Brandenburger Tor, *Johann Gottfried Schadow*, der hier im Hause Nr. 10 wohnte. Wichtigster Platz der seit 1688 entstehenden *Friedrichstadt* war der *Gendarmenmarkt*, der zunächst *Mittelmarkt*, später wegen der an ihm gelegenen Neuen Kirche auch *Neuer Markt* hieß. Seit dem Ende des 18. Jahrhunderts bürgerte sich der Name *Gendarmenmarkt* und auch *Stallmarkt* ein, weil das Regiment *Gens d'Armes* (französisch *gens d'armes* ›Bewaffnete‹), das preußische Kürassierregiment, hier Ställe besaß. Der *Gendarmenmarkt*, der nach dem Wiederaufbau des Französischen und des Deutschen Doms sowie des Schauspielhauses zu den schönsten Plätzen Europas zählt, wurde im Jahre 1950 wegen des an ihm gelegenen Hauptgebäudes der Akademie der Wissenschaften in *Platz der Akademie* umbenannt. Seit Mai 1991 heißt er wieder *Gendarmenmarkt.* Zu den Straßen der alten *Friedrichstadt* gehören die *Charlottenstraße* und die *Französische Straße.* Die *Charlottenstraße* erhielt ihren Namen nach der im Jahre 1705 verstorbenen Königin *Sophie Charlotte* von Preußen, während die *Französische Straße* nach den in dieser Straße wohnenden französischen Refugiés (Hugenotten) benannt wurde, die vor den Verfolgungen in ihrem Vaterland in Berlin und der Mark Brandenburg Zuflucht gefunden hatten. Die nach dem ersten Präsidenten der Volkskammer der ehemaligen DDR benannte *Johannes-Dieckmann-Straße* hieß bis 1971 *Taubenstraße* nach einem kurfürstlichen *Taubenhaus*, das hier gestanden haben soll. Die *Kronenstraße* erhielt ihren Namen nach der Krönung Friedrichs I. zum preußischen König (1701), und der Name der *Mohrenstraße* geht auf die Mohren zurück, die der preußische König Friedrich Wilhelm I. von Holländern zum Geschenk erhielt und die in einem Haus dieser Straße untergebracht waren, von wo sie den einzelnen preußischen Regimentern zugeteilt wurden. Die *Mauerstraße* war die am westlichen Rand der *Friedrichstadt* gelegene Straße. Ihr Name rührt daher, daß die *Friedrichstadt* längs dieser Straße mit Befestigungswerken umgeben werden sollte, wozu es jedoch wegen der fortschreitenden Bebauung nicht gekommen war. Die gleichfalls mit der Bebauung der *Friedrichstadt* entstandene *Leipziger Straße* erhielt ihren Namen nach der alten, ehemals hier verlaufenden Heerstraße nach Leipzig, und in der *Jäger-*

straße, die von 1958 bis 1991 *Otto-Nuschke-Straße* hieß, befand sich das Haus des kurfürstlichen Oberjägermeisters, das von Johann Arnold Nering gebaut worden war.

Zur ehemaligen *Stralauer Vorstadt* gehören die *Holzmarktstraße*, so benannt wegen der hier in Spreenähe gelegenen Holzplätze und stattfindenden Holzmärkte, die *Magazin-* und *Schillingstraße.* Die *Magazinstraße* erhielt ihren Namen nach einem *Magazin* zur Aufbewahrung der Fourage für die städtische Garnison, während die seit 1858 so genannte *Schillingstraße*, die im 18. Jahrhundert *Schmelzens Gasse* hieß, ihren Namen - zunächst als *Schillingsgasse* - dem Maurermeister *Johann Friedrich Schilling* (1785–1859) verdankt. In der ehemaligen *Königstadt*, deren Name seit 1701 gebräuchlich wurde, nachdem *Friedrich I.* nach seiner Krönung in Königsberg von dieser Seite in die Stadt eingezogen war, liegen der *Alexanderplatz* und die heutige *Hans-Beimler-Straße*, die zwischen 1967 und 1972 bei der Neugestaltung des Stadtzentrums entstanden war. Die Straße, die diesen Namen bereits 1966 erhielt, hieß vorher *Neue Königstraße.* Der *Alexanderplatz* bekam seinen Namen anläßlich des Besuches des russischen Zaren Alexander I. im Jahre 1805. Im Volksmunde hieß der *Alexanderplatz* noch im 19. Jahrhundert wegen der hier abgehaltenen Viehmärkte auch *Ochsenplatz.*

Die größte und bedeutendste Vorstadt war die *Spandauer Vorstadt*, die seit dem Ende des 17., Anfang des 18. Jahrhunderts entstanden war. Die bereits im Mittelalter vom *Spandauer Tor* ausgehenden und nach Norden führenden Straßen bildeten später auch das Gerüst dieser Vorstadt: die in Richtung Spandau führende *Oranienburger Straße*, die mit dem alten *Spandauer Heerweg* identisch ist, die *Große* und *Kleine Hamburger Straße*, die *Rosenthaler Straße* (nach dem Dorf *Rosenthal*, vgl. S. 316) und *Neue* und *Alte Schönhauser Straße* (nach *Schönhausen*, vgl. S. 320). Der heutige *Hackesche Markt* war 1751 nach dem Abriß der Stadtbefestigungsanlagen gebaut worden. Seinen Namen erhielt er im Jahre 1840 nach dem Stadtkommandanten Graf *von Hake (Hacke)*, der den Aufbau in der Mitte des 18. Jahrhunderts geleitet hatte. Der heutige *Rosa-Luxemburg-Platz*, der diesen Namen 1947 erhielt, entstand erst seit etwa 1907. Seinen ursprünglichen Namen - *Bülowplatz* - verdankt er dem preußischen General *Bülow von Dennewitz*, der in den Befreiungskriegen 1813 in den Schlachten bei Dennewitz und Großbeeren siegreich war. Die *Weinmeisterstraße*, die Ende des 18. Jahrhunderts noch *Weinmeistergasse* hieß, wurde nach einem *Weinmeister Stohse* benannt, durch dessen Gärten die Straße angelegt worden war. Auf eine alte Ziegelei und Kalkbrennerei geht der Name der *Ziegel-*

straße zurück, die sich im 18. Jahrhundert in dieser Straße befand. An die Kalkbrennerei erinnert noch die heutige *Kalkscheunenstraße.* In ähnlicher Weise entstand der Name der *Gipsstraße*, die im Jahre 1699 angelegt wurde und ihren Namen nach einer Gipsbrennerei erhielt, die sich hier befand. Die *Auguststraße* wurde 1833 zum Andenken an Prinz *August von Preußen*, Chef der preußischen Artillerie, benannt. Vorher hieß sie *Armengasse* und seit 1739 *Hospitalgasse*, nachdem das *Koppesche Armenhaus* in ein Hospital umgewandelt worden war. An den Stadthauptmann *Christian Koppe* erinnern auch der *Koppenplatz* und die *Koppenstraße. Christian Koppe* hatte 1704 das Gelände des heutigen *Koppenplatzes* der Armenverwaltung zur Anlage eines Armenfriedhofes geschenkt.

Zur *äußeren Spandauer Vorstadt* zählt die *Ackerstraße.* Hier wurden im Jahre 1752 30 Häuser für 60 Kolonisten aus dem Vogtland errichtet, weshalb dieses Gebiet *Neuvogtland* genannt wurde. Die neuangelegte Straße hieß zuerst *Zweite* und *Dritte Reihe im neuen Vogtland.* Der Name *Ackerstraße*, der auf die hier gelegenen Ackerstellen der Kolonisten Bezug nimmt, kam erst später auf. Auch in der nach einem kleinen Berg - auf ihm befand sich bis zum Jahre 1749 ein Hochgericht - benannten *Bergstraße* wurden 1749 Kolonisten aus dem Vogtland angesiedelt. Auf die Kolonisationstätigkeit Friedrichs des Großen geht auch der Name der *Gartenstraße* zurück, wo im Jahre 1772 zehn ausländische Gärtnerfamilien je ein Haus und vier Morgen Land erhielten. Die *Invalidenstraße* erhielt ihren Namen nach einem 1745 und 1748 erbauten Invalidenhaus, während die *Brunnenstraße* nach einem in der Mitte des 18. Jahrhunderts entdeckten Gesundbrunnen benannt wurde (vgl. oben S. 323). Andere, zur ehemaligen *äußeren Spandauer Vorstadt* gehörende und vornehmlich im 19. Jahrhundert entstandene Straßen wie die *Choriner, Schwedter* und *Zehdenicker* Straße erhielten ihren Namen nach Orten, in deren Richtung sie führten.

Zum Schluß seien noch einige Straßen in der ehemaligen, nördlich der Dorotheenstadt gelegenen *Friedrich-Wilhelm-Stadt* erwähnt. Der *Schiffbauerdamm* erhielt seinen Namen von den Schiffbauern, die sich westlich der Weidendammer Brücke mit Erlaubnis Friedrich Wilhelms I. in der ersten Hälfte des 18. Jahrhunderts ansiedelten. Er hieß zuerst *Treckschutendamm* und danach *Dammstraße. Treckschutendamm* wurde er deshalb genannt, weil Friedrich Wilhelm von hier auf *Treckschuten* Spazierfahrten nach dem Schloß Charlottenburg veranstaltete. Das Wort *Treckschute*, das aus dem Niederländischen stammt und seit dem 17. Jahrhundert belegt ist, bezeichnete ein ›kleines Schiff, das

Pferde ziehen‹. Die *Luisenstraße* wurde 1827 angelegt und nach der im Jahre 1810 verstorbenen Königin *Luise von Preußen* benannt. Von 1971–1991 trug sie den Namen *Hermann-Matern-Straße*. Gleichfalls im Jahre 1827 angelegt wurden die *Albrecht-* und die *Marienstraße*, die ihren Namen nach *Prinz Albrecht*, einem Sohn Friedrich Wilhelm II. bzw. nach *Prinzessin Marie*, der Gemahlin von Prinz Karl von Preußen, erhielten.

Bei einer zusammenfassenden Betrachtung der alten Berliner Straßennamen ergibt sich das folgende Bild: Seit dem Mittelalter ist eines der markantesten Benennungsmotive die Angabe der Richtung, in die die entsprechende Straße führte. Hierher gehören Straßennamen wie *Spandauer, Stralauer, Bernauer, Rosenthaler, Oranienburger, Leipziger* oder *Oderberger Straße*. Ein weiteres wichtiges Benennungsmotiv waren markante Gebäude wie Kirchen, Hospitäler, Befestigungsanlagen, öffentliche Einrichtungen u. ä. Zu diesen Straßennamen zählen z. B. die *Heiligegeiststraße*, die *Klosterstraße*, die*Ober-* und *Niederwallstraße* oder die *Poststraße*. Dagegen erinnern an alte, in Berlin seit Jahrhunderten betriebene Berufe heute nur noch die *Fischerstraße*, indirekt auch der *Mühlendamm* (1572 *aufm mulentham*), die *Mühlenstraße*, der *Molkenmarkt* und die *Scharrenstraße*. Aber auch früher scheint ihre Zahl im Vergleich zu manchen anderen mittelalterlichen Städten nicht sehr groß gewesen zu sein. So hieß die im Zweiten Weltkrieg fast völlig zerstörte *Sieberstraße* (Ende des 17. Jahrhunderts *Sieferdts-Gasse*, seit 1862 *Sieberstraße*), die von der *Kloster-* zur *Jüdenstraße* führte, im 15. Jahrhundert *Kleine Schmiedegasse*, die *Niederwallstraße* bis ins 18. Jahrhundert *Schmiedegasse*, und eine *Schustergasse* gab es bis in die Mitte des 19. Jahrhunderts in der Nähe des Spittelmarktes. Die ehemalige *Kalandsgasse* – so benannt nach dem *Kaland*, einer seit dem 13. Jahrhundert bestehenden religiösen Bruderschaft zur Fürsorge für das Begräbnis und das Seelenheil Verstorbener – führte am Ende des 16. Jahrhunderts den Namen *Messingschlägergäßchen* nach dem hier wohnenden Messingschläger. Schließlich sei in diesem Zusammenhang noch erwähnt, daß der *Cöllnische Schlachthof*, der sich am Ende der *Fischerstraße* befand, im Mittelalter *Küterhof* und später *Wursthof* hieß (zu mittelniederdeutsch *kuter* ›Schächter, Wurstmacher‹; der Beruf des *Küters* ist z. B. 1463 in Berlin belegt), während der Altberliner »Wursthof« (1572 *ufm worsthofe*) sich in der *Heiligegeistgasse* befand, die bis 1836 *Berliner Wursthof* hieß. Im Zusammenhang mit den bis ins 19. Jahrhundert in Berlin relativ häufig vorkommenden Gassennamen ist es nicht uninteressant, daß in der Mitte dieses Jahrhunderts eine regelrechte Kampagne gegen das Wort *Gasse* geführt wurde. Viele Berliner Bürger hielten es für unter ihrer Würde, in einer Straße zu wohnen, die den Namen *Gasse* führte, und forderten mit Nachdruck, *Gasse* durch *Straße* zu ersetzen. Dieser Forderung wurde in zahlreichen Fällen entsprochen. So wurde die 1699 angelegte und nach dem Zimmermeister *Jakob Mulack* benannte *Mulackgasse* im Jahre 1862 in *Mulackstraße* umbenannt. In der Berliner Umgangssprache heißt diese Straße wegen ihrer geringen Breite noch heute die *Mulackritze.* In der Vossischen Zeitung erschien im Jahre 1862 sogar ein Artikel mit der Überschrift »Ihr Gassen lebt wohl!«, in dem es u. a. hieß, daß, »wenn sich einmal eine Autorität wie Berlin, der Sitz aller Intelligenz, für Verwerfung des Wortes Gasse entschieden hat, verlangt werden (kann), daß es sammt allen Quergassen aus den deutschen Revierbüchern getilgt und auch Jacob Grimm angewiesen werde, sich in seinem Nationalwerk« (gemeint ist das »Deutsche Wörterbuch« von Jacob und Wilhelm Grimm, G. S.) »des ausgemerzten Wortes nicht etwa mehr anzunehmen, als dem Geschmack des Publikums genehm ist.«

Neben den genannten Typen der Benennung nach der Richtung, einem Bauwerk oder in Verbindung mit handwerklicher Tätigkeit kommen auch noch andere Benennungsmotive in alter Zeit vor. So spiegelt sich die Lage einer Straße im Namen wie *Mittelstraße* oder *Letzte Straße* wider, während der Name *Breite Straße* sich auf eine hervorstechende Eigenschaft dieser Straße bezieht. Auch alte Flurnamen wie *Kröwel* oder *Bullenwinkel* – so hießen im 18. Jahrhundert die *Fruchtstraße* und ein Teil der *Taubenstraße* – wurden als Straßennamen verwendet. Von anderen alten Berliner Straßennamen nehmen Namen wie *Grün-* und *Bergstraße* auf die natürlichen Gegebenheiten des Geländes Bezug, in dem sie angelegt wurden, während sich Namen wie *Acker-* und *Gartenstraße* auf die Tätigkeit der hier angesiedelten Kolonisten beziehen. Die Benennung von Straßen und Plätzen nach Persönlichkeiten oder überhaupt nach Personen (z. B. nach Hausbesitzern) fehlt in der alten Zeit völlig. Sie ist eine spätere Erscheinung, die Ende des 17. Jahrhunderts mit der Anlage der neuen Städte *Dorotheenstadt, Friedrichswerder* und *Friedrichstadt* einsetzt und die ihre Blütezeit im 18. und 19. Jahrhundert erlebt. Hierher gehören Namen wie *Friedrichstraße, Alexanderplatz, Auguststraße, Dorotheenstraße, Charlottenstraße, Schadowstraße, Behrenstraße* wie auch der Name der *Mulackstraße.*

Im Jahre 1945 war Berlin durch den von den Nationalsozialisten entfesselten Zweiten Weltkrieg ein riesiges Trümmerfeld. In Trümmern versunken waren viele alte Straßen gerade auch des historischen Stadtzentrums. Die Spaltung Berlins und die Gründung der DDR am 7. Oktober 1949 führte aber auch dazu, daß zahlreiche Straßen und Plätze in Ost-Berlin umbenannt wurden. Leider fielen diesen Umbenennungen auch sehr alte und historisch wertvolle Straßennamen wie die *Taubenstraße* oder die *Jägerstraße* zum Opfer. Nach der Wiedervereinigung am 3. Oktober 1990 sind bereits mehrere Umbenennungen, wie z. B. die des *Gendarmenmarktes* in *Platz der Akademie*, der *Luisenstraße* in *Hermann-Matern-Straße* oder – wie bereits oben erwähnt – der *Jägerstraße* in *Otto-Nuschke-Straße*, wieder rückgängig gemacht worden. Dies ist zweifellos richtig und auch notwendig. Dennoch sollte man bei solchen Rück- wie auch bei Neubenennungen mit dem notwendigen Verantwortungsgefühl handeln und das dabei erforderliche Taktgefühl nicht missen lassen. Sicherlich wäre es falsch und auch aus moralischen Gründen nicht vertretbar, wollte man grundsätzlich alle Umbenennungen wieder rückgängig machen. Die Diskussion um Rück- und Umbenennungen von Straßen und Plätzen Ost-Berlins ist zur Zeit noch im vollen Gange. Es sei daher abschließend der Wunsch geäußert, daß bei Um- und vor allem Neubenennungen in Neubaugebieten in stärkerem Maße als bisher alte Flur- und Gewässernamen berücksichtigt werden, um diese dadurch vor der Vergessenheit zu bewahren.

Register

Die Anordnung der Namen erfolgt in strenger alphabetischer Folge, d. h., Namen wie Alt-Cölln oder Krumme Lanke sind in die Buchstaben A bzw. K eingeordnet. Gewässernamen werden mit GN, Flurnamen mit FlN, Landschaftsnamen mit LN und Wüstungen mit Wg. gekennzeichnet.

Kleines Berliner Wörterverzeichnis

JOACHIM WIESE

Vorbemerkungen

Stichwortauswahl

Der begrenzte Umfang des Wörterverzeichnisses zwang den Autor zur Beschränkung in der Auswahl der Stichwörter. Möglichst vollständig aufgenommen wurden solche berlinischen Wörter, die in der deutschen Schriftsprache und allgemein umgangssprachlich nicht belegt sind (z. B. *acheln, Trall*). In beschränktem Umfang wurden auch veraltete Wörter verzeichnet, wenn sie im jüngeren Schrifttum noch verwendet werden (z. B. *Naute, Weffe*). Schriftsprachliche Wörter wurden dann verzeichnet, wenn sie im Berlinischen zur schriftsprachlichen Bedeutung eigene Bedeutungen oder für das Berlinische kennzeichnende Gebrauchsweisen entwickelt haben (z. B. *Akustik, Kiemen*). Weiter verbreitete umgangssprachliche Wörter wurden berücksichtigt, wenn sie für das Berlinische in besonderer Weise typisch oder vom Berlinischen aus verbreitet wurden, doch ist sich der Verfasser bewußt, in dieser Hinsicht nicht alle Erwartungen zu erfüllen. Personennamen wurden als Stichwörter berücksichtigt, wenn ihr Gebrauch über die Verwendung als Name hinausweist (z. B. *Minna, Otto*).

Stichwortansatz und Schreibweise

Die Stichwörter werden in der Berliner Mundartform angesetzt *(Feife, zerjeln)*. Zusammensetzungen und Ableitungen werden weithin beim Grundwort mit behandelt und erhalten keinen eigenen Stichwortansatz. Von diesem Prinzip wird abgewichen, wenn die Grundwörter nicht belegbar sind oder Zusammensetzungen, Ableitungen oder Partizipien eine völlig eigenständige Bedeutung entwickelt haben (s. *abmarachen, inkacheln; anjeäthert, belemmert, verratzt*).

Im Stichwortansatz und im Belegmaterial wird eine normalisierte

Schreibweise verwendet, die besondere Aussprachevarianten nicht berücksichtigt. So wurde auf die Wiedergabe der Vokalisierung und Reduktion des *r* verzichtet. Auch der gutturale Reibelaut in *sagen* und ähnlichen Fällen wird nicht gesondert gekennzeichnet. Als Sonderzeichen wird lediglich *sçh* für den stimmhaften Reibelaut wie in *Garage* gebraucht.

Die langen *e*- und *o*-Laute des Berlinischen für Hochdeutsch *ei, au* werden durch Doppelschreibung wiedergegeben, die bei der alphabetischen Anordnung berücksichtigt wird (s. *Been, bekoofen*). Die Doppelschreibung wird auch dann verwendet, wenn ein Langvokal in geschlossener Silbe steht (s. *Deez, foosch*). Von diesem Grundsatz wird vereinzelt abgewichen, wenn die Vokalverdopplung zusammengehörige Wörter auseinanderreißen würde (s. *jlupen, jlupsch*). Bei Ausspracheunsicherheit kann dem Stichwortansatz eine phonetische Umschrift beigefügt werden (s. *Dusche, Dussel*).

Grammatische Kennzeichnung

Eine grammatische Kennzeichnung der Stichwörter erfolgt nur bei den Substantiven in bezug auf das grammatische Geschlecht und bei den reflexiven Verben. Im Belegteil kann auf besondere syntaktische Gebrauchsweisen eines Stichwortes verwiesen werden (s. attr. Gebrauch bei *ab*).

Artikelaufbau

Dem Stichwort folgt eine Bedeutungsangabe; diese kann durch einen Beleg ergänzt werden, wenn der Sprachgebrauch des Stichworts dadurch besonders illustriert wird, was vor allem bei Redensarten (Rn) und in übertragener oder bildlicher Verwendungsweise der Fall ist. Bei mehrdeutigen Wörtern ist der Wortartikel durch Ziffern in Bedeutungsteile gegliedert. Bei Stichwörtern, die auch in der Schriftsprache üblich sind und für die das Berlinische den schriftsprachlichen Gebrauch ebenfalls kennt, wird auf diese Bedeutung lediglich mit dem Hinweis »wie schriftspr.« verwiesen und nur die spezifisch berlinische Wortbedeutung dokumentiert (s. *auswendig*).

Herkunftsangaben

Angaben zur Herkunft eines Wortes werden - soweit möglich - vor allem bei solchen Stichwörtern gemacht, deren Etymologie in den einschlägigen Wörterbüchern nicht ohne weiteres nachzuschlagen ist. Bei den Herkunftsangaben kann es sich um einen genauen etymologischen Nachweis (s. *äppeln*), um einen allgemeinen sprachlichen Herkunftsnachweis (s. *Kaschemme*) oder um einen Herkunftshinweis auf eine Sprachlandschaft handeln (s. *Demse*). Wo in der bisherigen Berlin-Literatur ungesicherte Etymologien vertreten werden, kann der Leser auf diese Unsicherheit durch den Hinweis »Herkunft unklar« aufmerksam gemacht werden.

Quellenangaben

Im allgemeinen werden keine Quellenangaben gemacht. Bei Quellen des 19. Jahrhunderts wird der Leser durch Namenssigel darauf verwiesen:

Br = Brendicke, Gl = Glaßbrenner, Li = Lindenberg, Tr = Trachsel (vgl. dazu das Quellenverzeichnis). Der »Richtige Berliner« (RB) wird dann genannt, wenn wörtlich aus ihm zitiert wird (Auflagen können durch das Erscheinungsjahr gekennzeichnet werden). Wörtlich übernommene Zeitungsbelege werden unter Angabe der Jahreszahl ausgewiesen. Der Hinweis »lit.« bedeutet, daß das betreffende Wort oder der angeführte Kontext nur literarisch belegt sind.

Das Wörterverzeichnis wurde auf der Grundlage des Materials erarbeitet, das sich im Archiv des Brandenburg-Berlinischen Wörterbuchs an der Sächsischen Akademie der Wissenschaften zu Leipzig befindet. Gegenüber der 1. Auflage wurde das »Berliner Wörterbuch« von Peter Schlobinski mit ausgewertet. Belege, die sich nur in diesem Werk finden und sonst nicht nachweisbar sind, wurden für den Leser durch die Sigel Schl besonders gekennzeichnet.

Abkürzungsverzeichnis

Im »Kleinen Berliner Wörterverzeichnis« zusätzlich oder abweichend zum Abkürzungsverzeichnis der Kleinen Enzyklopädie »Die deutsche Sprache« und der 20. Aufl. des »Dudens« gebrauchte Abkürzungen:

abwert. - abwertend
adv. - adverbial
bildl. - bildlich
dass. - dasselbe
Dim. - Diminutiv
ebd. - ebenda
eigtl. - eigentlich
f. - Femininum
Interjekt. - Interjektion
iron. - ironisch

Komp.	- Komparativ	R(n).	- Redensart(en)
lit.	- literarisch	rotw.	- rotwelsch
m.	- Maskulinum	s.	- siehe
märk.	- märkisch	Schimpfw.	- Schimpfwort
n.	- Neutrum	schriftspr.	- schriftsprachlich
Pl.	- Plural	s. d.	- siehe dort
präd.	- prädikativ	Sup.	- Superlativ
refl.	- reflexiv	Verbdg.	- Verbindung

Namenabkürzungen

Br.	= Brendicke	RB	= Richtiger Berliner
Gl	= Glaßbrenner	Schl	= Schlobinski
Li	= Lindenberg	Tr	= Trachsel

Wörterverzeichnis

A

A	n., älter f. *die A* ›der Buchstabe A‹ (Br).
Aas	n., auch *Aast,* Pl. *Äs(t)er,* Personenbezeichnung; als Schimpfw.: *det is 'n (falschet) Aas,* d. h. ein hinterhältiger Mensch; mißtrauisch-abweisend: *dir Aas kenn ick!* (Li); anerkennend: *du bist 'n Aas (uf de Jeije); det kleene Aas,* von einem Kinde; von einem Spielzeug: *dieset kleene Aas / macht for 'ne Daler Spaß* (RB); *keen Aas* ›niemand‹.
aasen	›vergeuden, verschwenden‹; auch *herum-, veraasen.*
aasig	›sehr viel, sehr heftig‹: *det kost't 'n aasijes Jeld; ick hab' aasije Zahnschmerzen.*
ab	präd.: *ick bin janz ab,* d. h. abgearbeitet, ermattet; attr.: *ne abbe Ecke* ›eine abgebrochene Ecke‹ (vgl. *aus, durch, uf, zu*).
abäschern	refl. ›(sich) abhetzen‹.
abbeißen	wie schriftspr.; *eenen abbeißen* ›einen Schnaps trinken‹.
abknöppen	›(Geld) abnehmen‹.
abmachen	refl. ›sich etwas abgewöhnen, aus dem Sinn schlagen‹: *mach dir det ja ab!*
abmarachen	refl. ›sich abmühen, abhetzen‹.
abschnappen	›von etw. Abstand nehmen‹: *mit eenmal is er abjeschnappt.*
acheln	›essen‹. Jidd. *achlen.*
achtkantig	›sehr‹: *det imponiert mir achtkantig; der schmeißt 'n achtkantig 'raus,* d. h. mit Schwung, Nachdruck.
ackern	›sich abmühen, schuften‹: *da ha'm wa schön jeackert.*
Affe	m., wie schriftspr.; häufig in Rn: *der jibt an wie 'ne Lore Affen; mein Herz is doch keen Affe nich* ›so dumm bin ich nicht‹; *sich zum Affen machen* ›sich lächerlich machen‹; *er hat sein' Affen Zuk-*

ker jejeben, d. h. seiner Eitelkeit gefrönt (Li); verwundernd: *mir laust (kratzt) der Affe!;* drohend: *ick jeeb dir eens uff 'n Deez, detste durch de Rippen kiekst wie der Affe durch 't Jitter!;* abweisend: *jeh man bei die Affen (in'n Zoo).*

Ahnimus — m. ›Ahnung‹: *ick hab so 'n Ahnimus, dettet schiefjeht.*

Akazie — f., wie schriftspr.; Ausdruck großen Unwillens: *det is ja, um uf de heechsten Akazien zu klettern* (RB).

Akustik — f. ›Geruch, Gestank‹: *det is ja ne dolle Akustik hier.*

alksen — ›ungeschickt greifen, blind drauflosschlagen‹: *se hat 'n mit de Fäuste in 't Jesichte jealkst;* auch *herumalksen.*

alle — ›zu Ende‹, in Verbdg. mit *sein, werden, machen*: ick bin janz alle, d. h. erschöpft; *wern Se alle!* ›verschwinden Sie!‹ (RB); *davon wirste doch nich alle* ›das schadet dir nicht‹ (Li); *alle machen* ›verbrauchen‹, auch ›töten‹.

alleen — wie schriftspr.; R: *die is nich alleen, bei der looft eener mit* ›die ist leicht geistesgestört, dumm‹.

als — in der Verbdg. *als wie icke* ›(wie) ich‹; fragend: *als wie icke?* ›bin ich (etwa) gemeint?‹.

Älte — f. ›Alter‹, nur in der Verbdg. *nach de Älte,* wenn Kinder sich dem Alter nach in Reihe stellen (RB).

amtlich — in der Wendung *det is amtlich* ›das ist gewiß‹.

anbinden — wie schriftspr.; scherzh. Antwort auf die Frage *wat is 'n los? – Wat nich anjebunden is!; mit eenen anbinden* ›mit jem. Streit suchen‹.

anblaffen — ›ausschimpfen, schelten‹.

andermal — ›später‹; bedauernde Absage; *'n andermal, wenn 't wieder so kommt,* d. h., diesmal geht es nicht; *det wer 'k dir 'n andermal sagen,* d. h. niemals (RB).

andrechseln — ›jmdm. etwas zuschieben, andrehen‹ (vielfach in betrügerischer Absicht): *die Lage Bier ha'm wa 'n fein anjedrechselt,* d. h. dafür gesorgt, daß er sie bezahlt.

andudeln ›sich einen Rausch antrinken‹.
anjeäthert ›leicht betrunken‹.
anjeben ›protzen, prahlen‹: *der jibt an wie ne Lore Affen (. . . ne Tüte Mücken)*; R.: *wer anjibt, hat mehr von 't Leben.*
anjebrütet wie schriftspr.: *bist woll anjebrütet?,* d. h. nicht ganz bei Trost.
anjenüchtert ›angetrunken‹ (RB).
anjesäuselt dass.
anhauchen ›grob zurechtweisen‹.
ankäsen ›narren, foppen‹: *den Oll'n wer'n wa orntlich ankesen.*
ankeilen ›auffordern, jmdn. um etwas angehen‹.
ankratzen refl. ›(sich) jmdn. als Freund(in) suchen‹: *der hat sich eene anjekratzt;* dazu *Ankratz (suchen)* ›Verbindung, Anschluß (suchen)‹.
anmeiern 1. ›(sich) anbiedern‹. 2. ›in Nachteil geraten‹: *da biste anjemeiert.*
anmerken ›an jmdm. etwas bemerken‹: *det ha 'k 'n jleich anjemorken.*
Anno ›im Jahre‹ (lat.): *Anno Tobak, Anno dazumal* ›vor langer Zeit‹; *Anno null* ›niemals‹.
anplauschen ›betrügen‹.
anpusten ›grob zurechtweisen‹.
anranzen dass.
anschlägisch ›nicht dumm‹; scherzh.: *der hat 'n anschlejschen Kopp; wenn er die Treppe runterfällt, verfehlt er keene Stufe* (RB).
anschneiden wie schriftspr.; R: *ick wer 'n de Wurscht anschneiden,* d. h. ihn zur Rede stellen (RB).
anvettermicheln refl. ›(sich) anbiedern‹.
Appel m., wie schriftspr.: *det haut mang de Äppel,* wenn etwas mißlingt; *for 'n Appel und 'n Ei* ›für geringes Entgelt‹.
Appelboom m., wie schriftspr.: *komm runter von dein'n Appelboom* ›beruhige dich wieder‹.
Appelmus m., n., wie schriftspr.: *aus den Appelmus mach ick ma nischt; jerührt wie Appelmus* ›ergriffen‹ (Li).
äppeln ›albernes Zeug reden‹; *an-, veräppeln* ›zum Narren halten‹. Zu jidd. *ewil* ›Narr, Tor‹.

Ärmel	m., wie schriftspr.; von einer feinen Sache: *det is 'n Ding mit Ärmel;* ein Durchtriebener *is eener mit Ärmel;* scherzh. Warnung: *mit 'n linken Been darfste nie in 'n rechten Ärmel steijen;* jmdn. *uff 'n Ärmel inladen* ›im letzten Augenblick, kurzfristig einladen‹.
Armenkasse	f.: *det jibt wat aus de Armenkasse* ›es gibt Prügel‹.
Asche	f. 1. ›Verbrennungsrückstand‹; Ausdruck der Zuversicht: *un wenn der janze Schnee verbrennt, die Asche bleibt uns doch.* 2. ›Geld‹: *haste jenuch Asche mit?*
asten	›schwer tragen‹.
Atze	Kurzform von *Arthur; Atze,* f. ›Bruder‹: *ick muß uff meine kleene Atze uffpassen;* auch ›Schwester‹: *meine Atze hat 'n schicket Kleed an.*
Aule	f. ›ausgespiener Schleim, Auswurf‹.
aus	wie schriftspr.; *aus haben* ›etwas beendet haben‹, z. B. *haste deinen Kaffee aus?,* d. h. ausgetrunken; *haste det Buch aus?,* d. h. ausgelesen; *aus sein* ›beendet sein‹: *aus is aus bei mir,* wenn man mit jmdm. endgültig bricht; im Anschluß daran: *det hat sich ausjearthurt* ›die Freundschaft mit Arthur ist vorbei‹; *det hat sich ausjetortet* ›es gibt keine Torte mehr‹ (RB 1965); attr.: *'n außet Buch* ›ein vollgeschriebenes Heft‹ (RB 1965); vgl. *ab.*
auseinanderpolken	›erklären‹.
auseinanderposamentieren	dass.
ausfressen	1. ›etwas Unerlaubtes oder Strafbares tun‹: *wat haste 'n ausjefressen?* 2. ›etwas verantworten, die Folgen tragen‹: *fresset man alleene aus.*
aushauen	›reichen‹: *det sollte jrade aushauen.*
aushunzen	›ausschimpfen‹.
ausjebufft	›gerissen, durchtrieben‹.
ausjekaut	1. wie schriftspr.; bildl.: *der sieht aus wie ausjekaut* ›der sieht sehr schlecht aus‹. 2. ›gerissen, durchtrieben‹: *det is 'n janz Ausjekauter.*
ausjekocht	›gerissen, durchtrieben‹.

ausjemacht	›zweifelsfrei‹: *det is 'ne ausjemachte Frechheit.*
auskneifen	›heimlich davonlaufen, ausrücken‹.
auskratzen	wie schriftspr.; außerdem wie *auskneifen.*
auspellen	›Überkleidung ablegen‹.
ausspunden	›aussperren‹; vgl. *inspunden.*
Auster	f. 1. ›ausgespiener Schleim, Auswurf‹. 2. *Schwangere Auster* für die Kongreßhalle im Tiergarten.
auswendig	1. wie schriftspr. 2. ›äußerlich‹: *det schad't nischt, det is auswendig* (RB). 3. ›draußen‹: *machen Se de Diere* (Tür) *von auswendig zu* (ebd.).

B

Baba	f. ›(Kinder-)Bett‹; *baba machen* ›schlafen‹.
Babbel	f. ›Mund‹: *halte endlich deine Babbel!*
Babold	m. ›großer, kräftiger Mensch‹.
Bachulke	*Pachulke,* m. ›grober, ungeschlachter auch unhöflicher Mensch‹ (slaw.).
Backe	f. ›Wange‹: *halt de Backen!* ›sei still!‹.
baff	Schallwort: *da bin ick baff,* d. h. verblüfft.
Bagasçhe	f., abwert. ›Gesellschaft, Gesindel‹ (franz.).
Bahnhof	m. 1. Wie schriftspr.; R: *ick vastehe immer Bahnhof* ›ich verstehe (begreife) nichts‹ (auch als Ablehnung auf ein Anliegen eines anderen). 2. ›Gesicht‹: *krichst eene vor 'n Bahnhof, detta sämtliche Jesichtszüje entjleisen.*
bald	1. Wie schriftspr., auch im Komp.: *nu kommt a bald un bälda,* d. h., er muß gleich hier sein. 2. ›beinahe, fast‹: *der is ooch balle siebßig.*
baletti machen	auch *balett machen* ›sich beeilen‹; kaum zu *paletti.*
Balg	*(Balch)* n., m., abwert. ›Kind‹; Pl. *Bälje(r).*
Ballon	m. ›Kopf‹: *krichst jleich eens vor 'n Ballon!*
Bammel	m. ›Angst‹.
bammeln	›(herum-)hängen, baumeln‹.
Bärme	f. ›Hefe‹; mit Bezug auf die Bierhefe: *wat nachkommt, is Bärme,* d. h. taugt nichts (Li).
Batz	m. ›Kopf‹: *krichst jleich wat vor 'n Batz!*

Bauklotz — m., wie schriftspr.; R: *da staunste Bauklötze(r),* d. h. wunderst dich.

beboomölen — refl. ›ängstlich sein‹: *nu beboomöle dir ma nich!; det is zum Beboomölen* ›das ist zum Verzweifeln‹. Zu veraltetem *Baumöl* ›Olivenöl‹.

bedeppert — s. *debbern.*

bedrippt — s. *drippen.*

beduddeln — ›bezahlen‹.

bedudeln — refl. ›(sich) betrinken‹.

beduften — ›bezahlen‹ (eigtl. ›wiedergutmachen‹, zu *dufte*).

Been — n., wie schriftspr.; häufig in Wendungen: *sich de Beene in 'n Bauch stehen* ›lange warten müssen‹; *wat an 't Been binden* ›einen Verlust erleiden‹; wenn etwas nicht zu stimmen scheint: *da kiekt 'n Been raus;* auf die Frage *wie jeht's? – immer uff zwee Beene; Jebrüder Beeneken* ›die Füße‹.

behämmert — ›dumm, schwer von Begriff‹: *der is ja behämmert.*

beharkt — 1. ›dumm‹. 2. ›nicht bei Verstand‹: *ihr seid woll janz un jar beharkt?*

behum(p)sen — ›betrügen‹.

bei — 1. Wie schriftspr.: *der is bei se;* abweisend: *bei mir (uns) nich!* 2. ›zu‹: *die kommen nich mehr bei uns; jeh man bein Bäcker.* 3. ›dabei‹: *Jeld ha'k nich bei; er war nich bei,* d. h. nicht beteiligt oder anwesend; *et wird woll nischt bei sind* ›es wird wohl unbedenklich sein‹.

bejrunzen — ›begrüßen‹.

bekloppt — wie *behämmert.*

beknackt — dass.

bekobern — refl. ›(sich) erholen‹.

bekoofen — refl. ›etwas zum eigenen Nachteil erwerben‹: *mit det Kleed ha 'k mir bekooft.*

bekümmern — refl. ›(sich) kümmern‹: *se kann sich nich um allet bekümmern.*

belatschern — ›überreden‹.

belemmern — refl. ›(sich) unnötigerweise aufregen‹: *nu belemmer dir ma nich!* Ndl. *belemmeren.*

belemmert — 1. ›überempfindlich‹: *sei man nich belemmert* (Li). 2. ›niedergeschlagen, traurig‹. 3. ›schlecht, wertlos‹. Zum Vorigen.

belummern	›begaunern, übervorteilen‹.
[1]Berliner	m. 1. ›Einwohner Berlins‹. 2. ›Pfannkuchen‹.
[2]Berliner	m. ›Reisebündel wandernder Handwerker, Felleisen‹ (veraltet). Zu jidd. *be alil* ›mit der Werkstätte‹.
Berolina	f. 1. Name der von Emil Hundrieser geschaffenen und 1895 auf dem Alexanderplatz enthüllten weiblichen Monumentalfigur; sie wurde 1944 ihres Buntmetallgehalts wegen eingeschmolzen; scherzh. *Bärenlina.* 2. ›sehr beleibte Frau‹.
berumpsen	›betrügen, übervorteilen‹.
besalzen	›vergelten, eintränken‹: *det will ick 'n mal besalzen.*
bescheiden	›sehr schlecht‹ (verhüllend für *beschissen*).
bescheuert	›dumm, verrückt‹.
beschmort	›betrunken‹.
beschnarchen	›überschlafen, bedenken‹.
beschnurjelt	›betrunken‹.
besehen	1. ›ansehen‹: *den kann ick nich beseh'n,* d. h. nicht ausstehen. 2. ›bekommen‹: *du wirst jleich wat beseh'n* (nämlich Prügel).
Besinge	Pl. ›Heidel-, Blaubeeren‹ (veraltet). Zu ndl. *bes, bezie* ›Beere‹.
bestrampelt	›närrisch, verrückt‹.
betimpeln	1. ›betrügen, übervorteilen‹. 2. ›beschwatzen, überreden‹. – Vgl. *timplig.*
betuppen	›betrügen‹.
Bibi	m. 1. ›Herrenhut‹. 2. ›Baskenmütze‹. – Franz. *bibi.*
Biene	f. 1. Insekt wie schriftspr. 2. ›Mädchen‹: *det is aber 'ne dufte Biene.*
bimmen	›lügen‹: *det wa ja bloß jebimmt.*
Birne	f. 1. Obstsorte. 2. ›Kopf‹: *der hat ja 'ne weiche Birne,* d. h. ist nicht ganz normal.
Blak	m. 1. ›Ruß, rußiger Rauch‹. 2. ›Unsinn‹: *red' doch keen Blak!* – In der 2. Bedeutung vielleicht urspr. aus franz. *blague* ›närrisches Geschwätz, Unsinn‹.
blamieren	›bloßstellen‹: *du hast dir ja mächtig blamoren* (neben *blamiert*).

Blase — f. ›Gesellschaft, Bande‹: *det is villeicht 'ne Blase!*

blau — 1. Farbbezeichnung wie schriftspr. 2. ›betrunken‹. 3. ›dumm, einfältig‹; abwehrend: *na so blau!* ›so dumm bin ich nicht‹.

Blau — n., in *Berliner Blau,* ein zuerst in Berlin Anfang des 18. Jh. hergestellter künstlicher Farbstoff aus Eisenvitriol und Blutlaugensalz; übertr. ›Schläge, Prügel‹.

Blech — n. 1. wie schriftspr. 2. ›Unsinn‹: *rede nich so 'n Blech.*

blechen — ›(be-)zahlen‹.

Blei — m. ›Bleistift‹. Dazu *Endenblei,* m. ›Bleistift, dessen Graphitmine mehrfach gebrochen ist‹.

Bleistift — m. ›Beispiel‹: *an den nimm dir 'n Bleistift.*

bloß — 1. ›unbekleidet‹: *loof nich mit bloße Beene rum.* 2. ›nur‹: *det is bloß Anjabe.*

Blubberkopp — m. ›leicht auffahrender, an allem herumnörgelnder Mensch‹.

blubbern — 1. ›Blasen werfen, gluckern‹. 2. ›undeutlich sprechen‹. 3. ›herumnörgeln‹.

blühen — 1. Wie schriftspr. 2. ›bevorstehen‹: *se weeß noch ja nich, wat se blüht.*

Blume — f. 1. Pflanzenbezeichnung; iron.-abweisend auf eine Anerkennung: *schönen Dank für die Blumen.* 2. ›Bierschaum‹. 3. *Blümchen* ›sehr dünner Kaffee‹: *koch ma nich so 'n Blümchen.*

blümerant — ›unwohl, flau‹: *mir is janz blümerant* (Li). Franz. *bleu mourant* ›blaßblau‹.

Bluse — f., in der Wendung: *det kann dir in die Blusen rejnen,* d. h. mißlingen, schlecht bekommen. Umgedeutet aus nd.-märkisch *Bluße* ›Blüte, Knospe‹.

Blutblase — f. ›rote Mütze der Bahnsteigaufsicht‹.

blutig — 1. Wie schriftspr. 2. ›sehr jung‹: *det is 'n blutijer Anfänger;* ›gering‹: *ick hab nich 'ne blutije Ahnung von,* d. h. verstehe davon gar nichts. 3. ›kupferrot‹: *ick hab keen blutjen Heller* ›ich habe kein Geld‹.

[1]Bock — m. 1. Tierbezeichnung wie schriftspr.; als Schimpfw. für einen störrischen oder stark ge-

schlechtlich veranlagten Menschen: *so 'n sturer (jeiler) Bock.* 2. ›Verlangen‹ (Jugendspr.): *da ha 'k keen Bock druff.* 3. Gerätebezeichnung, z. B. für den Sägebock oder den Kutschersitz.

[2]Bock — m. ›Bockbier‹

bocken — ›sich widersetzen‹; ›plötzlich versagen‹: *der Motor bockt.*

Bockmist — m. ›Unsinn, Fehler‹: *mach bloß keen Bockmist!*

Bockwurst — f., beliebte, warm gegessene Wurstsorte. Herkunft unsicher; vielleicht zunächst bei Bockbierfesten gegessen.

Bohne — f., Pflanzenbezeichnung wie schriftspr.; *nich de Bohne, keene Bohne* ›gar nicht(s)‹: *da weeß ick nich de Bohne von; haste ne Ahnung von? – Keene Bohne!*

Bolle — f. 1. ›Zwiebel‹. 2. ›Taschenuhr‹. 3. ›Nase‹. 4. ›(großes) Loch im Strumpf‹. 5. ›Hoden‹; derbabweisend: *leck ma doch de Bollen.* 6. ›Kind‹: *det is vielleicht 'ne kesse Bolle!*

Bolle — m., PN; das Schwanklied *Herr Bolle nahm zu Pfingsten / nach Pankow hin sein Ziel* . . . berichtet von viel Mißgeschick, doch versichert der Kehrreim: *aber dennoch hat sich Bolle janz köstlich amüsiert* (Text bei Richter, Der Berliner Gassenhauer [1969] S. 386); daraus: *ick amüsir mir wie Bolle,* d. h. sehr gut; mit Bezug auf den gleichnamigen Begründer der Meierei: *ick amüsier mir wie Bolle uff 'n Milchwagen.*

bolzen — 1. ›lärmen, keifen‹. 2. ›sich prügeln‹: *müßta euch ooch imma bolzen.* 3. ›derb, unfair Fußball spielen‹.

Bonbon — m., wie schriftspr.; *een' 'n Bonbon an 't Hemde kleben* ›jmdn. veralbern, hochnehmen‹; zu einem Aufschneider: *du hast ooch noch keen' nackten Mann 'n Bonbon an 't Hemde jeklebt.*

bong — ›gut, in Ordnung‹, meist als Zustimmung; attr. *se hat 'n bong Leben;* dazu *bongforzionös* ›großartig‹. Franz. *bon.*

Bonje — f. ›Kopf‹ (RB 1965); *kahle Bonje* ›Glatze‹. Wohl zu niedersorb. *banja* ›bauchiges Gefäß, Kanne,

	Kürbis‹, kaschub. *bańa* ›Kürbis‹, abwert. ›großer Kopf, Glatze‹.
Boofke	m. ›ungehobelter Mensch, Flegel‹. Zu nd. *Bowe* ›Bube‹.
bosen	auch *boßen,* refl. ›(sich) ärgern‹.
Botten	m. ›Schuh, Stiefel‹ (oft abwert.): *ick kann mein een Botten nich finnen;* Warnung: *Olle heb die Botten, es komm' Klamotten.* – Franz. *botte.*
botten	›(schnell) gehen, eilen‹: *ick bin wer weeß wie jebott';* auch *anjebott kommen* ›herbeigeeilt kommen‹.
Bowel	auch *Pofel,* m. ›minderwertige Ware, Schund‹: *wat koofst'n ooch so 'n Bowel.*
bramsig	auch *brämsig* ›eingebildet, überheblich‹.
Brand	m. 1. ›Feuer, Glut‹. 2. ›Verlegenheit‹, vor allem ›Geldnot‹: *nu sind wa aus 'n Brand.* 3. ›Durst‹: *haste ooch so 'n kalten Brand?,* d. h. Durst auf ein kühles Getränk.
Bräsicke,	PN in der Wendung: *er sitzt da (fühlt sich) wie Bräsicke,* d. h. behaglich; auch adv.: *er sitzt bräsicke an 'n Tisch.*
Braß	m. ›Zorn, Wut‹, nur in der Wendung *in Braß sein.*
Brast	m. ›große Menge, sehr viel‹: *bringe mir ma nich jleich so 'n Brast.*
braten	wie schriftspr.; Ausdruck der Verwunderung: *nu brat ma eener 'n Storch (aber de Beene recht knusprig).*
Braunbier	n. ›dunkles, obergäriges Bier‹; R: *Sie sehen ja wie Braunbier un Spucke aus,* d. h. sehen schlecht, elend aus (Gl).
Bredouille	*(Bredullje),* f. ›Verlegenheit, mißliche Lage‹: *da bin ick janz schön inne Bredullje jekommen.* Franz. *bredouille.*
breetschlagen	›überreden‹: *da ha 'k mir breetschlagen lassen.*
brejenklütrig	›verwirrt, benommen‹. Aus *Brejen* ›Kopf‹ und nd. *klütrig* ›klumpig‹.
Bremse	f. ›Ohrfeige‹ (veraltet), in der Wendung *'ne Bremse stechen* ›eine Ohrfeige verabreichen‹, mit Bezug auf die Insektenbezeichnung. – Vgl. *ufbremsen.*
brennerig	›angebrannt‹: *det riecht ja so brennerig.*

brezeln ›einen Schlag verabreichen‹, vor allem von einer Ohrfeige: *den ha 'k aba eene jebrezelt!*

Brieze m., f. ›Bruder‹, auch ›Freund‹; älter *Britz* ›Bruder‹ (Tr); *mein Briez* ›mein Bruder‹ (Br). Gleichbedeutend *Briezkeule,* f.

Brosch(e) f., veraltet m., n., wie schriftspr.: *der Brosche* (Br); *wo der Brosch is, is vorne* (von einer flachbusigen weiblichen Person); *ein echtes Brosch.*

Bruder m. 1. Verwandtschaftsbezeichnung. 2. Abwert. ›Kerl‹: *det is der beste Bruder ooch nich* (Li); *'n windiger Bruder* ›ein unzuverlässiger Mensch‹; *'n warmer Bruder* ›ein Homosexueller‹.

Brühe f. 1. ›durch Kochen von Fleisch gewonnene Flüssigkeit‹; R: *mein Jloobe is: sieben Fund Rindfleesch jeben 'ne jute Brühe* (Li). 2. ›schlechter Kaffee oder Tee‹. 3. ›überflüssiges Gerede‹: *mach doch keene so 'ne Brühe.*

Brumme f. 1. ›Freundin, Braut‹: *der hat sich 'ne Brumme anjelacht.* 2. ›hübsches Mädchen‹; gleichbedeutend *Wuchtbrumme.* Dazu *Auspuffbrumme* ›Soziusfahrerin‹ (Jugendspr.).

Brummeisen n. 1. ›Mundharmonika‹ (veraltet). 2. ›zänkischer, mürrischer Mensch‹: *ollet Brummeisen.*

brummen 1. ›nörgeln, zanken‹. 2. ›eine Haftstrafe verbüßen‹. Dazu *abbrummen* ›eine Strafe absitzen‹; *ufbrummen* ›eine Strafe, auch Arbeitslast auferlegen‹.

Brüsche f. ›Kopfbeule‹: *ick hab ma sie'm Brüschen danach jerannt,* d. h. mich sehr darum bemüht; *da hab ich mir abermalen eine Briesche gerannt* (Zelter an Goethe 1828).

Brust f., wie schriftspr.; *eenen zur Brust nehmen* ›einen Schnaps trinken‹; anders: *den wer' ick mir mal zur Brust nehmen,* d. h. vorknöpfen, zur Rechenschaft ziehen; *der is schwach uff de Brust,* d. h. hat kein Geld; *wasch dir de Brust – du wirst erschossen* ›tu ohne Widerrede, was ich dir sage‹ (RB 1965).

bubbern *puppern* ›pochen, klopfen‹.

Buchholz PN in der Wendung: *da kenn'n Se Buchholzen*

schlecht ›da irren Sie sich‹. Vielleicht auf Friedrich II. zurückgehend.

Buckel *Puckel,* m. ›Rücken‹; abweisend: *du kannst mir mal 'n Puckel langrutschen.*

buckeln *puckeln* ›schwer tragen‹.

Bucker m. 1. ›große Murmel aus Glas oder Stahl‹; *'n ruhjen Bucker schie'm* ›eine wenig anstrengende Tätigkeit verrichten‹. 2. ›Kopf‹ (scherzh.).

buckern ›mit Murmeln spielen‹.

Buddel f. ›Flasche‹. Aus dem Nd.; auf franz. *bouteille* zurückgehend.

buddeln ›graben‹.

Budike (bu:ˈdi:kə), f., urspr. ›Laden mit Lebensmitteln‹ (Tr Br); ›Gaststätte, Bierlokal‹, abwert. – Franz. *boutique.*

Budiker (ˈbu:di:kər; bu:ˈdi:kər), m. ›Gastwirt‹.

Buff *Puff,* m. ›Schlag, Stoß‹: *der kann 'n Puff vertragen,* d. h. ist nicht überempfindlich.

buffen *puffen* ›stoßen, knuffen‹. Dazu *anbuffen: bist woll anjebufft?,* d. h. nicht ganz normal im Kopf; übertr. ›schwängern‹: *er hat ihr anjebufft.* Vgl. auch *ausjebufft.*

Bühle *Biele,* f. ›(Klein-)Kind‹ (veraltend): *det is ne kesse Biele.* Aus dem Nd.; vgl. hd. *Buhle* ›Geliebte‹.

büjeln 1. ›plätten‹. 2. ›(Alkohol) trinken‹.

Bulette f. ›gebratener Fleischklops‹; Rn: *laß doch det Kind die Bulette!,* d. h. laß ihm seinen Willen oder Glauben; *ran an de Buletten!* ›angepackt, mitgemacht!‹; *der jeht ran wie Hektor an de Buletten.* – Franz. *boulette.*

Bulle m. 1. ›männliches Rind‹. 2. ›kräftiger, auch ungeschlachter Bursche‹. 3. ›(Kriminal-)Polizist‹ (abwert.). 4. Bezeichnung für die Elektrolok der Industriebahn in Schöneweide.

bummern ›heftig, laut gegen etwas klopfen‹.

Bums m. 1. ›schlagartiges, dumpfes Geräusch‹, z. B. bei einem Fall, daher *uff keen' Bums* ›auf keinen Fall‹. 2. ›Gaststätte, vor allem Tanzgaststätte minderer Güte‹. Gleichbedeutend *Bumslokal.*

bumsen 1. ›heftig, laut klopfen‹. 2. ›ein dumpfes Geräusch von sich geben‹: *jetz hat 's jebumst!* ›jetzt reicht es!‹. 3. ›Geschlechtsverkehr ausüben‹; dazu *anbumsen* ›schwängern‹.

Bumskeule — f. ›Rohrkolben‹.

Bumskolben — m., dass.

bumsstill — ›ganz still‹.

bürschten — 1. ›mit einer Bürste glätten, reinigen‹. 2. ›Geschlechtsverkehr ausüben‹; doppelsinnig: *in der Jugend jut jebürschtet, is im Alter halb jekämmt.* 3. In veralteter Lautform *berschten* ›eilen‹; auch *anjeberscht kommen.*

Butterstulle — f. 1. ›Butterschnitte‹. 2. ›über eine Wasseroberfläche geworfener flacher Stein‹: *Butterstullen werfen (schmeißen).*

C

Chor — m., n., sowohl für *Chor* ›Singschar‹ als auch für *Korps* ›durch Beruf verbundener Personenkreis‹: *sie is bei 'n Chor* (Sängerin); *sie is bei 's Chor* (Tänzerin); dazu *Musikchöre* ›Musikabteilungen bei Truppenverbänden‹.

Clou — (klu:), m. ›Glanz-, Höhepunkt‹: *det ist der Clou von 't Janze.*

D

Dacht — m., veraltet für *Docht*; R: *Dachte sind keene Lichte,* wenn jemand sich mit *ick dachte* entschuldigt.

Daffke — nur in Wendungen: *ick heeße doch nich Daffke* ›ich bin doch nicht dumm‹; *aus Daffke* ›aus Trotz‹. – Jidd. *davko* ›gewiß, sicher‹.

dalbern — ›herumalbern, jmdn. necken‹; auch *herumdalbern.*

Dalldorf — bis 1905 ON für Berlin-Wittenau, bekannt durch eine Nervenheilanstalt, daher *der is reif für Dalldorf,* d. h. nicht ganz richtig im Kopfe; *der is woll aus Dalldorf entsprungen?* (RB).

Dalles — m. ›Geldmangel, -not‹; scherzh. Rat: *Sie müssen mal mit Koks* (›Geld‹) *jurjeln, det is jut for 'n Dalles.* – Zu jidd. *bedallus* ›in Armut‹.

dalli — ›schnell, fix‹: *macht bloß 'n bißken dalli!* Poln. *dalej* ›vorwärts‹.

Dämel — *Demel,* m. 1. ›Kopf‹. 2. ›dummer, törichter Mensch‹; gleichbedeutend *Däm(e)lack.* Dazu *Dämelei,* f. ›Unsinn, Torheit‹; *dämlich* ›dumm‹.

dammeln — 1. ›tatenlos herumsitzen, faulenzen‹. 2. ›geistesabwesend dahinschlendern‹. Dazu *verdammeln* ›vergessen‹.

Darm — m. 1. Wie schriftspr. 2. ›Violinsaite‹: *der streicht villeicht 'n kessen Darm,* d. h. spielt gut Violine.

Dassel — m. ›Kopf‹.

davor — 1. Wie schriftspr. 2. ›dafür‹: *ich kann nischt davor.*

debbern — ›viel reden‹; älter *bedibbern* ›jmdn. beschwatzen‹ (Li); dazu *bedeppert* ›verzagt, eingeschüchtert‹, auch ›verdutzt, einfältig‹: *mach nich so 'n bedeppertet Jesichte.* – Jidd. *dibbern* ›reden, sprechen‹.

Deechaffe — m. ›Bäcker‹, Neckname.

Deez — m. ›Kopf‹.

Deibel — *Deubel,* m. ›Teufel‹; abweisend: *ick wer 'n Deibel dun* ›ich werde mich hüten‹; beim Schnapstrinken: *pfui Deibel – noch eenen; 'n armer Deibel* ›ein bedauernswerter Mensch‹. Dazu *Zankdeibel,* m. ›zanksüchtiger Mensch‹.

Demse — f. ›stickige, drückende Luft‹: *det is villeicht 'ne Demse.* Wohl erst nach 1945 aus dem Obersächs.

denn — 1. Wie schriftspr. 2. ›dann›; resignierend: *na, denn nich.*

deppen — ›jmdn. ducken, demütigen‹.

Destille — f. ›Bierlokal‹ (z. T. abwert.). Aus älterem, gleichbedeutendem *Destillation.*

dick(e) — 1. ›von beträchtlichem Umfang‹; bestürzt: *ach, du dicker Vater!*; von etwas Schwierigem, Unerwartetem: *det is 'n dicker Hund; det dicke Ende kommt nach; (sich) dicke tun* ›angeben‹. 2. ›reichlich‹: *det Jeld langt dicke; der is dicke durch,* d. h. hat es geschafft; *det ha 'k dicke* ›dessen bin ich überdrüssig‹; anders: *ick hab et nich so dicke,*

	d. h. bin nicht sehr bemittelt. 3. ›groß‹: *det is 'n dicker Irrtum.* 4. ›dicht, undurchdringlich‹: *hier is dicke Luft,* d. h., es herrschen Spannungen. 5. ›eng, intim‹: *det is 'n dicker Freund von mia.*
Dickte	f. 1. ›Leibesumfang‹. 2. ›(Wand-)Stärke‹: *die Dickte von det Jlas is een Zentemeter.* – Mnd. *dickede.*
Ding	*Ding(e)s,* n., Plur. *Dinger.* 1. ›Gegenstand‹; gleichbedeutend *Dingerich(s), Dingrich(s).* 2. ›Schlag‹, vor allem ›Ohrfeige‹: *krichst jleich 'n Ding!* 3. ›Angelegenheit, Vorfall‹: *'n faulet Ding is det.* 4. *junget Ding* ›junges Mädchen‹.
Dohle	f. ›Hut‹ (abwert.).
doll	1. ›närrisch‹: *die sind ja wie doll; da bin ick janz doll nach*; R: *je oller, je doller* (auch *je öller, je döller*). 2. ›erstaunlich, ungewöhnlich‹: *det is 'ne dolle Masche* ›ein Spezialtrick‹. 3. ›unglaublich, schlimm‹: *det sieht ja doll aus.* 4. ›heftig, stark‹: *doller Sturm*; ›sehr‹: *der is ja doll verliebt.*
doof	1. ›taub‹: *meine Ohren sin doof.* 2. ›dumm‹: *lieba doof als pucklich, det sieht man wenichstens nich*; ›unerfahren‹: *heute wär 'k nich mehr so doof.* 3. Allgemein abwert.: *det is 'n dower Film.*
Döskopp	m. ›Dummkopf‹.
Draht	m. 1. Wie schriftspr.; *uf Draht sein* ›wendig, tüchtig sein‹ (übertr. von den Puppen des Marionettentheaters); *du hast woll nich alle Fümfe uf Draht?,* d. h. nicht alle fünf Sinne beisammen. 2. ›Geld‹.
Dreck	m., n. 1. ›Schmutz‹: *dea steht da wie 't Kind bei 'n Dreck,* d. h. hilflos. 2. ›wertloses Zeug‹: *hau ab mit det Dreck; Dreck will jarniert sein* ›wertlose Geschenke müssen ansprechend verpackt werden‹.
Dreesch	m. ›heftiger Regenguß‹; auch *Driesch.* Dazu *dreeschen, drieschen* ›heftig regnen‹.
drippeln	›leicht regnen‹.
drippen	›tropfen‹.
dröje	›trocken‹: *de Schrippe is man dröje.* Aus dem Nd.
Droschke	f. ›Mietkutsche‹. Nach 1815 aus russ. *drožki.*

drusseln (drʊzəln) ›im Halbschlaf sein‹; auch *indrusseln, vor sich hindrusseln.*

dufte ›gut, großartig, schön‹: *det is 'n dufter Junge; 'n duften Hut hat der; 'ne dufte Jejend.* Zu jidd. *tow* ›gut‹. – Vgl. *undufte, beduften.*

Dummsdorf ON in der Wendung *aus Dummsdorf sein* ›dumm sein‹.

dun ›betrunken‹. Aus dem Nd.

dunnemals ›damals‹; *Anno dunnemals* ›vor langer Zeit‹.

durch 1. Präp. wie schriftspr. 2. *durch sein* ›etwas überstanden haben‹; *unten (drunter) durch sein* ›das Ansehen verspielt haben‹; *der Kese is durch,* d. h. durchgereift; attr. *'n durcher Keese.* Vgl. *ab.*

durschtern nur unpersönlich *mir durschtert* ›ich habe Durst‹.

Dusche (ˈdʊʒə, jünger ˈdu:ʃə), f. ›dummer Mensch‹.

duse ›sachte, sanft, gemächlich‹. Franz. *doux, douce.*

Dusel m. 1. ›Schwindelgefühl, geistige Benommenheit‹. 2. ›Glück‹: *hat der aba 'n Dusel!*

Dussel (ˈdʊzəl), m. ›Dummkopf‹. Dazu *duss(e)lig* ›dumm‹. – Vgl. a. *verdusseln.*

E

echt 1. ›unverfälscht‹; iron. *echt Talmi* ›unecht‹ (RB). 2. ›in Ordnung‹: *der is echt,* d. h. charakterlich zuverlässig; iron. auch gegenteilig: *det is echt* ›das sieht ihm ähnlich‹. 3. Jünger verstärkend ›tatsächlich‹: *det is wirklich echt jut.*

Eckensteher m. 1. ›Dienstmann‹ (veraltet); *Eckensteher Nante,* Titelfigur einer 1832 uraufgeführten Posse von Friedrich Beckmann. 2. ›an Straßenecken herumlungender Nichtstuer‹.

ejal 1. ›gleich‹; abweisend mit Bezug auf 2: *ach wat ejal! Ejal sin 'n Paar Strümpe! (RB). Vgl. unejal.* 2. ›gleichgültig‹: *mir is allens ejal* (auch *eenjal*). 3. ›immer, fortwährend‹: *et rejnet ejal;* gleichbedeutend *ejalwech.*

ehr Komp. zu *ehe.* 1. ›früher‹: *sie kommt ehr wie er.*

	2. ›ehe, bevor‹: *ehr de jehst.* 3. *am ehrsten* ›am ehesten‹.
Ei	n. 1. Wie schriftspr.; bei unangenehmer Überraschung: *det is een Ei!* 2. *Eier* ›Mark(-stücke, -scheine)‹.
Eimer	m., Gefäß wie schriftspr.; *det is doch for 'n Eimer,* d. h. taugt nichts; *allens im Eimer* ›alles verloren, zerstört, aus‹.
ein-	s. *in-*.
einzig	*eenzig,* wie schriftspr.; häufig im Sup.: *ick bin nich der eenzigste; tu mir den eenzigsten Jefallen.*
Eisbeen	m. 1. ›Dickbein des Schweins‹, in Berlin als Gericht besonders beliebt. 2. ›Fuß des Menschen‹; Drohung: *dir knick ick de Eisbeene!; Eisbeene* ›kalte Füße‹.
eisen	›schnell laufen, eilen‹.
Eisenbahn	f. 1. Wie schriftspr.; älter *Eiserbahn.* 2. ›Zug‹: *wenn kommt 'n de Eisenbahn?; et is höchste Eisenbahn,* d. h. höchste Zeit.
Ekel	m., n. ›unangenehme Person‹: *oller (ollet) Ekel!*
eklig	1. ›unangenehm‹: *det kann eklig wer'n.* 2. ›sehr‹: *det eß ick eklig jerne.* 3. ›zum Ekelgefühl neigend‹: *ich bin sehre eklig.*
Em	f. ›Mark‹ (Abkürzungswort): *ßehn Em(s)*; auch *Emchen,* Pl.
Embiedel	m. 1. abwertende Bezeichnung für einen Mann. 2. ›Freund‹.
Emmerich	m., abwertend ›Mann, Kerl‹: *kiek den Emmerich!*
Emton	m., Bezeichnung für eine erwähnte oder bekannte männliche Person: *ick kenne doch meinen Emton!*
Ente	f. 1. Wasservogel wie schriftspr. 2. ›Mark‹: *vier Enten.* 3. *kalte Ente* ›Weißbier mit Schaumwein‹.
entzwee	›entzwei‹; attr.: *entzwee-e Stiebeln.*
Erbse	f., wie schriftspr.; R: *die Uhr jeht ja nach kalte Erbsen,* d. h. falsch; unwillige Antwort auf die Frage *wie spät is et? – dreiviertel uff kalte Erbsen.*
Essig	m., wie schriftspr.; *et ist Essig* ›es ist aus, vorbei‹.
etepetete	1. ›betont feinfühlig, zimperlich, geziert‹: *sei bloß nich so etepetete!* 2. ›sich gehen lassend,

langsam‹. – Herkunft umstritten; wahrscheinlich zu nd. *öte* ›leicht‹ und franz. *peut-être* ›vielleicht‹.

etzliche ›etliche‹.

Eule f. 1. Vogelart wie schriftspr. 2. ›häßliche Frau‹. 3. ›Bruder‹ (Schl). 4. ›Kopf‹ (Schl). 5. ›Dieseltriebwagen‹.

extern ›mutwillig quälen, ängstigen‹.

F

Fahrstuhl m., wie schriftspr.; übertr. *feuchter Fahrstuhl* ›(Schnupfen-)Nase‹; älterer Liedvers: *meine Schwester, die Therese/hat 'n Fahrstuhl in de Nese.*

Falle f. 1. Wie schriftspr. 2. ›Bett‹.

Fanne f., Kochgerät; Wendungen: *jmdn. in de Fanne hau'n* ›jmdn. denunzieren, erbarmungslos kritisieren‹; *wat uff de Fanne ha'm* ›etwas darbieten können‹; Ausdruck des Erstaunens: *da wird der Hund in de Fanne varrückt!*

Fannkuchen m., beliebtes Schmalzgebäck; *Fannkuchen mit Beene* ›Fettwanst‹; *er jeht uff wie 'n Fannkuchen* ›er wird dick‹.

Faß n. 1. Behälter wie schriftspr.; *'n Faß uffmachen* ›ausgelassen feiern‹, auch ›einen Streit anfangen‹; Rn: *det schlägt dem Faß die Krone ins Jesicht; det schlägt dem Faß det Ei aus* ›das ist unerhört‹. 2. ›Könner, Fachmann‹: *der is 'n Faß.*

Fatz m. ›kleine Menge, Winzigkeit‹.

Fatzen m. ›größeres Stück‹.

Fatzke m. ›überheblicher, dummer Wichtigtuer‹; verstärkt *Appel-, Hannefatzke.* Vielleicht zu älterem *fatzen* ›necken, höhnen‹.

[1]feffern 1. ›mit Pfeffer würzen‹. 2. *jefeffert* ›unangenehm teuer‹ (Br).

[2]feffern ›schleudern, werfen‹; auch *hinfeffern.*

Feife f. 1. ›Pfeifinstrument‹: *nach den seine Feife tanz ick nick* ›dem ordne ich mich nicht unter‹. 2. ›dummer, energieloser Mensch, Versager‹: *sone*

	Feife! 3. ›männliches Geschlechtsteil‹. 4. ›Tabakspfeife‹: *dabei kann eenen de Feife ausjehn,* d. h. man kann den Atem, die Geduld verlieren (RB). Vgl. *Piepe.*
Fejer	m. 1. ›guter Tänzer‹. 2. ›Schürzenjäger‹. 3. ›vitales, etwas leichtlebiges Mädchen‹.
Ferd	n., Haustier wie schriftspr.; Rn: *det hält keen Ferd aus; det kommt jleich hinter Ferdestehlen,* wenn einem etwas zuwider ist; ein Dummer *hat nich alle Ferde in 'n Stall; det merkt doch 'n Ferd,* wenn etwas überdeutlich ist; beruhigend: *imma langsam mit die jungen Ferde!*; Ausdruck der Verwunderung: *ick denk, mir tritt 'n Ferd!* (Jugendspr.).
feste	›tüchtig, sehr‹; doppelsinnig mit Bezug auf *Fest; wer feste arbeet't, kann ooch feste (Feste) feiern.*
fett	1. ›feist‹. 2. ›gewinnbringend‹, z. B. *'n fetter Brokken.* 3. ›betrunken‹.
Fetzen	m. 1. ›Lumpen‹, auch ›schlechtes Kleidungsstück‹. 2. Schimpfw. ›Lump, Kerl‹: *'n jemeiner Fetzen* (RB).
fetzen	1. Schülerspr. ›Blätter aus einem Heft reißen‹ (RB 1925). 2. Jünger ›erfreuen, zusagen, gefallen‹: *det fetzt!*; auch *det fetzt ein!*
feucht	wie schriftspr.; abweisend: *det jeht dir 'n feuchten Kehricht (Schmutz, Husten) an.*
feuern	1. ›schleudern, werfen‹. 2. ›aus einem Arbeitsverhältnis hinauswerfen, entlassen‹. 3. ›(einen Schlag) versetzen‹: *den ha'k eene jefeuert.* 4. Scherzh. ›Feuer geben‹: *könn' Se mir eene feuern?*
fibbeln	›gieren, Verlangen haben‹. Dazu *fibbelig* ›gieperig‹.
Fichte	f. ›Kiefer‹; R: *der hat 'ne nette Fichte zu sitzen,* d. h. ist betrunken. Vgl. *Zacken.*
Fiduz	m. ›Zuversicht, Mut, Lust‹: *da ha 'k ja keenen Fiduz zu.* Lat. *fiducia.*
fiedeln	1. ›schlecht Geige spielen‹. 2. ›mit einem stumpfen Messer mühsam schneiden‹.
fiepen	›leise pfeifen oder winseln‹.
fies	›gemein, widerwärtig, abstoßend‹: *so 'n fieser*

	Kerl; adv.: *der sieht schon so fies aus.* – Zu mhd., mnd. *vīst* ›Darmwind‹.
fiestern	›(hinaus-)werfen‹ (Gl RB); auch *rausfiestern: ick wer dir jleich rausfiestern!* – Nd.
fies(t)lau	›lauwarm‹. Vgl. *puplau.*
fies(t)warm	›nur ungenügend erwärmt‹.
filzen	›schlafen‹.
Fimmel	m. ›kleine Verrücktheit, Tick‹: *du hast ja eenen Fimmel!;* ›Lieblingsschwäche‹, z. B. *Blumen-, Briefmarkenfimmel.*
Finger	m., wie schriftspr.; Rn: *du kannst dir de Finger verjolden lassen,* wenn jem. sich ungeschickt anstellt oder beim Kartenspiel schlechte Karten gibt; *schneid dir man nich in 'n Finger!* ›verrechne dich nicht!‹ (RB); *er hat 'n schlimmen Finger am Fuß,* wenn jem. eine Krankheit vortäuscht.
fingern	1. ›tastend suchen, langen‹. 2. ›zustande bringen, bewerkstelligen‹: *det wer'n wir schon fingern.*
Fisch	m., wie schriftspr.; übertr. *kleene Fische* ›Kleinigkeiten, leicht zu lösende Aufgaben‹; auch ›geringfügige Straftat‹; *faule Fische* ›Ausreden‹.
Fischzug	m., wie schriftspr.; seit 1574 feierten die Stralauer Fischer am Bartholomäustag (24. 8.) den Wiederbeginn der Fischzeit. Daraus entwickelte sich im 18. Jh. das als *Stralauer Fischzug* bekannte Volksfest.
[1]fisselig	1. ›fahrig, nervös‹. 2. ›kniffligʻ‹: *ne fissliche Arbeet.*
[2]fisselig	›fusselig‹ in der Wendung *sich det Maul fißlich reden.*
[3]fisselig	1. ›feucht‹ (von Luft). 2. ›leicht betrunken‹ (RB 1925).– Zu nd.-märk. *fisseln* ›nieseln‹.
Fitzel	m. ›kleines Stück‹.
Fladuse	älter *Fladrusçhe,* f. 1. ›unnötiger Aufputz‹: *wat die for Fladusen an 'n Hut hat!* 2. ›Unsinn, Alberei‹: *der hat bloß Fladusen in 'n Kopp.*
flämisch	*fleem'sch* 1. ›ungehobelt, grob, derb‹ (von der Statur und vom Benehmen). 2. ›unwahrscheinlich‹: *det kommt mir fleem'sch vor.*
Flaps	m. 1. ›ungeschliffener Mensch, Flegel‹. 2. ›Hut‹ (veraltet).

Flasche — f. ›dummer, energieloser Mensch, Versager‹.

[1]flastern — ›Pflastersteine verlegen‹; Rn: *jeh da lang, hier lang is jeflastert* ›mach, daß du wegkommst‹; *quatsch da lang, hier lang is jeflastert,* wenn jem. ohne Unterlaß Überflüssiges daherredet.

[2]flastern — ›(eine Ohrfeige) verabreichen‹: *dir wer ick jleich eene flastern!*

Flatsch(en) — m. 1. ›großer Fladen‹. 2. ›großer Schmutzfleck‹.

Flaume — f. 1. Obstsorte. 2. ›Nichtskönner, Versager‹. 3. ›Fußball‹.

flaumen — ›harmlosen Unsinn treiben, jmdn. foppen, verkohlen‹; auch *an-, rum-, verflaumen.*

Fläz — *Fleez,* m. ›ungeschliffener Mensch, Flegel‹.

fläzen — *flezen* ›(sich) hinlümmeln‹; *sich uffflezen* ›Ellbogen und Unterarme auflegen‹; auch *hin-, rumflezen.*

flennen — ›weinen‹.

Flieder — m. 1. Wie schriftspr. 2. ›Holunder‹. Dazu *Fliedertee* ›Holunderblütentee‹.

Flieje — *Fliege,* f., wie schriftspr.; *'ne Flieje machen (ansetzen)* ›sich aus dem Staube machen‹. Vgl. *Mücke.*

Floh — m. 1. Insekt wie schriftspr.; *'n Floh in 's Ohr setzen* ›jmdm. Unsinn einreden‹; *'n Floh in 's Ohr haben* ›leicht verrückt sein‹. Auf nd.-märk. Grundlage veraltet *'ne Flöhe.* 2. *Flöhe,* Pl. ›Geld(- stücke)‹.

flöhen — ›finanziell ausplündern, schröpfen‹.

Flohkiste — f. ›Bett‹.

Flosse — f. 1. Wie schriftspr. 2. ›Hand‹; auch *Vorderflosse*; vgl. *Hinterflosse.*

Flöte — f. 1. Blasinstrument. 2. ›in der Reihenfolge gut zusammenpassende Karten einer Spielfarbe‹, z. B. *Herz-, Karoflöte.*

flötengehen — ›verloren gehen‹.

flöten sein — dass.: *det janze Jeld war flöten.*

flott — 1. ›flink, gewandt‹. 2. ›hübsch, schick‹. 3. ›lustig, vergnügt‹, z. B. *'n flottes Wochenende.*

flottmachen — ›etwas Vergnügliches unternehmen‹: *denn wird mal eener flottjemacht.*

fluschen — ›gut vonstatten gehen‹: *det fluscht!*

flüstern	›sagen‹; drohend: *det kann ick dir flüstern!*
Flüstertüte	f. ›Megaphon‹.
flutschen	1. ›gut vonstatten gehen‹: *det hat jeflutscht.* 2. ›entwischen‹: *der is mir jeflutscht.*
foosch	1. ›faulig‹: *der Appel is foosch.* 2. Veraltet ›kraftlos, schlaff‹ (Br). – Ndl. *voos.*
for	s. *vor.*
forsch	›draufgängerisch, energisch‹: *mach dir nich so forsch* ›gib nicht so an‹.
Forsche	f. 1. ›Kraft, Energie‹. 2. ›Durchsetzungsvermögen‹. 3. ›besondere Fähigkeit, Stärke‹: *det is seine Forsche* (Li). – Franz. *force.*
Fote	f., veraltet *Pote.* 1. ›Tierpfote‹. 2. ›Hand‹. 3. Veraltet ›Fuß‹.
Freiberjer	m. ›jem., der auf Kosten anderer etwas genießt, Nassauer‹.
Fressalien	Pl. ›Eßwaren‹.
Fresse	f. ›Mund‹; *halt die Fresse!* (auch verkürzt *Fresse!*) ›schweig!‹; *'ne jroße Fresse ha'm* ›angeben‹.
fressen	›essen‹; bildl.: *den ha'k jefressen* ›den kann ich nicht ausstehen‹ (RB); *dir ha'k zum Fressen jern* ›dich liebe ich sehr‹.
frikassieren	›übel zurichten, verprügeln‹ (eigtl. ›zu Frikassee verarbeiten‹) – Franz. *fricasser.*
Fritz(e)	Kurzform von *Friedrich*; verbreitet in Bezeichnungen für Händler und Dienstleistungsberufe, z. B. *Fisch-, Kohlen-, Zigarren-, Radio-, Versicherungsfritze.*
Frosch	m., Lurch wie schriftspr., doch meist dafür *Padde*; auffordernd: *sei keen Frosch* ›mach doch mit, ziere dich nicht‹.
fuchsen	refl. ›(sich) ärgern‹.
fuchtig	›wütend, aufgebracht‹.
Fuffi	m. ›50-Mark- Schein‹.
fuffzehn	›fünfzehn‹; *fuffzehn machen* ›eine Arbeitspause einlegen‹ (nach der Pausenzeit); *jetz is fuffzehn* ›jetzt ist Schluß, Feierabend‹.
Fummel	m. ›billiges, leichtes Kleid‹.
fummeln	1. ›putzen‹. 2. ›hantieren‹; auch *rumfummeln.* Dazu *befummeln* ›betasten, anfassen‹; auch ›sich

	einer Sache annehmen; etwas in Ordnung, zustande bringen‹: *wir wer'n det schon befummeln.*
Fund	n. 1. Gewichtseinheit. 2. ›zwanzig Mark‹.
Furz	m. ›Darmwind‹; Rn: *aus 'n traurijen Arsch kommt keen fröhlicher Furz; der hat 'n Furz im Koppe,* d. h. ist nicht ganz normal.
futsch	1. ›fort, weg, verloren‹ in den Verbindungen *futsch sein (jehen)*, resignierend: *futsch is futsch und wech is wech*; verstärkend *futschikato perdutto.* 2. ›hingerissen, stark beeindruckt‹: *ick bin futsch!*
Futterluke	f. ›Mund‹.
futtern	›essen‹.

G s. J

H

haarig	1. ›unannehmbar, unerhört‹: *det Ding war haarig* (RB). 2. ›sehr‹: *der war haarig besoffen.*
Hacke	f., in der Wendung *'ne Hacke ha'm* ›nicht normal sein‹. Vgl. *Hammer.*
hacken	›kleben, festsitzen‹.
Hackepeter	m. ›gehacktes, rohes Schweinefleisch‹; Drohung: *aus dir mach ick Hackepeter!*
Halbe	f. ›Hälfte‹ in der Wendung *Halbe-Halbe machen* ›mit einem Partner zur Hälfte teilen‹.
halblang	adv. in der Wendung: *nu macht's mal halblang* ›übertreibt nicht so‹.
halbseiden	›mittelmäßig‹; *'n Halbseidner* ›ein anrüchiger, undurchsichtiger Mensch‹.
halbweje	meist *hall(e)weje* ›mittelmäßig, halbwegs‹.
Hälfte	f., wie schriftspr.; *meine bessere Hälfte* ›meine Ehefrau‹. Dazu *hälften,* Adj.: *de hälften Leite* ›die Hälfte der Leute‹; *zu den hälften Preis* (RB 1965); urspr. als Pl. zu *Hälfte,* vgl. *die Hälften Berliner* ›die Hälfte der Berliner‹ (Julius Stinde 1886).

halten — 1. ›festhalten‹: *et läßt sich halten* ›es ist nicht so bedeutend‹ (RB); *der hält ihm die Stange,* d. h. steht zu ihm. 2. ›anhalten‹: *halten Se mal!* 3. ›bewerkstelligen‹: *det hält schwer,* wenn etwas schwierig zu machen ist; *det kannste halten wie 'n Dachdecker,* d. h. nach Belieben. 3. ›etwas bei sich behalten, an sich halten‹: *halt die Backen* ›sei still‹. 4. *uff sich halten* ›auf sich achthaben, sich benehmen‹.

Hämekin — *Hemekin,* n. ›kleiner, schmächtiger Mensch‹. Wohl nd. Form zu *Heinchen* ›Zwerge‹.

Hammer — m. 1. Schlagwerkzeug; R: *der hat ja 'n Hammer,* d. h. ist nicht ganz normal; auch *du hast woll 'n Hammer jefrühstückt?* Vgl. *Hacke.* 2. ›unerwartet beeindruckende Angelegenheit‹: *det war villeicht 'n Hammer!* 3. ›wirkungsvoller Fußballstoß‹.

Hand — f., wie schriftspr.; R: *da kann man sich Hände und Füße dran wärmen,* wenn etwas gut ist; *die Hand ufhalten* ›Geld haben wollen‹; abweisend: *nich in de Hand* ›keinesfalls‹.

hängen — ›schwebend befestigt sein‹; Prät. veraltet *hung,* Part. Prät. *jehangen, jehängt: det hat nich hoch jehängt,* wenn etwas gestohlen ist; bildl. *hier hängt er* ›hier ist er‹; *bei mir hängste,* d. h. bist unten durch.

Hängsel — m. ›Öse oder Schlaufe zum Aufhängen an Kleidungsstücken‹. Ndl.

Happen — m. ›Bissen, etwas Gutes zum Essen‹; auch *Happenpappen*; R: *der is woll 'n Happen dämlich.*

happig — 1. ›gierig‹: *sei nich so happig!* 2. ›zuviel, unzumutbar‹: *det is 'n bißchen happig.*

Harke — f. ›Rechen‹; drohend: *ick wer' dir zeijen, wat 'ne Harke is.*

Hase — f., wie schriftspr.; *'n Hasen machen* ›davonlaufen, sich verdrücken‹; *alter Hase* ›erfahrener Fachmann, Könner‹; *mein Name is Hase, ick weeß von nischt.*

Hasenheide — f. 1. Urspr. Wildpark des Kurfürsten; 1811 schuf F. L. Jahn dort einen Turnplatz, später diente die

	H. als Vergnügungspark. 2. *de janze Hasenheide* ›Frau und Kinder‹.
Haubitze	f., Geschützart; *blau (voll) wie 'ne Haubitze* ›stark betrunken‹.
Haus	n. 1. Wie schriftspr.; R: *Einfälle haste wie 'n ollet Haus!* 2. *Ollet Haus* ›alter Freund‹.
heben	wie schriftspr.; *eenen heben* ›einen (Schnaps, Kognak o. ä.) trinken‹.
hecheln	›tratschen, nachreden‹: *laß' die nur über dir hecheln.*
[1]Hecht	m. 1. Raubfisch. 2. Personenbezeichnung, z. B. *'n doller Hecht* ›ein Draufgänger‹.
[2]Hecht	m. ›Dunst, Tabaksqualm‹.
Hechtsuppe	f., in der Wendung: *det zieht wie Hechtsuppe* ›es herrscht starker Zugwind im Raum‹. Jidd. *hech supha* ›wie Sturmwind‹.
Heckmeck	n. 1. ›Durcheinander, Gewese‹: *immer detselbe Heckmeck!* 2. ›Unsinn, Quatsch‹: *mach kenn'n Heckmeck!* – Mnd. *hak unde mak.*
heeme	›(zu nach) Hause‹: *ick bin heeme; wir jehn heeme.*
Heini	m. ›unzuverlässiger, dummer, tölpelhafter Mensch‹: *so 'n Heini!*
hell	1. Wie schriftspr. 2. *helle* ›klug, gescheit‹.
hellerlicht	›hellicht‹: *am hellerlichten Morjen.*
hermachen	›Eindruck machen, wirken‹: *det macht wat her.*
Hieb	m. 1. ›Schlag‹: *een Hieb, und du stehst in 't Hemde da, der zweete Hieb is Leichenschändung.* 2. ›(großer) Schluck‹: *kannst 'n orntlichen Hieb aus meine Pulle nehmen.* 3. ›Alkoholrausch‹: *er hat 'n Hieb.* 4. ›eine Menge, viel‹: *dit war 'n Hieb!*
hin sein	1. ›hingerissen, beeindruckt sein‹: *da war ick janz hin.* 2. ›verloren, entzwei, ruiniert sein u. ä.‹: *futsch is futsch und hin is hin.*
hinhauen	1. ›hinschlagen, hinfallen‹. 2. ›hineilen‹: *nu hau schon hin!* 3. Refl. ›(sich) zum Schlafen hinlegen‹: *ick hau mir jetz hin.* 4. Unpersönl. *det haut hin* ›das paßt, ist in Ordnung‹.
hinhunzen	›verschleißen‹. Vgl. *verhunzen.*
hinknallen	1. ›hinschlagen, hinfallen‹. 2. ›ein Gericht lieblos vorsetzen‹.

hinkriejen	1. ›bewerkstelligen, in Ordnung bringen‹: *det kriejen wir schon hin.* 2. ›ruinieren, zugrunde richten‹.
Hinterflosse	f. ›Fuß‹.
hinterklemmen	refl. ›sich einer Sache mit Nachdruck annehmen‹: *da wer 'k mir ma hinterklemmen.*
Hirsch	m. 1. Wildtier wie schriftspr. 2. ›junger Mann‹: *'n flotter Hirsch* ›ein Schürzenjäger‹. 3. ›Motorrad‹. 4. ›kräftiger Schlag‹.
Hirte	m. ›großer, oftmals eigenartiger Mensch‹: *det is so 'n oller Hirte.*
hohnepiepeln	›verhöhnen, verspotten‹, auch ›sticheln, lästern‹; meist *verhohnepiepeln.*
höllisch	›sehr, gewaltig‹: *da mußte höllisch uffpassen.*
Holz	n., wie schriftspr.; Skatredensart: *Karte oder 'n Stück Holz; Holz vor de Hütte (Türe) ha'm* ›vollbusig sein‹.
holzen	1. ›prügeln‹. 2. ›unfair, regelwidrig Fußball spielen‹.
Holzerei	f. 1. ›Schlägerei‹. 2. ›unfaires, regelwidriges Fußballspielen‹.
Horchlappen	Pl. ›Ohren‹.
Hucke	f. ›Tragevorrichtung auf dem Rücken‹, z. B. für Preßkohlen; bildl. *die Hucke vollhauen* ›jmdn. gründlich belügen‹; älter *ick lach mir die Hucke voll,* d. h. freue mich diebisch (Li).
Huhn	f. 1. Wie schriftspr.; R: *da lachen ja die Hühner,* wenn etwas unglaubwürdig, allzu lächerlich ist. 2. *'n verrücktet Huhn* ›ein ulkiger Kerl‹, halb anerkennend.
Hujo	*Hugo* m. 1. PN; bekräftigend: *det walte Hugo!* 2. ›Zigarren-, Zigarettenstummel‹.
Hund	m. 1. Tierbezeichnung; häufig in Rn: *det jönn' ick keenen Hund* (Li); *der is bekannt wie 'n bunter Hund;* bei etwas Unangenehmem, Schwierigem: *det is 'n dicker Hund;* Ausdruck der Verärgerung, der ärgerlichen Überraschung: *et is um junge Hunde zu kriejen* (Li); jünger *zum Junge-Hunde-Kriejen; da wird der Hund in de Fanne verrückt.* 2. Schimpfw.: *krum-*

	mer (lahmer) Hund. 3. ›Taxi‹: *besorch mir mal 'n Hund.* 4. Häufig verstärkend in Zuss.: *Hundearbeit, Hundekälte, Hundeleben.*
Hundeschnauze	f., wie schriftspr.; *kalt wie 'ne Hundeschnauze* ›gefühllos‹.
husten	wie schriftspr.; derbe Zurückweisung: *ick wer dir wat husten.* - Vgl. *niesen.*
Hut	m., Kopfbedeckung; *'n oller Hut* ›eine allbekannte Tatsache‹.
Hutsche	f. ›kleine Fußbank‹.

I

ick	betont *icke* ›ich‹; als kennzeichnend für das Berlinische empfunden: *icke, dette, kieke mal / Oogen Fleesch und Beene . . .;* vergewissernd: *als wie icke?* ›bin ich gemeint?‹; *wat is mit icke?* ›was ist mit mir?‹; *mein janzet Icke* ›mein ganzes Selbst‹.
Ijel	m. ›Igel‹: *'n Ijel fangen* ›im Halbschlaf zusammengesunken dasitzen‹.
in	1. Präp. wie schriftspr.; in der Regel mit Akk., z. B. *die sitzen ins Kittchen; ins Jejenteil.* 2. Adv. *in sein* ›dem gegenwärtigen Trend folgen‹: *mit Jeans biste in.*
inkacheln	1. ›stark heizen‹. 2. ›viel essen‹.
inkriejen	1. ›erreichen, einholen‹. 2. ›(Medizin) verabreicht bekommen‹.
inlochen	›einsperren‹.
inmuddeln	›beschmutzen‹.
inpuppen	›fein einkleiden‹.
insauen	›beschmutzen‹.
inseefen	1. ›mit Seifenschaum einreiben‹. 2. ›übervorteilen‹. 3. ›auf Verabredung betrunken machen‹.
inspunden	›einsperren‹; vgl. *ausspunden.*
intus	in der Verbindung *intus haben* ›im Magen haben‹, vor allem von Alkohol.
Ische	(i:ʃə), f. ›Frau‹ (um 1900); gegenwärtig ›Freundin‹ (Jugendspr.). Jidd. *ischa.*
izen	›wegnehmen, stehlen‹.

J

jachern	1. ›herumtollen, -toben‹; auch *jachten, jachtern.* 2. ›keuchend atmen‹.
Jackenfett	n. ›Prügel‹.
Jackstück	n., in der Wendung: *det Jackstück vollkriejen* ›Prügel beziehen‹. Dazu *verjackstücken* ›verprügeln‹.
Jahr	n., wie schriftspr.; R: *det kannste nich in Jahren jutmachen, ja nich ma in Jahrenden!* (RB 1965).
Jakob	PN; R: *det is der wahre Jakob (nich)* ›das ist das Richtige (nicht)‹. Mit Bezug auf den Namen des Apostels.
jalstrig	›ranzig, bitter im Geschmack‹, von Speck und anderen Fetten.
Jammler	m. ›Nichtstuer, Faulenzer‹. Vgl. *rum-, verjammeln.*
jampeln	›begierig sein‹, nach Vergnügungen u. ä.
janz	1. ›unbeschädigt, heil‹. 2. ›vollständig, gesamt‹; bei zudringlichen Blicken: *woll'n Se mir janz sehn?* (RB); *for 't janze Jeld* (RB). 3. ›alle, sämtlich‹: *de janzen Leute.* 4. ›sehr‹; auch flektiert: *'n janzer jrober Kerl* (RB); *j.w.d.* für *janz weit draußen.*
Jas	m., seltener n. ›Kochgas‹; Drohung: *ick dreh dir den Jas ab,* d. h. erwürge dich.
jeben	1. Wie schriftspr. 2. Refl. ›(sich) beruhigen‹: *na jibb dir man* (Br).
jeblaßmeiert	1. ›enttäuscht‹. 2. ›hintergangen, übervorteilt‹.
Jebrüder Beenekens	Pl. ›Beine, Füße‹.
jebumfiedelt	›geehrt, geschmeichelt‹: *ich bin (fühle mir) mächtig jebumfiedelt;* vgl. *verbumfiedeln.*
jecken	›(sich) freuen‹, vor allem von Schadenfreude: *da jeckste dir, wa?*
jefährlich	1. ›gefahrbringend‹. 2. *sich jefährlich haben* ›sich zieren, grundlos Aufhebens machen‹.
jefumfeit	›geehrt, geschmeichelt‹; vgl. *verfumfeien.*
Jeije	f. 1. Musikinsturment; R: *det is 'n Aas uff de Jeije,* d. h. ein Hauptkerl. 2. *'ne kahle Jeije* ›eine Glatze‹. 3. Personenbezeichnung: *'ne irre Jeije* ›ein origineller Mensch‹.

jejenwärtig ›anwesend‹: *der is momentan nich jejenwärtig.*

jelackmeiert ›betrogen, hereingelegt‹; subst.: *ick bin der Jelackmeierte.*

Jeld n., wie schriftspr.; Rn: *Jeld alleene macht nich jlücklich, man muß ooch wat haben* (Li); *mit det Bezahlen verplempert man det meiste Jeld* (Li); *den seine Sorjen möchte ick haben un Rothschild sein Jeld,* wenn jemand ohne Grund klagt.

Jemache n. ›Getue‹.

jenau 1. Wie schriftspr. 2. Als Zustimmung *jenau!* ›sehr richtig‹.

Jenner m. ›bereits erwähnte oder bekannte Person‹: *mein Jenner* ›mein Freund‹, oft iron. – Subst. aus *jener.*

jenug *jenung,* auch *jenucht* ›ausreichend‹.

jerben 1. ›Tierhäute bearbeiten‹. 2. *det Fell jerben* ›Prügel verabreichen‹. 3. ›erbrechen‹.

Jerbertöle f., in drastischen Vergleichen: *er kotzt wie 'ne Jerbertöle; die sind wie de Jerbertölen,* d. h. benehmen sich rüpelhaft. – Urspr. Bezeichnung für einen verwahrlosten Hund.

Jesangverein m., wie schriftspr.; Ausdruck des Erstaunens: *(mein) lieber Herr Jesangverein!*

Jeseire auch *Jeseier, Jeseires,* n., veraltet m. 1. ›Gejammer‹. 2. ›Gerede, Aufheben‹. – Jidd. *gesera.*

Jesichtszug s. *Bahnhof* 2.

Jestell n. 1. Wie schriftspr. 2. ›dürre Person‹. 3. ›sonderbarer Mensch‹: *'n quatschet Jestell* ›Mensch, der sinnlos daherredet‹ (RB).

jesundstoßen refl. ›(sich) bereichern‹.

Jewese n. ›Gehabe, Getue‹ (nd.).

jewieft 1. ›schlau, erfahren‹. 2. ›durchtrieben, gerissen‹. Zu mhd. *wīfen* ›winden‹.

jewohne ›gewöhnt‹: *det bin ick nich jewohne.*

jewöhniglich ›gewöhnlich‹.

jiepern ›Verlangen haben‹: *jieper nich so danach;* auch unpersönlich: *mir jiepert uff 'n Rollmops.* Dazu *Jieper,* m. ›das Verlangen‹; *jieprig* ›begierig‹.

Jift n., wie schriftspr.; *da kannste Jift druff nehmen* ›darauf kannst du dich verlassen‹; *det Messer schneid't wie Jift* (so scharf).

Jlasbierjeschäft	n. ›Bierlokal‹.
jlattmachen	1. ›glätten‹. 2. ›eine Schuld oder Rechnung begleichen‹, ›eine Leistung durch Gegenleistung ausgleichen‹.
jleich	1. ›augenblicklich‹; scherzh. *jleich oder sofort?* (RB). 2. ›schon (einmal)‹: *wo ha 'k den doch jleich jeseh'n?*
Jlimmstengel	m. ›Zigarette, Zigarre‹.
Jlocke	f. 1. ›Gerät zum Läuten‹. 2. ›halbrunder steifer Hut‹. 3. ›Uhr‹; in dieser Bedeutung meist *Klocke: Klocker achte* ›gegen 8 Uhr‹.
Jlotze	f. ›Fernsehapparat‹.
jlotzen	›starren Auges blicken‹.
jlupen	›stieren‹.
jlupsch	(jlu:pʃ) 1. ›scheel, mißgünstig (blicken)‹: *der kiekt so jluupsch.* 2. ›falsch, hinterhältig‹: *der is aba mal jluupsch.* 3. ›grob zupackend‹: *sei doch nich so jluupsch!*
Jlupsch	m. 1. ›aufdringlicher Blick‹. 2. ›großer Schnaps‹.
jlupschen	1. ›mit großen, erstaunten Augen blicken‹. 2. ›böse blicken‹.
jnatzen	›nörgeln, weinerlich quengeln‹. Dazu *jnatzig* ›mürrisch, quengelig‹; *Jnatzkopp,* m. ›Nörgler‹.
jnauen	›weinerlich klagen‹.
jneddern	›nörgeln, weinerlich quengeln‹. Dazu *jnedderig* ›mürrisch‹.
jnietschen	›knausern, geizen‹. Dazu *jnietschig* ›knauserig, geizig‹.
jnurpsen	*jnurpschen, knurpsen* ›einen harten, knirschenden Ton von sich geben‹, beim Kauen.
Jokus	m. ›Spaß‹. Vgl. [2]*Jux.*
Jordan,	in biblischer Zeit Grenzfluß zwischen Kanaan und dem Ostjordanland, Sinnbild für die Trennlinie zweier Welten, daher *der is über 'n Jordan,* d. h. verstorben.
Jör(e)	n. (f.) ›Kind‹, vor allem ›Mädchen‹; oft als Schimpfw.: *frechet Jör; Rotzjöre.*
jrabbeln	›herumfingern, betasten, tastend nach etwas suchen‹.
jrapschen	›hastig zugreifen, fassen‹.

jrau	1. Farbbezeichnung: *alt und jrau kannste werden, aber nich frech.* 2. ›verkatert nach Alkoholgenuß‹.
jraulen	refl. ›einen Grusel empfinden, sich fürchten‹.
jraulich	1. ›Furcht erregend‹; *jraulich machen* ›Furcht einflößen‹. 2. ›furchtsam‹: *ick bin nich jraulich.*
Jriebe	f. 1. ›ausgebratene Speckwürfel‹. 2. ›Bläschenbildung, Ausschlag am Mund‹.
Jriebsch	m. ›Kerngehäuse des Apfels‹. Mhd. *grübiz.*
jrienen	›(schadenfroh) grinsen‹; dazu *Jrienefiez, -fiest(er),* m. ›grinsender Mensch‹.
Jrips	m. 1. ›Verstand‹. 2. ›Genick, Kragen‹: *jmdn. bei 'n Jrips kriejen.*
Jroschen	m. ›Zehnpfennigstück‹; Pl. *Jroschen(s);* R: *der is nich janz bei Jroschen,* d. h. nicht ganz normal. – Dazu *Jroschenjrab,* n. ›nichtfunktionierender Fahrkartenautomat oder Münzfernsprecher‹.
Jroßkooz	*Jroßkotz,* m. ›Angeber, Prahler‹; dazu *jroßko(t)zig* ›angeberisch‹. – Jidd. *kozin* ›Reicher‹.
Jrundeis	n. ›Eis am Boden von Binnengewässern‹; R: *mir jeht der Arsch mit (uff) Jrundeis* ›ich habe große Angst‹.
juckeln	›fahren‹; auch *rumjuckeln.*
jucken	wie schriftspr.; R: *det juckt mir nich* ›das kümmert mich nicht‹; *det juckt 'n Doten* ›das kümmert niemanden‹.
Jummijutti	n. ›zähklebrige, gummiartige Masse‹: *der Weg is wie Jummijutti;* von Kleister: *det klebt wie Jummijutti; Jummijuttis,* Pl. ›gummiartige Süßwaren‹. – Urspr. für den Milchsaft einer westindischen Baumart.
jung	wie schriftspr.; *junge Frau, junger Mann,* verbreitete Anrede unbekannter Personen unabhängig vom Lebensalter.
jungsch	›jung‹: *die jungschen Kerle;* subst. *die Jungschen* ›die jüngeren Leute‹.
Jurke	f. 1. Gemüsefrucht. 2. ›Nase‹. 3. Abwert. Bezeichnung für etwas Minderwertiges: schlechte Schuhe oder schlechte Filme sind z. B. *Jurken.* 4. Schimpfw.: *haut doch ab, ihr ollen Jurken!*

jurken	›laufen, fahren‹; auch *rumjurken.*
[1]Jux	m. ›Schmutz, Unrat‹ (Tr Br).
[2]Jux	m. ›Spaß‹. Zu *Jokus.*

K

Kabache	f. ›schlechtes, niedriges Haus‹.
kabbeln	refl. ›(sich) zanken, streiten‹, meist im Scherz. Dazu *Kabbelei,* f. ›Wortwechsel, Zank‹. Im Wassersport: *kabbelig* ›unruhig‹, von der Wasseroberfläche.
Kabrusçhe	f. ›Gesellschaft, Verschwörung‹ (Br); *Kabrusçhe machen* ›gemeinsame Geschäfte machen‹. Jidd. *chawrusso* ›Gesellschaft, Genossenschaft‹.
Kabucht	f. ›enger, dumpfer Raum, Nebengelaß‹. Zu *Bucht* in Anlehnung an *Kabuff.*
Kabuff	f., dass. – Aus dem Franz.
Kabuse	f., dass.; auch *Kambuse* (Zille); *Kabaus,* n. ›Rednerbütte‹; *Kabäuschen,* n. ›Theaterkasse‹. – Ndl. *kombuis.*
Käfer	älter *Keber,* m. 1. Insekt; R: *du hast ja 'n Keber,* d. h. bist nicht ganz normal. 2. ›junges Mädchen‹: *'n netter Kefer!*
Kaffer	m. ›eingebildeter Mensch, Tölpel, Einfaltspinsel‹. Jidd. *kapher* ›Bauer‹.
Kahn	m. 1. Wasserfahrzeug. 2. ›Bett(stelle)‹. 3. ›Haftanstalt‹.
Kakao	m. ›Kakaopulver, - getränk‹; jmdn. *durch 'n Kakao ziehen* ›jmdn. verspotten, verulken‹.
kakelig	›sehr bunt‹.
Kalauer	m. ›schlechter, fauler Witz‹; dazu *kalauern* ›langweilig herumwitzeln‹. Franz. *calembour,* m. ›Wortspiel‹.
Kaleika	f., m. 1. ›Spaß, Unfug, Unsinn‹: *det war villeicht 'n Kaleika!* 2. ›Aufheben, Umstände‹: *mach deswejen nich jleich so 'n Kaleika!* – Poln. *kolejka* ›Reihenfolge‹.
Kalle	f. 1. ›Freundin, Braut‹. 2. ›Bruder‹. Jidd. *kalla.*

Kalmus	m., Schilfart; R: *uff den Kalmus piepen wa nich* ›darauf lassen wir uns nicht ein‹.
Kameruner	m., aus Hefeteig gebackenes Schmalzgebäck, Schürzkuchen.
Kamurke	f. ›kleine, elende Stube‹. Slaw. *komorka.*
Kanake	m. ›dummer, unfähiger Mensch‹; Schimpfw. für unbeliebte Personen.
Karline	f. 1. *Olle Karline,* Schimpfw. für eine ältere Frau. 2. Veraltet ›Schnapsflasche‹ (umgedeutet aus jidd. *koro* ›Erquickung‹ und *logina* ›Flasche‹).
Karnickel	n. 1. ›Kaninchen‹. 2. ›Sündenbock‹: *nu soll ick wieder det Karnickel sind!* (RB).
karriolen	›schnell fahren‹; auch *rumkarriolen.*
Kaschemme	f. ›Gaststätte mit schlechtem Ruf‹ (slaw.).
kaschen	›ergreifen, verhaften‹: *den ha'm se jekascht.*
kaspern	›vertraulich miteinander reden‹; dazu *bekaspern* ›verabreden, besprechen‹. Jidd. *kaswen(en)* ›lügen‹.
kathol(i)sch	1. ›katholischen Glaubens sein‹. 2. ›heuchlerisch, falsch‹. 3. ›unwirsch, fuchtig‹: *det is zum kathol'sch werden.* 4. *kathol'sche Drei* ›eine römische Drei‹. 5. *kathol'scher Bahnhoff,* der ehemalige Schlesische und heutige Hauptbahnhof. – Vgl. *schlesisch.*
Katzenkopp	m. ›Schlag mit der Hand an den Hinterkopf‹.
kaupeln	›Tauschgeschäfte betreiben, schachern‹; dazu *verkaupeln* ›vertauschen‹.
keilen	›prügeln‹; auch *sich rumkeilen,* jmdn. *verkeilen.* Dazu *Keile,* Pl. ›Prügel‹; *Keilerei,* f. ›Schlägerei‹.
Keks	m. 1. Kuchenplätzchen. 2. ›Kopf‹, vor allem in Wendungen mit Bezug auf geistige Beschränktheit: *der hat ja 'n weichen (porösen) Keks; der is völlich uf 'n Keks jefallen.*
keß	1. ›flott, schneidig‹: *'ne kesse Tour,* von einem Tanz. 2. ›mutig, selbstbewußt‹, auch ›dreist‹; anerkennend von dem Berliner Großstadtkind: *'ne kesse Bolle;* ›frech‹: *wer bloß nich keß!* – Jidd. Buchstabenwort *chess* = ch.
Keule	f. ›Bruder‹, auch ›Kollege, Mitarbeiter‹.

keuzen — auch *közen* ›sich übergeben‹. Dazu *Jekeuze,* f. ›mit Auswurf verbundener Husten‹.

kiebig — 1. ›klobig, derb‹, von der Statur. 2. ›aufsässig, frech‹. 3. ›reichlich‹: *kiebig viel Jeld.* - Mnd. *kīvich.*

kiebitzen — ›beim Kartenspiel zusehen‹. Dazu *Kiebitz,* m. ›Zuschauer beim Kartenspiel‹. - Rotw. *kiebitschen, kiewischen* ›visitieren‹.

kieken — ›schauen, sehen‹; R: *kiekste aus die Luke?* ›meinst du das so?‹. Dazu *Kieker* m., in der Wendung *eenen uf 'n Kieker ha'm* ›jmdn. beargwöhnen‹.

Kieler — Pl. ›Tonmurmeln‹ (Gl). Gleichbedeutend *Knippkieler* (Br). Etym. zu *Kugel* gehörig.

Kiemen — Pl. 1. ›Atmungsorgan der Fische‹. 2. ›Kiefer‹: *der kricht die Kiemen nich auseinander,* d. h. ist wortkarg oder spricht leise und unverständlich; Drohung: *krichst jleich wat hinter de Kiemen!*

Kien — m., in der Wendung *uf 'n Kien sein* ›geistig aufgeschlossen, aufmerksam, auf dem Posten sein‹. Unsicher, ob aus jidd. *kiwen,* engl. *keen* oder franz. *quine.* Vgl. *Kiwief.*

Kies — m., älter n. ›Geld‹.

kiesetig — ›mäklig im Essen‹ (ndl.).

Kiez — m. 1. Urspr. Fischersiedlung, wie z. B. *Köpenikker Kiez.* 2. ›heimatliches Wohnviertel‹.

Kinne — f. ›Kinn‹. Ndl.

Kintopp — m., Pl. *Kintöppe* 1. ›Filmtheater, Filmveranstaltung‹ (abwert.). 2. ›schlechter Film‹.

[1]Kippe — f. ›(gleicher) Anteil‹: *roochste eene mit uf Kippe?* (rotw.).

[2]Kippe — f., auch *Kippen,* m. ›Zigarettenstummel‹. - Zu mnd. *kip* ›Zipfel‹.

Kiste — f. 1. ›kastenförmiger Behälter‹. 2. ›weibliches Gesäß‹. 3. ›Sache, Angelegenheit‹: *det is 'ne schwierije Kiste.* 4. *olle Kiste* für ein altes Auto oder Fahrrad.

Kitt — m. 1. Dichtungsmasse wie schriftspr. 2. *der janze Kitt* ›der gesamte Kram, alles‹. 3. ›Unsinn, Quatsch‹: *det is ja ooch alles Kitt, wat de da erzählst.*

Kiwief	m., in der Wendung *uf 'n Kiwief sein* ›aufmerksam, auf dem Posten sein‹. Aus franz. *qui vive?* ›wer da?‹. Vgl. *Kien.*
Klacks	m. 1. ›kleine Menge einer breiigen Masse‹: *'n Klacks Reis.* 2. ›Kleinigkeit, leichte Aufgabe‹: *det is 'n Klacks.*
Klafittken	n. ›Schlafittchen; Rock-, Jackenkragen‹: *eenen bei 't Klafittken kriejen* (Br).
Klafte	f. ›nörgelnde, unangenehme Frau‹, insbesondere ›unentschlossene Käuferin‹. Zu jidd. *klawta* ›Hündin‹.
klaften	1. ›herumtratschen, klatschen‹. 2. *klaften jehn* ›einkaufen gehen‹, meist ohne sich zum Kauf entschließen zu können (RB 1965).
Klammerbeutel	m. ›Beutel für Wäscheklammern‹; R: *dir ham se wol mit 'n Klammerbeutel jepudert?* ›du bist wohl nicht ganz normal?‹.
Klamotte	f. 1. ›Ziegel-, Steinbrocken‹; Warnung an die Ehefrau: *Olle, heb de Botten, et komm' Klamotten;* dazu im 2. Weltkrieg *Klamottenburg* für Charlottenburg; *Mont Klamott* für die Trümmerberge im Friedrichshain und in Schöneberg. 2. *Klamotten* ›wertloses Zeug, Plunder‹, z. B. alte Möbelstücke. 3. *Klamotten* ›Kleidung‹, oft abwert., doch auch *schicke Klamotten.* 4. *Klamotte* ›schlechter Film, schlechtes Theaterstück‹. – Durch rotw. Vermittlung aus dem Tschech.
klamüsern	›nachdenken, überlegen‹; *ausklamüsern* ›herausfinden, erinnern‹.
Klappe	f. 1. ›Mund‹: *halt de Klappe!* 2. ›Bett‹.
klaterig	1. ›schmutzig‹. 2. ›bedenklich, schlimm‹, auch ›armselig, elend‹.
klatschen	1. ›ein schallendes Geräusch verursachen‹. 2. ›mit der flachen Hand schlagen‹. 3. *jeklatscht sein* ›völlig niedergeschlagen sein‹. 4. ›nachreden, tratschen‹.
Klaue	f. 1. ›Hand‹. 2. ›(schlechte) Handschrift‹.
klauen	›stehlen‹; auch jmdn. *beklauen.*
kleben	1. Wie schriftspr. 2. *eene kleben* ›eine Ohrfeige verabreichen‹.

Kledasçhe	f. ›Kleidung, Garderobe‹.
kleistern	1. Wie schriftspr. 2. *eene kleistern* ›eine Ohrfeige verabreichen‹.
Klieben	Pl. ›Kleidungsstücke, Sachen‹: *pack deine paar Klieben.*
klieren	›unsauber, unleserlich schreiben‹.
klönen	›plaudern, schwatzen‹.
klöterig	›armselig, elend‹.
klötern	›ständig heraus- und hereinlaufen‹; abwert.: *anjeklötert kommen: kommt der ooch schon wieder anjeklötert!*
Kluft	f. ›Kleidung‹: *meine jutste Kluft;* auch von Dienst- und Berufsbekleidung. Dazu *ankluften* ›anziehen, kleiden‹, *inkluften* ›einkleiden‹. Aus dem Rotw.; neuhebr. *qillûph.*
Klumpatsch	m. 1. ›Haufen, Masse wertloses Zeug‹; *der janze Klumpatsch* ›alles‹. 2. ›Dummheit, Unsinn‹: *mach keenen Klumpatsch* (Li).
klunkerig	›unordentlich, zerlumpt‹.
Kluntern	Pl. 1. ›(beschmutzter) Kleidersaum‹; dazu *sich be-, vollkluntern* ›sich beschmutzen‹ (bei Regenwetter). 2. Abwert. ›Kleidungsstücke‹: *rin in de Kluntern!*
Knall	m. 1. ›lautes, kurzes Geräusch‹. 2. *Knall un Fall* ›plötzlich‹. 3. *'n Knall haben* ›geistig nicht ganz normal sein‹.
Knallschote	f. ›Ohrfeige‹.
Knatsch	m. ›Ärger, Unannehmlichkeit‹.
Knatter	m., n. ›Geld‹.
knautschen	1. ›knüllen, knittern‹. 2. ›herumkauen‹. 3. ›weinen, weinerlich jammern‹.
Kneipe	f. ›Gaststätte, Bierlokal‹: *'ne jemütliche Kneipe;* auch abwert. gebraucht. Dazu *Eck-, Stammkneipe; Kneiper, Kneipjee* ›Gastwirt‹. Aus dem Ostmd.
kneisten	›scharf, genau hinsehen‹.
Knete	f. 1. ›Knetmasse‹; *nich aus de Knete kommen* ›nicht aus dem Bett finden‹, ›nicht in Schwung kommen‹. 2. ›Geld‹.
Kniee	(kni:ə) f. ›Knie‹. Ndl.

Knief	m. ›Messer‹, meist abwert. Mnd. *knīf.*
Knies	m. ›Streit‹ (Schl).
Knilch	m. ›unangenehmer Mensch‹.
knille	1. ›stark betrunken‹. 2. ›dumm‹.
Knille	f. ›kleine Geistesstörung, Dachschaden‹: *du hast woll 'ne Knille?*
knödeln	›Fußball spielen‹, als Kinderspiel.
Knopp	m. 1. Verschlußgegenstand wie schriftspr.; R: *wenn de ooch Knöppe flanzt, ernten tuste doch keene Hosen; mir is der Knopp ufjejangen* ›ich habe begriffen‹. 2. Personenbezeichnung: *'n oller (jemütlicher) Knopp.* 3. *Knöppe* ›Geld‹.
knorke	›vorzüglich, gut‹. In Berlin um 1920 aufgekommen, Herkunft unklar. Gegenwärtig veraltend.
Knorpel	m. ›Adamsapfel‹; *eenen hinter den Knorpel jießen* ›ein Glas Alkohol trinken‹.
Knospe	f. ›Faust‹; drohend: *riech mal an die Knospe.*
knudeln	1. ›knittern, knautschen‹. 2. ›liebkosend drükken‹: *muß Liebe schön sind, detta euch so knudelt;* auch *knuddeln.*
knuffen	›schuften‹. Dazu *Knuffer,* m. ›Industriearbeiter‹.
Knüppel	m. 1. ›derber Stock‹. 2. ›längliches Brötchen aus feinstem Weizenmehl und Vollmilch‹.
Knust	m. 1. ›dickes Stück Brot, Brotkanten‹. 2. ›Haardutt‹.
knutschen	›heftig küssen und liebkosen‹; auch *ab-, rumknutschen.* Dazu *Jeknutsche,* n.; *Knutscherei,* f.
kodderig	1. ›übel‹ (vom Befinden). 2. ›frech, unverschämt‹.
Kohl	m. ›Unsinn, Quatsch, Schwindel‹ (hebr.).
Kohle	f. 1. Brennmaterial. 2. *Kohlen,* Pl. ›Geld‹.
kohlen	›schwindeln, zum Narren halten‹; auch *an-, verkohlen.*
Kokolores	auch *Kokolorus, Kokulores,* m. 1. ›Quatsch, Unsinn‹: *quatsch nich so 'n Kokolores.* 2. ›Aufheben, Umstände‹: *der macht villeicht 'n Kokolores!* 3. ›Kram, Plunder‹: *der janze Kokolores.*
Kokoschinski	PN: *mein lieber Kokoschinski!,* Ausruf bei ärgerlicher Überraschung, aber auch drohend oder anerkennend gemeint.

[1]Koks	m. 1. Brennstoff. 2. *Jraf Koks (von de Jasanstalt)* für einen Stutzer und Angeber. 3. ›ein Glas Rum oder Weinbrand mit einem Stück Würfelzucker‹.
[2]Koks	m. ›Unsinn, Quatsch‹: *red keenen Koks!*
[1]koksen	›schlafen‹.
[2]koksen	›sich erbrechen‹.
Kommode	f. 1. Möbelstück wie schriftspr. 2. Wegen der Fassadenform seit dem 18. Jh. üblicher Name der ehemaligen Königlichen Bibliothek am August-Bebel-Platz.
Kopp	m. 1. Körperteil wie schriftspr.; aufmunternd: *immer den Kopp hoch, wenn der Hals ooch dreckig is!; Kopp (Köppchen) haben* ›gescheit sein‹; *mit 'n Kopp wackeln* ›alt werden‹; *sich 'n Kopp machen* ›nachdenken, grübeln‹; einem Glatzköpfigen *is der Kopp durch de Haare jewachsen.* 2. *fauler Kopp* ›unzuverlässiger Mensch‹.
Köpper	m. ›Kopfsprung‹.
Korkeln	Pl. 1. ›Füße‹. 2. ›unförmiges Schuhwerk‹, vor allem von Holzschuhen.
koscher	›einwandfrei, in Ordnung‹: *die Sache is nich janz koscher.* Jidd. *koscher.*
Krabbe	f. ›kleines Kind‹, vor allem für Mädchen: *'ne niedliche Krabbe.*
Kracke	f. ›alter, abgetriebener Gaul‹.
Kralle	f. ›Hand‹: *bar uff de Kralle.* Dazu *Hungerkralle* für das Luftbrückendenkmal in Tempelhof.
Kramme	f. ›u-förmig gebogener Haken, Krampe‹. Ndl.
krampfen	›unerlaubterweise etwas nehmen, stehlen‹.
Kränke	f. ›Krankheit‹: *de Kränke könnte man kriejen,* wenn man sich ärgert.
kratzen	1. ›schaben, scharren‹. 2. ›jucken‹: *det kratzt mir nich* ›das kümmert mich nicht‹. 3. *de Kurve kratzen* ›sich schnell verdrücken‹.
Krauter	m. 1. ›Inhaber eines kleinen Handwerksbetriebes‹. 2. ›älterer Sonderling‹.
Kreisseje	f. ›runder, flacher Strohhut‹.
Krempe	f. ›Hutrand‹; bei einer unglaubwürdigen Mitteilung: *det mußte eenen erzählen, der keene Krempe an'n Hut hat.*

Kremser	m. ›mehrsitziger Pferdewagen mit Verdeck‹. Benannt nach einem Berliner Fuhrunternehmer, der diese Mietwagen um 1825 einführte.
Kriere	f. ›Kälte‹ (Schl).
krisselig	›leicht gekräuselt, rauh‹ (von einer Oberflächenbeschaffenheit), ›geronnen‹.
Krone	f. ›Hauptschmuck adliger Herrscher‹; *eenen in de Krone haben* ›betrunken sein‹.
Kröte	f. 1. Lurchtier. 2. Schimpfw. für kleine Kinder: *so 'ne freche Kröte!* 3. Kröten, Pl. ›Geld‹: *die paar Kröten reichen ooch nich.* Auch *Lausekröten.*
krötig	›widerborstig, gereizt‹.
Krücke	f. 1. Wie schriftspr. 2. Abwert. für nicht mehr recht taugliche Gegenstände oder Tiere, z. B. *schäbije Krücke* für einen alten Schirm; *lahme Krücke* für ein schlechtes Rennpferd oder ein altes Motorrad.
Kruke	f. 1. ›irdene Flasche‹. 2. Personenbezeichnung: *ne komische Kruke* ›ein eltsamer Mensch‹; *'ne süße Kruke* ›ein ansprechendes Mädchen‹. 3. Adv. *Kruke machen* ›aus tatsächlichen oder vorgeschobenen Krankheitsgründen der Arbeit fernblieben‹; auch ›schlappmachen‹: *Kruke machen is nich!; Kruke sinn* ›krankgeschreiben sein‹. Urspr. vielleicht mit Bezug auf die Kruke als Wärmflasche.
kübeln	›Alkohol trinken‹: *komm, wir kübeln eenen.*
Kuchen	in der Ablehnung oder Verneinung *(aber, ja) Kuchen!* ›mitnichten‹ (jidd.).
kuddeln	1. ›unordentlich arbeiten, pfuschen‹. 2. ›unerlaubte Tauschgeschäfte machen‹.
Kuhbleke	f. ›unbedeutender Ort, Dorf‹, abwert.
kujonieren	›schlecht behandeln, schikanieren‹.
Kule	f. ›Grube, Vertiefung‹.
Kuller	f. 1. ›kleine Kugel‹. 2. *Kullerchen* ›Geld(-stücke)‹: *rück ma' raus mit die Kullerchens!*
Kümmeltürke	n., in verstärkenden Vergleichen: *arbeiten (schuften, saufen) wie 'n Kümmeltürke.*
künstlich	in der Wendung *sich künstlich uffrejen* ›sich ohne tatsächliche Ursache ereifern‹.

Kürbis — m. 1. Pflanze und Frucht wie schriftspr. 2. ›Kopf‹.

Kusseln — *Kuscheln,* Pl. ›Kiefernschonung‹. Herkunft unsicher.

Kute — f. ›Grube, Vertiefung‹.

kuten — ›horten‹; ›einheimsen‹: *det wollt' ick mir jrade kuten; inkuten* ›einmieten‹.

kutschen — ›fahren‹; auch *rumkutschen.*

kutschieren — dass.; auch *rumkutschieren.*

L

Laban(d) — m. ›lang aufgeschossener Mensch‹. Wohl zum biblischen Personennamen, s. 1. Mos. 29.

Labbe — f. 1. ›Lippe‹, 2. ›Mund‹.

labbern — 1. ›lecken‹. 2. ›undeutlich sprechen‹: *labba nich so.* 3. ›in kleinen Schlucken trinken‹.

Labommel — m. ›durchtriebener Kerl‹ (Schimpfw.).

labundig — ›lebendig‹.

lächerbar — ›lächerlich‹, veraltend.

lackieren — 1. ›hereinlegen, betrügen‹. 2. Bildl. *die Fresse lackieren* ›ins Gesicht schlagen‹; *eene lackieren* ›eine Ohrfeige verabreichen‹. 3. *lackierter Affe* ›aufgeputzter Stutzer‹.

lackmeiern — ›betrügen‹; meist *jelackmeiert.*

Lamäng — f. ›Hand‹: *Karo aus de Lamäng* ›Karohandspiel‹; *aus de Lamäng* ›unvorbereitet, mit Leichtigkeit‹; abweisend: *nich in de Lamäng* ›kommt nicht in Frage‹. Franz. *la main* ›die Hand‹.

Lamberkäng — m. ›Überhang‹: *'ne Stulle mit Lamberkäng,* d. h. mit überstehenden Aufschnittscheiben. Franz. *lambrequin* ›Fensterbehang‹.

Lampe — f., wie schriftspr.; *eenen uf de Lampe gießen* ›Alkohol trinken‹; *eenen uff de Lampe ha'm* ›betrunken sein‹.

läppern — ›(sich) nach und nach anhäufen‹: *et läppert sich;* auch *an-, ran-, zusammenläppern; verläppern* ›Geld in kleinen Mengen verplempern‹.

Latichte	f. ›Laterne‹: *jeh mir aus de Latichte,* d. h aus dem Licht. - Nd.
Latsch	m. ›aufgeschossener Mann mit schlechter Haltung‹.
Latschen	m. 1. ›(Filz-)Pantoffel‹; *zusammenpassen wie zwee Latschen* ›zueinander passen‹; *aus 'n Latschen kippen* ›ohnmächtig werden‹; *sich de Latschen volloofen lassen (vollhaun)* ›sich betrinken‹. 2. *uf Latschen stehn* ›auf platten Reifen stehen‹.
[1]latschen	1. ›langsam und nachlässig gehen‹. 2. *uf de Klötzer latschen* ›auf die Bremse treten‹.
[2]latschen	›eine Ohrfeige geben‹: *krichst jleich eene jelatscht!*
Laubenpieper	m., ›Kleingartenbesitzer oder -pächter‹ (scherzh.). Vgl. *Wiesenpieper.*
Lauseharke	f. ›Kamm‹.
Lehmann	m. PN; Rn: *det kann Lehmanns Kutscher ooch* ›das ist kein Kunststück‹; *er ziert sich wie Lehmann in 't Sarch,* d. h. macht unnötige Ausflüchte.
leimen	›hinters Licht führen, betrügen‹; auch *an-, beleimen; zusammenleimen* ›zusammenlügen‹.
Leine ziehen	›sich entfernen‹: *zieh man Leine* (Li). Urspr. ›auf den Strich gehen‹, aus der Sprache der Prostituierten, bereits um 1840.
Lenz	m. 1. ›Spaß, Unsinn‹: *mach keen' Lenz!* (RB). 2. ›angenehmes Leben‹: *der hat 'n Lenz!*
lernen	1. Wie schriftspr. 2. ›lehren‹: *wer hat 'n dir det jelernt?;* alter Schlagertext: *Ernst, ach Ernst / wat du mir allet lernst;* auch *belernen* ›belehren‹.
lieberst	›lieber‹: *wär ick man lieberst zu Hause jeblie'm!*
Liesen	Pl. ›Fettschicht um Rippen und Nieren‹; Drohung: *dir müssen se mal de Liesen ausbraten* (RB). - Ndl.
lila	1. Farbbezeichnung. 2. ›mittelmäßig‹: *wie jeht's? - So lila* (RB).
Linse	f. 1. ›Auge‹: *krichst jleich eens vor de Linse!* 2. *Linsen* ›Geld(-stücke)‹: *behalt ma' deine paar Linsen.*
Lippe	f., wie schriftspr.; *'ne Lippe riskieren* ›dreist seine Meinung sagen‹; *eenen uf de Lippe nehmen* ›Al-

kohol trinken‹; abweisend: *ick laß mir nich an de Lippen tippen.*

Lippentriller — m. ›Schnaps, Likör‹: *'ne Weiße un 'n Lippentriller.*

Loden — Pl. ›(lange) Haare‹, abwert.

Lorbaß — m. ›Lümmel‹.

Lorke — f. ›schlechter, dünner Kaffee‹.

losfangen — ›anfangen‹: *fangt's nich bald los?* (RB). Aus *anfangen* und *loslegen.*

löten — wie schriftspr.; *nischt zu löten an 'n Holzeimer (an de Holzkiste, an de hölzerne Badewanne)* ›nichts zu machen‹.

Luke — f. 1. ›Dachbodenfenster‹; Ausdruck der Verwunderung: *kiekste aus die Luke!?* ›meinst du das so!?‹ 2. *Luken* ›Augen‹. 3. *een'n uf de Luke ha'm* ›angetrunken sein‹.

Lulatsch — m. 1. ›langaufgeschossener Kerl‹. 2. *der lange Lulatsch* für den Funk- und den Fernsehturm.

Lulle — f. ›Zigarette‹.

lumig — auch *lumrig* ›trübe‹, von Flüssigkeiten.

lumpig — *lumpicht* ›minderwertig, unbedeutend, nichtig‹: *sone lumpje Zijarre; die paar lumpichten Fennje.*

lunschen — ›verstohlen blicken, spähen‹; auch *luntschen, lungschen, luckschen.*

lütt — ›klein‹; subst. *unsre Lütte* ›unsere Kleine‹, von einem Kleinkind oder dem jüngsten Kind in der Familie (nd).

Lüttiti — auch *Littiti, Lüttütü,* m. ›geistiger Tick, Verrücktheit‹: *hast woll 'n Lüttiti!?;* präd.: *die is 'n bisken littiti.*

M

machen — 1. ›ausführen, herstellen, zustande bringen‹; zustimmend: *det is so jut wie jemacht* (Li). In festen Verbindungen oft in spezieller Bedeutung, z. B. *Betten machen* ›B. glätten‹; *Feuer machen* ›F. entzünden‹. *Zur Minna (Schnecke, Sau) machen* ›durch unsachgemäße Bedienung beschädigen‹, ›jmdn. abkanzeln, demütigen‹. 2. ›eine Rolle,

	Aufgabe übernehmen‹: *ick mache wieda 'n Vatrauensmann; 'n Ersten machen* ›den 1. Platz belegen‹. 3. ›leben‹: *der macht nich mehr lange.* 4. *et macht sich* ›es entwickelt sich ganz gut‹. 5. ›kosten‹; übertr. *macht ja nischt* ›keine Ursache‹. 6. ›sich hinbegeben‹: *ick mache nach Leipzig* (Br). Dazu *wechmachen* ›fortziehen, verreisen‹. 7. ›sich beeilen‹: *nu mach schon!* – Zu 1 vgl. *unjemacht.*
Macher	m. ›Verantwortlicher, Organisator, Leiter‹: *der is der Macher von 's Janze.*
Macke	f. 1. ›geistiger Tick, Verrücktheit‹. 2. ›Fehler, Schaden‹.
malern	›malermäßig instandsetzen, renovieren‹: *der malert Wohnungen.*
mall(e)	›dumm, leicht geistesgestört‹. *bist woll 'n Happen malle?* – Nd.-märkisch.
Maloche	f. 1. ›Arbeit‹. 2. ›Kunstgriff, Trick‹. Dazu *malochen* ›angestrengt arbeiten‹. – Jidd. *melocho* ›Arbeit‹.
mampfen	›viel essen‹.
man	›nur‹: *man nich so drängeln!* (Zeitung 1969). – Nd.
mang	›unter, zwischen‹: *mang uns mang is eener mang, der mang uns mang nich mang jehört.* – Nd.
manoli	›verrückt, verdreht‹ (veraltet): *bist ja manoli (linksrum)* (RB). Nach der sich drehenden Lichtreklame einer gleichnamigen Zigarettenfirma.
mären	*meren* ›bummeln, trödeln‹: *wie lange du heute märst;* auch *sich ausmären* ›betont langsam zu einem Ende kommen‹; *rummären* ›herumtrödeln‹.
Marie	f. ›Geld‹, auch ›Brieftasche, Geldbörse‹: *'ne dicke Marie.* Aus zig. *maro* ›Brot‹.
markeln	›unsanft anfassen, drücken‹: *markle doch den Hund nich so!*
Marks	n. ›Knochenmark‹.
Massel	(mazəl), m. ›Glück‹; gegenteilig *Schlamassel.* Jidd. *masol.*
Mattscheibe	f. 1. ›geistige Beschränktheit‹. 2. ›Fernsehröhre‹.

Mätzchen	Pl. 1. ›Ungehörigkeiten, Dummheiten‹. 2. ›Ausflüchte‹.
mauern	›kein Spiel wagen, übervorsichtig spielen‹, beim Skat. Zu jidd. *mora* ›Furcht‹.
Mauke	f. 1. ›Gicht, Rheuma‹: *er hat de Mauke in de Beene* (RB); dazu *Jehirnmauke* ›mit Kopfschmerzen verbundenes Krankheitsempfinden‹. 2. *keene rechte Mauke ha'm* ›keinen Unternehmungsgeist haben, unlustig sein‹.
Mauken	Pl. 1. ›Füße‹; dazu *Käsemauken* ›Schweißfüße‹. 2. ›unförmige, große Schuhe‹.
mause	›mittellos‹ (lit.).
Mäuse	Pl. ›Geld‹. Umgedeuteter Pl. zu *Moos* (s. d.).
mehrstens	›meistens‹ .
Meise	f. ›geistiger Tick, Verrücktheit‹: *du hast woll 'ne Meise?*
melanklötrig	›trübsinnig, melancholisch‹.
Menkenke	f., vereinzelt auch *Menkenken*, Pl. ›Umstände, Aufheben‹: *mach nich so 'ne Menkenke(n)!*
meschugge	›verdreht, verrückt‹. Jidd. *meschuggo.*
mickern	älter *miekern* ›kränkeln, nicht recht gedeihen‹. Dazu *mickrig* ›kränklich, zurückgeblieben‹.
mierig	›schäbig, jämmerlich‹.
Mieze	f. 1. Kurzform von *Marie.* 2. ›Katze‹. 3. ›Mädchen, Freundin‹: *bring doch mal deine Mieze mit.*
Minna	f. 1. PN; Ausdruck der Verwunderung: *ach du dicke Minna!* 2. *Jrüne Minna* ›Gefangenentransportwagen‹. 3. *zur Minna machen* ›etwas demolieren, jmdn. herunterputzen; auch: *mein neuer Anzuch war zur Minna.*
Mischpoke	auch *Muschpoke*, f. ›Verwandtschaft‹ (abwert.): *de janze Mischpoke war da.* Jidd. *mischpocho.*
Modder	m. ›feuchter, breiiger Schmutz‹. Dazu *moddrig* ›schmutzig‹.
Mohnpielen	Pl., Weihnachts- und Neujahrsgericht aus geriebenem, mit Zuckerwasser oder gesüßter Milch überbrühtem Mohn, in den noch Mandeln, Rosinen und etwas Weißbrot oder Zwieback getan werden.
Molle	f. 1. ›länglicher Trog‹; R: *et jießt (wie) mit Mollen*

	›es regnet stark‹. 2. ›Glas Bier‹. 3. ›Bett‹; auch *Furzmolle.*
molum	›betrunken‹ (jidd.).
Mondschein	m. 1. ›Mondlicht‹; abweisend: *du kannst mir mal im Mondschein bejejnen.* 2. ›Glatze‹.
Moneten	Pl. ›Geld‹ (lat.).
Moos	n., dass. – Jidd. *moo* ›Pfennig‹, *moos*, Pl. ›Geld‹.
Möpse	Pl. ›Geldmünzen, Geld‹ (rotw.).
mosern	›nörgeln‹; auch *rummosern.*
Motte	f. 1. Insekt wie schriftspr.; Ausdruck der Verwunderung: *krist de Motten!* (Li). 2. *kleene (kesse) Motte,* liebevoll-anerkennend für ein Mädchen. *3. Motte* ›wunderlicher Einfall, Grille‹.
Motzen	ON; in der Verbdg. *bis Motzen* ›sehr lange, sehr weit‹; *det dauert ja bis Motzen* (RB); *der pennt bis Motzen; wir fahr'n bis Motzen.* – Mit Bezug auf den Ort Motzen/Kr. Königswusterhausen.
Mücke	f. 1. Insekt; *anjeben wie 'ne Tüte Mücken* ›stark übertreiben‹; *'ne Mücke machen* ›sich verdrücken‹ (vgl. *Flieje*). 2. *Mücken* ›Mark (-stücke), Geld‹: *hundert muntre Mücken.*
Muckebold	m. ›Trotzkopf, eigensinniger Mensch‹.
Muckefuck	m. ›Ersatzkaffee‹. Aus dem Rheinischen.
Muckepicke	f. ›Motorrad‹, gelegentlich auch ›Kleinwagen‹; nach dem Motorgeräusch. Vgl. *Nuckelpinne.*
Muckis	Pl. ›Muskeln‹.
muckschen	›tückschen, maulen‹.
muddeln	›hantieren, arbeiten‹. Dazu *be-, inmuddeln* ›beschmutzen‹; *durcheinander-, rummuddeln* ›Unordnung verursachen‹.
mudike	›angefault‹, von Obst. Mndl. *muedeke.*
[1]Muffe	f. ›Hand-, Pelzmuff‹ (veraltet); R: *dir ha'm se woll mit de Muffe jebufft (jepiekt, jeschmissen)?* ›du bist nicht ganz normal‹.
[2]Muffe	f. ›Hintern‹; R. *dem jeht de Muffe* ›der hat Angst‹.
muffen	auch *müffen* ›übel riechen‹.
Murkel	m. ›schwächlicher, kleiner Mensch‹.
murklig	›unscheinbar, mickerig, zurückgeblieben‹.
Mus	in der Wendung *det is Mus wie Miene* ›es ist eins wie das andere‹ (Li).

musçheln	›mogeln‹. Dazu *Muschelei*, f. ›undurchsichtige, verdächtige Handlungsweise‹; *muschelig* ›verdächtig‹.
müssen	1. Wie schriftspr.; Part. Prät. *jemußt: der hat in 's Krankenhaus jemußt.* 2. ›eine Notdurft verrichten müssen‹: *de Kleene muß mal.*
Musspritze	f. ›Regenschirm‹.
Mustopp	m. ›Marmeladentopf‹; *aus 'n Mustopp kommen* ›nichts wissen, beschränkt sein‹.

N

nach	1. Präp. wie schriftspr. 2. ›(hin)zu‹: *nach 'n Dokter, nach de Schule, nach Arbeet jehn;* veraltet: *nimm det Jeld nach dir,* d. h. an dich. 3. ›danach‹: *ik ha' nich nach jefracht.* 4. ›hinter‹: *der is bloß nach se hintaher.*
nachtens	›nachts‹.
Nachtigall	f., Vogelname; R: *Nachtigall, ick hör dir trapsen* ›ich merke, was beabsichtigt ist‹.
nackig	*nackicht* ›nackt‹; auch *splitternackig.*
Nappkuchen	m. 1. ›hoher, runder Hefe- oder Rührkuchen‹. 2. ›energielose, inaktive männliche Person‹: *is det 'n Nappkuchen von Mann!*
Nappsülze	f., wie *Nappkuchen* 2.
Nauke	PN; als Spottruf: *wo is Nauke (mit de Pauke)?* (RB); daher: *wenn det nich stimmt, will ick Nauke heeßen.*
Naute	f., ein in Form kleiner Tafeln früher angebotenes Gebäck, das aus Sirup, Honig, Mohnsamen und Milch oder Zuckerwasser hergestellt wurde.
nebbich	›unwichtig, ohne Bedeutung, überflüssig‹, als Ausruf in wegwerfend-geringschätzigem Sinn; *een Nebbich* ›ein Niemand‹. Jidd.
Nese	f. ›Nase‹; *Nese sin* ›das Nachsehen haben‹. Nd.
Nieselpriem	m. ›langweiliger Mensch‹.
niesen	wie schriftspr.; zurückweisend: *dir wer' ick wat niesen!* – Vgl. *husten.*
Nille	f. 1. ›männliches Glied‹. 2. Schimpfw.: *feije Nille!*

Nischel	m. ›Kopf‹.
nischt	›nichts‹: *keen nischt und keen janischt* (RB 1965); *nischt wie hin!* ›nun aber hingeeilt!‹
Nuckelpinne	f. ›Motorrad, Kleinwagen‹, abwert. – Vgl. *Muckepicke.*
Nücken	Pl. ›Launen‹: *er hat seine Nücken.*
nuddeln	1. ›drehen, kurbeln‹. 2. ›trödeln, langsam arbeiten‹.
Nudel	f. 1. Eierteigwaren. 2. jmdn. *uf de Nudel schieben* ›jmdn. foppen, auf den Arm nehmen‹. 3. ›Person, Mensch‹: *is det 'ne ulkije Nudel!* Dazu *Giftnudel* ›zänkische Person‹.
Nudeltopp	m. ›Radrennbahn‹, auch ›Rundkurs beim Straßenrennen‹.
Null uf 's Ferd	m. ›Null ouvert‹.
Nulpe	f. ›Nichtskönner, Versager‹.
Nusçhe	f. 1. ›Nase‹. 2. ›Mund, Fresse‹: *krist eens in die Nusçhe!* (RB).
nuttig	1. ›klein, zierlich‹. 2. ›unbedeutend, schlecht‹.

O

ob	wie schriftspr.; zustimmend: *na ob un wie!* (Br); *obste* ›ob du‹: *als obste schwebst,* wenn jem. sich erhoben fühlt; vgl. *wenn.*
oben	1. wie schriftspr. 2. ›nach oben, hinauf‹: *ick jeh oben; komm oben!*
Obermime	- *mimer,* m. ›Leiter, Verantwortlicher‹.
Obermotz	m., wie *Obermime.*
ochsig	›sehr‹: *det rejnet ochsig.*
Oderkähne	Pl. ›übergroße, plumpe Schuhe‹.
Ofen	m., wie schriftspr.; in fester Wendung: *det is 'n Schuß in 'n Ofen* ›dieser Aufwand (diese Mühe) bringt keinen Erfolg‹.
ofte	›häufig, oft‹; auch attr.: *der ofte Wechsel* (RB).
Oktoberfuchs	m., nur in den verstärkenden Verbindungen *jrienen (jrinsen, sich freuen) wie 'n Oktoberfuchs.* – Nd.-märk. Herkunft.

Ölkopp m., in der Wendung *'n Ölkopp ha'm* ›betrunken sein‹.

Olle(r) f.(m.) ›die (der) Alte‹; vor allem für den Ehepartner: *meine Olle, der Olle;* auch *Ollsche*, f.

Omme f. 1. ›Kopf‹. 2. ›Fußball‹.

Oskar PN; *frech wie Oskar* ›sehr frech, unverschämt‹. Aus jidd. *ossok* ›frech‹.

Otto PN. 1. Personenbezeichnung: *doller Otto* ›Draufgänger‹; *ruhiger Otto* ›phlegmatischer Mensch‹; *'n dicken Otto markieren* ›angeben‹. 2. *flotter Otto* ›Durchfall‹. 3. *'n schrejer Otto* ›vom Herkömmlichen oder Normalen abweichende Person oder Sache‹. 4. *Otto Bellmann heeßen* ›sehr gut sein‹.

P

Padde f. ›Frosch‹; auch *Paddex*, m. - Ndl.-märk. Herkunft.

palen ›(Bohnen, Erbsen) enthülsen‹; auch *auspalen.* - Nd.-märk. Herkunft.

paletti ›erledigt, in Ordnung‹: *allet paletti.* - Herkunft unklar.

Pamps m. ›dicker Brei‹.

Pansch m. ›Bauch, Leib‹. Franz. *panse.*

Pappdiskus m. ›Pizza‹ (Schl).

Pappe f. 1. ›Befähigungsnachweis‹, z. B. ›Führerschein‹ (Schl). 2. PKW Trabant, auch *Rennpappe.*

Pappkopp m. ›dummer, unselbständiger Mensch‹.

Pappstoffel m. ›unhöflicher, grober Mensch‹.

Pa(r)pe f. 1. ›Gurgel‹, veraltend. 2. ›Nase‹ (RB 1925); dazu *Rotzparpe.*

parterre 1. Wie schriftspr. 2. *parterre sinn* ›am Ende sein‹, seelisch, körperlich oder auch wirtschaftlich.

pechös ›unglücklich, mißlich‹.

Peden Pl. ›Quecken‹, ein Unkraut. - Ndl.-märk. Herkunft.

Pelle f. 1. ›Wursthaut‹, ›abziehbare Schale‹, z. B. der

	Kartoffel; dazu *Pellnudel*, f. ›Pellkartoffel‹. 2. ›Oberbekleidung‹. - Ndl.
Penunse	*Pinunse, Penungsçhe,* f. ›Geld‹. Poln. *pieniądze.*
Perlmutterknopp	m. ›ausgespiener Schleim, Auswurf‹.
pesen	›rennen, eilen‹; auch *anjepeest kommen; los-, rumpesen.* Dazu *Pese*, f. ›schmaler Treibriemen‹; *Tachopese*, f. ›biegsame Antriebswelle für Geschwindigkeitsmesser‹.
petern	›stochern, polken‹; auch *rumpetern.* - Nd. *pötern.*
Petroleum	m., wie schriftspr.: *der Petroleum is mir zu teier* (Zille).
Pichel	m. ›Eßlätzchen für Kinder‹.
picheln	›Alkohol trinken‹.
picken	›essen‹.
piechen	›keuchen‹.
Piefke	m. 1. ›Dummkopf, Einfaltspinsel‹. 2. ›unbedeutender Mensch‹. 3. ›kleiner Junge‹.
Piejatz	m. ›Zigarre‹.
Piepe	f. 1. ›Tabakspfeife‹; veraltet neben *Feife.* 2. *dat is eene Piepe* ›das ist einerlei‹; präd.: *mir is allet piepe,* d. h. gleichgültig. Urspr. wohl mit Bezug auf eine Weidenflöte.
Piepen	Pl. ›Mark(scheine), Geld‹.
Pieraas	m. ›Regenwurm‹; Pl. *Piereser;* dazu umgedeutet auch *Pieresel*, m. - Ndl.-märk. Herkunft.
Piesepampel	m. 1. ›Dummkopf, Nichtskönner‹. 2. Liebkosend zu einem Kinde: *na, du Piesepampel!*
pietschen	›trinken‹ (slaw.).
Pike	f. ›Groll‹: *er hat 'ne Pike uff mir.* Franz. *pique.*
Pimperlinge	Pl. ›Geld(- stücke)‹; *die paar Pimperlinge!*
pimpern	›Geschlechtsverkehr ausüben‹.
Pinke	f. 1. ›Gemeinschaftskasse bei Kartenspielen‹. 2. ›Geld‹; auch *Pinkepinke.*
Pinne	f. 1. ›kleiner Nagel‹. 2. ›Lüge‹.
pinnen	1. ›kleine Nägel einschlagen‹. 2. ›eine knifflige, mühselige Kleinarbeit verrichten‹. 3. ›lügen‹.
Pinte	f. ›Bierlokal‹ (Schl).
pirseln	1. ›urinieren‹. 2. ›eine Tätigkeit langsam verrichten‹ (Schl).
Plauze	f. 1. ›Lunge‹. 2. ›Bauch‹. - Slaw.

pleng	›voll‹ in der Wendung *de Neese pleng ha'm.* Franz. *plein.*
Pli	m. 1. ›Schick, modische Eleganz‹. 2. ›Gewandheit, Schliff‹, im Benehmen. - Franz. *pli* ›Falte‹; aus der Schneiderspr.
plinsen	1. ›weinen‹. 2. Veraltet ›blinzeln‹.
plötrig	›kümmerlich, ärmlich, schäbig‹. Zu franz. *pleutre* ›jämmerlicher Kerl‹.
Plumpe	f. ›Pumpe‹.
plumpen	›pumpen‹ .
Plutz	m., in der Wendung *uff 'n Plutz* ›plötzlich, unerwartet‹, ›sofort, umgehend‹.
polken	›mit den Fingern herumbohren‹. Ndl.
pomade	1. ›langsam, träge‹. 2. ›gleichgültig‹: *is mir pomade* (RB 1965). - Poln. *pomału.*
pomadig	1. ›langsam, träge‹. 2. ›gleichgültig‹. 3. ›langweilig‹.
Pomuchelskopp	m. ›Dickkopf‹.
Pote	s. *Fote.*
Potsdamer	n. 1. ›Mischgetränk aus Bier und Limonade‹. 2. ›beschränkter Mensch‹ (Tr).
präpeln	*prepeln* ›mit Genuß essen‹.
priemen	›eine mühselige Kleinarbeit verrichten‹; älter ›schlecht, zu fest und zerrig nähen‹ (RB 1925); dazu *rumpriemen* ›sich länger mit etwas beschäftigen‹. - Zu *Pfriem* ›Ahle‹.
Proppen	m. ›Pfropfen‹; *uf 'n Proppen sitzen* ›in Verlegenheit sein‹.
prudeln	›pfuschen‹.
prumpsen	›pressen, stopfen‹; auch *rin-, vollprumpsen.*
Puffer(t)	m. ›Kartoffelplinse‹; auch *Kartoffelpuffer(t).*
Pulle	f. ›Flasche‹: *'ne Pulle Bier, Schnaps;* Dim. *Pülleken*, n.
puplau	›lauwarm‹. Vgl. *fiestlau.*
Puseratze	f. ›Pfennig, Geld‹: *ick hab keene Puseratze mehr.* Zur Herkunft vgl. *Ratte.*
Puttputt	n. ›Geld‹.

Q

Quack	m. 1. ›kleines Kind‹. 2. ›Unsinn‹.
quackern	›mit brodelndem Geräusch langsam kochen‹, von Erbsen u. dgl.
quaddeln	›sinnlos daherreden‹.
quade	›klein‹; *der (die) Quade* für das jüngere oder jüngste Kind in der Familie (veraltend). – Nd.
Quanten	Pl. 1. ›Füße‹. 2. ›übergroße Schuhe‹: *der hat villeicht 'n Paar Quanten an!*
Quark	m. 1. ›Weißkäse‹. 2. ›Unsinn‹: *red nich solchen Quark.*
Quese	f. ›Blase unter der Haut‹. Nd.- märk. Herkunft.
quiemen	älter *quienen* ›kränkeln‹; auch *rumquiemen.* – Nd.
quurksen	›ein glucksendes Geräusch von sich geben‹; *der Schuh quurkst*, wenn er völlig durchnäßt ist; *mir quurkst der Bauch.*

R

Rabatz	m. ›Unruhe, Lärm‹; *Rabatz machen* ›Unruhe stiften‹, auch ›Lärm schlagen, protestieren‹.
rabatzen	1. ›wild herumtoben‹; auch *rumrabatzen*; sich *abrabatzen* ›sich abmühen, abhetzen‹. 2. ›Unruhe stiften‹.
racksen	›angestrengt arbeiten, schuften‹; auch *sich abracksen.*
Rad	n., wie schriftspr.; R: *du hast ja 'n Rad ab*, d. h. bist nicht ganz normal.
Radehacke	f., in der Wendung *blau (besoffen) wie 'ne Radehacke* ›völlig betrunken‹. Nd. *Radehacke* ›Hacke zum Roden‹.
Raffke	m. ›raffgieriger Mensch‹. In Berlin nach 1918 entstandene Bezeichnung für neureiche Schieber.
Rahm	m. ›Ruß‹ (RB 1925). Dazu *rahmig* 1. ›rußig‹. 2. ›betrunken‹.
Ralle	f. ›Bruder‹, ›Schwester‹ (Schl).
ran	1. ›heran‹. 2. ›herbei‹. 3. In Zuss. auch ›an-,

dran-‹, z. B. *ranbammeln* ›anhängen‹, *ranhalten* ›(sich) dranhalten, bemühen‹.

Rapeiken — Pl. ›wertloses Zeug, Plunder‹: *wen jehörn denn diese Rapeiken?;* verstärkt *Mistrapeiken.*

Ratte — f. ›Fehlkugel beim Kegelspiel‹; auch *Ratze.* – Zu franz. *raté* ›das Versagen‹; hierzu wohl auch *Puseratze, verratzt* (s. d.).

raus — 1. ›heraus‹. 2. ›hinaus‹.

reen(e) — 1. ›sauber‹. 2. ›unverfälscht, ohne Beimengungen‹; *der reene Kien* ›sehr gut, vorzüglich‹ (Li). 3. ›gänzlich, vollständig‹: *det ha 'k reene vajessen;* ›wirklich, in der Tat‹: *der vasteht ooch reene ja nischt;* mit verblaßter Bedeutung: *so 'n Jahr vajeht wie reene nischt.* Gleichbedeutend *reenewech.*

Reff — n., Personenbezeichnung: *is det een langet Reff!; ollet Reff* ›altes Weib‹. – Ahd., altfries. *href* ›Leib, Bauch‹.

Reiher — m., Vogelname; *der kotzt wie 'n Reiher* ›der übergibt sich heftig‹. Dazu *reihern* ›erbrechen‹.

rein(-) — s. rin(-).

Remidemmi — n., m. ›Tanzvergnügen, lärmende Ausgelassenheit‹.

Renne — f. 1. ›Dachrinne‹. 2. ›Rinnstein‹.

Riese — m., wie schriftspr.; scherzh. *'n abjebrochner Riese* ›ein kleiner Mensch‹.

rin — jünger vielfach auch *rein.* 1. ›herein‹: *komm man rin.* 2. ›hinein‹: *jeh man immer rin.*

rinwürjen — 1. ›hinunterwürgen‹. 2. *eenen rinwürjen* ›eine nachdrückliche Zurechtweisung erteilen‹: *er kricht een' rinjewürcht* (RB 1925).

Ritze — f. ›Straße‹, in Zuss., z. B. *Mulack-, Keibelritze.*

Rotz — m. ›Nasenausfluß‹; *Rotz um de Backen schmier'n* ›schmeicheln‹.

Rotzblase — f., in der Verbdg. *Rotzblasen weenen* ›heftig weinen‹.

Rotzkocher — m. ›schmurgelnde Tabakspfeife‹.

rüdig — *riedig* ›frech, grob‹.

ruff — 1. ›herauf‹, 2. ›hinauf‹.

rum — 1. ›herum‹. 2. ›umher‹. 3. *rum sinn* ›vorbei sein‹.

rumjammeln	›herumfaulenzen, ohne Ziel seine Freizeit verbringen‹. Vgl. *Jammler.*
rumkriejen	›jmdn. mit Erfolg überreden‹.
runter	1. ›herunter‹. 2. ›hinunter‹.
Rutsche	f. ›kleine Fußbank‹.

S

sabbeln	Vb. ›dummes, unnützes Zeug reden‹.
sachteken	sachtekin 1. ›langsam, vorsichtig‹: *man sachteken!.* 2. ›allmählich, nachgerade‹: *det wird mir sachtekin zuvill.*
Salzhase	m. ›Salzhering‹.
Salzketer	m. ›Salzkuchen‹, ein mit Salz bestreutes Mischbrötchen.
Sarch	n., m. ›Sarg‹: *ran an 'n Sarch un mitjeweent!* ›immer mitgemacht!‹, auch iron.-tröstend über ein Ungemach hinweghelfend; *er ziert sich wie Lehmann in 't Sarch,* d. h. macht unnötige Ausflüchte.
Sauerkohl	m. 1. ›Sauerkraut‹. 2. ›Bartstoppeln, ungepflegter Bart‹.
Sauerkraut	n. 1. Wie schriftspr. 2. ›Vollbart‹.
schabbern	›tanzen‹ (Jugendspr.).
Schacht	›Prügel, Schläge‹ in der Verbdg. *Schacht kriejen.*
Schaffe	f. ›gelungene Festlichkeit, Veranstaltung‹; anerkennend: *det war 'ne Schaffe!*
schaffen	refl. ›(sich) verausgaben‹: *die schaffen sich janz schön* (beim Tanz); in gleichem Sinnzusammenhang *jeschafft sinn* ›erschöpft, erledigt sein‹.
schampeln	›mit schaukelnden Schritten gehen‹.
Scharteke	f. 1. ›altes Gerät‹, ›altes Buch‹ (RB 1925). 2. Schimpfw. für eine ältere Frau: *olle Scharteke!*
schau	›ausgezeichnet, sehr gut‹: *Mann, is det schau!*; *'n schauer Hut* ›ein modischer Hut‹; subst.: *det war det Schauste.*
Schaute	f. ›Dummkopf, Narr‹. Jidd. *schote* ›Narr‹.
scheddrig	›schlecht, unansehnlich, alt‹: *'n scheddrijet Duch; de Farbe is scheddrig,* d. h. nicht rein.

Scheibe — f. 1. ›runder, flacher Gegenstand‹; *der hat ja 'ne Scheibe*, d. h. ist geistig nicht ganz normal; speziell ›Schallplatte mit Tanzmusik‹ (Jugendspr.). 2. Verhüllend *Scheibe!*, wenn etwas danebengegangen und man wütend ist.

Scheiß(e) — m. (f.), veraltet *Schiete* f. 1. ›Kot‹; *er tritt mit beede Beene in de Scheiße* ›er ist ungeschickt‹. 2. ›Wertloses, Minderwertiges, Unwichtiges‹: *der kümmert sich um jeden Scheiß*; gleichbedeutend auch *Scheißdreck*. 3. *Scheiße* (auch *Mausescheiße*) *bau'n* ›sich ungeschickt anstellen, Fehler machen‹.

Schelle — f. ›Ohrfeige‹; auch *Maulschelle.*

scherbeln — ›tanzen‹, veraltend.

schesen — ›rennen, eilen‹; auch *lang-, los-, rum-, runterschesen.*

schicker — ›betrunken‹; auch *beschickert.* Jidd. *schickern* ›(sich be-)trinken‹.

schieben — 1. Wie schriftspr. 2. ›eine Ohrfeige verabreichen‹: *den ha 'k eene jescho'm.*

Schielewipp — m. ›Mensch, der schielt‹; älter *schiele Wippe* (Li).

Schiffe — f. ›Urin‹; *de reene Jungfernschiffe*, von lauer abgestandener Selters.

schiffen — ›Wasser lassen‹.

schindern — ›schwer, angestrengt arbeiten‹: *der schindert aba mächtig!*; dazu *sich abschindern* ›sich abrackern‹.

Schinken — m. 1. Wie schriftspr. 2. Bezeichnung für etwas Wertloses, Überholtes: *'n oller Schinken* ›ein altes Auto‹, auch ›veralteter, künstlerisch wertloser Film‹; *olle Schinken* ›altmodische Kleidungsstücke‹.

Schißlaweng — s. *Zislaweng.*

schlapp — 1. Wie schriftspr. 2. ›knapp‹: *wat kost't det? – schlappe viere*, d. h. knapp 4000 Mark.

Schlappjee — m. ›energie- und willenloser Mensch, Schlappschwanz‹.

Schlenki — m. ›Gelenkbus‹.

schlesisch — *schlee'sch*, in der Verbdg. *schlee'sch kieken* ›mißtrauisch ansehen‹. Vgl. *katholisch.*

schliddern — 1. ›auf dem Eis gleiten‹. 2. ›auf glattem Boden (aus-)rutschen‹; dazu *rinschliddern* ›in eine mißliche Lage geraten‹.

Schlorren Pl. ›Pantoffeln, ausgetretene Schuhe‹.

Schlumpe f. ›liederlich gekleidete Frau‹.

Schlunze f., dass.; auch *Dreckschlunze.*

Schmackeduzchen *Schmackeduzken, Schmackeduzien*, Pl. ›Rohrkolben‹. Nd.-märk. Herkunft.

Schmadder m. ›breiiger Schmutz‹.

schmaddern 1. ›schmieren‹, besonders ›unsauber schreiben‹; dazu *Jeschmadder*, n. ›unsaubere Schrift‹. 2. ›verschwenderisch umgehen‹: *mit dem Jelde schmaddern.*

schmettern 1. ›mit Wucht verabfolgen‹; von einer Ohrfeige: *krist jleich eene jeschmettert.* 2. *'ne Lage schmettern* ›eine Runde Schnaps, Bier o. ä. bezahlen‹. 3. ›(Alkohol) trinken‹: *ick werd noch eenen Schnabus schmettern.*

schmuddlig ›unsauber, leicht beschmutzt‹.

schmulen ›heimlich, verstohlen blicken‹.

schnabbern ›viel reden‹, *schnabbrig* ›geschwätzig‹ (Tr Br).

Schnabus m. ›(ein Glas) Schnaps‹.

schnafte ›sehr gut‹; veraltet.

schnallen ›verstehen‹: *der schnallt det nich.*

schnäppern ›Likör, Schnaps trinken‹.

Schnapsdrossel f. ›Trunkenbold‹.

schnasseln ›(Alkohol) trinken‹: *der hat imma jerne eenen jeschnasselt.*

Schnauze f. 1. ›Tiermaul‹. 2. ›Mund‹: *'ne koddrije Schnauze* ›ein loses Mundwerk‹; in nd. Lautform *Schnute*, meist als Koseform; mit Bezug auf eine weibliche Person: *Schnuteken, det derfste nich.*

Schnee m., wie schriftspr.; Ausdruck der Zuversicht: *un wenn der janze Schnee verbrennt (die Asche bleibt uns doch).*

schneiden refl. ›sich irren, sich in einer Sache verrechnen‹: *da haste dir jeschnitten.*

Schnelle f., in der Wendung *uff de Schnelle* ›ganz schnell, im Vorübergehen‹.

schnieke ›schmuck, hübsch, elegant‹.

schnobben *schnubben* ›schlafen‹.

schnoddrig	›frech, vorlaut, unverschämt‹.
Schnörjel	m. ›Gurgel‹, veraltend.
schnuck(e)lig	›hübsch, wohlgefällig aussehend‹, nur mit Bezug auf weibliche Personen.
schnudd(e)lig	1. ›lecker, wohlschmeckend‹. 2. Wie *schnuckelig.*
schnuffeln	›schnuppern‹.
schnulle	wie *schnuckelig.* Subst. *Schnulle* als Anrede für die Ehefrau.
schnuppe	›gleichgültig‹: *det is mir schnuppe.*
Schnupptuch	f. ›Taschentuch‹.
schnurz	in der Verbdg. *schnurz un piepe*; auch *schnurzejal!* ›völlig gleichgültig‹.
schreech	›schräg‹; *'n schreejer Otto* ›eine ausgefallene, vom Herkömmlichen abweichende Person oder Sache‹.
Schrippe	f. 1. ›Brötchen, Semmel‹. 2. *olle Schrippe* ›ältliche Frau‹. 3. *jebratene (verzauberte) Schrippe* ›Bratklops, Bulette‹. Nd. Wortform zu älterem *schripfen* ›mit dem Messer ritzen‹.
Schrippenarchitekt	m. ›Bäcker‹.
Schrippendreher	m., dass.
Schrippenschuster	m., dass.
Schumm	(ʒʊm), m. ›angetrunkener Zustand‹: *er is im Schumm.* Wohl zu jidd. *schomen* ›fett‹, vgl. *fett* 3.
schuß	›entzwei, verzankt‹: *mit dir bin ick schuß.* Zu *schießen* im Sinne von ›dich habe ich schießen lassen‹, d. h. aufgegeben.
Schusterjunge	m. 1. Veraltet ›Schuhmacherlehrling‹. 2. ›Roggenbrötchen‹; bildl. *et rejnet Schusterjungs* ›es regnet so heftig, daß die Regentropfen Blasen bilden‹.
Schwabe	f. ›Schabe‹.
Schweinebraten	m. 1. Gericht wie schriftspr. 2. ›schlechter Kerl, Lump‹: *dieser verdammte Schweinebraten!.* 3. In der ehemaligen DDR veraltet ›durch unangepaßte Normvorschriften erreichte Planübererfüllung‹: *geht bei Arbeitsgängen, die Schweinebraten sind, zu den Normenbearbeitern* (Berl. Zeitung 1958).
Schweineritzen	Pl. ›schmale oder halb geschlossene Augen‹.

Schwelle	f. ›Schwester‹ (Schl).
schwiemelig	›schwindlig‹.
Schwieten	Pl. ›Streiche, Dummheiten, närrische Einfälle‹: *er hat scheene Schwieten jemacht* (RB 1925); *komm mir nich mit sone Schwieten!* – Franz. *suite.*
Sechser	m. ›Fünfpfennigstück‹. Vor der Einführung der Reichsmarkwährung am 1. 1. 1875 galt der *Jroschen* 12 Pfennige, daher hatte der halbe *Jroschen* 6 Pfennige.
Seefe	in *abjemacht Seefe!* ›verbindlich verabredet!‹. Vielleicht aus älterem *abjemacht Sela* (Br) oder aus franz. *c'est fait* ›es ist gemacht‹.
Seeje	s. *Seje.*
sehr	1. Wie schriftspr.; veraltet *sehre*: *ich bin sehre naß.* 2. ›fest, heftig‹: *se hat ma sehr in de Arme jenommen*; attr.: *'ne sehre Backfeife* (RB 1965).
Seje	m., f., abwert. Bezeichnung für Mann und Frau; im Berliner Schrifttum vielfach *Seeje*: *der (die) miese Seeje* (RB 1965). Rotw. *Seeger*, m. ›(junger Mann)‹, *Seege*, f. ›(junge Frau)‹.
Senge	f. ›Prügel, Schläge‹.
sengen	1. Wie schriftspr.: *ick muß die Jans sengen; rennen wie 'ne jesengte Sau* ›schnell laufen‹. 2. *eene sengen* ›einen Schlag verabreichen‹, vor allem von einer Ohrfeige: *da hab ick ihm eene jesengt.*
Senkel	f. ›Schnürsenkel‹; R: *der hat nich alle uf 'n Senkel*, d. h. ist nicht ganz normal; *der jeht mir uf 'n Senkel*, d. h. geht mir auf die Nerven.
Sense	f., in der Wendung: *nu is Sense* ›nun ist Schluß, nun habe ich genug‹.
simelieren	›angestrengt nachdenken‹.
sin(d)	›sein‹: *laß det sind (sin)!*; nach dem Pl. gebildet.
Sitzfleesch	n., in der Wendung *keen Sitzfleesch ha'm* ›keine Ruhe haben, unruhig sein‹.
socken	1. ›rennen‹; auch *ab-, lossocken* ›schnell fortgehen‹. 2. ›gehen‹.
Sonnenbruder	m. ›Vagabund, arbeitsscheuer Mensch‹, veraltet.
sowat	›so etwas‹; als Ausdruck der Entrüstung: *wo jibs denn sowat!* (RB 1965).
spachteln	›gut und viel essen‹.

spack — 1. ›dürr, schmächtig‹. 2. Veraltet ›leck, undicht‹. – Nd.

Span — m., wie schriftspr.; R: *mach keene Spene* ›überlege nicht erst lange‹; ›mach keinen Unsinn‹ (Li); jünger ›ziere oder widersetz dich nicht, mach kein Theater‹.

Spannemann — m. ›Aufpasser‹; meist *Spannemann machen* ›aufpassen, in Erfahrung zu bringen suchen‹.

spannen — 1. ›aufpassen, aufmerksam blicken‹. 2. ›auskundschaften‹, z. B. *die Lage spannen* ›eine Situation ergründen‹.

spillrig — ›dürr, schmächtig‹.

Spinne — f. ›Lüge‹: *allet Spinne!*

spinnen — ›absurde Ideen haben‹: *der spinnt ja!*

spinös — *spinees* ›stichelnd, spitz‹ (in der Rede); veraltend.

Splinter — m. ›Splitter‹. Dazu *splinterfasernackend(ig), splinterfasernacklig, splinterfasernackt* ›splitternackt‹.

Sprechanimus — m. ›Mundwerk‹.

Sprengsel — m. ›Heuhüpfer‹, veraltend.

Spritze — f. 1. Gerätebezeichnung wie schriftspr.; *der Mann an der Spritze* ›der Leiter, der Verantwortliche‹. 2. ›Kontra‹, im Skatspiel: *ick jeb 'ne Spritze.*

Sputnik — m. 1. Name des ersten, in der ehemaligen Sowjetunion gestarteten künstlichen Erdsatelliten; R: *macht 'nen Sputnik* ›schert euch fort‹. 2. ›Begleiter‹; scherzh. *'ne Molle und een Sputnik* ›ein Glas Bier und ein Schnaps‹; *'n kleener Sputnik* ›ein neuer Erdenbürger‹. 3. Veraltet Bezeichnung für die Vorortzüge auf dem Berliner Außenring.

Stampe — f. ›Bierlokal‹, abwert.

Ständer — Pl. ›Beine‹.

stantepee — ›stehenden Fußes, sofort‹. Lat. *stante pede.*

statts — ›statt, anstatt‹.

stechen — 1. Wie schriftspr. *stechen*: *den stecht der Hafer* ›der ist übermütig‹; *Oogen haste wie 'n jestochnet Kalb*, wenn jem. hervorstehende, große Augen hat. 2. Wie schriftspr. *stecken*: *ick hatte doch den Schlüssel in de Tasche jestochen*; abweisend: *det kannste dir an 'n Hut stechen*; wer zu kurze Hosen trägt, *hat de Beene zu weit durch de Hosen jestochen; ick hab 's dir doch jestochen*, d. h. mitgeteilt; *eenen eene stechen* ›jmdm. eine Ohrfeige verabreichen‹. Dazu *verstechen* ›verstecken‹.

steijen — 1. Wie schriftspr. 2. ›stattfinden‹: *wann soll die Kiste* (›Vorhaben‹) *steijen?* 3. ›fortgehen‹: *woll'n Se schon wieder steijen?* (RB 1925); dazu *anjestiejen kommen* ›herbeikommen‹ (Br).

Stekerbutzen — Pl. ›Kleinfische‹: *klar hat die Panke ooch Fische, Steekerbutzen* (Berl. Zeitung 1955).

Stekerling — m. ›Stichling‹.

stekern — ›(herum-)stochern‹.

Stelzen — Pl. ›Beine‹: *nimm deine Stelzen wech!*

stemmen — 1. ›durch Armdruck emporheben‹; bildl. *'ne Molle stemmen* ›ein Glas Bier trinken‹. 2. ›(sich) widersetzen‹: *wat stemmste dir denn so?*‹ 3. ›stehlen‹.

Steppke — m. ›kleiner Junge‹.

Sternkieker — m. ›Astronom‹.

stieke — 1. ›still, ruhig‹: *nu sei man bloß stieke!*; *stieke jetzt!* ›Ruhe!‹. 2. ›leise‹: *ick jing janz stieke de Treppen ruff.* Gleichbedeutend *stiekum*, nur adv. - Aus dem Rotw., Etymologie unsicher.

Stiez — m. ›Steiß, Hinterteil‹, vor allem des Vogels; mit Bezug auf die Gans: *wer den Stiez ißt, quasselt viel.*

Stint — m., Fischbezeichnung wie schriftspr.; R: *er ist besoffen wie 'n Stint*, d. h. stark betrunken.

Stippe — f. ›Soße, Tunke‹; früher häufiges Gericht: *Speckstippe mit Pellkartoffeln.*

stippen — 1. ›eintunken‹, z. B. Kuchen in den Kaffee. 2. ›mit einer leichten Angelrute angeln‹. 3. Veraltet ›stehlen‹; urspr. ›mit Leimruten Geld aus den Ladenkassen holen‹.

Stippi — m. ›(kleiner) Junge‹: *wie ick noch 'n kleener Stippi war.*

Stoob — m. ›Staub‹; *Stoob machen* ›zanken‹, ›etwas nachdrücklich fordern‹; Ausdruck überheblichen Selbstbewußtseins: *blast mir den Stoob wech.*

stoobig	*stoobicht* 1. ›staubig‹. 2. Veraltet ›ärmlich, elend‹.
storre	*störr(e)* ›hart, widerborstig‹: *der Stoff is storre; större Haare.*
Strahl	m. ›Wasserstrahl‹; *'nen Strahl machen* ›zechen‹; *'nen bedeutenden (jebildeten) Strahl reden* ›viel und gewichtig reden‹.
stramm	1. ›straff‹. 2. ›gehaltvoll‹: *'n strammer Kaffee.* 3. *'ne stramme Molle* ›ein wohlgefülltes Glas Bier‹. 4. ›fest, ungeniert‹: *da sacht er doch janz stramm, er hat se nich jesehn* (RB 1965). 5. Verstärkend: *se is stramm über Sechzig*, d. h. weit über 60 Jahre alt; *der jeht stramm uf de Siebzig zu*, d. h. steht kurz vor Vollendung des 70. Lebensjahres.
Stremel	m. ›Streifen‹; *seinen Stremel wechmachen* ›in gewohnter Weise etwas tun‹.
Strick	m., n. 1. *der (det) Strick* ›Seil‹. 2. *der Strick* ›Schlingel, Tunichtgut‹.
striezen	›Kleinigkeiten stehlen, mausen‹.
Strippe	f. 1. ›Bindfaden, Schnur‹. 2. ›Leitungsdraht‹, vor allem ›Telefonleitung‹. 3. *Weiße mit Strippe* ›ein Weißbier mit einem Kümmelschnaps‹. – Nd. Herkunft.
Stripteasewürstchen	n. ›Wiener Würstchen im Kunstdarm‹ (den man vor dem Verzehr des Würstchens abziehen muß).
Strunze	f. 1. ›unsauberes Frauenzimmer‹ (RB 1925). 2. ›(Schul-)Mädchen‹, abwert.; auch *Pullerstrunze.*
Stubben	m. 1. ›Baumstumpf‹. 2. Veraltet ›pedantischer, sturer Behördenangestellter‹. 3. ›spendierwilliger Mann‹.
Stück(e)	n., Dim. *Stücksken.* 1. ›Teil eines Ganzen‹; abweisend: *bei mir keen Stück!* ›ich bin dafür nicht zu haben‹. 2. Als Mengenbezeichnung: *'n Stücke Arbeet* ›viel Arbeit‹. 3. In Personenbezeichnungen: *'n Stücke Mallöhr* ›ein Taugenichts‹; *'n Stücke Unjlück* ›ein elend aussehender Mensch‹. 4. *Stücker* bei Zahlenangaben: *Stücker zehne* ›ungefähr zehn‹ (urspr. aus *ein Stück oder zehn*).
stuken	›stauchen, stoßen‹. Nd.

Stulle — f. ›Brotscheibe‹; dazu *Butter-, Kese-, Schmalzstulle* u. ä. (ndl.).

Stürze — f. ›Topfdeckel‹, veraltend.

Suff — m. 1. ›Trunksucht‹. 2. ›Genuß alkoholischer Getränke‹; scherzh.: *die Liebe und der Suff / die reib'm den Menschen uff / doch ohne Liebe ohne Suff / da jeht der Mensch noch eher druff.* 3. ›Zustand der Trunkenheit‹: *det hatta bloß im Suff jesacht.*

Suffkopp — m. ›Trinker‹.

Sülze — f., wie schriftspr.; R: *der jibt an wie 'n Sack Sülze,* wenn jem. sich mit besonderer Betriebsamkeit in den Vordergrund spielt.

sülzen — ›langatmig, inhaltslos daherreden‹; auch *aussülzen* ›umständlich etwas mitteilen‹; *rumsülzen* ›herumquatschen‹. Dazu *Jesülze,* n. ›Gewäsch‹; *Sülzkopp,* m. ›Schwätzer‹.

Sums — m. ›Gewese, Aufheben‹: *mach bloß nich so 'n jroßen Sums.*

T

tacko — ›gut, in Ordnung‹: *der Fülm is janz tacko; der is in tacko,* d. h. charakterlich zuverlässig.

talpschen — 1. ›ungeschickt zufassen‹; auch *an–, betalpschen.* 2. Veraltet ›sich ungeschickt benehmen‹.

Tante — f. 1. Wie schriftspr. 2. Abwert. für weibliche Personen: *laßt Euch von ein paar alten Tanten nicht stören* (Zeitung 1956). 3. *Tante Meier* ›Klosett‹.

Tante-Emma-Laden — m. ›kleines, privat betriebenes Lebensmittelgeschäft‹: *die »Tante-Emma- Läden« um die Ecke, die niemand missen möchte* (Zeitung 1978).

tapern — ›langsam, unbeholfen gehen‹. Dazu *tapprich* ›ungeschickt, unbeholfen‹; *Tapperjreis* ›gebrechlicher, unbeholfener Mann‹.

Tapzier — m. ›Tapezierer‹.

Tasse — f. 1. Trinkgefäß wie schriftspr.; *uf de Tassen hau'n* ›lärmend, ausgelassen feiern‹; *nich alle Tassen in*

	't Spinde (im Schrank) ha'm ›geistig nicht ganz normal sein‹. 2. *'ne trübe Tasse* ›ein Nichtskönner, Versager‹.
tauen	wie schriftspr.; übertr. *jetz taut et bei mir* ›jetzt begreife ich‹.
Tee	m., Getränk wie schriftspr.; *in Tee sein*, urspr. ›in Gunst sein‹ (Tr); ›angetrunken sein‹ (RB).
teebsen	›(umher-)toben‹.
Teekind	n. ›Günstling, Liebling‹ (Br); meist in der Verbdg. *Teekind sein (werden).*
Telespargel	m. ›Fernsehturm‹.
Tierjarten	m. ›Tierpark, Zoo‹ in der Redewendung *Jott, wie jroß is dein Tierjarten! (mit Bezug auf Tiernamen als Schimpfwörter).*
tigern	›mit ausholenden Schritten gehen‹; dazu *rumtigern* ›umherlaufen‹; *anjetigert kommen* ›herbeigeeilt kommen‹.
timplig	›dumm, beschränkt‹; dazu *trübetimplig* ›mißmutig‹. – Vgl. *betimpeln.*
Titte	f. ›weibliche Brust‹ (nd.). Dazu *Tittenheber*, m. ›Büstenhalter‹.
Töke	f. ›Hund, Töle‹, abwert.
Töpper	*Tepper*, m. 1. ›Töpfer‹. 2. ›ungeschickter Mensch‹: *paß doch uf, du Töpper!*
töppern	*teppern* ›etwas geräuschvoll hinwerfen‹; dazu *intöppern* ›in Scherben schlagen‹; *zertöppern* ›zerschlagen‹.
Trall	m. 1. ›geistiger Tick, Verrücktheit‹: *der hat 'n Trall.* 2. ›Unsinn‹: *mach keen'n Trall.*
trallala	in der Verbdg. *trallala sein* ›verrückt sein‹. Subst. *mach nich so 'n Trallala* ›mach nicht soviel Aufhebens‹.
Traller	n., wie *Trall* 1: *hast woll 't jroße Traller?* (RB 1925).
trallig	›leicht verrückt‹.
Tran	m., wie schriftspr.; *im (in) Tran sein* ›betrunken sein‹.
Transch	m. ›Strafpredigt‹.
Traumtänzer	m. ›Mensch, der trügerischen Hoffnungen oder falschen Vorstellungen nachhängt‹.
Traute	f. ›Mut‹.

Triesel — m. 1. ›mit der Peitsche getriebener Kreisel‹. 2. ›geistige Verdrehtheit‹: *er hat 'n Triesel* (RB). 3. ›Kopf‹. – Dazu *Brummtriesel* ›Brummkreisel, Kopf‹; *Niestriesel* ›Nase‹; *Pechtriesel* ›Pechvogel‹.

Tries(e)ler — m. 1. ›große Wäscheschleuder in Waschanstalten‹. 2. ›Fachmann, der die Wäscheschleuder bedient‹.

trieselig — 1. ›schwindlig‹. 2. ›geistig verwirrt, verdreht‹.

trieseln — 1. ›mit dem Kreisel spielen‹. 2. ›Wäsche trockenschleudern‹.

Triller — m. ›geistiger Tick‹: *der hat ja 'n Triller!*

trillern — 1. ›trillerartige Töne von sich geben‹; unpersönlich: *bei dir trillerts woll* ›du bist geistig nicht ganz normal‹. 2. *eenen trillern* ›ein Glas Alkohol trinken‹. 3. *eene trillern* ›eine Ohrfeige versetzen‹.

Trilli — m. ›Hut‹.

Trockenwohner — Pl. ›die ersten Mieter in einem Neubau‹, sie wohnten mietfrei oder zahlten nur eine sehr geringe Miete; manche Arbeiterfamilie vor dem 1. Weltkrieg lebte immer als Trockenwohner.

tuckeln — ›langsam gehen, fahren‹; *anjetuckelt kommen* ›langsam näherkommen‹.

tücksch — ›zornig, verärgert‹: *mach mir nicht tücksch; der is tücksch (mit mir).*

tückschen — ›schmollen, grollen‹.

tuddeln — ›ohne besonderen Eifer hantieren, arbeiten‹; dazu *betuddeln* ›(Kinder, Gebrechliche) umsorgen, betreuen‹.

Tulpe — f. 1. Pflanzenname. 2. ›gestieltes Bierglas‹. 3. ›Nase‹; dazu *Rotztulpe.*

tun — vielfach noch *dun.* 1. ›eine Arbeit verrichten, eine Tätigkeit ausüben, etwas unternehmen‹: *jeh wech, ick hab zu tun.* 2. ›etwas Schlimmes zufügen‹: *tust du mir nischt, tu ick dir ooch nischt* (Li). 3. ›eine Wirkung ausüben‹: *det tut jut.* 4. ›geschehen‹: *da tut sich wat.* 5. ›sich zum Schein in bestimmter Weise verhalten‹: *der tut bloß so*; auch: *tu dir man nich so* ›hab dich nicht so‹ (RB 1965). 6. *zu tun haben* ›zu schaffen haben‹: *wat hat det mit mir zu tun?* 7. Häufig verstärkend in

Verbdg. mit Infinitiven: *rasieren tu ick mir erst morjen; vertragen tu ick nischt mehr.*

Tussi — f. ›weibliche Person, Freundin‹, leicht abwert.

tütern — ›Alkohol trinken‹; dazu *betütert* ›leicht angetrunken‹.

tutschen — 1. ›saugen‹. 2. ›gemächlich trinken‹; auch *austutschen.*

U

übelnehmsch — ›übelnehmerisch‹.

überbraten — ›etwas verabfolgen‹, z. B. ›einen Schlag versetzen‹, ›eine Abfuhr erteilen‹; im Zusammenhang mit dem Kartenspiel ›eine Niederlage beibringen‹: *ick brat' dir een' über.*

überhaupt — 1. Zustimmend: *na überhaupt* ›selbstverständlich‹. 2. ›besonders, vor allem‹: *ick jeh' oft in' Tierpark, überhaupt sonntachs.* 3. Verstärkend bei Verneinung: *kommt überhaupt nich in Frage.*

überzogen — nur in der Verbdg. *überzogen sein* ›eingenommen sein‹: *der is janz schön von sich überzogen.* Als Partizip zu *überzeugen* gebildet.

uf — 1. Präp. wie schriftspr.; besondere modale Gebrauchsweisen: *uf mir* ›auf mich bezogen‹: *ha'm Se det uf mir jesacht?; uf Schicht arbeeten* ›Schichtarbeit verrichten‹; *sich uf jung machen* ›sich bewußt jugendlich kleiden‹. 2. In Verbdg. mit *haben* und *sein: uf ha'm* ›geöffnet haben‹, auch ›aufgegessen haben‹; *uf sein* ›aufgestanden sein‹, ›geöffnet sein‹, ›offenstehen‹; dazu attr. *'n uffet Fenster*; gleichbedeutend *uff(i)g: die uffje Türe; det uffje Buch.* Vgl. *ab.*

ufbremsen — ›einen Schlag versetzen‹. Vgl. *Bremse.*

ufbrezeln — 1. ›aufessen‹: *ick hab' allet ufjebrezelt.* 2. ›auffällig und geschmacklos kleiden‹: *die Olle brezelt sich dolle uf.*

ufklavieren — wie *ufbrezeln* 2: *klavier dir nich so uf.*

ufmischen — 1. ›Schläge verabreichen‹. 2. ›deutlich die Meinung sagen‹: *die woll'n wa ma tichtij ufmischen.*

ufmotzen	1. ›sich auffällig kleiden‹. 2. ›etwas besonders herrichten‹, z. B. ein Motorrad.
ufmutzen	›tadeln, Fehler vorhalten‹.
ufverheben	›aufbewahren‹: *det sollt' ick 'n ufvahe'm.*
ufwecken	1. ›wach machen‹. 2. ›erwachen‹: *ick weckte uf.*
um	1. Präp. wie schriftspr. 2. ›wegen‹, z. B. *um dir* ›deinetwegen‹; auch verstärkend: *um detwejen* ›deshalb‹.
umärmeln	›umarmen‹. Vgl. *unterärmeln.*
undufte	1. ›zweifelhaft, verdächtig‹: *da is doch wat undufte.* 2. ›unfreundlich, unangenehm‹, vom Verhalten.
unejal	›ungeschickt‹: *faß det nich an mit deine unejalen Finger.* Vgl. *ejal* 1.
unjebachert	›ungeschliffen, tolpatschig‹. Zu jidd. *bochur* ›wohlerzogener Jüngling‹.
unjemacht	›nicht hergerichtet, nicht in Ordnung‹: *unjemachte Haare; 'n unjemachtet Bette.*
Unke	f. 1. Lurchtier; *besoffen wie ne Unke* ›stark angetrunken‹. 2. *olle Unke* für eine Schwarzseherin. 3. ›dickbauchige Kaffeetasse‹.
unterärmeln	›unterfassen, unterhaken‹. Vgl. *umärmeln.*
Unterbambusel	m. ›untergeordneter Vorgesetzter‹.
unterkütig	›zweifelhaft, verdächtig‹. - Nd.-märk. *underkütig* ›eitrig entzündet‹.
unterwejens	›unterwegs‹; veraltet *unterwejenslassen* ›unterlassen‹.
urig	1. Veraltet ›urwüchsig, originell, komisch‹. 2. ›sehr gut, sehr schön‹: *det is urig* (Schülerspr.).
urst	(vielfach u:əst gesprochen). 1. ›sehr gut, vortrefflich‹: *det is urst; det finde ick urst*; verstärkt *superurst.* 2. ›sehr‹: *det is schon urst spät.* - Zusammenhang mit früherem *eust, (h)uist* ist fraglich; wahrscheinlicher ist eine jugendsprachliche Neubildung; üblich seit den 70er Jahren.
Uverjee	m. ›Arbeiter‹, veraltet. Franz. *ouvrier.*

V

verarschen	›in grober Weise zum Besten halten‹: *ihr wollt mir woll verarschen?*
verballern	›verprügeln, verhauen‹; bildl. *den ha'm wir orntlich 'n Kopp verballert,* d. h. etwas aufgebunden (RB).
verbiestern	refl. ›verirren‹, auch ›gedanklich einen Irrweg einschlagen‹; daher *verbiestert sein* ›verwirrt, durcheinander sein‹.
verbubanzen	›verderben, hinhunzen, verunstalten‹. Zu niedersorbisch *bubańcowaś.*
verbumfiedeln	dass. – Vgl. *jebumfiedelt.*
verdammeln	›vergessen‹.
verduften	›sich aus dem Staub machen, verschwinden‹.
verdusseln	1. ›geistige Spannkraft verlieren‹. 2. ›etwas vergessen‹. Zu *Dussel.*
verfatzen	refl. ›(sich) fortbewegen, weggehen‹: *Mensch, verfatz dir bloß!*
verfluchtig	›verflucht, verdammt‹: *du verfluchtijer Bengel!*
verfrieren	›erfrieren‹; *mir kann nischt verfrieren* ›ich bin abgesichert‹.
verfumfeien	›verderben, hinhunzen‹. Vgl. *jefumfeit.*
verhunzen	wie *verbubanzen.*
verjammeln	1. ›verderben, verkommen‹, von Speisen und dgl. 2. ›vergeuden, vertrödeln‹: *Zeit verjammeln.* 3. ›herunterkommen‹: *det Haus is verjammelt*; auch von Personen; vgl. *Jammler.*
verjesserig	›vergeßlich‹. Zu nd.-märk. *verjäterig.*
verjnatzt	›verärgert, verstimmt‹.
verjuchheien	›vergeuden, durchbringen‹.
verkälten	›erkälten‹.
verklickern	›erläutern, erklären‹.
verknubbe	nur adv. in der Verbdg. *verknubbe liejen* 1. ›untätig sein, nichts zu tun haben‹. 2. ›krank daniederliegen‹: *er liejt wieder verknubbe.* 3. Vereinzelt *verknubbe sin* ›verkatert sein‹. – Wohl umgedeutet aus *vör Knubbe liejen* ›vor einem Knorren liegen‹; nd.-märk. Herkunft.
verladen	1. Wie schriftspr. 2. ›in die Irre führen‹: *ihr habt mir janz schön verladen.* 3. ›übervorteilen‹.

verpurren ›vereiteln‹.
verquasen ›vergeuden, verschwenderisch aufbrauchen‹.
verquast 1. ›verquer‹. 2. ›verworren, unklar‹.
verratzt ›verloren‹: *dann bin ick verratzt.* Wohl zu *Ratte, Ratze* (s. d.).
verschrecken ›erschrecken‹.
verstänkern ›mit Gestank anfüllen‹; zu einem Raucher: *du verstänkerst die janze Bude.*
Verstehste f. (n.) 1. ›Auffassungsgabe‹. 2. ›Verständnis‹: *dafor fehlt dir die Vastehste*; selten *det Verstehste.*
verwarten ›(Kinder) beaufsichtigen, betreuen‹.
verzählen ›erzählen‹.
verzürnen ›(sich) erzürnen‹.
ville ›viel‹: *rauch nich so ville!* (obersächs.).
visaquer ›gegenüber‹.
von 1. Präp. wie schriftspr.; stets mit Akk.: *von die, von's, von't; willste von se!* ›willst du wohl von ihr ablassen!‹; ohne Art.: *ick komm eben von Arbeet*; in fester Verbdg. *von wejen: von wejen 't Jeld* ‹wegen des Geldes‹; ablehnend: *vonwegen!* ›kommt nicht in Frage!‹. 2. Adv. ›davon‹; R: *man rejt sich uf un hat nischt von* (RB).
vor 1. Wie schriftspr. ›vor‹: *vor de Türe*; auch ›davor‹: *et hat mir vor jejraut.* 2. ›für‹ (in dieser Bedeutung oft *for*): *ick lasse mir nich vor dumm verkoofen; det is nischt for mir.*
voricht ›vorig‹: *det vorichte Mal*; flektiert oft *vorcht-: vorchtet Jahr; vorchte Nacht.*
vorsohlen ›vorlügen‹.

W

Wachs m. ›Prügel‹: *et jibt Wachs* (RB 1925).
Wackelpeter m. ›Götterspeise‹.
Wade f., wie schriftspr.; Ausdruck des Erstaunens: *krichst den Dod in beede Waden!; ick krie den Dod in beede Waden* ›ich lache mich tot‹.
wahrscheints ›wahrscheinlich‹.
Waldfee f., in der Wendung: *husch husch, de Waldfee* ›sehr

schnell‹: *ick haue ab, husch husch, de Waldfee; woll husch husch, de Waldfee?*, wenn jem. eine Arbeit schnell aber ohne Sorgfalt ausgeführt hat.

Wampe f. ›fetter Bauch‹.

Warschauer m., ein früher aus alten Blechkuchenresten, Milchbrötchen und Schnecken hergestelltes billiges Gebäck in Brotform.

wat als Fragewort auch *wa* 1. Fragewort ›was‹: *wat willste denn?*; auf eine nicht verstandene Mitteilung: *wa?* ›was hast du gesagt?‹; ›warum‹: *wat jehste denn schon?*; nachgestellt ›nicht wahr‹: *da staunste, wat?; sowat erlebste nich alle Tage, wa?; zu wat* ›wozu‹: *zu wat soll det jut sin?* 2. Relativpron.: *mein Jehalt, wat ick krieje; Otto, wat unser Jüngster is . . .*; daraus: *wat unser Jüngster is, der Otto . . .* 3. ›etwas‹: *det is wat sehr Feinet*, auch *sehr wat Feinet.*

Weffe f. ›Striemen‹, veraltet.

Weihnachtsjans f. 1. Wie schriftspr.; *mir ha'm se ausjenommen wie 'ne Weihnachtsjans*, wenn jem. beim Kartenspiel viel Geld verloren hat. 2. Schimpfw. ›dumme, törichte Frauensperson‹: *du Weihnachtsjans!*

Weihnachtsmann m. 1. Gaben bringende Gestalt wie schriftspr. 2. ›Weihnachtsgeschenk‹: *echtet Marzipan, keen Persipan – det wär een schöna Weihnachtsmann* (Zeitung 1954). 3. ›Nichtskönner, Trottel‹: *du bist villeicht 'n Weihnachtsmann!*

weimern ›jammern, klagen‹.

Weiße f., Berliner Weißbier, besonders beliebtes Getränk; *'ne Weiße mit 'n Lippentriller* ›ein Glas Weißbier mit einem Schnaps oder Likör‹; auch *Weiße mit Schuß, Weiße mit Strippe* (weil der Schnaps den Weißbierschaum bändigt). Veraltet: *Budikerweiße* ›minderwertiges Weißbier‹; *Champagnerweiße* ›besonders gutes, auf Champagnerflaschen abgezogenes Weißbier ohne Heferückstände‹; *März-* oder *Sandweißen* waren besonders lange gelagerte Sorten; *Klauweiße* ›ein Weißbierglas, dessen Schaum jmd. beim Heran-

	holen während eines gemeinschaftlichen Umtrunks mit den Fingern berührt hatte‹; sie kostete eine Straflage.
wenn	1. Wie schriftspr.; *wenn schon, denn schon* ›wenn es sein muß, soll es auch gut (reichlich) sein‹ (RB 1925); *wennste* ›wenn du‹: *wennste kommst, freu ick mir* (vgl. *ob*). 2. ›wann‹: *wenn besuchste mir denn?*
wetzen	1. ›durch Reiben schärfen‹. 2. ›hastig laufen, eilen‹; auch *rumwetzen; anjewetzt kommen.*
wichsen	1. ›mit einem wachsähnlichen Mittel putzen, einreiben‹, z. B. Schuhe, Haare. 2. ›schlagen prügeln‹; auch *durchwichsen.* 3. ›onanieren‹; auch *sich een'n abwichsen.*
wie	1. Schriftspr. ›wie‹ entsprechend. 2. Schriftspr. ›als‹ entsprechend; nach einem Komparativ: *der is jrößer wie icke*; vor Temporalsätzen in der Vergangenheit: *wie ick noch jung war, . . .; wie wenn* ›als ob‹. 3. ›sowie, sobald‹: *wie ick 'n sehe, wer 'cks ihm saren* (RB 1965).
Wiesenpieper	m. 1. ›Kleingartenbesitzer mit Wiesengelände‹.- Vgl. *Laubenpieper.* 2. ›schwächliches oder kränkelndes Kind‹. 3. Im Pl. ›Ausflügler, die picknikken‹.
Willem	m. 1. PN Wilhelm; *'n dicken Willem machen (spielen)* ›angeben, protzen‹. 2. ›Unterschrift‹: *setz ma dein' Willem drunter*; auch *Kaiser (Friedrich) Willem.* 3. ›Haardutt‹: *falscher Willem.*
wimmeln	1. Wie schriftspr. 2. Beim Skat: *feste wimmeln!*, d. h. dem Stich des Partners möglichst viele Augen zulegen.
winken	Part. Prät. meist *jewunken.* 1. Wie schriftspr.; auch passivisch: *Se werden jewunken* ›man winkt Ihnen zu‹ (lit.). 2. *eene winken* ›eine Ohrfeige verabreichen‹.
Wippchen	auch *Wippkens*, Pl. ›Ausflüchte, Finten‹: *mach mir keene Wippkens vor* (RB 1925).
wo	1. Schriftsprachlichem Gebrauch entsprechend. 2. ›irgendwo‹: *ick bin mit 'n Kopp wo jejenjeloofen.* 3. Auf Personen bezogenes Relativpron.: *de drei*

	Jeschwister King, wo mit Teller uf 'n Stock jongliert . . . haben (Zeitung 1956); *die Frau, wo alleen wohnt*; auch *die wo* u. ä.: *Ziehmänner, die wo an Tragen gewöhnt waren* (lit.). 4. In Ausrufen: *(i) wo wer' ick denn!* ›keinesfalls‹; gleichbedeutend *iwo!*; *ach wo!* 5. Veraltet ›wie‹ (Tr); vgl. *woso.*
Wolke	f. 1. Wie schriftspr. 2. Anerkennend: *det is 'ne Wolke* ›das ist fabelhaft‹. Vgl. *Wucht.*
Wonneproppen	m. ›dicker Säugling oder dickes Kleinkind‹; auch für eine kleine, mollige, anziehende Frauensperson.
worum	›warum‹.
woso	›wieso‹: *woso denn?* – Vgl. *wo* 5. Aus dem Nd.
wrangen	auch *wrangeln* ›miteinander ringen‹. – Nd.
Wrasen	m. ›Wasserdampf‹. – Nd.
wribbeln	1. ›sich unruhig verhalten‹, von Kindern; auch *rumwribbeln*; von einer unruhigen Menschenmenge: *det wribbelt durchenander.* 2. ›prickeln‹: *det kribbelt un wribbelt*, von eingeschlafenen Gliedern (RB). – Nd.
wringen	›(nasse Wäsche) drehend zusammendrücken‹. – Nd.
Wucht	f. 1. ›große Menge, große Anzahl‹. 2. ›Tracht Prügel‹: *krist jleich 'ne Wucht!* 3. Anerkennend: *det is 'ne Wucht* ›das ist fabelhaft‹ (vgl. *Wolke*). Dazu *Wuchtbrumme*, f. ›besonders attraktives Mädchen‹ (Jugendspr.).
Wundertüte	f. 1. Urspr. eine Tüte, die man für 10 Pf. auf Rummelplätzen kaufen konnte und die als kleine Überraschung ein Bildchen, Glasperlen u. ä. enthielt. 2. ›eigenartiger Mensch, der für Überraschungen gut ist‹.
Wuppdich	m. 1. ›Schwung‹: *mit 'n Wuppdich.* 2. Veraltet ›Schnaps‹: *wir woll'n eenen Wuppdich nehmen* (Li).
Wuppdizität	f. ›Geschwindigkeit, Schnelligkeit‹.
wurachen	›angestrengt arbeiten, schuften‹; auch *(sich) abwurachen, rumwurachen.*
wuschig	1. ›zerzaust, ungekämmt‹. 2. ›nervös, verwirrt‹.
wütig	›wütend‹.

Z

zach	›zaghaft‹.
Zacken	m. 1. ›Baumast‹; *'nen Zacken (wech-)ha'm* ›betrunken sein‹ (vgl. *Fichte*). 2. Mit Bezug auf die Zacke des Zahnrades: *'n Zacken zulejen* ›die Geschwindigkeit, das Arbeitstempo erhöhen‹; *'n Zacken besser werden* ›die Leistung steigern‹. Vgl. *Zahn.*
Zadder	m. ›sehniges, zähes Fleisch‹: *det Fleesch is allet Zadder.* Dazu *zadderig* ›voller Sehnen, zäh‹.
Zahn	m. 1. Wie schriftspr. 2. *'n steiler (dufter) Zahn* ›ein hübsches, attraktives Mädchen‹ (Jugendspr.). 3. Mit Bezug auf den Zahn des Zahnrades: *'n Zahn druffha'm* ›mit großer Geschwindigkeit fahren‹; auch *'n Zahn druffkriejen; 'n Zahn zulejen* ›das Arbeitstempo, die Leistung erhöhen‹. Vgl. *Zakken.*
Zanktippe	f. ›zanksüchtige Frauensperson‹. Aus *Xanthippe.*
Zappen	m., in Wendungen: *über'n Zappen hau'n* ›ein Trinkgelage über Gebühr ausdehnen‹ (mit Bezug auf den Verschlußzapfen des Schankfasses oder den Zapfenstreich); *'n Zappen ha'm (ausfahren)* ›ungehalten, verärgert sein‹; *jetz is der Zappen ab* ›nun reicht es, jetzt ist Schluß‹.
Zaster	m. ›Geld‹. Herkunft umstritten.
Zausel	m. ›griesgrämiger (älterer) Mann‹; meist in der Verbdg. *oller Zausel.*
Zechinen	Pl. ›Geldstücke‹.
Zeck	n. 1. Haschespiel. 2. ›Aufregung, Aufheben‹: *det war villeicht 'n Zeck; mach keen Zeck* ›ziere dich nicht‹.
zerjeln	*zerjen* ›jmdn. ärgern, jmdm. zusetzen‹; *sich rumzerjeln* ›sich herumärgern‹.
Zibbe	f. ›Ziege, Kaninchenhäsin‹.
Zicke	f. 1. ›Ziege‹. 2. Schimpfw. für eine Frau: *olle Zicke!*; auch *Jewitter-, Zimtzicke.* 3. ›Spielkarte mit dem Wert zehn‹: *de blanke Zicke* (RB 1965).
Zicken	Pl. ›Dummheiten, Streiche‹, meist in der Verbdg. *Zicken machen.*

Zijarre f., wie schriftspr. bewußt umgedeutet *Ziehjarrn*, m.: *haste keenen Ziehjarrn?* (RB).

Zimt m. 1. ›ungereimtes Zeug, Unsinn‹: *red' doch keen'n Zimt.* 2. ›Geld‹. – Vielleicht aus dem Jidd.

zingern ›schmerzhaft kribbeln‹, veraltend.

Zinken m. 1. ›Nase‹. 2. ›Alkoholrausch‹.

Zippe f. ›Zigarette‹ (Schl).

Zislaweng auch *Schißlaweng*, m. ›Schwung, geschickter Kniff‹: *er hat det mit 'n Schißlaweng jemacht; ick hab' nich mehr den Zislaweng.* – Vielleicht aus dem Franz.

Zoff m. ›Ärger, Streit, Krach‹: *wenn er Zoff macht, hau ick ihm eene vor 'n Nischel* (Zeitung 1957).

zoppen 1. ›ziehen, zerren‹; dazu *zurückzoppen* ›nachgeben‹. 2. ›(an einen anderen Ort) gehen‹: *nach Hause zoppen; dazu ab-, loszoppen* ›vorgehen‹; *anjezoppt kommen* ›ankommen‹; *sich verzoppen* ›sich unbemerkt entfernen‹.

Zosse *Zossen*, m. ›Pferd‹, abwert. – jidd. *sus* ›Pferd‹, *susa* ›Stute‹.

zu abgeschwächt *ze.* 1. Präp. wie schriftspr.: *zu mir; zu Sie* ›zu Ihnen‹; *zu det.* 2. ›nach‹: *zu Haus jehn; komm ze Hause.* 3. ›dazu‹: *wat die woll zu saacht?!* 4. *zu wat* ›wozu‹: *zu wat sowat woll jut ist?* 5. *zu sin* ›geschlossen sein‹: *die Türe is zu*; dazu attr. *die zue Türe*; auch *die zuje Türe.* Vgl. *ab.*

Zucker m., wie schriftspr.; *sein'n Affen Zucker je'm* ›seiner Eitelkeit frönen, seiner Neigung nachgehen‹; *det is Zucker* ›das ist sehr gut‹.

zuppen ›zupfen‹.

Zurückzieher m. ›Rückzieher, Zurücknahme‹.

zweeschläfrig ›für zwei Personen bestimmt‹ (von Betten und dgl.), doch auch *zweeschläfrijer Rejenschirm* ›besonders großer Regenschirm‹.

zwitschern 1. ›helle Töne von sich geben‹, von Vögeln. 2. ›Alkohol trinken‹; *eenen zwitschern* ›einen Schnaps trinken‹.

Literatur- und Quellenverzeichnis

Adelung, J. C., Umständliches Lehrgebäude der Deutschen Sprache. Bd. 1, Leipzig 1782.

Alexis, W., Erinnerungen. Hg. von M. Ewert. Neue Ausgabe. Berlin 1905.

Bach, A., Deutsche Namenkunde II. Die deutschen Ortsnamen. Bd. 1 und 2, Heidelberg 1952/1953.

Bachmann, P., Knoth, I., Preußen, Legende und Wirklichkeit. Berlin 1983.

Bahr, L., Die Berliner Industrie in der industriellen Revolution. Berlin 1966.

Barthel, R., Neue Gesichtspunkte zur Entstehung Berlins. In: Zeitschrift für Geschichtswissenschaft. Berlin 30 (1982) 8.

Beneke, J., Die Stadtsprache Berlins im Denken und Handeln Jugendlicher. Berlin 1989 (= Linguistische Studien/ZISW/A 138).

- Untersuchungen zu ausgewählten Aspekten der sprachlich-kommunikativen Tätigkeit Jugendlicher. (Untersucht an Probanden aus der Hauptstadt der DDR, Berlin, und dem mecklenburgischen Dorf Mirow, Bez. Neubrandenburg.) (Diss.) Berlin 1982.

Berlin. Porträt einer Metropole. Berlin 1991.

Berlin: Porträt einer Stadt - Stadtlandschaften aus der Vogelperspektive. Berlin 1989.

Berlin. 800 Jahre Geschichte in Wort und Bild. Von einem Autorenkollektiv unter Leitung von R. Bauer und E. Hühns. Berlin 1980.

Berlin im November. Dokumentation der Nicolaischen Verlagsbuchhandlung. Berlin 1989.

Berlin und seine Wirtschaft. Ein Weg aus der Geschichte in die Zukunft - Lehren und Erkenntnisse. Hg. von der Industrie- und Handelskammer zu Berlin. Berlin 1987.

Berliner Straßenecken-Literatur 1848/49. Humoristisch-satirische Flugschriften aus der Revolutionszeit. Stuttgart 1977.

Berlinisches Stadtbuch. Neue Ausgabe. Hg. von P. Clauswitz. Berlin 1883.

Bierschenk, E., Wolterstädt, K., Zech, H., Straßen im Berliner Zentrum. Berlin

1984 (= Miniaturen zur Geschichte, Kultur und Denkmalpflege Berlins, Nr. 14).
Bilder aus Berlin. Der Weg zur deutschen Einheit. Berlin 1990.
Bischoff, K., Mittelalterliche Überlieferung und Sprach- und Siedlungsgeschichte im Ostniederdeutschen. Wiesbaden 1966.
Boberg, J., Fichter, T., Gillen, E., Exerzierfeld der Moderne. Industriekultur in Berlin im 19. Jahrhundert. München 1984.
Bolte, J. (Hg.), Drei märkische Weihnachtsspiele des 16. Jahrhunderts. Berlin 1926.
- (Hg.), Märkisches Hochzeitsgedicht v. J. 1637. In: Jahrbuch des Vereins für niederdeutsche Sprachforschung. Bd. 24, Norden/Leipzig 1899.
Bormann, R., Die Bau- und Kunstdenkmäler von Berlin. Berlin 1893.
Brandenburg-Berlinisches Wörterbuch. Begründet und angelegt von A. Bretschneider unter Einschluß der Sammlungen von H. Teuchert, bearb. unter der Leitung von G. Ising (ab Bd. 2, Lfg. 5 unter der Leitung von J. Wiese). Bd. 1 ff., Berlin 1976 ff.
Brendicke, H., Der Berliner Volksdialekt. In: Schriften des Vereins für die Geschichte Berlins. H. 29, Berlin 1892; H. 32, Berlin 1895.
- Berliner Wortschatz zu den Zeiten Kaiser Wilhelms I. Auf Grund der Sammlungen des Oberpredigers C. Kollatz und des Kapitäns A. D. Paul Adam bearb. von H. Brendicke. In: Schriften des Vereins für die Geschichte Berlins. H. 33, Berlin 1897.
Bretschneider, A., Ist Brandenburg eine passive Sprachlandschaft? In: Jahrbuch des Vereins für niederdeutsche Sprachforschung. Bd. 85, Neumünster 1962.
- Berlin und »Berlinisch« in der märkischen Sprachlandschaft. In: Jahrbuch für brandenburgische Landesgeschichte. Bd. 24, Berlin 1973.
- Die brandenburgische Sprachlandschaft. Zur Geschichte und Gliederung (mit Einschluß von Berlin). Gießen 1981.
Butz, Berliner Schnauze von A bis Z. München o. J.

Constantin, T., Berliner Schimpfwörterbuch. Berlin 1980.

Demps, L., Die Luftangriffe auf Berlin. Ein dokumentarischer Bericht. T. II und III. In: Jahrbuch des Märkischen Museums Bd. VIII, Berlin 1982; Bd. IX, Jahrbuch 1983.
Demps, L. u. a., Geschichte Berlins von den Anfängen bis 1945. Berlin 1987.
Der Einigungsvertrag. Der vollständige Text mit allen Ausführungsbestimmungen. München 1990.
Der Fischer Weltalmanach, Bände 1989 bis 1992 und Sonderband DDR. Frankfurt a. M. 1988–1991.
Deutsche Geschichte in Daten. Von einem Autorenkollektiv. Berlin 1969.
Deutsche Geschichte in 12 Bänden. Hg. vom Zentralinstitut für Geschichte der AdW der DDR. Bd. 2: Die entfaltete Feudalgesellschaft. Berlin 1983. – Bd. 3: Die Epoche des Übergangs vom Feudalismus zum Kapitalismus. Berlin

1983. - Bd. 4: Die bürgerliche Umwälzung von 1789 bis 1871. Berlin 1984.

Deutscher Sprachatlas, Hg. von F. Wrede u. a. Marburg 1926–1956 (= DSA).

Die Chronik Berlins. Hg. von B. Harenberg. Dortmund 1986.

Die deutsche Literatur des Mittelalters. Verfasserlexikon. Bd. 3, Berlin 1943. - 2. Aufl. Bd. 1 ff., Berlin/New York 1978 ff.

Die kleine Berlin-Statistik 1991.

Die Korporation der Kaufmannschaft von Berlin. Festschrift. Von einem Autorenkollektiv. Berlin 1920.

Diemer, G., Kuhrt, E., Kurze Chronik der Deutschen Frage. Mit den drei Verträgen zur Einigung Deutschlands (= Geschichte und Staat. Bd. 288). 2., erw. Aufl. München 1991.

Dittmar, N., Schlobinski, P. (Hg.), Wandlungen einer Stadtsprache. Berlinisch in Vergangenheit und Gegenwart. Berlin 1988.

Dittmar, N., Schlobinski, P., Wachs, J., Berlinisch. Studien zum Lexikon, zur Spracheinstellung und zum Stilrepertoir. Berlin 1986.

Eberty, F., Jugenderinnerungen eines alten Berliners. Berlin 1878.

Eichler, L., Bergmann, G., Die Beurteilung des Obersächsischen vom 16. bis zum 19. Jahrhundert. In: Beiträge zur Geschichte der deutschen Sprache und Literatur. Bd. 89, Halle 1967.

Faden, E., Die kurfürstlichen Residenzstädte Berlin und Cölln an der Spree 1448–1648. In: M. Arendt, E. Faden, O.-F. Gandert, Geschichte der Stadt Berlin. Berlin 1937.

Fidicin, E., Die Territorien der Mark Brandenburg, Bd. I, T. 2: Geschichte des Kreises Nieder-Barnim. Berlin 1857.

Fischer, R. E., Die Ortsnamen der Zauche. Weimar 1967 (= Brandenburgisches Namenbuch, T. 1).

- Die Ortsnamen des Havellandes. Weimar 1976 (= Brandenburgisches Namenbuch. T. 4).

- Vorslawische Namen in Brandenburg. In: Zeitschrift für Slawistik. Berlin 16 (1971) 5.

Fischer, W., Berlin und die Weltwirtschaft im 19. und 20. Jahrhundert (= Informationen der Historischen Kommission zu Berlin, Beiheft Nr. 13), Berlin 1989.

Fontane, Th., Wanderungen durch die Mark Brandenburg. Teil 4. Spreeland. 6. Aufl. Berlin 1905.

Fritze, W., Das Vordringen deutscher Herrschaft in Teltow und Barnim. In: Jahrbuch für Brandenburgische Landesgeschichte. Bd. 22, Berlin 1971.

Führer, B., Das Berlinische im Tagesschrifttum von 1848/49. Studien zum Verhältnis von Idiolekt, Soziolekt und Dialekt. Frankfurt a. M./Bern 1982.

Garbe, H., Berlinisch auf deutsch. Herkunft und Bedeutung berlinischer Wörter. München 1974.

Gebhardt, H., Berlinisches. Hg. von der »Interessengemeinschaft für Denkmalpflege, Kultur und Geschichte der Hauptstadt Berlin« im Kulturbund der DDR. Berlin 1979.

- Glaßbrenners Berlinisch. Berlin 1933.

Gebhardt, P. von (Hg.), Die Bürgerbücher von Cölln an der Spree 1508-1611 und 1689-1709 / Die chronikalischen Nachrichten des ältesten Cöllner Bürgerbuches 1542-1610. Berlin 1930 (= Quellen und Forschungen zur Geschichte Berlins, Bd. 3).

Gernentz, H.-J., Niederdeutsch - gestern und heute. Rostock 1980.

Geschichte der deutschen Literatur von 1830 bis zum Ausgang des 19. Jahrhunderts. Von einem Autorenkollektiv, Leitung und Gesamtbearb. K. Böttcher. 1. Halbbd. in Zusammenarbeit mit R. Rosenberg (1830-1848). H. Richter (1849-1870). Mitarb. K. Krolop. Berlin 1975.

Glaßbrenner, A. (Pseud. Ad. Brennglas), Berlin wie es ist und trinkt. H. 1-30, Berlin 1832-1850 (Neudruck Leipzig 1981).

- Berliner Volksleben. Bd. 1, Berlin 1847; Bd. 2, Berlin 1847; Bd. 3, Berlin 1851.

- Buntes Berlin. H. 1-30, Supp., Berlin 1838-1853 (Neudruck Leipzig 1981).

Glatzer, R., Berliner Leben 1648-1806. Erinnerungen und Berichte. Berlin 1956.

- (Hg.), Berliner Leben 1870-1900. Berlin 1963.

Graeser, E., Koblanks Kinder. Berlin 1922.

Graupe, B., Die dialecto marchica quaestiunculae duae. (Diss.) Berlin 1879.

Grober-Glück, G., Berlin als Innovationszentrum von metaphorischen Wendungen der Umgangssprache. In: Zeitschrift für deutsche Philologie. Berlin 94 (1975) 3.

Grundriß der deutschen Geschichte. Klassenkampf - Tradition - Sozialismus. Von einem Autorenkollektiv. Berlin 1979.

Habel, E., Das Berlinische. Sprachgeschichte und Sprachproben. Baruth 1936.

Hagen, F. H. von der, Minnesinger. Deutsche Liederdichter des zwölften, dreizehnten und vierzehnten Jahrhunderts, gesammelt von F. H. von der Hagen. 4 Teile, Leipzig 1838.

Handwörterbuch zur deutschen Einheit. Hg. von W. Weidenfeld und K.-R. Korte. Bundeszentrale für politische Bildung. Bonn 1991.

Harndt, E., Französisch im Berliner Jargon. 10. Aufl. Berlin 1990.

Hartig, R., Berliner Volks- und Straßendialekt. Mit vielen Beispielen, Redensarten und Gassenfloskeln. Leipzig 1908.

Hartweg, F., Sprachwechsel und Sprachpolitik der französisch-reformierten Kirche in Berlin im 18. Jahrhundert. In: Jahrbuch für die Geschichte Mittel- und Ostdeutschlands. Hg. von H. Herzfeld u. H. Skrzypczak. Bd. 30, Berlin 1981.

Hegemann, W., Der Städtebau nach den Ergebnissen der allgemeinen Städtebauausstellung in Berlin. Berlin 1911.

Heinrich-Jost, I., Literarische Publizistik Adolf Glaßbrenners. München/New York/London/Paris 1980.

Herrmann, J., Einwanderung und Wohnsitz der slawischen Stämme in Deutschland. In: Die Slawen in Deutschland. Hg. von J. Herrmann. Berlin 1970.
- Germanen und Slawen in Mitteleuropa. Berlin 1984.
- Köpenick. Ein Beitrag zur Frühgeschichte Groß-Berlins. Berlin 1962 (= Schriften der Sektion für Vor- und Frühgeschichte, 12).
- Siedlung, Wirtschaft und gesellschaftliche Verhältnisse der slawischen Stämme zwischen Oder/Neiße und Elbe. Berlin 1968 (= Schriften der Sektion für Vor- und Frühgeschichte, 23).
- Die slawischen Stämme auf dem heutigen Gebiet Brandenburgs und ihre Geschichte. In: Märkische Heimat. Berlin 5 (1960) 4.

Herzfeld, H. (Hg.), Berlin und die Provinz Brandenburg im 19. und 20. Jahrhundert. Berlin 1968.
- (Hg.), Preußen. Berlin 1963.

Heyde, J. F., Der Roggenpreis und die Kriege des großen Königs. Chronik und Rezeptsammlung des Berliner Bäckermeisters Johann Friedrich Heyde 1740 bis 1786. Hg. und eingeleitet von H. Schultz. Berlin 1988.

Heynatz, J. F., Briefe die Deutsche Sprache betreffend. T. 1, Berlin 1771.

Hintze, O., Die Hohenzollern und ihr Werk. Berlin 1915.
- (Hg.), Forschungen zur brandenburgischen und preußischen Geschichte. Bd. 12, Leipzig 1899.

Hinze, K., Die Arbeiterfrage zu Beginn des modernen Kapitalismus in Brandenburg. Berlin 1927.

Horst, F., Zur bronzezeitlichen Besiedlung des unteren Spree-Havel-Gebietes. In: Zeitschrift für Archäologie. Berlin 16 (1982) 1.

Hübner, P., Zur Sozialstruktur der Berliner Arbeiterklasse in den 50er Jahren. In: Jahrbuch des Märkischen Museums. Bd. III, Berlin 1977.

Kaeber, E., Berlin im 17. und 18. Jh. In: Heimatchronik Berlin. Köln 1962.
- Bürgerrecht, Bevölkerungs-, Herkunfts- und Berufsstatistik Berlins bis zur Mitte des 18. Jahrhunderts. Berlin 1834.
- (Hg.), Die Bürgerbücher und Bürgerprotokollbücher Berlins von 1701–1750. Berlin 1934.

Kahl, H. D., Slawen und Deutsche in der brandenburgischen Geschichte des 12. Jahrhunderts. Die letzten Jahrzehnte des Landes Stodor. Köln/Graz 1964 (= Mitteldeutsche Forschungen, 30).

Katzur, K., Berlins Straßennamen. 2. Aufl. Berlin 1987.

Keiderling, G., Berlin 1945–1986. Geschichte der Hauptstadt der DDR. Berlin 1987.

Keiderling, G., Stulz, P., Berlin 1945–1968. Berlin 1970.

Keiling, H., Siedlungsgebiete der Jastorfkultur. In: Die Germanen. Geschichte und Kultur der germanischen Stämme in Mitteleuropa. Hg. von B. Krüger. Berlin 1976.

Kertbeny, C. von [= C. M. Benkert], Berlin wie es ist. 1831 (Faks.-Druck Leipzig 1981).

Kettig, K., Berlin im 19. und 20. Jahrhundert. In: Heimatchronik Berlin. Köln 1962.

Kiaulehn, W., s. Richtiger Berliner in Wörtern und Redensarten ...

Klettke-Mengel, I., Die Sprache in Fürstenbriefen der Reformationszeit, untersucht am Briefwechsel Albrechts von Preußen und Elisabeths von Braunschweig-Lüneburg. Köln/Berlin 1973.

Klöden, K. F., Von Berlin nach Berlin. Berlin 1976.

Korn, R., Zur künftigen städtebaulichen Gestaltung der Hauptstadt der DDR. In: Architektur der DDR (1976) 9.

Kraus, C. von (Hg.), Deutsche Liederdichter des 13. Jahrhunderts. 2 Bde. Tübingen 1952–58 (2. Bd. Kommentar, besorgt von H. Kuhn).

Krauss, W., Karl Marx im Vormärz. 1953. In: Krauss, W., Die Innenseite der Weltgeschichte. Ausgewählte Essays über Sprache und Literatur. Leipzig 1983.

Krogmann, W. (Hg.), Berliner Sprachproben aus sieben Jahrhunderten. Berlin 1937.

Krüger, B., Zur Altersbestimmung der Kietzsiedlungen. In: Zeitschrift für Archäologie. Berlin 17 (1983) 2.

Krüger, H., Zur Geschichte der Manufakturen und der Manufakturarbeiter in Preußen. Berlin 1958.

Kruse, D., Glaßbrenner und der Berliner Dialekt. Berlin 1987 (= Schriften zur Berliner Sprache. Bd. 1).

Kruse, D., Schlobinski, P., Frequenz- und Bedeutungsanalysen zum Lexikon des Berlinischen. In: Muttersprache. Wiesbaden (1983/84) 3/4.

Küpper, H., Wörterbuch der deutschen Umgangssprache. 2. Aufl. Bd. 1, Hamburg 1956; Bd. 2, Hamburg 1963; Bd. 3, Hamburg 1964; Bd. 4, Hamburg 1966; Bd. 5, Hamburg 1967.

Lademann, W., Wörterbuch der Teltower Volkssprache. Berlin 1956.

Lange, A., Berlin zur Zeit Bebels und Bismarcks. Berlin 1976.

– Das Wilhelminische Berlin. Berlin 1976.

Lasch, A., Berlinisch. Eine berlinische Sprachgeschichte. Berlin 1928 (Neudruck Darmstadt 1967).

– Geschichte der Schriftsprache in Berlin bis zur Mitte des 16. Jahrhunderts. Dortmund 1910.

Laverrenz, V., Die Denkmäler Berlins im Volksmunde. 2. Aufl. Berlin (1904).

– Neue Denkmals-Witze. Berlin (1898).

Lederer, F., Berliner Humor. Sprache, Wesen und Humor des Berliners. Berlin o. J. (1923).

– Ick lach ma'n Ast. Sprache, Wesen und Humor des Berliners. Berlin 1929.

– Jottlieb, drach 'n Jarten raus. Berliner Volkstum. Sitten und Gebräuche. Berlin 1934.

– Uns kann keener. Berliner Humor. Berlin (1923).

Leube, A., Die römische Kaiserzeit im Oder-Spree-Gebiet. In: Veröffentlichungen des Museums für Ur- und Frühgeschichte. Potsdam, 9, 1975.

Liebetreu, C. F. (Pseud. F. Truloff), Berlin wie es weint und lacht. Bd. 1: Berliner Humor vor Jahrzehnten. Berlin o. J. (1901). Bd. 2: Aus den Kinderjahren der Weltstadt. Berlin o. J. (1902).

Lindenberg, P., Berliner geflügelte Worte. Eine Sammlung Berliner Worte und Redensarten. Berlin 1887.

- Berliner Polizei und Verbrechertum. Leipzig (1892).

Lötzsch, R., Jiddisches Wörterbuch. Leipzig 1990.

Louis Ferdinand von Preußen. Briefe des Prinzen Louis Ferdinand von Preußen an Pauline Wiesel. Hg. von A. Büchner. Leipzig 1865.

Luther, M. Tischreden. Hg. von E. Kroker. Bd. 2, Weimar 1913.

Luther, M. Tischreden. Hg. von J. Aurifaber. Eisleben 1566 (Faks. Leipzig 1981).

Maaß, Wie man in Brandenburg spricht. In: Jahrbuch des Vereins für niederdeutsche Sprachforschung. Bd. 4, Norden/Leipzig 1878.

Marx, K., Engels, F., Werke. Bd. 36, Berlin 1967.

Materna, I., Geschichte der revolutionären Berliner Arbeiterbewegung 1917–1919. Berlin 1978.

Mauermann, S., s. Richtiger Berliner in Wörtern und Redensarten . . .

Mauter, H., Berliner Geschichte und Bevölkerungsentwicklung. In: Berlinisch. Geschichtliche Einführung in die Sprache einer Stadt. Hg. von J. Schildt und H. Schmidt. 1. Aufl. Berlin 1986, S. 68-99.

Mehring, F., Zur Geschichte Preußens. Berlin 1981.

Meyer, H., s. Richtiger Berliner in Wörtern und Redensarten . . .

Mittenzwei, I., Friedrich II. von Preußen. Berlin 1980.

Mittenzwei, I., Noack, K.-H., Preußen in der deutschen Geschichte vor 1789. Berlin 1983.

Moritz, K. P., Anweisung die gewöhnlichsten Fehler, im Reden, zu verbessern nebst einigen Gesprächen. Berlin 1781.

- Über den märkischen Dialekt. Berlin 1781.

Mottek, H., Wirtschaftsgeschichte Deutschlands. Ein Grundriß. Bd. 1, Berlin 1960; Bd. 2, Berlin 1978; Bd. 3, Berlin 1977.

Mühr, A., Berliner Witz-ABC. Berlin 1957.

Müller, A. von, Edelmann . . . Bürger, Bauern, Bettelmann. Berlin im Mittelalter. Frankfurt a. M./Berlin/Wien 1981.

Müller-Mertens, E., Berlin am Ausgang des Mittelalters: Kampf mit der Fürstenmacht, neue Zunftkämpfe und Anfänge als Residenzstadt (1415–1500). In: Geschichte Berlins von den Anfängen bis 1945. Berlin 1987.

- Berlin und die Hanse. In: Hansische Geschichtsblätter. Hg. vom Hansischen Geschichtsverein, Jg. 80, Köln/Graz 1962.

- Bürgerlich-städtische Autonomie in der Feudalgesellschaft - Begriff und geschichtliche Bedeutung. In: Hansische Studien VI/23, Weimar 1984.

- Die Entstehung der Stadt Berlin. In: Berliner Heimat. Zeitschrift für die Geschichte Berlins. Hg. von H. Leupold. Berlin 1960.

Nekuda, V., Das altslawische Dorf in Berlin-Mahlsdorf. In: Ausgrabungen in Berlin. Forschungen und Funde zur Ur- und Frühgeschichte. Bd. 6, Berlin 1982.
- Die slawische Dorfsiedlung in Berlin-Kaulsdorf. In: Ausgrabungen in Berlin. Bd. 6, Berlin 1982.

Obermann, K., Flugblätter der Revolution. Eine Flugblattsammlung zur Geschichte der Revolution von 1848/49 in Deutschland. Berlin 1970.
Ostwald, H., Berlinisch. Was nicht im Wörterbuch steht. München 1932.
- Das Berliner Dirnentum. Bd. 1, Berlin 1905, H. 5.
- Rinnsteinsprache. Lexikon der Gauner-, Dirnen- und Landstreichersprache. Berlin (1906).
- Der Urberliner in Witz, Humor und Anekdote. Berlin o. J. (1927); dass. Neue Folge, Berlin o. J. (1928).
- (Hg.), Das Zillebuch. Hg. von H. Ostwald unter Mitarbeit von Heinrich Zille. Berlin 1929.
- (Hg.), Zille's Vermächtnis. Von H. Ostwald u. Hans Zille. Berlin 1930.
- (Hg.), Zille's Hausschatz. Hg. von H. Ostwald u. Hans Zille. Berlin 1937.

Peesch, R., Das Berliner Kinderspiel der Gegenwart. Berlin 1957.
- Von der Sprache der Berliner Kinder. In: Muttersprache. Lüneburg (1957). H. 6, S. 216–223.
- Der Wortschatz der Fischer im Kietz von Berlin-Köpenick. Berlin 1955.
Peters, J., Harnisch, H., Enders, L., Märkische Bauerntagebücher des 18. und 19. Jahrhunderts. Selbstzeugnisse von Milchviehbauern aus Neuholland. Weimar 1989.
Pikarski, M., Geschichte der revolutionären Berliner Arbeiterbewegung 1933–1939. Berlin 1978.
Polenz, P. von, Martin Luther und die Anfänge der deutschen Schriftlautung. In: Sprache in der sozialen und kulturellen Entwicklung. Beiträge eines Kolloquiums zu Ehren von Theodor Frings (1886–1968). Hg. von R. Grosse. Berlin 1990.
Prell, U., Winkler, L. (Hg.), Berlin-Blockade und Luftbrücke. Analyse und Dokumentation (= Politische Dokumente. Bd. 11). Berlin 1987.
Prokownik, E., Berlinisch - eine Sprache mit Humor. Berlin 1963.

Rachel, H., Das Berliner Wirtschaftsleben im Zeitalter des Frühkapitalismus. Berlin 1931.
Reinbacher, E., Die älteste Baugeschichte der Nikolaikirche in Alt-Berlin. Berlin 1963.
Ribbe, W. (Hg.), Geschichte Berlins (= Veröffentlichung der Historischen Kommission zu Berlin). 2 Bde. München 1987, und 2. durchges. Aufl. München 1988.
- Kritische Anmerkungen zur historischen Berlin-Forschung der DDR. In: Konrad H. Jarausch (Hg.), Zwischen Parteilichkeit und Professionalität. Bi-

lanz der Geschichtswissenschaft der DDR (= Publikationen der Historischen Kommission zu Berlin). Berlin 1991, S. 91–106.
Ribbe, W., Schmädeke, J., Kleine Berlin-Geschichte. Hg. von der Landeszentrale für politische Bildungsarbeit Berlin in Verbindung mit der Historischen Kommission zu Berlin. 2., durchges. Aufl. Berlin 1989.
Richter, J. (Hg.), Die Briefe Friedrichs des Großen an seinen vormaligen Kammerdiener Fredersdorf. Hg. u. erschlossen von J. Richter. Berlin-Grunewald o. J. (1926).
Richtiger Berliner: Der richtige Berliner in Wörtern und Redensarten. 1.–4. Aufl. 1878, 1879, 1880, 1882 (ohne Verf.); 5.–7. Aufl. 1904, 1904, 1911 von H. Meyer; 8.–9. Aufl. 1921, 1925 von S. Mauermann; 10. Aufl. München 1965 von W. Kiaulehn.
Riedel, A. F. (Hg.), Codex diplomaticus Brandenburgensis. Hauptabteilungen I–IV. Supplementband. Berlin 1838–1869.
Ritter, G. A., Niehuss, M., Wahlen in Deutschland 1946–1991. Ein Handbuch. München 1991.
Rochlitz, W., Die Einwanderung der böhmischen Brüder in Berlin. In: Mitteilungen des Vereins für die Geschichte Berlins, 1930, 1.
Rosenberg, K.-P., Der Berliner Dialekt - und seine Folgen für die Schüler. Geschichte und Gegenwart der Stadtsprache Berlins sowie eine empirische Untersuchung der Schulprobleme dialektsprechender Berliner Schüler. Tübingen 1986.
Rosenkranz, H., Veränderungen der sprachlichen Kommunikation im Bereich der industriellen Produktion und ihre Folgen für die Sprachentwicklung in der Deutschen Demokratischen Republik. In: Aktuelle Probleme der sprachlichen Kommunikation. Berlin 1974.

Schich, W., Das mittelalterliche Berlin (1237–1411). In: W. Ribbe, Geschichte Berlins. Bd. 1, München 1987.
Schirmunski, V. M., Deutsche Mundartkunde. Berlin 1962.
Schirrmacher, E., Das Stadtarchiv Frankfurt (Oder) und seine Bestände. Frankfurt/Oder 1972.
Schlimpert, G., Die Ortsnamen des Barnim. Weimar 1984 (= Brandenburgisches Namenbuch, T. 5).
- Die Ortsnamen des Teltow. Weimar 1972 (= Brandenburgisches Namenbuch, Teil 3).
Schlobinski, P., Berliner Wörterbuch. Berlin 1986.
- Berlinisch für Berliner und alle, die es werden wollen. Berlin 1984.
- Stadtsprache Berlin. Eine soziologische Untersuchung. Berlin/New York 1987.
- Teilkommentierte Bibliographie zum Berlinischen. In: Deutsche Sprache. Berlin 11 (1983).
Schmädeke, J., Der Deutsche Reichstag. Das Gebäude in Geschichte und Gegenwart (= Berlinische Reminiszenzen, Bd. 30). 3. Aufl. Berlin 1981.

Schmidt, E., Die Mark Brandenburg unter den Askaniern (1134–1320). Köln/Wien 1973.

Schmidt, H., Die Berlinische Gesellschaft für deutsche Sprache an der Schwelle der germanistischen Sprachwissenschaft. In: Zeitschrift für Germanistik. Leipzig, Jg. 4, 1983.

- Berlinische Monatsschrift (1783–1796). ›Diskussion Deutsch‹ in Berlin am Ende des 18. Jahrhunderts. In: Diskussion Deutsch. Zeitschrift für Deutschlehrer aller Schulformen in Ausbildung und Praxis. Frankfurt/M. H. 103, 1988.
- Luther, Adelung und das Märkische. Zur Aussprachetradition des Hochdeutschen. In: Luthers Sprachschaffen. Gesellschaftliche Grundlagen. Geschichtliche Wirkungen. Hg. von J. Schildt. Bd. 1, Berlin 1984 (= Linguistische Studien/ZISW/A 119 II).
- Überregionaler Sprachausgleich und städtische Umgangssprache aus Berliner Sicht. Frühe Forschungsansätze im Umkreis der Akademie der Wissenschaften. In: Zeitschrift für Phonetik, Sprachwissenschaft und Kommunikationsforschung. Berlin, Jg. 40, 1987.
- (Hg.), Berlinisch in Geschichte und Gegenwart. Stadtsprache und Stadtgeschichte. Berlin 1988 (Linguistische Studien/ZISW/A 174).

Schmitz, R. (Hg.), Henriette Herz in Erinnerungen, Briefen und Zeugnissen. Leipzig/Weimar 1984.

Schönfeld, H., Berlinisches in der Umgangssprache der DDR. In: Sprachpflege. Jg. 35, H. 7. Leipzig 1987.

- Bewertung der sprachlichen Differenzierungen und ihrer Verwendung durch den Sprecher. In: Kommunikation und Sprachvariation. Von einem Autorenkollektiv unter der Leitung von W. Hartung und H. Schönfeld. Berlin 1981.
- Prozesse bei der Herausbildung regionaler Umgangssprachen im 19. und 20. Jahrhundert (am Beispiel der berlinisch-brandenburgischen Umgangssprache). In: Umgangssprachen und Dialekte in der DDR. Wissenschaftliche Beiträge der Friedrich-Schiller-Universität Jena. Jena 1986.
- Regional und sozial bedingte Differenzierungen im Berlinischen und ihre Wandlungen. In: Linguistische Studien/ZISW/A 174. Berlin 1988.
- Zur Rolle der sprachlichen Existenzformen in der sprachlichen Kommunikation. In: Normen in der sprachlichen Kommunikation. Berlin 1977.
- Sprache und Sprachvariation in der Stadt. Zu sprachlichen Entwicklungen und zur Sprachvariation in Berlin und in anderen Städten im Nordteil der DDR. Berlin 1989 (= Linguistische Studien/ZISW/A 197).
- 750 Jahre Berlin. Das Berlinische. In: Deutschunterricht. Jg. 40, H. 7/8. Berlin 1987.

Schüchner, E., Vogtländer als Kolonisten in Berlin. In: Sächsische Heimatblätter 5. 1980.

Schuller, W., Schäker und Schlingel. In: Fruchtblätter. Freundesgabe für Alfred Kelletat. Hg. von H. Hartung, W. Heistermann und P. M. Stephan. Berlin 1977.

Schultz, H., Berlin 1650–1800. Sozialgeschichte einer Residenz. Berlin 1987.
- Handwerk, Verlag, Manufaktur in den deutschen Territorien während des 17. und 18. Jahrhunderts. In: Hansische Studien V/22. Weimar 1983.
Schultze, J., Das Alter des Tempelhofes. In: Der Bär von Berlin. Jahrbuch des Vereins für die Geschicht Berlins. 4. Folge. 1954.
- Das Landbuch der Mark Brandenburg von 1375. Berlin 1940.
Schulz, K., Vom Herrschaftsantritt der Hohenzollern bis zum Ausbruch des Dreißigjährigen Krieges (1411/12–1618). In: W. Ribbe, Geschichte Berlins. Bd. 1, München 1987.
Schulze, B., Berlin und Cölln bis zum dreißigjährigen Kriege. In: Heimatchronik Berlin. Köln 1962.
Schulze, H. K., Die Besiedlung der Mark Brandenburg im hohen und späten Mittelalter. In: Jahrbuch für die Geschichte Mittel- und Ostdeutschlands. Bd. 28, Berlin 1979.
Schwebel, O., Geschichte der Stadt Berlin. Berlin 1888.
Seeber, G., Noack, K.-H., Preußen in der deutschen Geschichte nach 1789, Berlin 1983.
Seelmann, W., Der Berliner Totentanz. In: Jahrbuch des Vereins für niederdeutsche Sprachforschung. Bd. 24, Norden/Leipzig 1895.
Seyer, H., Ausgrabungen in der Cöllner Petrikirche. Ein Beitrag zur Frühgeschichte von Berlin. In: Zeitschrift für Archäologie. Berlin 3 (1969) 1.
- Zur Besiedlung Berlins in den Jahrhunderten vor Beginn u. Z. In: Zeitschrift für Archäologie. Berlin 17 (1983) 1.
- Die Burg in Berlin-Blankenburg und die altslawische Besiedlung des niederen Barnim. In: Archäologie als Geschichtswissenschaft. Studien und Untersuchungen. Hg. von J. Herrmann. Karl Heinz Otto zum 60. Geburtstag. Berlin 1977.
- Die regionale Gliederung der Kulturen der vorrömischen Eisenzeit. In: Die Germanen. Geschichte und Kultur der germanischen Stämme in Mitteleuropa. Hg. von B. Krüger. Berlin 1976.
- Siedlung und archäologische Kultur der Germanen im Havel-Spree-Gebiet in den Jahrhunderten vor Beginn u. Z. Berlin 1982 (= Schriften zur Ur- und Frühgeschichte, 34).
Seyer, R., Zur Besiedlung Berlins in der Kaiser- und Völkerwanderungszeit. In: Zeitschrift für Archäologie. Berlin 17 (1983) 2.
- Zur Besiedlungsgeschichte im nördlichen Mittelelbe-Havel-Gebiet um den Beginn u. Z. Berlin 1976 (= Schriften zur Ur- und Frühgeschichte, 29).
Siewert, M., Die niederdeutsche Sprache Berlins von 1300 bis 1500. In: Jahrbuch des Vereins für niederdeutsche Sprachforschung, Bd. 29, Norden/Leipzig 1903.
Šmilauer, V., Handbuch der slawischen Toponomastik. Prag 1970.
Spangenberg, K., Wiese, J., Gebhardt, H., Sprachwirklichkeit und Sprachverhalten sowie deren Auswirkungen auf Leistungen im muttersprachlichen Unterricht der Allgemeinbildenden Oberschule. In: Aktuelle Probleme der sprachlichen Kommunikation. Berlin 1974.

Teuchert, H., Die Mundarten der brandenburgischen Mittelmark und ihres südlichen Vorlandes. Berlin 1964.

- Die Sprachreste der niederländischen Siedlungen des 12. Jahrhunderts. Neumünster 1944.
- (Rez.) Lasch, A., Berlinisch. In: Teuthonista. Berlin 5 (1928/29).

Trachsel, C. F., Glossarium der Berlinischen Wörter und Redensarten dem Volke abgelauscht und gesammelt. Berlin 1873.

Trautmann, R., Die elb- und ostseeslawischen Ortsnamen. 2 Teile. Berlin 1948–49.

Und Friederike notierte sich diese Jeschichte. Urlaubserlebnisse dreier Norddeutscher in Oberbayern im Jahre 1851 von St. München 1953.

Verträge und Rechtsakte zur deutschen Einheit. 3 Bde. München 1991.

Vogel, W., Der Verbleib der wendischen Bevölkerung in der Mark Brandenburg. Berlin 1960.

Vogler, G., Vetter, K., Preußen von den Anfängen bis zur Reichsgründung. Berlin 1970.

Vogt, H., Die Straßennamen Berlins. Berlin 1885 (= Schriften des Vereins für die Geschichte Berlins, Nr. 22).

Voigt, F., Fidicin, E., Urkundenbuch zur Berlinischen Chronik. Berlin 1869.

Voß, J. von, Neue Theaterpossen nach dem Leben. Der Strahlower Fischzug. Die Damenschuhe im Theater. Berlin 1822.

Wallot, P., Das Reichstagsgebäude in Berlin. Nachdruck der Ausgabe des Cosmos Verlag für Kunst und Wissenschaft, Leipzig 1897/1913. Hg. vom Deutschen Bundestag, Referat Öffentlichkeitsarbeit. Bonn 1987.

Weber, H., DDR. Grundriß der Geschichte 1945–1990. Hannover 1991.

Weber, S., Geschichte der revolutionären Berliner Arbeiterbewegung 1919–1923. Berlin 1982.

Wehner, G., Geschichte der revolutionären Berliner Arbeiterbewegung 1939–1945. Berlin 1985.

Weigel, S., Flugschriftenliteratur 1848 in Berlin. Geschichte und Öffentlichkeit einer volkstümlichen Gattung. Stuttgart 1979.

Wernicke, K., Geschichte der revolutionären Berliner Arbeiterbewegung 1830–1849. Berlin 1978.

Wetzlaugk, U., Die Alliierten in Berlin (= Politologische Studien. Bd. 33). Berlin 1988.

Winter, E., Die tschechische und slowakische Emigration in Deutschland im 18. Jahrhundert. Berlin 1955.

Witkowski, T., Lanke als Reliktwort und als Name. In: Forschungen zur slawischen und deutschen Namenkunde. Hg. von T. Witkowski. Berlin 1971.

Wolf, S. A., Wörterbuch des Rotwelschen. Mannheim 1956.

Wörterbuch der deutschen Aussprache. Hg. unter der Leitung von H. Krech. Leipzig 1964.
Wörterbuch der deutschen Gegenwartssprache. Hg. von R. Klappenbach u. W. Steinitz. Bd. 1-6, Berlin 1964-1977.

Zille, H. s. Ostwald, H.
Zimm, A., Die Entwicklung des Industriestandortes Berlin. Berlin 1959.
Zimmermann, C. W., Die Diebe in Berlin. 2 Bde. 1847 (Nachdruck 1979).
750 Jahre Berlin. Thesen. In: Zeitschrift für Geschichtswissenschaft, 34. Jg. (1986), S. 315-352.

Bildnachweis

Die freundliche Genehmigung zur Reproduktion der Fotos erteilten:

Domarchiv Brandenburg 3, 4
Märkisches Museum Berlin 10, 11, 12, 13, 14, 15, 16, 17, 18
Landesarchiv Berlin (Stadtarchiv), Handschriftensammlung, HS1 19

Aus Büchern und Zeitschriften:

Berliner Heimat 1960 9
Die Slawen in Deutschland. Berlin 1970 8
R. Peesch, *Das Berliner Kinderspiel der Gegenwart.* Berlin 1957 25
W. Schneider, *Berlin. Eine Kulturgeschichte in Bildern und Dokumenten.* Leipzig und Weimar 1980 7
Zeitschrift für Archäologie 3, 1969 1, 2
Zeitschrift für Archäologie 17, 1983 5, 6
Zeitschrift für deutsche Philologie. Berlin 1975 27

Die Abbildungen 20–24 und 28 wurden nach dem *Deutschen Sprachatlas* bearbeitet von Helmut Schönfeld.